DICCIONARIO DE AUTORES IBEROAMERICANOS

Dirigido por
PEDRO SHIMOSE

MINISTERIO DE ASUNTOS EXTERIORES
DIRECCION GENERAL DE RELACIONES CULTURALES
INSTITUTO DE COOPERACION IBEROAMERICANA
MADRID

COLABORADORES

[H.C.]	Hortensia Campanella
[L.F.]	Luis Ferrer
[M.L.M.]	Mirian Lopes Moura
[J.P.]	Juan Peñate
[H.S.]	Horacio Salas
[C.T.]	Carlos Tirado
[M.V.]	Mário Ventura

INTRODUCCION

España no quiere definir su función, ni limitar sus contribuciones posibles, porque lo único que quiere, simplemente, es participar, convivir con vosotros, día a día.

...

En el mundo en que vivimos —configurado por los problemas a escala universal—, no cabría la desunión de una comunidad como la nuestra. Debemos estar unidos para convertir en realidad nuestras posibilidades de conjunto, lo que será la mejor forma de mantener la individualidad nacional y su virtualidad esencial.

JUAN CARLOS I
Cartagena de Indias, 12-X-1976

Al auspiciar el presente trabajo, nos ha guiado el interés de la Corona Española por participar en la formación y realización del ideal comunitario iberoamericano. El *Diccionario de Autores Iberoamericanos* responde a la necesidad de que todos los pueblos iberoamericanos empiecen a reconocerse entre sí, a través de sus escritores más ilustres.

También nos impulsó la urgencia de contar con un instrumento al servicio de aquellas personas interesadas —en estos tiempos de premura y especialización— en conocer, con eficacia y rapidez, datos concernientes a la vida y a la obra de escritores de nuestro ámbito comunitario. Este *Diccionario* es, pues, un manual de consulta. Nada más y nada menos.

No nos proponemos, por lo tanto, proporcionar una información exhaustiva, sino limitada. De este modo el *Diccionario de Autores Iberoamericanos* sólo registra nombres de escritores nacidos entre 1890 y 1939, cronología convencional e inflexible que evita, conscientemente, el enciclopedismo y la erudición, propios de una posible Historia de la Literatura Iberoamericana. La realización de una obra más ambiciosa será tarea del futuro.

No quisiéramos, sin embargo, dejar de mencionar nuestro pesar por ciertas omisiones inevitables, debidas a diferencias de uno, dos, cinco o seis años, a lo sumo. Por este motivo han quedado excluidos poetas tan significativos como la chilena *Gabriela Mistral,* Premio Nobel de Literatura 1945 (1889-1957), el brasileño *Manuel Bandeira* (1886-1968), el mexicano *Ramón López Velarde* (1888-1921), el portugués *Fernando Pessoa* (1888-1935) y el español de expresión catalana *Josep Carner* (1884-1970).

También lamentamos la exclusión de escritores tan influyentes como el español *Ramón Gómez de la Serna* (1888-1963), el mexicano *Alfonso Reyes* (1889-1959) y el dominicano *Pedro Henríquez Ureña* (1884-1946), y de novelistas de la talla del colombiano *José Eustasio Rivera* (1889-1928), el venezolano *Rómulo Gallegos* (1884-1969), el argentino *Ricardo Güiraldes* (1886-1927) y el español de expresión gallega *Ramón Otero Pedrayo* (1888-1976). Incluirlos en este *Diccionario* habría sido un acto de justicia, pero nos habría llevado a ampliar, hasta límites imprevisibles, este trabajo a todas luces menos ambicioso.

Porque nos sentimos consubstancializados con Portugal y Brasil, hemos considerado oportuno integrar a los escritores portugueses y brasileños. A Portugal nos une un pasado histórico común: Camões y Gil Vicente son también nuestros.

En resumen: en el *Diccionario de Autores Iberoamericanos* figuran autores españoles de expresión castellana, gallega, vascuence (euskera) y catalana; hispanoamericanos de diecinueve naciones, portugueses, brasileños y chicanos (escritores norteamericanos de origen mexicano).

El *Diccionario de Autores Iberoamericanos* constituye la cristalización de un vasto y sostenido esfuerzo por consolidar y potenciar nuestra identidad cultural. De manera permanente y esforzada, los escritores iberoamericanos han contribuido a dar forma y expresión a un *ethos,* es decir, a un carácter que, surgiendo de la vida colectiva iberoamericana, se ha ido manifestando en la obra individualizada de sus artistas y escritores. La lengua, nuestras lenguas —diversas y, sin embargo, vinculantes— han operado esta visión integradora.

Este *Diccionario* pone de manifiesto dicha realidad. En ello reside nuestra mayor satisfacción.

MANUEL DE PRADO Y COLON DE CARVAJAL
Presidente del Instituto de Cooperación Iberoamericana

AMARO GONZALEZ DE MESA
Director General de Relaciones Culturales
del Ministerio de Asuntos Exteriores

El Director del *Diccionario de Autores Iberoamericanos* expresa su gratitud a D. Amaro González de Mesa, Director General de Relaciones Culturales del Ministerio de Asuntos Exteriores de España, y a D. Manuel Prado y Colón de Carvajal, Presidente del Instituto de Cooperación Iberoamericana, por su apoyo incondicional a este trabajo. Asimismo, a D. Inocencio Félix Arias Llamas, Director General de la Oficina de Información Diplomática del mismo Ministerio, por su afortunada iniciativa: la idea original de este Diccionario le pertenece.

También desea señalar que sólo en un régimen democrático como el que vive España ha sido posible este Diccionario. Cree, sinceramente, que él refleja el clima de libertad y convivencia en el que hoy transcurre la vida de los españoles.

Agradece, finalmente, las orientaciones de sus amigos y la participación de sus colaboradores.

PEDRO SHIMOSE

9

A

A. Rubén (1920-1975).—Nombre literario de Rubén Alfredo Andresen Leitâo, novelista e historiador portugués. Licenciado en Historia y Filosofía por la Universidad de Coimbra, fue profesor en Lisboa y en el King's College de Londres. Fue director de Asuntos Culturales en 1975. Se une a la corriente del superrealismo portugués, si bien se mantuvo apartado de toda clase de definiciones.

OBRA PRINCIPAL: Ficción: *Caranguejo,* novela (1954); *Cores,* cuentos (1960); *A Torre de Barbela,* novela (1964), etc. Ensayos: *Cartas de Pedro V ao Conde de Lavradio* (1946); *D. Pedro V e Herculano* (1954); *Novos Documentos dos Arquivos de Windsor* (1958); *Cartas de D. Pedro V aos seus Contemporâneos* (1961). [M.V.]

ABELAIRA, Augusto (1926-   ).—Novelista portugués. Durante algunos años se dedicó a la enseñanza y fue director de las revistas "Seara Nova" y "Vida Mundial". Fue también presidente de la Asociación Portuguesa de Escritores. Integrado en la corriente evolucionista del neorrealismo, se revela con la novela *A cidade das Flores,* cuya acción, si bien constituía un retrato de su generación, se localizaba en Italia, como forma de escapar a la vigilancia de la censura previa entonces vigente. Recientemente conquistó el premio *"Cidade de Lisboa"* con la novela *Sem Tecto entre Ruinas.*

OBRA PRINCIPAL: *A Cidade das Flores* (1959); *Os Desertores* (1960); *A palavra é de Oiro,* teatro (1961); *O nariz de Cleópatra,* teatro (1962); *As Boas Intençôes* (1963); *Enseada Amena* (1966); *Bolor* (1968), *Quatro Paredes Nuas* (1972); *Sem Tecto entre Ruinas* (1979); *O Triunfo da Morte* (1981). [M.V.]

ABELLÁN, José Luis (1933-   ).—Ensayista español. Profesor numerario de la Universidad Complutense (Madrid). Profesor en la Universidad de Río Piedras de Puerto Rico (1961-1963) y de la

11

abreu gómez

Queen's University de Belfast, Irlanda (1963-1965). Director de la colección "Biblioteca de Pensamiento", de la Editorial Castalia. Premio de Ensayo "El Europeo", 1975. Vicerrector de la Universidad Complutense. Ha dirigido la monumental obra *El exilio español de 1939* en seis volúmenes, y ha publicado innovadores estudios en antologías y ediciones críticas. Premio Nacional de Literatura 1981.

OBRA PRINCIPAL: *Miguel de Unamuno a la luz de la psicología* (1964); *Ortega y Gasset en la filosofía española* (1966); *Filosofía española en América* (1967); *La cultura en España. Ensayos para un diagnóstico* (1971); *Mito y cultura* (1971); *La idea de América* (1972); *Sociología del 98* (1974); *La industria cultural en España* (1975); *El erasmismo español* (1976); *Fernando de Castro y el problema religioso de su tiempo* (1976); *El pensamiento español. De Séneca a Zubiri* (1977, en colaboración con Luis Martínez Gómez); *Panorama de la filosofía española actual. Una situación escandalosa* (1977); *Historia crítica del pensamiento español* (1979, 3 vols.). [P.S.]

ABREU GÓMEZ, Ermilo (1894-1971).–Escritor mexicano. Autor dramático, crítico literario, periodista, ensayista, profesor universitario. Miembro de la Academia Mexicana de la Lengua. En la literatura indigenista sobresale por su estilo transparente y lírico, con gran sentido de crítica social. *Tata lobo* representa una sátira lúcida del México de los años cuarenta. Su libro más célebre: *Héroes mayas.*

OBRA PRINCIPAL: *El Corcovado* (1924); *La vida del venerable Gregorio López* (1925); *Cuentos de Juan Pirulero* (1939); *Canek* (1940); *Héroes mayas* (1944); *Pirrimplín en la luna* (1942); *Tres nuevos cuentos de Juan Pirulero* (1944); *Quetzalcóatl, sueño y vigilia* (1947); *Naufragio de indios* (1951); *Leyendas mexicanas* (1951); *Tata lobo* (1952); *San Francisco* (1954); *Cosas de mi pueblo* (1957); *La conjura de Xinum* (1958); *Cuentos para contar junto al fuego* (1959); *Leyendas y consejas del antiguo Yucatán* (1961). **Teatro.** *La Xtabay* (1919); *Máscaras* (1921); *Humanidades* (1923); *Romance de reyes* (1926); *Pasos de comedia* (1926). [C.T.]

ACOSTA, Oscar (1933-   ).–Poeta hondureño. Ensayista, periodista, diplomático. Jefe del Departamento editorial de la Universidad Nacional Autónoma de Honduras. Director de la revista "Honduras Literaria" y de la revista "Extra". Jefe de Redacción y subdirector del diario "El Día". Premio Rubén Darío/Nicaragua, 1960. Premio Rafael Heliodoro Valle, 1960.

OBRA PRINCIPAL: **Poesía.** *Responso al cuerpo presente de*

José Trinidad Reyes (1955); *El arca* (1956); *Poesía menor* (1957); *Tiempo detenido* (1962); *Poesía* (1965); *Poesía* (1971); *Mi país* (1971). **Ensayo.** *Rafael Heliodoro Valle, vida y obra* (1964). **Antología.** *Antología del cuento hondureño* (1968, con Roberto Sosa); *Antología de la nueva poesía hondureña* (1967, con Roberto Sosa); [C.T.]

ADÁN, Martín (1908-   ).—Seudónimo de Rafael de la Fuente Benavides. Poeta y ensayista peruano de notable influencia en las nuevas promociones de poetas peruanos. Formado en la lectura de los clásicos españoles, la poesía de Adán se caracteriza por su rigor formal, su recreación del lenguaje cotidiano, su aspiración a lo trascendente y porque, sin gesticulaciones ni aspavientos, registra la dramática soledad del hombre contemporáneo. Fue colaborador de Mariátegui en la revista "Amauta". Premio Nacional de Poesía 1946 y 1961. Premio Nacional de Literatura 1975. Miembro de la Academia Peruana de la Lengua.

OBRA: **Prosa.** *La casa de cartón* (1928). **Poesía.** *La rosa de la espinela* (1939); *Travesía de extramares* (1950); *Escrito a ciegas* (1961); *La mano desasida* (1964); *Nuevas piedras para Machu Picchu* (1961); *La piedra absoluta* (1966); *Diario de poeta* (1975); *Obra poética/1928-1971* (1971); *Obra poética/1927-1971* (1976). [P.S.]

ADONIAS FILHO (1915-   ).—Nombre literario de Adonias de Aguiar Filho. Novelista, ensayista y crítico brasileño. Su obra sigue la corriente de los escritores católicos surgidos en la década de los 30. Su prosa se caracteriza por el carácter introspectivo y regionalista, teniendo como escenario la zona del cacao en Bahía. Miembro de la Academia Brasileña de Letras.

OBRA PRINCIPAL: **Novela.** *Os Servos da Morte* (1946); *Memórias do Lázaro* (1952); *Corpo Vivo* (1963); *O Forte* (1965); *Léguas da Promissao* (1968). **Ensayo y Crítica.** *Jornal de um Escritor* (1954); *Cornélio Pena* (1960); *O Bloqeio Cultural* (1964); *Modernos Ficcionistas Brasileiros I* (1958); *Modernos Ficcionistas Brasileiros II* (1965); *O Romance Brasileiro de 30* (1969). [M.L.M.]

ADOUM, Jorge Enrique (1923-   ).—Poeta, dramaturgo, novelista y crítico ecuatoriano. Pertenece al grupo Madrugada. Residió en Chile y fue secretario de Pablo Neruda. Director del departamento editorial de la Casa de la Cultura Ecuatoriana. Redactor adjunto de la edición española de "El Correo de la UNESCO". Premio Nacional de Poesía 1952. Premio Casa de las Américas/Poesía, 1960. "Poesía desnuda, ascética, desasida de la gloriosa frondosidad verbal dominante en la lírica ecuatoriana" (Benjamín Carrión). *Dios trajo la sombra* es "un ciclo de poemas que tratan de interpretar el espíritu americano desde sus orígenes. Tradujo a T.S. Eliot, entre otros poetas ingleses. Reside en París.

OBRA PRINCIPAL: **Poesía.** *Ecuador amargo* (1949); *Los cuadernos de la tierra* (1952); *Relatos del extranjero* (1953); *Dios trajo la sombra* (1960); *Eldorado y las ocupaciones nocturnas* (1961); *Yo me fui con tu nombre por la tierra* (1964); *Informe personal sobre la situación* (1973); *No son todos los que están* (1979). **Crítica.** *Poesía del siglo XX* (1957). **Novela.** *Entre Marx y una mujer desnuda* (1976). **Teatro.** *El sol bajo la pata los caballos* (1973); *La subida a los infiernos* (1977). [P.S.]

AGÜERO, Gilberto (1938-   ).—Dramaturgo venezolano. Primer premio del V Concurso literario de la Universidad de Zulia. Su teatro refleja los pequeños conflictos de la clase media venezolana.

OBRA PRINCIPAL: **Teatro.** *La pequeña Lulú* (1968); *Ciclón sobre los barcos de papel* (1969); *Amelia de segunda mano* (1970); *¿Quién aguanta el carácter de Elizabeth Taylor?* (1973). [P.S.]

AGUILERA MALTA, Demetrio (1909-1981).—Poeta, cuentista, novelista, dibujante, dramaturgo, periodista, cineasta, político y diplomático ecuatoriano. Pertenece al grupo de Guayaquil. Con Joaquín Gallegos Lara y Enrique Gil Gilbert publicó el libro de cuentos *Los que se van. Cuentos del cholo y del montuvio.* Su obra contribuyó a renovar la narrativa ecuatoriana y es uno de los más claros antecedentes de la nueva narrativa hispanoamericana.

Autodidacto, trabajó en diversos oficios. Estudiaba en España cuando estalló la Guerra Civil. Esta experiencia le inspiró dos libros: *¡Madrid!* y *España leal.* Residió en Chile y Brasil. Vive en México.

Su teatro denota la influencia de Marcel Pagnol y Eugene O'Neill. Su prosa es "plástica, colorida, casi lírica, y se presta maravillosamente para su tema selvático, místico, transido de superstición, de magia y de fatalismo ancestral". (Benjamín Carrión).

Admirador de la obra de Pérez Galdós, intenta escribir la saga hispanoamericana bajo el título común de *Episodios americanos.*

OBRA PRINCIPAL: **Novela.** *Don Goyo* (1933); *La isla virgen* (1942); *La caballeresa del sol* (1964); *El Quijote de El Dorado* (1964); *Un nuevo mar para el rey* (1964); *Siete lunas y siete serpientes* (1970); *El secuestro del general* (1973); *Jaguar* (1976); *Requiem para el diablo* (1978). **Poesía.** *Libro de los manglares. Sone-*

tos. **Reportaje**. *Panamá. Folk-lore* (1930); *Leticia* (1932); *C. Z. (Canal Zone). Los yanquis en Panamá* (1935); *¡Madrid! Reportaje novelado de una retaguardia heroica* (1937). **Teatro.** *España leal* (1938); *Lázaro* (1941); *No bastan los átomos* (1955); *Dientes blancos* (1955); *El tigre* (1956). [P. S.]

AGUIRRE, Francisca (1930-   ).—Poeta española. Poesía de acento romántico. La vida, la naturaleza y la historia son entrevistas por un Yo ensombrecido por el dolor y el miedo. Una "melancólica alegría" y una inevitable ternura matizan una obra estremecida por un temblor existencial. Premio Leopoldo Panero 1971. Premio Ciudad de Irún 1976.

OBRA PRINCIPAL: *Itaca* (1971); *Los trescientos escalones* (1977); *La otra música* (1978). [P.S.]

AGUIRRE, José María de (1896-1933).—Véase **Lizardi, Xabier de.**

AGUIRRE, Mirta (1912-1980).—Ensayista, poeta, periodista y abogado cubana. Doctorada en Leyes en 1941. Fue coeditora de "Gaceta del Caribe". Directora del Instituto de Literatura y Lingüística de la Academia de Ciencias de Cuba. Su obra poética fue alabada por Juan Ramón Jiménez. Su obra ensayística fue galardonada en varias ocasiones. Premio Justo de Lara 1947. Premio de la Secretaría de Obras Públicas de México, 1974.

OBRA PRINCIPAL: **Poesía.** *Canción antigua a Che Guevara* (1970); *Ayer de hoy* (1980. Selección de prosa y poesía). **Ensayo.** *Influencia de la mujer en Iberoamérica* (1947); *La obra narrativa de Cervantes* (1973); *El romanticismo de Rousseau a Victor Hugo* (1973); *Del encausto a la sangre: Sor Juana Inés de la Cruz* (1974); *La lírica castellana hasta los siglos de Oro* (1977). [P.S.]

AGUIRRE, Raúl Gustavo (1927-   ).—Poeta argentino. Ha sido uno de los animadores de los grupos de vanguardia de la década del cincuenta. Surgido con el invencionismo, fundó y dirigió la revista *Poesía Buenos Aires,* una de las más importantes publicaciones de su tipo aparecidas en lengua castellana durante esa época. Teorizador de la labor poética, es también traductor. El crítico Guillermo Ara ha dicho que Aguirre "desarticula el pensamiento, lo fragmenta o le inocula símbolos, pero sin entregarse a la dispersión ni al "collage" heteromorfo y ambiguo. La idea es siempre rectora". Es también autor de una monumental *suma* antológica de la poesía argentina.

agustí

OBRA PRINCIPAL: **Poesía.** *El tiempo de la rosa* (1945); *Cuerpo del horizonte* (1951); *La danza nupcial* (1954); *Cuaderno de notas* (1957); *Redes y violencias* (1958); *Alguna memoria* (1960); *Señales de vida* (1962); *La piedra movediza* (1968); *El amor vencerá* (1971); *Asteroides* (1978). [H.S.]

AGUSTÍ, Ignacio (1913-1974).—Novelista, poeta, ensayista y periodista español. Con su pentalogía denominada *La ceniza fue árbol,* realiza la versión catalana de la guerra civil. Licenciado en Derecho. Corresponsal en Suiza del diario "La Vanguardia" (1942). Colaboró en la revista "Escorial". Premio Nacional de Literatura 1943. Premio Ciudad de Barcelona 1966.

Sus novelas —escritas con prosa de corte tradicional— relatan el ascenso de la burguesía de Barcelona, desde 1865 hasta los años 40. Hábil narrador, Agustí utiliza sus dotes líricas para adecuar su prosa al ritmo del relato.

OBRA PRINCIPAL: **Poesía.** *El velero* (1933). **Novela.** *La ceniza fue árbol:* 1. *Mariona Rebull* (1943); 2. *El viudo Rius* (1944); 3. *Desiderio* (1957); 4. *19 de julio* (1966); 5. *Guerra civil* (1972). **Ensayo.** Un siglo de Cataluña *(1940).* [P.S.]

ALBERTI, Rafael (1902-   ).—Poeta y dramaturgo español. Pertenece a la generación del 27. Cultiva el dibujo y las artes gráficas. Premio Nacional de Literatura 1925, compartido con Gerardo Diego. Vivió exiliado en París (1939-1940), Buenos Aires (1940-1964) y Roma (1964-1976). Regresó a España en 1976. Fue elegido diputado comunista por Cádiz (1977), pero renunció al escaño. Premio Lenin 1965. Poeta testimonial, su obra ha pasado por diferentes etapas: desde la canción tradicional hasta la sátira política, pasando por el neogongorino *Cal y canto* y el superrealista *Sobre los ángeles,* su mejor libro.

La poesía, concebida como arma de combate político, alcanza —con Alberti— altas cotas de calidad y efectividad. *El poeta en la calle, Entre el clavel y la espada* y *Roma, peligro para caminantes* representan esta tendencia de su poesía diversa y polifónica.

La nostalgia de España, el paisaje sudamericano y las meditaciones sobre pintura y pintores, nutren otra parcela del quehacer de Alberti. "Oscilando siempre entre lo irónico y lo desgarrado, entre lo popular y lo refinadamente aristocrático, es el virtuoso de la forma, capaz de realizar los más difíciles juegos (lingüísticos) con la mayor espontaneidad". Su poesía exquisita o violenta, escrita con gran maestría, se funda en una sabia asimilación de la tradición poética: Gil Vicente, Garcilaso, Góngora, Lope y Quevedo.

Como dramaturgo, es autor de *Noche de guerra en el Museo del Prado*, una de las piezas clave del teatro español contemporáneo. También ha realizado adaptaciones de *Numancia*, de Cervantes, y *La lozana andaluza*, de Francisco Delicado.

OBRA PRINCIPAL: **Poesía.** *Marinero en tierra* (1925); *La amante* (1925); *El alba del alhelí* (1927); *Cal y canto* (1929); *Sobre los ángeles* (1929); *Sermones y moradas* (1930); *El poeta en la calle* (1936); *Entre el clavel y la espada* (1941); *Pleamar* (1944); *A la pintura* (1945); *Coplas de Juan Panadero* (1949); *Retornos de lo vivo lejano* (1952); *Ora marítima* (1953); *Baladas y canciones del Paraná* (1954); *Roma, peligro para caminantes* (1968); *Los ocho nombres de Picasso* (1970); *Canciones del alto valle del Aniene y otros versos y prosas* (1972). **Teatro.** *El hombre deshabitado* (1930); *Fermín Galán* (1931); *El adefesio* (1944); *El trébol florido* (1950); *La gallarda* (1950); *Noche de guerra en el Museo del Prado* (1956). **Prosa.** *La arboleda perdida* (1959. Memorias); *Prosas encontradas. 1924-1942* (1970); *Primera imagen de... 1940-1944; Prosas* (1980). [P.S.]

ALCINA, José Arturo (1897-   ).—Dramaturgo paraguayo nacido en la Argentina. Es considerado el mejor autor dramático de la década de los veinte. Su obra ha recibido la influencia, en alguna medida, de Ibsen y Pirandello.

OBRA PRINCIPAL: **Teatro.** *La marca del fuego* (1926); *Flor de estero* (1926); *Evangelista* (1926); *El derecho de nacer* (1927). [L.F.]

ALDECOA, Ignacio (1925-1969).—Narrador y poeta español. Pertenece a la generación del 50. Colaboró en "Clavileño", "Ateneo", "Correo Literario" y "El Español". Prosista sobrio, preciso, con destellos líricos y tendencia al realismo mítico. Su obra narrativa tiene una notable afinidad con la de los neorrealistas italianos, especialmente Pavese y Sciascia. Aldecoa tendía a afirmar la realidad mediante "iluminaciones", al estilo del español Tomás Borrás y del mexicano Juan Rulfo, autores reverenciados por él. Premio Juventud 1953. Premio de la Crítica 1957.

OBRA PRINCIPAL: **Novela.** *El fulgor y la sangre* (1954); *Con el viento solano* (1956); *Gran Sol* (1957); *Parte de una historia* (1967). **Relato.** *Vísperas del silencio* (1955); *Espera de tercera clase* (1955); *El corazón y otros frutos amargos* (1959); *Caballo de pica* (1961);

alegre

Arqueología (1962); *Neutral córner* (1962); *Los pájaros de Baden-Baden* (1965); *Pájaros y espantapájaros* (1963); *Cuentos completos* (1973). **Poesía.** *Todavía la vida* (1947); *Libro de las algas* (1949). **Crónicas.** *Cuaderno de Godo* (1961); *El país vasco* (1962). [P.S.]

ALEGRE, Manuel (1937-   ).—Poeta portugués. Después de asistir a la Facultad de Derecho en Coimbra, se destacó en los movimientos estudiantiles contra el régimen de Salazar y contra la guerra colonial, de la que desertó en 1964, exiliándose en París. Elegido miembro del Frente Patriótico de Liberación Nacional, pasa a residir en Argelia. Miembro del Gobierno después del 25 de abril de 1974. Su obra procede del movimiento neorrealista.

OBRA PRINCIPAL: **Poesía:** *Praça da Canção* (1965); *O Canto e as Armas* (1967); *Un Barco para Itaca* (1971); *Letras* (1974); *Coisa Amar (Coisas do Mar)* (1976). [M.V.]

ALEGRÍA, Ciro (1909-1967).—Narrador, ensayista y político peruano. En su juventud militó en el APRA (Alianza Popular Revolucionaria Americana), partido fundado en 1924 por Víctor Raúl Haya de la Torre, al cual renunció en 1948. Padeció cárcel, destierro, pobreza y enfermedades. En 1963 fue elegido diputado por el Partido de Acción Popular.

Su preocupación social y su amor a los desvalidos y marginados le llevaron a escribir una obra de gran dignidad artística y alto valor testimonial. *El mundo es ancho y ajeno* es –según Vargas Llosa– "el punto de partida de la literatura narrativa moderna peruana y su autor, nuestro primer novelista clásico".

OBRA: **Novela.** *La serpiente de oro* (1935); *Los perros hambrientos* (1938); *El mundo es ancho y ajeno* (1941); *Duelo de caballeros* (1963); *Lázaro* (1973). **Relato.** *La ofrenda de piedra* (1978); *El sol de los jaguares* (1979); *7 cuentos quirománticos* (1980). **Memoria.** *Mucha suerte con harto palo* (1976). **Ensayo.** *La revolución cubana. Un testimonio personal* (1973). **Obras completas.** *Novelas completas* (1959); *Muerte y resurrección de Ciro Alegría* (1969, 5 vols.). [P.S.]

ALEGRÍA, Claribel (1924-   ).—Poeta salvadoreña, nacida en Nicaragua. Licenciada en Filosofía y Letras en la Universidad George Washington. Premio Casa de las Américas 1978 por su libro de poemas *Sobrevivo.* En 1966 publicó en España su novela *Cenizas de Izalco,* escrita en colaboración con su esposo Darwin J. Flakoll. Actualmente vive en Dejà, Mallorca.

alegría

OBRA PRINCIPAL: **Poesía.** *Anillo de silencio* (1948); *Suite de amor, angustia y soledad* (1950); *Vigilias* (1953); *Acuario* (1955); *Huésped de mi tiempo* (1961); *Vía única* (1965); *Aprendizaje* (1970); *Pagaré a cobrar y otros poemas* (1973); *Sobrevivo* (1978). **Cuento.** *Tres cuentos* (1958). **Novela.** *Cenizas de Izalco* (1966). **Ensayo.** *La encrucijada salvadoreña* (1980, en col. con D. J. Flakoll). [C.T.]

ALEGRÍA, Fernando (1918-   ).—Narrador, ensayista, poeta y crítico literario chileno. Realizó estudios en Norteamérica. "Master of Arts" por la Universidad de Bowling Green, Ohio. Reside en Estados Unidos desde 1940. Profesor de Literatura hispanoamericana en la Universidad de Berkeley, California, de 1947 a 1967. Su obra, inicialmente neorrealista, se ha orientado hacia el realismo mágico, sobre todo a partir de su novela *Mañana los guerreros*. En varias ocasiones, Alegría ha dictado cursos en Santiago (1967) y Concepción. Su novela más célebre: *Caballo de copas*. Su obra crítica más divulgada: *Las fronteras del realismo. Literatura chilena del siglo XX*. Su poema más popular: *Viva Chile M.*

Beca Guggenheim 1947. Premio Atenea 1958. Miembro de la Junta de Directores de la "Revista Iberoamericana" (1967-1971). Durante el gobierno de la Unidad Popular desempeñó el cargo de Consejero de Asuntos Culturales de la Embajada de Chile en Washington, al cual renunció en 1973.

OBRA PRINCIPAL: **Poesía.** *Viva Chile M.../El decálogo de los pastores/Instrucciones para desnudar a la raza humana.* **Novela.** *Lautaro, joven libertador del Arauco* (1943); *Camaleón* (1950); *Caballo de copas* (1957); *Noches del cazador* (1961); *Mañana, los guerreros* (1965); *Los días contados* (1968); *Coral de guerra* (1979); *El paso de los gansos* (1980). **Cuento.** *El poeta que se volvió gusano y otras historias verídicas* (1956); *El cataclismo* (1960); *La maratón del palomo* (1968); *Los mejores cuentos de Fernando Alegría* (1968); *La venganza del general* (1969); *Amerika, Amerikka, Amerikkka* (1970). **Biografía.** *Recabarren* (1938. La 2a. edic. corregida y aumentada se titula *Como un árbol rojo* 1968); *Genio y figura de Gabriela Mistral* (1964). **Ensayo.** *Walt Whitman en Hispanoamérica* (1947); *Ensayo sobre cinco temas de Thomas Mann* (1949); *La poesía chilena* (1954); *Literatura y revolución* (1971). **Crítica.** *Breve historia de la novela hispanoamericana* (1959); *Las fronteras del realismo. Literatura chilena del siglo XX* (1962); *Novelistas contemporáneos hispanoamericanos* (1964). [P. S.]

aleixandre

ALEIXANDRE, Vicente (1898-   ).–Poeta español. Premio Nobel
1976. Miembro de la Real Academia Española. Pertenece a la
generación del 27. Si García Lorca es el poeta que habita la noche,
Cernuda habita el crepúsculo, Jorge Guillén, el medio día, y
Aleixandre, el alba. Su poesía es una permanente aspiración a la luz
y a la comunicación. La poesía –para Aleixandre– es una profunda
verdad comunicada.

Afín al romanticismo alemán y al superrealismo, su poesía, de
amplio registro sinfónico, exige una transformación de la sensibilidad
del lector.

La obra de Aleixandre se divide en tres grupos. En el primero, el
hombre –en pie sobre la tierra– expresa la fuerza telúrica. Por
debajo de todas las apariencias sensibles existe una sola sustancia
unificadora que el poeta llama "amor". El hombre es un ser fundido
al cosmos del que sustancialmente no se diferencia, pero vive
destruyéndose en la tensión odio-amor, vida-muerte. A este grupo
pertenecen libros como *Pasión de la tierra, La destrucción o el amor*
y *Sombra del paraíso*. *Pasión de la tierra* es un libro equiparable a
Poeta en Nueva York, de García Lorca, porque ambos están
influidos por los grandes maestros del superrealismo. Lautréamont,
sobre todo. *Sombra del paraíso* ejerció, desde su publicación en
1944, una decisiva influencia, junto con *Hijos de la ira,* de Dámaso
Alonso.

En el segundo grupo, Aleixandre ve "al poeta como expresión
de la difícil vida humana, de su quehacer valiente y doloroso". A él
pertenecen: *Historia del corazón, En un vasto dominio* y *Retratos
con nombre.*

En el tercer grupo, "el centro del poema se ha desplazado al
interior del hombre", tiende a ser el diálogo entre el sujeto que
conoce y el objeto conocido, entre el ser y la apariencia, entre la
mente y lo fenoménico. A este grupo pertenecen: *Poemas de la
consumación* y *Diálogos del conocimiento,* libros concebidos mediante "un falso estilo aforístico" y un plan dramático.

Premio Nacional de Literatura 1933. Premio de la Crítica 1969.

OBRA PRINCIPAL: *Ambito* (1928); *Espadas como labios*
(1932); *Pasión de la tierra* (1935); *La destrucción o el amor* (1935);
Sombra del paraíso (1944); *Mundo a solas* (1950); *Nacimiento
último* (1953); *Historia del corazón* (1954); *En un vasto dominio*
(1962); *Presencias* (1965); *Retratos con nombre* (1965); *Poemas
de la consumación* (1968); *Diálogos del conocimiento* (1974). **Prosa.**
Algunos caracteres de la nueva poesía española (1955); *Los
encuentros* (1958). [P.S.]

ALEMÁN, Vicente (1912-1971).—*Véase* **Barrera, Claudio.**

ALFARO, Oscar (1921-1963).—Nombre literario de Oscar González Alfaro. Poeta, cuentista, periodista y profesor boliviano. Escribió fábulas y poemas pedagógicos. Utilizó la copla para expresar temas bucólicos y políticos. Su poesía, sencilla y profunda, ha sido musicalizada por el compositor Nilo Soruco.
OBRA PRINCIPAL: **Poesía.** *Bajo el sol de Tarija* (1947); *Canciones de lluvia y tierra* (1948); *Alfabeto de estrellas* (1950); *Cien poemas para niños* (1955); *La escuela de fiesta* (1963); *La copla vivió. Poemas chapacos* (1966); *El circo de papel* (1970). **Cuento.** *Cuentos infantiles* (1955); *El sapo que quiso ser estrella* (1955); *La hija de la lluvia* (1955); *El cóndor que fundó un imperio* (1955); *El airampu* (1955); *Cuentos chapacos* (1963). [P.S.]

ALMADA-NEGREIROS, José Sobral de (1893-1970).—Novelista, poeta, ensayista, crítico de arte, dramaturgo, pintor. Fue uno de los talentos más ricos y diversificados del modernismo portugués. En 1917 colaboró en el "Portugal Futurista". En 1919 marcha a París, donde sigue cursos de pintura y se relaciona con escritores y pintores de vanguardia. Regresa a Portugal y colabora en las revistas "Athea" y "Contemporánea", y en 1927 se va a España, donde permanece hasta 1932.
OBRA PRINCIPAL: **Poesía:** *A Cena do Odio* (1915); *A Invenção do Día Claro* (1921), etc. **Ficción:** *K4 O Quadro Azul* (1917); *A Engomadeira* (1917); *Nome de Guerra* (1938), etc. **Teatro:** *Pierrot e Arlequim* (1924); *Deseja-se Mulher* (Madrid, 1928); *S.O.S.* (Madrid, 1929), etc. **Ensayos:** *Manifesto Anti-Dantas* (1915); *Arte e Política* (1935); *Fernando Pessoa, o Poeta Português* (1935); *Elogio da Ingenuidade ou as Desventuras da Esperteza Saloia* (1935), etc. [M.V.]

ALMARAZ PAZ, Sergio (1928-1968).—Ensayista y periodista boliviano. Pensador marxista. Estudió Derecho y Ciencias Políticas en la Universidad Mayor de San Andrés, de La Paz. A través de sus libros, Almaraz se propuso analizar y definir la estructura del poder en Bolivia. Su pensamiento es agudo, lúcido, claro, metódico y penetrante. No obstante abordar temas aridísimos, sus libros están escritos con amenidad y donosura. Su prosa es viva, seductora, elegante, precisa, de gran finura estilística. En numerosos artículos que aún permanecen diseminados en revistas especializadas, Almaraz Paz dejó constancia de su saber humanístico, pues abordó con igual

almeida

competencia asuntos sobre arte, literatura, sociología, historia y filosofía.

Director de las revistas "Praxis" y "Clarín Internacional". Premio Nacional de Ensayo 1961. Premio Municipal de Literatura y Ciencias, Cochabamba, 1966.

OBRA PRINCIPAL: **Ensayo.** *Petróleo en Bolivia* (1958); *El poder y la caída. El estaño en la historia de Bolivia* (1967); *Réquiem para una república* (1969). [P.S.]

ALMEIDA, Guilherme de (1890-1969).—Nombre literario de Guilherme de Andrade e Almeida. Poeta, traductor y periodista brasileño. Se inició en la línea parnasiana pero luego derivó hacia el simbolismo, corrientes a las cuales se mantuvo fiel durante toda su vida. Fue uno de los organizadores de la *Semana de Arte Moderno* celebrada en São Paulo, en febrero de 1922. De su obra, sólo se destacan dos ejemplos de adhesión al Modernismo: *Meu* y *Raça,* de sentido nacionalista. Miembro de la Academia Brasileña de Letras. Traductor de François Villon y Paul Geraldy.

OBRA PRINCIPAL: **Poesía.** *A Dança das Horas* (1919); *Livro de Horas de Sóror Dolorosa* (1920); *A Frauta que eu Perdi* (1924); *Meu* (1925); *Encantamento* (1939); *Raça* (1925); *Simplicidade* (1929); *Você* (1931); *Acaso* (1939); *Poesia Vária* (1947); *Toda a Poesia* (7 vols., 1955); *Camoniana* (1956); *Pequeno Cancionero* (1957). **Ensayo.** *O Sentimento Nacionalista na Poesia Brasileira e Ritmo Elemento de Expressão* (tese) (1926); *Nossa Bandeira e a Resistência Paulista* (1932); *O Meu Portugal* (1933). [M.L.M.]

ALONE (1891-   ).—Seudónimo de Hernán Díaz Arrieta. Miembro de la Academia Chilena de la Lengua y de la Academia Chilena de la Historia. Crítico, ensayista y novelista chileno. Ejerció la crítica literaria en los diarios "La Nación" y "El Mercurio", de Santiago. Admirador de Sainte-Beuve y Omer Emeth, su crítica impresionista, subjetiva, incisiva y grácil, erigió famas y nombres que el tiempo ha consolidado. Opuesto al objetivismo científico, "Alone" concibe la Historia de la literatura como "una galería de retratos personales".

OBRA PRINCIPAL: **Novela.** *La sombra inquieta* (1915). **Crítica.** *Panorama de la literatura chilena durante el siglo XX* (1931); *Historia personal de la literatura chilena* (1954). **Ensayo.** *Don Alberto Blest Gana* (1940); *Gabriela Mistral* (1946); *La tentación de morir* (1954); *Aprender a escribir* (1955?). [P.S.]

ALONSO, Dámaso (1898-   ).—Poeta, crítico literario y filólogo español. Pertenece a la generación del 27. Premio Miguel de Cervantes 1978. Director de la Real Academia de la Lengua y miembro de la Real Academia de la Historia. Licenciado en Derecho y Doctorado en Letras. Discípulo de Ramón Menéndez Pidal en el Centro de Estudios Históricos. Profesor invitado en universidades alemanas, inglesas y norteamericanas. Son famosos sus estudios sobre Góngora y San Juan de la Cruz.

De sólida formación humanística, ejerció su magisterio sobre tres generaciones de poetas, contribuyó al desarrollo de la crítica estilística y salvaguardó la escuela filosófica de su maestro Menéndez Pidal. Gracias a Dámaso Alonso, España es reputada, en la actualidad, como el país europeo donde se ha refugiado la ciencia filológica.

Su versión del *Retrato del artista adolescente*, de James Joyce, definió, en 1926, estilos y vocaciones. También ha traducido a G.M. Hopkins y T.S. Eliot. Su libro *Hijos de la ira*, publicado en 1944, influyó en el desarrollo de la poesía española.

Su obra poética es una obra unitaria de amplio registro. Ha abordado lo divino y lo humano, con absoluto dominio del metro tradicional y del versículo. En *Canciones a pito solo* es expresionista, satírico y experimentalista. Poeta de temperamento religioso y de cultura católica, no ha ignorado los problemas del hombre, sus temores y sus miserias, su feroz amor a la vida o su tristeza inextricable.

Premio Nacional de Literatura 1927. Premio Fastenrath 1943. Sus *Obras completas* (1972), constan, por ahora, de 5 volúmenes.

OBRA PRINCIPAL. **Poesía.** *Poemas puros. Poemillas de la ciudad* (1921); *El viento y el verso* (1925); *Oscura noticia* (1944); *Hijos de la ira* (1944); *Hombre y Dios* (1955); *Gozos de la vista* (1981). **Estudios.** *El lenguaje poético de Góngora* (1927); *Temas gongorinos* (1927); *La poesía de San Juan de la Cruz* (1944); *Ensayos sobre la poesía española* (1944); *Seis calas en la expresión literaria española* (1951). en col. con Carlos Bousoño); *Poetas españoles contemporáneos* (1952); *De los siglos oscuros al de Oro* (1958); *Góngora y el "Polifemo"* (1960); *Primavera temprana de la literatura europea* (1961); *Poesía española. Ensayo de métodos y límites estilísticos* (1967). [P.S.]

ALONSO, Rodolfo (1934-   ).—Poeta argentino. Vinculado al grupo de la revista *Poesía Buenos Aires,* elaboró desde su primer libro un tipo de poesía singular donde lo primordial es la síntesis, la búsqueda de la esencia de las palabras que lo acercan al hai-kai. El

alonso calvo

brasileño Carlos Drummond de Andrade ha definido la obra de Alonso: "Poesía que no usa de las palabras por la sensualidad que desprenden, sino por el silencio que concentran (y que) trata de expresar el máximo de valores en el mínimo de materia verbal, imponiéndose una concisión que llega a la mudez". Ha traducido al castellano —entre otros— a Fernando Pessoa, Cesare Pavese, Salvatore Quasimodo, Eugenio Montale, Dino Campana y Paul Valèry.

OBRA PRINCIPAL: *Salud o nada* (1954); *Buenos vientos* (1956); *El músico en la máquina* (1958); *Duro mundo* (1959); *El jardín de aclimatación* (1959); *Gran Bebé* (1960); *Entre dientes* (1963); *Hablar claro* (1964); *Relaciones* (1968); *Hago el amor* (1969); *Guitarrón* (1975); *Señora vida* (1979). [H.S.]

ALONSO CALVO, Miguel (1913-   ).—Véase **GARCIASOL, Ramón de.**

ALTOLAGUIRRE, Manuel (1905-1959).—Poeta y dramaturgo español. Pertenece a la generación del 27. Tipógrafo y editor. En Málaga fundó, con Emilio Prados, la revista "Litoral" (1927). Imprimió la revista "Caballo verde para la poesía" (1935-1936), fundada por Pablo Neruda. En 1932 publicó una *Antología de la poesía romántica española.* Realizó una excelente versión de *Adonais,* de Shelley. Escribió el guión de *Subida al cielo,* película de Buñuel. Murió en accidente de automóvil, en Burgos.

Temperamento romántico, su poesía elegíaca es un ensayo de la muerte, un intento por rescatar el tiempo perdido y recordar lo que ya sabemos. Se caracteriza por su delicadeza y musicalidad.

OBRA PRINCIPAL: **Poesía.** *Las islas invitadas y otros poemas* (1926); *Ejemplo* (1927); *Vida poética* (1930); *Un día* (1931); *Soledades juntas* (1931); *La lenta libertad* (1936); *Nube temporal* (1939); *Fin de un amor* (1949); *Poemas de América* (1955); *Poesías completas. 1926-1959* (1960). **Teatro.** *Amor de madre; Tiempo a vista de pájaro; Espacio interior.* **Biografía.** *Garcilaso de la Vega.* [P.S.]

ALVARADO DE RICORD, Elsie (1928-   ).—Poeta y ensayista panameña. Doctorada en Filología Románica en la Universidad Complutense de Madrid. Profesora de Lingüística en la Universidad de Panamá. Su poesía es delicada y sus ensayos estilísticos están sostenidos por una prosa sencilla y pulcra.

OBRA: **Poesía.** *Holocausto de Rosa* (1935); *Entre materia y sueño* (1966). **Ensayo.** *Estilo y densidad en la poesía de Ricardo J.*

Bermúdez (1960); *Escritores panameños contemporáneos* (1962); *La obra poética de Dámaso Alonso* (1964); *Aproximación a la obra poética de Ricardo Miró* (1972). [J.P.]

ÁLVAREZ, Carlos (1933-   ).—Poeta español. Testimonial, social, político, son calificativos que no agotan una definición de la poesía de Alvarez, "movida también por la experimentación, por la imaginación, y que se ha adentrado por las más escondidas cavidades de la existencia humana" (Emilio Miró).

OBRA: **Poesía.** *Escrito en las paredes* (1962); *Estos que son ahora poemas* (1969); *Tiempo de siega y otras yerbas* (1970); *Eclipse de mar* (1971); *Aullido de licántropo* (1975); *Versos de un tiempo sombrío* (1976); *Como la espuma lucha con la roca* (1976); *Poemas para un análisis* (1977); *La campana y el martillo pagan al caballo blanco* (1977); *Los poemas del bardo* (1977, recopilación). [P.S.]

ÁLVAREZ, Griselda (1918-   ).—Poeta mexicana. Maestra normalista. Cursó estudios de psicopatología. Fue directora general de Acción Social de la Secretaría de Educación Pública. Ha colaborado en las revistas "Ovaciones", "Excelsior" y "Novedades", entre otras.

Su libro *Desierta compañía* revela a una impecable sonetista, preocupada por descifrar el mundo y por expresar el sentimiento de la soledad.

OBRA PRINCIPAL: **Poesía.** *Cementerio de pájaros* (1956); *Dos cantos* (1959); *Desierta compañía* (1961); *Letanía erótica para la paz* (1963). [P.S.]

ÁLVAREZ BRAVO, Armando (1938-   ).—Ensayista y poeta cubano. Miembro de la redacción de la revista literaria "La Gaceta de Cuba", coeditor de la revista literaria "Unión" y jefe de redacción de la revista "L/L", del Instituto de Literatura y Lingüística de la Academia de Ciencias de Cuba. Profesor de Historia del Teatro en el Instituto Pedagógico Enrique José Varona (Universidad de La Habana). Ha traducido *El gran Gatsby,* de F. Scott Fitzgerald, y *Adiós a las armas,* de Ernest Hemingway, entre otros textos de autores norteamericanos y europeos. Se le considera el primer especialista en la obra literaria de José Lezama Lima. Miembro de la Academia Cubana de la Lengua. Premio de Poesía José Luis Gallego 1982. Reside, exiliado, en España.

OBRA PRINCIPAL: **Poesía.** *El azoro; Relaciones.* **Ensayo.** *Orbita de Lezama Lima.* **Crítica.** *Diccionario de la Literatura Cubana.* [P.S.]

alves redol

ALVES REDOL (1911-1969).—Novelista portugués. Fue el iniciador y creador más importante de la corriente neorrealista en Portugal. Autor de numerosas obras y traducido en varios idiomas, se convirtió en el inspirador de numerosos autores de ficción surgidos en las décadas del 40 y del 50. De origen social muy humilde, comenzó a trabajar muy pronto, marchándose a Angola a los 16 años. En 1930, ya de regreso, empezó a colaborar en la imprenta, y en 1939 publica *Gaibéus,* novela que la historiografía literaria consagra como la primera obra neorrealista portuguesa. Proclamando la función predominantemente documental, así como la intervención político-sociológica de la literatura, su obra gana progresivamente en calidad estilística y en profundidad psicológica, escribiendo un libro que hoy es considerado como una de las mejores novelas de la literatura portuguesa contemporánea: *O Barranco de Cegos.*

OBRA PRINCIPAL: *Gaibéus,* novela (1939); *Marés,* novela (1941); *Avieiros,* novela (1942); *Fanga,* novela (1943); *Anúncio,* novela (1945); *Porto Manso,* novela (1945); *Horizonte Cerrado,* novela (1949); *Os Homens e as Sombras,* novela (1951); *Vindima de Sangue,* novela (1953); *A Barca dos Sete Lemes,* novela (1958); *Uma Fenda na Muralha,* novela (1959); *Cavalo Espantado,* novela (1960); *O Barranco de Cegos,* novela (1961); *O Muro Branco,* novela (1965). [M.V.]

AMADO, Jorge (1912-   ).—Nombre literario de Jorge Amado de Faria. Novelista, periodista y político brasileño. Su vasta obra tiene como escenario su estado natal, Bahía. Notable fabulador, describe con pasión y lirismo el mundo de los marginados, pescadores y marineros bahianos. Su obra se desarrolla en varias fases: 1. Libros que representan la vida bahiana, rural y urbana *(Cacau, Suor);* 2. Predominio de las narraciones líricas de ambiente marino *(Jubiaba, Mar Morto, Capitaes de Areia);* 3. Conjunto de escritos de clara intencionalidad política *(O Cavaleiro de Esperança);* 4. Narraciones de tono épico que cuentan las luchas entre terratenientes y comerciantes de la región del cacao *(Terras do Sem Fim, São Jorge dos Ilhéus).* y 5. Crónicas de costumbres provincianas *(Gabriela, cravo e canela, Dona Flor e seus dois maridos, Tereza Batista cansada de guerra).*

La obra de Jorge Amado se inicia bajo el influjo de la literatura ideológica, pero, poco a poco, se va convirtiendo en el escritor de lo pintoresco, de las tradiciones y de la sensualidad romántica de la vida bahiana. Su obra ha sido vertida al español. Miembro de la Academia Brasileña de Letras.

OBRA PRINCIPAL: *O pais do carnaval* (1931); *Cacau* (1933); *Suor* (1934); *Jubiabá* (1935); *Mar morto* (1936); *Capitães de areia* (1937); *Vida de Luis Carlos Prestes, O Cavalheiro da Esperança* (1942); *Terras do Sem Fim* (1942); *São Jorge dos Ilhéus* (1944); *Seara vermelha* (1946); *Os subterrâneos da liberdade* (1952, 3 vols.); *Gabriela, cravo e canela* (1958); *Velhos marinheiros* (1961); *Dona Flor e seus dois maridos* (1967); *Tenda dos milagres* (1970); *Tereza Batista cansada de guerra* (1972); *Farda, fardão, camisola de dormir: fabula para acender uma esperança* (1979). [M.L.M.]

AMIGHETTI, Francisco (1907-   ).—Poeta costarricense. Prosista, grabador y pintor. Catedrático de pintura e historia del arte. Se dio a conocer publicando grabados de madera en *El Repertorio Americano*. Ha llevado su pintura a la calle, ornamentando murales, edificios públicos y privados. Premio "Magón" de cultura, 1970. Miembro de la Academia Costarricense de la Lengua.

OBRA PRINCIPAL: **Poesía.** *Poesía* (1936); *Francisco en Harlem* (1947); *Francisco y los caminos* (1963); *Francisco en Costa Rica* (1966). [C.T.]

AMOR, Guadalupe (1920-   ).—Poetisa y narradora mexicana. Poesía religiosa anclada en "la angustia de nuestra época, todo en un lenguaje directo y áspero, con un admirable sentido de las formas clásicas".

OBRA PRINCIPAL: **Poesía.** *Yo soy mi casa* (1946); *Puerta obstinada* (1947); *Círculo de angustia* (1948); *Polvo* (1949); *Más allá de lo obscuro* (1951); *Poesías completas* (1951); *Décimas a Dios* (1953); *Otro libro de amor* (1955); *Sirviéndole a Dios de hoguera* (1958); *Todos los siglos del mundo* (1959). **Novela.** *Yo soy mi casa* (1957). **Relato.** *Galería de títeres* (1959). [C.T.]

AMORIM, Enrique (1900-1960).—Poeta y narrador uruguayo. La suya fue una vida apasionada que buscó plasmarse a través de diversas vías de expresión: poesía, narrativa, cine, actividad política. Su vocación de poeta y narrador marcharon paralelas a lo largo de su vida. Sobresale en sus novelas. Su vigorosa conciencia de la injusticia social no resiente su obra, pues nunca condesciende al esquematismo. Sus vivencias rurales —más que las urbanas— asoman en su poesía.

OBRA PRINCIPAL: *Veinte años* (1920); *Amorim* (1923); *Tangarupá* (1925); *La carreta* (1930); *El paisano Aguilar* (1934);

anaya

El caballo y su sombra (1941); *Después del temporal* (1953); *Quiero* (1954); *Corral abierto* (1956); *La desembocadura* (1958); *Mi patria* (1960); *Eva Burgos* (1960). [H.C.]

ANAYA, Rudolfo A. (1937-   ).—Novelista y ensayista chicano, nacido en Nuevo Mexico (USA). Preocupado por las raíces históricas y por la identidad de su pueblo, amenazadas por la absorción y el consiguiente predominio de la cultura anglosajona, Anaya recrea, en sus novelas, mitos y anécdotas hispanomexicanas en un marco inequívocamente chicano. Anaya sostiene que la cultura chicana es diferente y tiene su propia identidad.

Sus obras se publican en inglés. Su novela más importante, *Bless me, Ultima,* narra la relación de una vieja curandera con un niño de siete años que debe empezar a desenvolverse fuera de su contexto natal, en la sociedad anglosajona.

OBRA PRINCIPAL: **Novela.** *Bless me, Ultima* (1972); *Hearth of Aztlan* (1975). **Ensayo.** *Occupied America: The chicano's struggle for liberation* (1972). [P.S.]

ANDERSON IMBERT, Enrique (1910-   ).—Ensayista y narrador argentino. Discípulo de Amado Alonso y Pedro Henríquez Ureña. Ha sido profesor de literatura iberoamericana en las universidades estadounidenses de Harvard y Michigan. Sus cuentos, casi sin excepción, se inscriben en una línea fantástica. Como ensayista, su labor ha tenido estrecha relación con sus actividades docentes, según puede advertirse en su obra más difundida: *Historia de la literatura hispanoamericana,* aparecida en 1954, y varias veces reeditada. Miembro de la Academia Argentina de Letras.

OBRA PRINCIPAL: **Narrativa.** *El grimorio* (1961); *El gato de Chesire* (1965); *La sandía y otros cuentos* (1969); *La locura juega al ajedrez* (1971); *La botella de Klein* (1975). **Ensayo.** *Historia de la literatura hispanoamericana* (1954); *La crítica literaria contemporánea* (1957); *Crítica interna* (1960); *Qué es la prosa* (1963); *Genio y figura de Sarmiento* (1967); *La originalidad de Rubén Darío* (1968); *El realismo mágico y otros ensayos* (1976); *Teoría del cuento* (1978); *La crítica literaria y sus métodos* (1979). [H.S.]

ANDRADE, Carlos Drummond de (1902-   ).—Poeta, cronista, ensayista, periodista y cuentista brasileño. Farmacéutico de profesión, tomó parte desde 1925 en el movimiento de renovación poética del *Modernismo.* Dirigió *A Revista* (1925), órgano del grupo de Minas Gerais. Inicialmente su poesía se caracteriza por la presentación de lo cotidiano de manera lírica y humorística. A partir del poema *Sentimento do Mundo* (1940), su poesía se torna comprometida con el hombre y el mundo, rebelándose contra la sociedad deshumanizada y tecnicista. De esta fase son sus poemas más importantes, además del ya citado arriba: *Máquina do Mundo, No Meio do Caminho, Rosa do Povo, A Bomba.* En una última fase el poeta sigue una línea de desencanto, de escepticismo y pesimismo, llegando a optar por la poesía-objeto. Su obra completa se ha publicado en un volumen titulado: *Poesía e prosa* (1979).

OBRA PRINCIPAL: **Poesía.** *Alguma Poesia* (1930); *Brejo das Almas* (1934); *Sentimento do Mundo* (1940); *A Rosa do Povo* (1945); *Claro Enigma* (1951); *Fazendeiro de Ar & Poesia Até Agora* (1953); *Lição de Coisas* (1962). **Cuentos.** *Confissoes de Minas* (1944); *Contos de Aprendiz* (1951); *A Bôlsa e a Vida* (1962); *Cadeira de Balanço* (1966). [M.L.M.]

ANDRADE, Eugenio de (1923-   ).—Poeta portugués. Natural de Fundâo, en la Beira Baixa, cursó estudios secundarios en su tierra natal y en Lisboa. En 1943 reside en los alrededores de Coimbra, donde traba relaciones de amistad con las más recientes revelaciones de la poesía portuguesa: Alfonso Duarte, Miguel Torga y Carlos de Oliveira. En 1946 regresa a Lisboa, donde permanece hasta 1950, a partir de esa fecha fija su residencia en Oporto, donde ejerce funciones de inspector de los Servicios Médico-Sociales. Poeta de una gran capacidad introspectiva al que no falta lirismo, su poesía más reciente se caracteriza por un acentuado realismo:

OBRA PRINCIPAL: *Adolescente* (1942); *As Mâos e os Frutos* (1948); *Os Amantes sem Dinheiro* (1950); *As Palavras Interditas* (1951); *Coração Do Día* (1958); *Os Afluentes do Silêncio* (1968); *Obscuro Domínio* (1971); *Variações sobre un Corpo* (1972); *Escrita da Terra e Outros Epitafios* (1974); *Liminar dos Passaros* (1976). [M.V.]

ANDRADE, Jorge (1922-   ).—Actor y dramaturgo brasileño. Su obra tiene como tema las transformaciones de la sociedad hacia el capitalismo industrial y los desajustes que ello provoca en cada uno de sus personajes, sea del campo o de la ciudad, pobres o ricos. Su obra más importante es *A Moratória,* que trata de la decadencia de la aristocracia cafetalera, bajo un punto de vista sociológico. Esta pieza da comienzo al teatro nacionalista brasileño.

OBRA PRINCIPAL: *Pedreira das Almas; Os Ossos do Barao; A Escada; A Moratória; Rastro Atrás; Vereda de Salvação* (llevada al cine por Anselmo Duarte, 1965). [M.L.M.]

ANDRADE, Mário de (1893-1945).—Nombre literario de Mário Raul de Morais Andrade. Poeta, novelista, cuentista, ensayista, erudito, folclorista, musicólogo y crítico brasileño. La figura más importante del *Movimiento Modernista* y de la *Semana de Arte Moderno*, celebrada en São Paulo, en febrero de 1922. Publica en 1922 su libro *Paulicéia Desvairada*, con el *Prefácio Interessantíssimo*, primer documento crítico del nuevo movimiento. *Macunaima, o herói sem nenhum caráter*, su novela más importante, según el propio autor sería "una sátira a la manera de ser brasileña y también al hombre universal contemporáneo". Influenció a todos los poetas posteriores. Son considerados de gran importancia sus estudios sobre música.

OBRA PRINCIPAL: **Poesía.** *Há uma Gôta de Sangue em Cada Poema* (1917); *Paulicéia Desvairada* (1922); *O Losango Cáqui* (1926); *Clá do Jaboti* (1927); *Remate de Males* (1930). **Novela.** *Amar, Verbo Intransitivo* (1927); *Macunaima, o herói sem nenhum carácter* (1928). **Cuentos.** *Primeiro Andar* (1926); *Belazarte* (1934). **Crítica y Ensayo.** *A Escrava que não é Isaura* (1925); *O Aleijadinho e Alvares de Azevedo* (1935); *O Movimiento Modernista* (1942); *O Baile das Quatro Artes* (1943); *Aspectos da Literatura Brasileira* (1943); *O Empalhador de Passarinho* (s.f.). **Crónicas.** *Os Filhos da Candinha* (1943). **Ensayos sobre la música brasileña.** *Compêndio de História da Música* (1929); *A Música e a Canção Populares no Brasil* (1936); *Música do Brasil* (1941); *Pequena História da Música* (1942). Además de numerosos trabajos sobre folclore. La obra completa de Mário de Andrade fue programada por el propio autor en veinte volúmenes, editados por la Editorial Livraria Martins, São Paulo, a partir de 1944. [M.L.M.]

ANDRADE, Oswald de (1890-1954).—Poeta, dramaturgo, periodista y novelista brasileño. Figura central del *Modernismo* y organizador de la *Semana de Arte Moderno*, celebrada en Saõ Paulo, en febrero de 1922. Influenciado por los futuristas europeos, fundó el *Movimiento Pau-Brasil* y años más tarde el *Movimiento Antropofágico*. Firmó el *Manifiesto Antropofágico*, que preconizaba el hombre natural, fuera de la sociedad, en su estado puro. Su libro más importante, *Memórias Sentimentais de João Miramar* (1924) realiza los principios presentados en *Pauicéia Desvairada* (1922), de Mário de Andrade.

OBRA PRINCIPAL: **Poesía.** *Pau-Brasil* (1925); *Poesias Reunidas* (1945). **Novela.** *Os Condenados* (1922); *Memórias Sentimentais de João Miramar* (1924); *Estrela de Absinto* (1927); *Serafim Ponte Grande* (1933); *A Escada Vermelha* (1934). **Ensayo.** *A Arcádia e a Inconfidência* (1945). **Teatro.** *O Homem e o Cavalo* (1934); *O Rei* *da Vela* (1937); *O Rei Floquinhos* (1953). **Memorias.** *Um Homem sem Profissão* (1954). [M.L.M.]

ANDRADE, Raúl (1905-   ).—Periodista, ensayista y dramaturgo ecuatoriano. Opositor a Velasco Ibarra, residió, exiliado, en México y Colombia. Sus crónicas periodísticas son fruto de una inteligencia penetrante, de un sabio dominio estilístico y de una cultura ecuménica. Colaboró en "El Tiempo" de Bogotá, y "Cuadernos", de París. Columnista de la revista "Vistazo", de Guayaquil. Residió en Madrid y Santiago de Chile.
OBRA PRINCIPAL: **Ensayo.** *Gobelinos de niebla* (1943); *El perfil de la quimera* (1951, segunda edic. ampliada de *Gobelinos de niebla*); *La internacional negra en Colombia y otros ensayos* (1954). **Teatro.** *Suburbio* (1931). **Crónica.** *Cocktail's, 1934-35* (1937). [P.S.]

ANDRADE RIVERA, Gustavo (1922-1974).—Dramaturgo colombiano. Licenciado en filosofía y letras y en comunicaciones agrarias, Andrade Rivera escribió también guiones de orientación agraria para radio y televisión.
OBRA PRINCIPAL: **Teatro.** *El hombre que vendía talento* (1959); *Historias para quitar el miedo* (1960); *Remington 22* (1961); *El camino* (1962); *Farsa de la intolerancia en una ciudad de provincia lejana y fanática que bien puede ser ésta* (1965); *Farsa para no dormir en el parque* (1967). [J.P.]

ANDRADE Y CORDERO, César (1904-   ).—Poeta, cuentista, crítico, periodista, abogado y maestro ecuatoriano. "Ha insuflado en su poesía llena de calidades preciosas, un vuelo de belleza nueva, emocional y artística. Deja correr por sus versos una rica savia de lirismo, sápido a esencias americanas, crispado de metáforas espléndidas..." (Augusto Arias).
OBRA PRINCIPAL: **Cuento.** *Barro de siglos* (1932). **Poesía.** *2 poemas de abril* (1939); *Mar abierto* (1941); *Presencia del puerto* (1942); *Ventana al horizonte. En algún punto de la tierra* (1942); *Ambato, caricia honda* (1945); *Oculto signo* (1952); *Bienvenida y epístola al pionero* (1953); *Las cúspides doradas* (1959). [P.S.]

ANDRESEN LEITÃO, Rubén Alfredo (1920-1975).—Véase A. **Rubén.**

andújar

ANDÚJAR, Manuel (1913-   ).—Narrador, autor teatral, poeta y
ensayista español. Escritor trasterrado. Se instaló en México después
de haber estado prisionero en el campo de concentración de
Saint-Cyprien. Con José Ramón Arana fundó la revista "Las
Españas", una de las más importantes publicaciones del exilio.
Trabajó en las editoriales Fondo de Cultura Económica y Joaquín
Mortiz. Actualmente trabaja en Alianza Editorial.

La obra novelística de Andújar pertenece al realismo crítico; en
ella se funden la experiencia personal con la crónica y el testimonio
histórico. Sus relatos, aparentemente naturalistas, describen aspectos
insólitos de la conducta humana y las relaciones sociales. Es célebre
su trilogía *Vísperas,* integrada por las novelas *Llanura, El vencido* y
El destino de Lázaro.

OBRA PRINCIPAL: **Novela.** *Cristal herido* (1945); *Llanura*
(1947); *El vencido* (1949); *El destino de Lázaro* (1959); *La sombra
del madero* (1968); *Historias de una historia* (1973). **Relato.**
Partiendo de la angustia (1944); *Los lugares vacíos* (1971); *La franja
luminosa* (1973); *Secretos augurios* (1981). **Teatro.** *El primer juicio
final/Los aniversarios/El sueño robado* (1962). **Poesía.** *La propia
imagen. Campana y cadena y otros poemas* (1974). **Ensayo.** *La
literatura catalana en el destierro* (1949). **Testimonio.** *Cartas son
cartas* (1968). [P.S.]

ANGUITA, Eduardo (1914-   ).—Poeta chileno. Autor, con Volodia Teitelboim, de la *Antología de poesía nueva,* hecha a imagen y
semejanza de la famosa *Antología* de Gerardo Diego. Su breve obra
requiere cierta iniciación en los misterios pitagóricos y en ciertas
filosofías orientales. Poesía de raigambre ontológica.

OBRA PRINCIPAL: **Poesía.** *Anguita* (1951); *El poliedro y el
mar* (1962); *Venus en el pudridero* (1967). [P.S.]

ANJOS, Ciro dos (1906-   ).—Nombre literario de Cyro Versiani
dos Anjos. Periodista, poeta, novelista y ensayista brasileño. Participó en el Movimiento Modernista en Minas Gerais. Su obra se inscribe
en la corriente introspectiva, de análisis psicológico y moral.

OBRA PRINCIPAL: **Novela.** *O Amanuense Belmiro* (1937);
Abdias (1945); *Montanha* (1956). **Ensayo.** *A Criação Literária*
(1954). **Poesía.** *Poemas Coronários* (1964). [M.L.M.]

ANTÔNIO, João (1937-   ).—Cuentista y ensayista brasileño. Plantea el problema del papel del escritor como profesional/trabajador,

comprometido integralmente con la realidad brasileña. Los marginales, los fuera de la ley y los individuos del submundo de los centros urbanos son los personajes principales de su obra. Es considerado el gran renovador del lenguaje literario, junto con Rubem Fonseca, por la utilización cuidadosa del habla coloquial en sus narrativas.

OBRA PRINCIPAL: **Cuento.** *Malagueta, Perus e Bacanaço* (1963); *Leão-de-Chácara* (1975); *Malhação do Judas Carioca* (1975); *Casa de Loucos* (1976); *Calvário e porres do pingente Afonso Henriques de Lima Barreto* (1970). **Ensayo.** *Corpo-a-corpo com a Vida* (1975, Prefacio de *Malhaçao do Judas Carioca*). [M.L.M.]

APPLEYARD, José Luis (1927-   ).—Poeta, cuentista, novelista y dramaturgo paraguayo. Miembro del grupo del 50. Doctor en Derecho y Ciencias Sociales. Miembro de la redacción de "La Tribuna", autor de unos renombrados monólogos bilingües que publica en el diario al que pertenece. Como novelista ha contribuido al ciclo de la literatura paraguaya del exilio con su *Imágenes sin tierra*.

Premio Municipal de Teatro (1961), por *Aquel 1811*. Premio de la Universidad Nacional por el poema "Tres motivos de don Carlos" (1963). Mención Especial de "La Tribuna" por *Imágenes sin tierra* (1965). Miembro de la Academia Paraguaya de Letras.

OBRA PRINCIPAL: **Poesía.** *Entonces era siempre* (1963); *El sauce permanece* (1963); *Tres motivos* (1965). **Teatro.** *Aquel 1811* (1961). **Novela.** *Imágenes sin tierra* (1965); **Artículos de prensa.** *Monólogos* (1980). [L.F.]

ARANGO, Gonzalo (1931-1976).—Escritor colombiano. Cuentista, dramaturgo, periodista, polemista, político. Principal animador del movimiento nadaísta, de tendencia iconoclasta, enfrentado a las tradiciones literarias y a los convencionalismos sociales. La influencia del suprarrealismo, del dadaísmo y del teatro del absurdo, por una parte, así como del existencialismo sartreano, por otra, se unen a la impronta del realismo poético y verista de Henry Miller y de la generación *beatnik* norteamericana.

Estudió Derecho, pero abandonó la carrera "por cierta inclinación a torcerlo todo", según sus propias palabras. Profesor de literatura, bibliotecario, crítico literario y guionista de televisión. Realizó una intensa labor periodística. En la revista "Cromos" firmó sus colaboraciones con el seudónimo de *Aliocha*. También publicó artículos en "El Tiempo", de Bogotá.

Como político apoyó al régimen del general Rojas Pinilla, pero luego se retractó. En uno de los muchos escándalos y tumultos

promovidos por los nadaístas, Arango fue detenido y encarcelado. Murió en un accidente automovilístico.
OBRA PRINCIPAL: **Prosa.** *Manifiesto nadaísta* (1958); *Prosas para leer en la silla eléctrica* (1966); *El oso y el colibrí* (1968); *Providencia* (1972); *Fuego en el altar* (1974). **Cuento.** *Sexo y saxofón* (1963). **Teatro.** *Nada bajo el cielo raso* (1960); *KH III* (1960); *La consagración de la nada* (1964); *Los ratones van al infierno* (1964). **Antología.** *Obra negra* (1974. Selección de J. Mario). [P.S.]

ARANGUREN, José Luis L[ópez] (1909-   ).—Ensayista español. Filósofo y pensador cristiano vinculado a la generación del 36. Doctor en Filosofía y Letras. Licenciado en Derecho. Profesor de las universidades de Madrid y de California. Afín al pensamiento de Xavier Zubiri y Eugenio D'Ors, Aranguren "une a la formación filosófica del profesional un dominio nada común de la teología... Es escritor de gran claridad expresiva y elegante prosa". Cultiva el artículo periodístico en los que aborda temas de actualidad cultural, política y sociológica.
Ha dedicado importantes estudios a la situación del catolicismo en el mundo contemporáneo y a sus relaciones con el protestantismo y con el marxismo. Son muy conocidos sus libros *Etica, La filosofía de Eugenio D'Ors* y *Catolicismo y protestantismo como formas de existencia.*
OBRA ENSAYISTICA: *Crítica y meditación* (1957); *La juventud europea y otros ensayos* (1961); *Experiencia de la vida* (1966); *El marxismo como moral* (1968); *La crisis del catolicismo* (1969); *Erotismo y liberación de la mujer* (1972); *El futuro de la Universidad y otras polémicas* (1973); *Entre España y América* (1974); *La cultura española y la cultura establecida* (1975); *Talante, juventud y moral* (1975); *Estudios literarios* (1976); *Contralectura del catolicismo* (1978); *La democracia establecida* (1979). [P.S.]

ARAUJO, Orlando (1928-   ).—Escritor venezolano. Cuentista, ensayista, economista, periodista, político. Economista, cursó estudios de post-graduado en la Universidad de Columbia, Nueva York. Profesor en la Universidad de Santa María y en las escuelas de Periodismo, Letras y Economía de la Universidad Central de Venezuela.
OBRA PRINCIPAL: **Cuento.** *Compañero de viaje* (1970); *Miguel Vicente, pata caliente* (1970). **Ensayo.** *Lengua y creación en la obra de Rómulo Gallegos* (1955); *Juan de Castellanos, el afán de*

expresión (1960); *La palabra estéril* (1965); *Operación Puerto Rico sobre Venezuela* (1967); *Venezuela violenta* (1968); *Situación industrial de Venezuela* (1969); *Narrativa venezolana contemporánea* (1972). [J.P.]

ARAY, Edmundo (1936-   ).—Escritor venezolano. Poeta, cuentista, ensayista y cineasta. Miembro del grupo "Sardio", junto con Guillermo Sucre y Luis García Morales. Expresa el absurdo y la alienación del hombre contemporáneo; a veces se pone de manifiesto el compromiso político. Vinculado a actividades cinematográficas, ha realizado la película *El rey del joropo*.
OBRA PRINCIPAL: **Poesía.** *Cambio de sol* (1968); *Cuerpo de astronauta, convecino al cielo* (1969); *Tierra roja, tierra negra* (1968). **Recopilación.** *Baje la cadena Allegro Jocoso Pero no Demasiado* (1972, recopilación de cuentos, poemas y ensayos). [J.P.]

ARBELÁEZ, J. Mario (1939-   ).—Véase **Jotamario.**

ARCE VALLADARES, Manuel José (1907-   ).—Poeta guatemalteco. Periodista, redactor de "El Liberal Progresista" y de otros diarios nacionales. Se dio a conocer como poeta publicando su primer libro en 1926.
OBRA PRINCIPAL: **Poesía.** *El dolor supremo* (1926); *Romances de barriada* (1938); *Romancero de Indias* (1943); *Estoria del arca abierta* (1947); *Introspección hispánica* (1954); *Los argonautas que vuelven* (1957). [C.T.]

ARCINIEGA, Rosa (1909-   ).—Novelista y ensayista peruana. Su obra "muestra el horror de la injusticia social: hambre, enfermedad, prostitución". Ha escrito novelas de intención política, con prosa sencilla, ágil, elíptica, muy próximas al reportaje y la crónica periodística.
OBRA PRINCIPAL: **Novela.** *Jaque mate* (1931); *Engranajes* (1931); *Mosko-strom* (1933). [P.S.]

ARCINIEGAS, Germán (1900-   ).—Escritor colombiano. Ensayista, novelista, periodista, diplomático, abogado. Director de "El Tiempo", de Bogotá, y de "Cuadernos", de París. Profesor de literatura y sociología en universidades de Colombia y Estados Unidos. Ministro de Educación. Miembro de la Academia Colombiana de la Lengua y de la Academia Colombiana de la Historia. Miembro del Consejo Superior del Instituto de Cooperación Iberoamericana.

Sus novelas son esquemáticas y rígidas porque en ellas predomina la reflexión sobre la imaginación. Como ensayista, Arciniegas luce las galas de su estilo pulcro, sostenido siempre por una inteligencia lúcida, con planteamientos originales y conocimientos eruditos. Su obra tiende a ordenar las bases de la cultura hispanoamericana y a señalar los aportes americanos a la civilización contemporánea.

Arciniegas —como Picón-Salas, Mañach, Uslar Pietri, Octavio Paz y Ernesto Sábato— ha enriquecido el género ensayístico en Hispanoamérica a través de sus aportaciones como historiador y estilista del idioma.

OBRA PRINCIPAL: **Novela.** *El estudiante de la mesa redonda* (1932. Ficción-ensayo); *En medio del camino de la vida* (1949). **Ensayo.** *América, tierra firme* (1937); *Los comuneros* (1938); *Los alemanes en la conquista de América* (1941); *El caballero de El Dorado* (1942); *Este pueblo de América* (1945); *En el país de los rascacielos y las zanahorias* (1945); *Biografía del Caribe* (1945); *El pensamiento de Andrés Bello* (1946); *América mágica* (1949, 2 vols.); *Entre la libertad y el miedo* (1952); *Amerigo y el Nuevo Mundo* (1955); *El continente de siete colores o Historia de la cultura en América Latina* (1965); *Nuevo Diario de Noé* (1969); *Nueva imagen del Caribe* (1970); *América en Europa* (1975); *El revés de la historia* (1980). [P.S.]

ARCOCHA, Juan (1927-   ).—Escritor cubano. Novelista, ensayista, periodista y abogado. En 1971 rompió públicamente con el régimen castrista al denunciar la prisión y tortura del poeta Heberto Padilla. Vive en Francia, en calidad de exiliado político. Su estilo literario está vinculado al *new journalism* norteamericano. En sus novelas se entrelazan la noticia, la interpretación ideológica, la historia y la crónica memorialista.

OBRA PRINCIPAL: **Novela.** *Los muertos andan solos* (1962); *Candle in the wind* (1968, inédita en español); *Por cuenta propia* (1971); *La bala perdida* (1973); *Operación viceversa* (1977). **Ensayo.** *Fidel Castro en Rompecabezas* (1973). [J.P.]

ARENAS, Braulio (1913-   ).—Poeta, novelista, ensayista y pintor chileno. Fundador de las revistas "Mandrágora" (1938-1941, 6 números) y "Leitmotiv" (1941-1943, 3 números), ejerció y sigue ejerciendo notable influencia en las jóvenes generaciones de poetas chilenos. Continuador de la experiencia superrealista, Arenas "emborracha la lengua y la hace andar, deshilachada y balbuciente, incapaz ya de comunicarse con nada ni con nadie" (E. Anderson Imbert).

OBRA PRINCIPAL: *El mundo y su doble* (1940); *La mujer mnemotécnica* (1941); *En el océano de nadie* (1952); *La gran vida* (1952); *Discurso del gran poder* (1952); *Poemas* (1960); *La casa fantasma* (1962); *Pequeña meditación al atardecer en un cementerio junto al mar* (1966); *En el mejor de los mundos* (1970. Antología poética); *Una mansión absolutamente espejo deambula insomne por una mansión absolutamente imagen* (1978). [P.S.]

ARESTI, Gabriel (1933-1975).—Poeta, dramaturgo y periodista español de expresión vascuence (euskera). Renovador de la poesía vasca e impulsor del *euskera batua* o vascuence unificado. Profesor mercantil, aprendió el vascuence de mayor y estudió la literatura popular vasca. Inició su carrera literaria en la revista "Euzko Gogoa", editada en Guatemala.

Según el crítico Antonio Arrúe, en la obra poética de Aresti se vislumbran influencias de Neruda, Vallejo, Blas de Otero, Nicolás Guillén y Alberti. Tradujo al vascuence a Nazim Hikmet, García Lorca y Castelao, entre otros. También es importante su obra lexicográfica y gramatical. En 1973 publicó *Hiztegi tipia,* un intento de diccionario enciclopédico vasco. Son relevantes sus trabajos de investigación sobre autores antiguos de la literatura vasca. Premio Alzaga 1961. Vivió y murió en Bilbao.

OBRA PRINCIPAL: **Poesía.** *Obra Guztiak Poemak* (1976, 2 vols. Edición bilingüe). **Teatro.** *Mugaldeko herrian eginiko tobera* (1961); *Justizia txistulari* (1965); *Etxe eberatseko seme galdua eta Maria Madalenaren seme santua* (1963); *Eta gure heriotzeko orduan* (1964). [P.S.]

ARÉVALO, Juan José (1904-).—Político y ensayista guatemalteco. Exiliado en Argentina en 1944. Ganó las elecciones presidenciales para el período 1945-1950. Realizó importantes reformas sociales. Se enfrentó a la United Fruit Company. Su política exterior se caracterizó por mantener una línea de independencia con respecto a Estados Unidos.

OBRA: **Ensayo.** *Guatemala, la democracia y el Imperio* (1954). [C.T.]

ARGUEDAS, José María (1911-1969).—Narrador, poeta y antropólogo peruano. Máximo exponente de la narrativa indigenista hispanoamericana. Arguedas habló primero quechua y, más tarde, crecido ya, aprendió el español. Su prosa está "poblada de vocablos fantasmas, de ligeros duendes que, al tocar las palabras, despertaron toda clase de mágicas reverberaciones... Arguedas es el representante máximo del nuevo realismo mágico hispanoamericano" (Fernando Alegría).

Arguedas interpretó en *Agua,* la vida de una aldea; en *Yawar fiesta,* la de una capital de provincia; en *Los ríos profundos,* la de un territorio humano y geográfico más vasto y complejo, y en *Todas las sangres,* la de un país: el Perú. *Todas las sangres* es "la más ambiciosa y lograda creación de Arguedas. Es como un mural caótico, como el fresco desatinado de un frenesí en que aparecen todas las sangres, todos los hombres, las clases, las razas, los oficios, las ambiciones, las tragedias, las alegrías, los crímenes, los amores, se destapa la marmita hirviente del Perú contemporáneo" (S. Salazar Bondy).

El sexto es un libro autobiográfico. Un año de presidio por sus ideas políticas, en un penal limeño, le inspiró esta novela.

Agobiado por insomnios y fatigas, casi ciego, se suicidó.

OBRA PRINCIPAL: **Poesía**. *Canto quechwa* (1938); *Runa yupay* (1939). **Cuento**. *Agua. Los escoleros. Warma Kuyay* (1935); *Amor mundo y otros relatos* (1967); *El forastero y otros cuentos* (1972). **Novela**. *Yawar fiesta* (1941); *Los ríos profundos* (1958); *El sexto* (1961); *Todas las sangres* (1964); *El zorro de arriba y el zorro de abajo* (1972). **Textos**. *Formación de una cultura nacional indoamericana* (1975); *Señores e indios. Acerca de la cultura quechua* (1976). [P.S.]

ARGUETA, Manlio (1936-   ).—Poeta y novelista salvadoreño. Cofundador del Círculo Literario Universitario con Roque Dalton. Premio Rubén Darío 1968. Premio Centroamericano de Poesía 1969. Director de la Editorial Universitaria Centroamericana (EDUCA). En la actualidad es profesor de literatura en la Universidad de Costa Rica. Premio Casa de las Américas 1977.

OBRA PRINCIPAL: **Poesía**. *El costado de luz* (1968); *Poemas* (1966); *El animal entre las patas* (1967). **Novela**. *El valle de las hamacas* (1969); *Caperucita en la zona roja* (1978). [C.T.]

ARIAS, Abelardo (1918-   ).—Narrador argentino, autor también de libros de viajes. Se inició en la literatura, en 1942, con la novela *Alamos talados.*

A los métodos del realismo de observación tradicional se unen elementos de filosofía existencial, de cuño heideggeriano (el reconocimiento del otro como parte del yo) y la inquietud ética propia de cierta novelística francesa de principios de siglo, con André Gide a la cabeza. Esta línea, que proviene de su primer libro, atraviesa el grueso de su obra y se prolonga en dos de sus mejores novelas: *El gran cobarde* (1956) y *Polvo y espanto* (1971).

OBRA PRINCIPAL: **Narrativa.** *Alamos talados* (1942); *El gran cobarde* (1956); *La vara de fuego* (1957); *Límite de clase* (1964); *Minotauroamor* (1966) y *Polvo y espanto* (1971). **Libros de viaje.** *París-Roma, de lo visto y lo tocado* (1954); *De lo tocado a lo gustado* (1956); *Viaje por mi sangre* ( ). [H.S.]

ARIAS SUÁREZ, **Eduardo (1897-1958).**—Narrador colombiano. Su costumbrismo está aderezado por un fino sentido del humor. Odontólogo, poeta, novelista, cuentista, periodista. Redactor de "El Tiempo", de Bogotá y corresponsal de este diario en Europa (España, Francia e Italia) de 1926 a 1929. Es uno de los maestros de la cuentística colombiana por su sentido de la síntesis y por su profunda ternura humana".

OBRA PRINCIPAL: **Novela.** *Envejecer* (1936); *Ortigas de pasión. Tres novelas breves* (1939). **Cuento.** *Cuentos espirituales* (1929). [J.P.]

ARIAS TRUJILLO, **Bernardo (1905-1939).**—Narrador colombiano. De origen modesto, su vocación literaria tuvo que enfrentarse al medio hostil y provinciano que le acosó y le combatió con crueldad. Pertenece a la generación de Mariano Azuela, Rómulo Gallegos y Ricardo Güiraldes. Como ellos, jerarquizó la novela regionalista. Su prosa impresionista, fuertemente influenciada por la técnica cinematográfica, emplea voces coloquiales y giros populares de auténtico lirismo. Su espíritu desolado y ardiente se consumió en el desorden y los estupefacientes. Como traductor realizó una no muy feliz versión de la *Balada de la cárcel de Reading,* de Oscar Wilde.

OBRA PRINCIPAL: **Novela.** *Risaralda. Película de negredumbre y vaquería, filmada en dos rollos y en lengua castellana* (1935). **Ensayo.** *Retablos bolivarianos* (s.a.); *Diccionario de emociones* (1938). **Artículos.** *En carne viva. Prosas políticas* (1936?). [P.S.]

ARLT, **Roberto (1900-1942).**—Narrador y dramaturgo argentino. Cuando comenzó su redescubrimiento, en 1955, la revista *Contorno* afirmó: "No se puede prescindir de la obra de Arlt si se quiere constituir un discurso crítico de y sobre la cultura argentina". A partir de ese momento la nueva crítica y los nuevos escritores comenzaron a considerarlo entre los tres o cuatro creadores —inventores— de la literatura argentina. Heredero de Dostoievsky, publicó su primer libro, *El juguete rabioso,* en 1926, visión desesperada de la realidad cotidiana del submundo de la mediocridad. Sus novelas *Los siete locos* y *Los lanzallamas* (sus títulos principales) son parodias y al mismo tiempo despiadadas críticas de la vida argentina de fines de la década de los veinte. A través de cada uno de sus personajes desfilan la política, la sociología y la psicología de los habitantes de Buenos Aires y por extensión de ciertos problemas del hombre medio de todas las grandes ciudades del continente latinoamericano. Pedro Orgambide ha escrito sobre estas obras: "Las miserias, humillaciones, temores e hipocresías del pequeño burgués, son descubiertas con agudeza, mostradas en gran detalle, lindante con lo grostesco". Por su parte, Juan Carlos Onetti ha dicho: "El tema de Arlt era el del hombre desesperado, del hombre que sabe —o inventa— que sólo una delgada o invencible pared nos está separando a todos de la felicidad indudable", y agrega más adelante: "(Arlt es) un novelista que será mucho mayor de aquí pasen los años".

En la misma línea se estructuran su teatro y las crónicas periodísticas sobre la realidad, que fueron famosas en su tiempo, publicadas bajo el título de *Aguafuertes porteñas.* Viñetas sobre la realidad que denotan a un agudo y sarcástico observador, dueño de un humor triste, filosóficamente existencialista, aún antes de que Sartre publicara sus teorías.

OBRA PRINCIPAL: **Narrativa.** *El juguete rabioso* (1926); *Los siete locos* (1929); *Los lanzallamas* (1931); *El amor brujo* (1932), *El jorobadito* (1933). **Teatro.** *300 millones* (1932); *Saverio, el cruel* (1936); *El fabricante de fantasmas* (1936); *La isla desierta* (1938); *La fiesta del hierro* (1940); *El desierto entra en la ciudad* (1942). **Miscelánea.** *Aguafuertes porteñas* (1958); *Nuevas aguafuertes porteñas* (1960); *Aguafuertes españolas* (1971). [H.S.]

ARMANI, Horacio (1925-   ).—Poeta argentino. Según su propia definición, su temática se centra además de la nostalgia, en "un sentido existencial del vivir (quizá demasiado pesimista), la duda de Dios, la ingadación de lo argentino, la búsqueda de la salvación por el amor o la belleza".

OBRA PRINCIPAL: **Poesía.** *Esta luz donde habitas* (1952); *La música extremada* (1952); *Conocimiento de la alegría* (1955); *La vida de siempre* (1958); *Los días usurpados* (1964); *Poesía inminente* (1968); *Para vivir, para morir* (1969); *El gusto de la vida* (1974). [H.S.]

ARMAS ALFONZO, Alfredo (1921-   ).—Narrador venezolano. Novelista, cuentista, periodista. Fundador de la revista "Figuras" y director de la revista "Elite". Colaborador del diario "El Nacional". Premio Nacional de Literatura 1969. En su obra cuentística describe al hombre venezolano y su circunstancia social. Fue director del Instituto Nacional de Bellas Artes.

OBRA PRINCIPAL: **Cuento.** *Los cielos de la muerte* (1949); *La cresta del cangrejo* (1951); *Tramojo* (1953); *El único ojo de la noche* (1954); *Como el polvo* (1967); *Puerto Sucre, vía Cristóbal* (1967); *La parada de Maimós* (1969); *El osario de Dios* (1969). **Novela.** *El mar llegaba hasta la puerta* (19   ). [J.P.]

ARMIJO, Roberto (1937-   ).—Escritor salvadoreño. Poeta, dramaturgo, ensayista, periodista. Premio República de El Salvador 1965. Premio Rubén Darío/Nicaragua, 1966. Premio Centroamericano de Ensayo/Guatemala, 1967. Premio Centroamericano de Teatro, 1969.

OBRA PRINCIPAL: **Poesía.** *La noche ciega al corazón que canta* (1959); *Elegías* (1965); *La vigilia del ciego* (1966); *Fábula de una despedida* (1966); *Carne de sueño* (1967); *La edad de la cólera* (1968); *Homenaje y otros poemas* (1979). **Teatro.** *Jugando a la gallina ciega* (1970). **Ensayo.** *Francisco Gavidia, la odisea de su genio* (1965); *Eliot, el poeta más solitario del mundo contemporáneo* (1966); *Rubén Darío y su intuición del mundo* (1968). [C.T.]

ARRABAL, Fernando (1932-   ).—Dramaturgo, cineasta, narrador y poeta español. Fundador del teatro pánico. Afín al movimiento superralista y a los postulados dadaístas, se caracteriza por su exaltación del juego, la sátira, el símbolo, el erotismo y la crítica de los valores institucionalizados. Cercano al Quevedo de *Los sueños*, al Valle-Inclán de los esperpentos, a Kafka, a Hyeronimus Bosch y a los autores anónimos de las farsas medievales, Arrabal instrumenta la irracionalidad y el humor negro para expresar un mundo grotesco, violento y oprimido por los tabúes. Su actividad teatral se desarrolló en París. El editor Christian Bourgois, de París, ha publicado las *Obras completas* de Arrabal en nueve volúmenes.

Como cineasta ha realizado tres películas: *¡Viva la muerte!* , *El Amor es un potro desbocao* y *El árbol de Guernica*. Su obra ha merecido numerosos premios internacionales. Gran Premio de Teatro, París 1967. Premio del Humor Negro, París 1971. Premio OBY, New York 1975. Reside en París.

OBRA PRINCIPAL: **Teatro.** *El triciclo* (1958); *El cementerio* *de automóviles* (1958); *Los dos verdugos* (1958); *Oración* (1958); *Pic-nic en la campiña* (1959); *Ceremonia para un negro asesinado* (1960); *Orquestación teatral* (1960); *Fando y Lis* (1961); *La coronación* (1965); *El gran ceremonial* (1966); *El laberinto* (1967); *El arquitecto y el emperador de Asiria* (1967); *Guernica* (1968); *La aurora roja y negra* (1968); *Y esposaron a las flores* (1969); *El jardín de las delicias* (1969); *Bestialidad erótica* (1969); *Bella ciao* (1972). **Poesía.** *La piedra de la locura; Cien sonetos.* **Novela.** *Baal Babilonia; El entierro de la sardina; Fiestas y ritos de la confusión.* [P.S.]

ARRÁIZ, Antonio (1903-1962).–Narrador venezolano. Poeta, novelista, cuentista, ensayista, periodista, diplomático. Sobresale en el cultivo de una literatura a veces naturalista, pero ante todo testimonial. Dotado para la fabulación, Arráiz "es el poeta de la vida, de la protesta, de la exaltación, del entusiasmo, de la vida ruda del pueblo, de los campesinos, de los obreros, de los soldados; de la vida moderna también, del deporte, del progreso" (René L. F. Durand). El libro *Aspero*, de tema indigenista precolombino, inicia el proceso de renovación de la poesía venezolana. Sufrió siete años de prisión en las cárceles del dictador Juan Vicente Gómez.

OBRA PRINCIPAL: **Poesía.** *Aspero* (1924); *Parsimonia* (1938); *Cinco sinfonías* (1939). **Novela.** *Puros hombres* (1939); *El mar es como un potro* (1943); *Todos iban desorientados* (1944). **Cuento.** *Tío tigre y Tío conejo* (1945). [J.P.]

ARREGUI, Mario (1917-   ).–Narrador uruguayo. Cuentista por excelencia, alterna los temas urbanos y camperos, aunque es en este último ámbito donde ha desarrollado su mejor veta fantástico-realista.

OBRA PRINCIPAL: *Noche de San Juan y otros cuentos* (1956); *Hombres y caballos* (1960); *La sed y el agua* (1964); *Tres libros de cuentos* (1969); *El narrador* (1972); *La escoba de la bruja y otros cuentos* (1979). [H.C.]

ARREOLA, Juan José (1918-   ).–Escritor mexicano. Maestro del relato corto. Con un singular sentido del humor expresa la realidad absurda y grotesca de un mundo cruel y desolado. Autodidacto. Ha desempeñado más de veinte oficios y empleos diferentes: vendedor ambulante, periodista, mozo de cuerda, cobrador de banco, impresor, comediante, panadero, etc. Editó, con Antonio Alatorre, la revista "Pan" y con Rivas Sainz, la revista arroyo

"Eos". Becado por el Gobierno francés viajó a París, en 1945. Estudió con Louis Jouvet y Jean Louis Barrault. A su regreso fundó y dirigió la revista "Mester" y un taller literario. En su prosa, eminentemente poética, hay una combinación sabiamente elaborada de la cultura popular de tradición oral y los más prestigiosos textos de nuestra civilización. Según sus propias palabras, los principales fundadores de su estilo fueron Papini y Marcel Schwob, "junto con medio centenar de otros nombres más y menos ilustres", entre los cuales se cuentan Isaías, Góngora, Quevedo, Cervantes, Kafka, Claudel y Artaud. Según Emmanuel Carballo, "Arreola ha creado las imágenes y las metáforas más hermosas con que cuenta aquí el poema en prosa, la fábula y el cuento reducido a sus rasgos esenciales". Fue director de la Casa del Lago, de la UNAM. Miembro del Colegio de México. Premio del Instituto Nacional de Bellas Artes, INBA 1954, por su drama *La hora de todos*. Premio Xavier Villaurrutia 1963, por su novela *La feria*.

OBRA PRINCIPAL: **Novela**. *La feria* (1963). **Relato**. *Varia invención* (1949); *Confabulario* (1952); *Bestiario* (1959); *Confabulario total* (1962); *Palindroma* (1971); *Confabulario personal* (1980). **Teatro**. *La hora de todos* (1954). [P.S.]

ARRIVÍ, Francisco (1915-   ).—Escritor puertorriqueño. Dramaturgo, ensayista y poeta. Su obra teatral se inicia en la corriente del realismo social, tendencia que supera a través de una visión más poética de la realidad. Su trilogía *Máscaras puertorriqueñas* es la obra más lograda de Arriví y la que ha tenido mayor difusión fuera de su país. Está integrada por: 1) *Bolero y Plena,* conocida también como *El murciélago y Medusas en la bahía;* 2) *Vejigantes,* y 3) *Sirena.*

OBRA PRINCIPAL: **Teatro**. *El diablo se humaniza* (1940); *Alumbramiento* (1945); *María Soledad* (1947); *Caso de muerte en vida* (1951); *Club de solteros* (1953); *Bolero y Plena (El murciélago y Medusas en la bahía)* (1957); *Vejigantes* (1957); *Sirena* (1957); *Cóctel de Don Nadie* (1964). **Ensayo**. *Entrada por las raíces* (1964); *Areyto mayor* (1966); *Conciencia puertoriqueña del teatro contemporáneo* (1972). **Poesía**. *Fronteras* (1960); *Ciclo de lo ausente* (1962); *Escultor de la sombra* (1965); *En la tenue geografía* (1970). [P.S.]

ARROYO, Justo (1936-   ).—Novelista panameño. Realizó estudios de Literatura en Panamá, México y Nueva York. En 1971 y en 1972 obtuvo el Premio Nacional de Novela del Concurso Ricardo Miró. Dirige el Departamento de Letras del Instituto Nacional de

arrufat

Cultura y Deportes. Su obra, caracterizada por su realismo mágico, ha contribuido a la renovación de la narrativa panameña.

OBRA: **Novela.** *La Gayola* (1966); *Dedos* (1970); *Dejando atrás al hombre de celofán* (1972); *Capricornio en gris* (1974). [J.P.]

ARRUFAT, Antón (1935-   ).—Dramaturgo, poeta y narrador cubano. Trabajó como asesor literario de la Americas Publishing, de Nueva York. Residió largas temporadas en Europa. Perteneció a la redacción de "Lunes de Revolución", semanario que dirigía Carlos Franqui. Asesor de Teatro Estudio de La Habana. Su drama *Los siete contra Tebas* (Premio UNEAC 1968) originó polémicas por su carácter crítico. En colaboración con Fausto Masó realizó una antología de *Nuevos cuentistas cubanos* (1961).

OBRA: **Poesía.** *En claro* (19   ); *Repaso final* (19   ). **Teatro.** *El caso se investiga* (1957); *Todos los domingos* (1965); *Los siete contra Tebas* (1968). **Cuento.** *Mi antagonista y otras observaciones* (1964). [J.P.]

ARTECHE, Miguel (1926-   ).—Poeta y novelista chileno. Pertenece a la generación del 50. Estudios de letras y estilística en la Universidad de Madrid. Fue jefe del Archivo y Biblioteca del diario "El Mercurio". Premio de Poesía de la Municipalidad de Santiago, 1950. El poeta español Luis Cernuda influyó en sus primeras obras. Después derivó hacia una poesía de acento religioso y formas trabajadas y sometidas al rigor del pensamiento.

OBRA PRINCIPAL: **Poesía.** *La invitación al olvido* (1947); *El Sur dormido* (1950); *Solitario, mira hacia la ausencia* (1953); *Otro continente* (1957); *Destierro y tinieblas* (1963); *Resta poética* (1966). **Novela.** *La otra orilla* (1956). [P.S.]

ASTUDILLO, Rubén (1939-   ).—Poeta, periodista, abogado y profesor ecuatoriano. Pertenece a la generación del 60. Director del diario "El Mercurio" de Cuenca. Columnista de "El Tiempo" de Quito. Poeta de "metáfora audaz, bellamente expresiva" (Araujo Sánchez). A raíz de un viaje a Israel escribió un libro de tono testimonial y acento bíblico.

OBRA PRINCIPAL: **Poesía.** *Del crepúsculo* (1961); *Trébol sonámbulo* (1962); *Desterrados* (1963); *Canción para lobos* (1963); *El pozo y los paraisos* (1964); *Las elegías de la carne* (1968); *Diez al revés del tiempo* (1970). **Crónica.** *Este es el pueblo* (1973). [P.S.]

ASTURIAS, Miguel Angel (1899-1974).—Escritor guatemalteco. Narrador, poeta, dramaturgo, periodista, abogado, diplomático. Estudió en Francia con Georges Raynaud, de 1924 a 1936, bajo cuya dirección y en colaboración con el escritor mexicano J. M. González de Mendoza, traduce el *Popol Vuh*, libro sagrado de los indios quichés de Guatemala. Regresa a su país y contribuye a la fundación de la Universidad Popular. Desempeña funciones diplomáticas en representación del gobierno Arbenz; al caer éste, Asturias vive su destierro en Buenos Aires (1954-1965). Los últimos años de su existencia los pasó en Génova, París y Palma de Mallorca. Premio Lenin de la Paz 1966. Premio Nobel de Literatura 1967. Aunque *El señor presidente* siga siendo su libro más célebre, es *Hombre de maíz* el que mejor expresa el "realismo mágico", esa nueva forma de describir la naturaleza americana. Su conocimiento del mito indígena y el dominio del lenguaje le permitieron componer un mundo novelesco de intenso lirismo, de caudalosa fuerza épica y de vigoroso acento testimonial.

A pesar de su francofilia, Asturias rindió tributo a la cultura española a través de los cronistas de Indias (Bernal Díaz del Castillo y el Inca Garcilaso de la Vega), de poetas como Ercilla y Rafael Landívar, y de narradores contemporáneos como Valle-Inclán. La vida y la obra de Bartolomé de las Casas —otra de las personalidades apreciadas por Asturias— configuran su obra de teatro *La audiencia de los confines*.

Su obra de denuncia política se centra en la llamada "trilogía bananera", integrada por las novelas *Viento fuerte, El Papa verde* y *Los ojos de los enterrados*.

OBRA PRINCIPAL: **Poesía.** *Poesía. Sien de alondra* (1948); *Ejercicios poéticos en forma de soneto sobre temas de Horacio* (1952); *Clarivigilia primaveral* (1965). **Relato.** *Leyendas de Guatemala* (1930); *Week-end en Guatemala* (1956); *El espejo de Lida Sal* (1967). **Novela.** *El señor presidente* (1946); *Hombres de maíz* (1949); *Viento fuerte* (1950); *El Papa verde* (1954); *Los ojos de los enterrados* (1960); *El alhajadito* (1961); *Mulata de tal* (1963); *Viernes de dolores* (1972). **Teatro.** *Soluna* (1957); *La audiencia de los confines* (1957); *Chantaje* (1964); *Dique seco* (1964); *El rey de la altanería* (1964). **Ensayo.** *Latinoamérica y otros ensayos* (1968); *América, fábula de fábulas y otros ensayos* (1972). [P.S.]

AUB, Max (1903-1972).—Narrador, dramaturgo y poeta español, nacido en París, de padre alemán. Al finalizar la Guerra Civil emigró a Francia; allí fue recluido en campos de concentración. En 1942 se instaló en México, donde vivió hasta su muerte.

ávila echazú

Fecundo e imaginativo escritor testimonial. Su experiencia, su ingenio y su sólida cultura fundamentan su vasta obra literaria. Su teatro de concepción histórico-social constituye, según el crítico Ricardo Doménech, la epopeya del hombre de nuestro tiempo, que ha vivido y padecido la guerra, los campos de concentración, la persecución, el exilio, la guerra fría, y el terror científicamente organizado. En 1968 escribió la pieza *El cerco*, una elegía dramática a la muerte del Ché Guevara.

Aub otorgó al libro su valor semiótico y publicó, alrededor de 1964, su novela *Juego de cartas*, cuyo sentido va más allá del texto: el libro es un estuche de naipes.

Sus novelas más representativas son *Jusep Torres Campalans*, biografía ficticia de un pintor contemporáneo de Picasso, y los seis *Campos...* que el crítico Ignacio Soldevila Durante ha agrupado bajo el sugerente título de "El laberinto mágico".

OBRA PRINCIPAL: **Poesía**. *Diario de Djelfa* (1944). **Relato**. *No son cuentos* (1944); *Cuentos mexicanos* (1959); *La verdadera historia de la muerte de Francisco Franco* (1960); **Testimonio**. *La gallina ciega* (1971). **Teatro**. *Narciso; Espejo de avaricia; Jácara del avaro; El desconfiado prodigioso; Morir por cerrar los ojos; San Juan; La vida conyugal; El rapto de Europa; Cara y cruz; Las vueltas; No; Deseada; Obras en un acto; El cerco*. **Novela**. *Luis Alvarez Petreña* (1934); *El laberinto mágico* (*Campo cerrado*, 1943; *Campo de sangre*,1945; *Campo abierto*, 1951; *Campo del moro*, 1963; *Campo francés*, 1965; *Campo de almendros*,1968); *Las buenas intenciones* (1954); *Jusep Torres Campalans* (1958); *La calle de Valverde* (1961); *Juego de cartas* (1964?). [P.S.]

ÁVILA ECHAZÚ, Edgar (1930-   ).—Ensayista, poeta, crítico y pintor boliviano. Director de la Escuela de Bellas Artes de Tarija. Encargado del Departamento de Publicaciones y de investigaciones folclóricas. Ha realizado exposiciones pictóricas en Bolivia, Argentina, Italia y España.

OBRA PUBLICADA: **Ensayo**. *Revolución y cultura en Bolivia* (1953); *Resumen de la literatura boliviana* (1964); *Resumen y antología de la literatura boliviana* (1974); *Literatura prehispánica y colonial en Bolivia* (1974); *Historia y antología de la literatura boliviana* (1978). **Poesía**. *Domingo exasperado* (1964); *Memoria de la tierra* (1967); *En cautivos sueños encarcelada* (1968); *Mañana* (1968); *Elegía* (1978). [P.S.]

ÁVILA JIMÉNEZ, Antonio (1898-1965).—Poeta boliviano. Residió en Francia, Holanda, Bélgica e Italia. Su sólida cultura literaria y musical se refleja en su poesía de linaje mallarmeano. Su obra está fundada en una fina valoración de la reticencia. La desolación y el silencio, la bruma y el misterio constituyen las claves de su poesía delicada y sugerente. OBRA PRINCIPAL: **Poesía.** *Cronos* (1939); *Signo* (1942); *Las almas* (1950); *Poemas* (1957). [P.S.]

AVILÉS BLONDA, Máximo (1931-   ).—Poeta y dramaturgo dominicano. Doctor en Derecho y Filosofía y Letras por la Universidad Autónoma de Santo Domingo. Graduado en teatro en la Escuela de Arte Nacional. Actor y ayudante técnico. Ha sido director general de Bellas Artes, director del Teatro Universitario y catedrático en la Facultad de Humanidades. En 1957 publicó el libro de poemas *Trío*, en colaboración con Lupo Hernández Rueda y Rafael Valera Benítez. Su obra dramática es vanguardista en el planteamiento escénico y política en el planteamiento ideológico. Pertenece a la Generación del 48 o Generación Integradora. Avilés Blonda es el dramaturgo dominicano más conocido en el extranjero. OBRA PRINCIPAL: **Teatro.** *Las manos vacías* (1959); *La otra estrella en el cielo* (1963); *Yo, Bertolt Brecht* (1966); *Pirámide 179* (1968). **Poesía.** *Centro del mundo* (1952); *Ama de soledad* (1957); *Cantos a Helena. Centro del mundo* (1970). [J.P.]

AYALA, Francisco (1906-   ).—Narrador y ensayista español. Vinculado al grupo de Ortega y la "Revista de Occidente", puede adscribirse a la generación del 27. Profesor de Sociología y Derecho Político en universidades de Argentina, Puerto Rico y Estados Unidos. Vivió exiliado en Buenos Aires, donde fundó la revista "Realidad". Ha publicado varios textos y tratados de sociología y ciencias políticas. Ha traducido obras de Thomas Mann, Rilke y Moravia, entre otros.

Ensayista de tendencia liberal, maestro del relato, Francisco Ayala —entre el realismo y la psicología— ha construido un mundo narrativo caracterizado por el desencanto y el sarcasmo. Un larvado escepticismo y un realismo siempre crítico, le convierten en heredero de la tradición de grandes moralistas españoles como Gracián, Quevedo y, sobre todo, Cervantes.

Sus libros más conocidos: *Historia de macacos, Muertes de perro* y *Los usurpadores.*

azancot

OBRA PRINCIPAL: **Novela.** *Tragicomedia de un hombre sin espíritu* (1925); *Historia de un amanecer* (1926); *Muertes de perro* (1958); *El fondo del vaso* (1962). **Relato.** *El boxeador y el ángel* (1929); *Cazador en el alba* (1930); *El as de bastos* (1936); *La cabeza del cordero* (1949); *Los usurpadores* (1949); *Historia de macacos* (1955); *De raptos, violaciones y otras inconveniencias* (1966); *El jardín de las delicias* (1971). **Ensayo.** *Histrionismo y representación* (1944); *Los políticos* (1944); *Ensayo sobre la libertad* (1945); *El cine, arte y espectáculo* (1949); *La invención del Quijote* (1950); *El escritor en la sociedad de masas* (1956); *Tecnología y libertad* (1959); *Experiencia e invención* (1960); *Realidad y ensueño* (1963); *De este mundo y del otro* (1963); *El escritor y su imagen* (1975). [P.S.]

AZANCOT, Leopoldo (1935-).—Narrador, crítico literario, crítico de arte y periodista español. Colaboró en el diario "Informaciones" y en las revistas "La Estafeta Literaria" y "Gaceta del Arte". Forma parte del Consejo de Dirección de la revista "Nueva Estafeta". Preparó la edición crítica de la *Poesía*, de Eduardo Cirlot, y tradujo al poeta belga Víctor Segalen. Premio Reseña 1977. Premio Zakkurath 1977.
OBRA PRINCIPAL: **Novela.** *La novia judía* (1977); *Fátima, un destino de mujer* (1979); *Los amores prohibidos* (1980); *Ella, la loba* (1980); *La noche española* (1981). [P.S.]

AZAR, Héctor (1930-).—Dramaturgo mexicano. Ha dirigido teatro en Coapa, el Teatro de la Universidad Nacional, el Foro Isabelino del Centro Universitario de Teatro y el Espacio 15, de Coyoacán. Premio Xavier de Villaurrutia 1955 y 1958. Su obra combina elementos pertenecientes al teatro del absurdo con la tradición cultural mexicana. Ha realizado interesantes adaptaciones teatrales de obras de Fernández de Lizardi, Aristófanes, Quevedo y el Arcipreste de Hita.
OBRA PRINCIPAL: *Picaresca* (1958); *La Appassionata* (1959); *El alfarero* (1959); *El Periquillo Sarniento* (1962); *La paz* (1962); *Higiene de los placeres y de los dolores* (1968); *Juegos de escarnio* (1969); *Inmaculada* (1972). [P.S.]

AZOFEIFA, Isaac Felipe (1912-).—Poeta costarricense. Ensayista, crítico. Catedrático de la Universidad de Costa Rica. Diplomático. Premio República de El Salvador 1961. En dos ocasiones

Premio Nacional de Poesía (1964 y 1969). Miembro de la Academia Costarricense de la Lengua.

OBRA PRINCIPAL; **Poesía.** *Trunca unidad* (1958); *Vigilia en pie de muerte* (1961); *Canción* (1964); *Estaciones* (1967); *Días y territorios* (1969); *Poesía* (1972); *Cima del gozo. Pequeñas Odas* (1974). [C.T.]

AZUELA, Arturo (1938 –).—Novelista mexicano. Profesor de Matemáticas e Historia de la Ciencia en la Universidad Nacional Autónoma de México. Director de la "Revista de la Universidad de México". Premio Xavier Villaurrutia 1974. Premio Nacional de Novela 1978.

OBRA PRINCIPAL: **Novela.** *El tamaño del infierno* (1974); *Un tal José Salomé* (1975); *Manifestación de silencio* (1978). [P.S.]

B

BABÍN, María Teresa (1910-   ).—Escritora puertorriqueña. Ensayista y profesora universitaria. Fundó el primer Departamento de Estudios Puertorriqueños en los Estados Unidos. En sus estudios penetra en la personalidad cultural de Puerto Rico. Miembro de la Academia Puertorriqueña de la Lengua.
OBRA PRINCIPAL: **Crónica**. *Fantasía boricua, estampas de mi tierra* (1956). **Ensayo**. *Introducción a la cultura hispánica* (1949); *Panorama de la cultura puertorriqueña* (1958); *La situación de Puerto Rico* (1965); *La cultura de Puerto Rico* (1970); *The Puerto Rican's Spirit* (1971); *Borinquen. An anthology of Puerto Rican literature in English, with Stan Steiner* (1974). [J.P.]

BAEZA FLORES, Alberto (1914-   ).—Escritor chileno. Poeta, narrador, dramaturgo, ensayista y periodista. Pertenece a la generación de 1938. Ha publicado setenta títulos de poesía, novela, relatos, teatro, ensayos, memorias, crónicas de viaje e historia. Ha sido cofundador de las revistas "Expresión", "La Poesía Sorprendida" y "Acento". Colaboró en la revista "Cuadernos", de París. Premio Martí 1953. Premio Hernández Catá 1954. Premio Editorial Costa Rica 1977. Premio Caonabo de Oro 1980.
Espíritu viajero, temperamento romántico, escritor comprometido, poeta preocupado por el destino humano. Acucioso observador y agudo analista de la política hispanoamericana, Baeza Flores ha sido uno de los principales animadores del desarrollo cultural en Costa Rica, Cuba y República Dominicana. Reside en Madrid.
OBRA PRINCIPAL: **Poesía**. *Poesía en el tiempo* (1975); *Odiseo sin patria* (1975); *Poesía sucesiva* (1980); *Geografía interior* (1980); *Poeta en el Oriente Planetario* (1981). **Novela**. *La muerte en el paraíso* (1965); *La frontera del adiós* (1970); *El pan sobre las aguas* (1971). **Cuento**. *Caribe amargo* (1970); *Porque allí no habrá noche* (1972); *Pasadomañana* (1975). **Teatro**. *Tres piezas de teatro hacia*

51

balseiro

mañana (1974). **Ensayo.** *La poesía dominicana en el siglo XX* (1975); *Cuba, el laurel y la palma* (1977); *Evolución de la poesía costarricense. 1574-1977* (1978). **Biografía.** *Vida de José Martí, el hombre íntimo y el hombre público* (1954). [P.S.]

BALSEIRO, José Agustín (1900-   ).—Escritor puertorriqueño. Ensayista, poeta, novelista. Catedrático de Lenguas y Literaturas Romances en la Universidad de Illinois, Estados Unidos. Visitó con frecuencia España, en donde trabó amistad con personalidades como Unamuno, Gregorio Marañón y Menéndez Pidal. Alfonso Reyes prologó uno de sus libros de poesía. Humanista, hispanista, erudito. Los ensayos de Balseiro son integradores de una visión totalizadora de la cultura hispánica. Miembro de la Academia Puertorriqueña de la Lengua.

OBRA PRINCIPAL: **Ensayo.** *El vigía I* (1925); *El vigía II* (1928); *El vigía III* (1942); *Cuatro individualistas de España* (1949); *Expresión de Hispanoamérica* (1960); *Novelistas españoles modernos* (1963); *Seis estudios sobre Rubén Darío* (1967). **Poesía.** *Flores de primavera* (1919); *Al rumor de la fuente* (1922); *Las palomas de Eros* (1924); *La copa de Anacreonte* (1924); *Música cordial* (1926); *La pureza cautiva* (1946); *Saudades de Puerto Rico* (1957). **Novela.** *La ruta eterna* (1926); *En vela mientras el mundo duerme* (1953). [P.S.]

BALZA, José (1939-   ).—Narrador venezolano. Novelista, cuentista y crítico literario. Fundador del grupo "En Haa". Premio Municipal de Prosa 1966 por su novela *Marzo anterior.* Su obra refleja sus conocimientos de psicología. Es profesor de psicología en la Universidad de Oriente y en la Universidad Central de Venezuela, así como en la Escuela Normal Miguel Antonio Caro.

OBRA PRINCIPAL: **Novela.** *Marzo anterior* (1966); *Largo* (1968). **Cuento.** *Ejercicios narrativos* (1967); *Ordenes. Ejercicios narrativos 1962-1968* (1970). **Ensayo.** *Narrativa: instrumental y observaciones* (1969); *Proust* (1969). [J.P.]

BALLAGAS, Emilio (1910-1954).—Poeta cubano. Influido inicialmente por Mariano Brull es, "ante todo, un poeta introspectivo". Una de las grandes figuras de la poesía de tema negro. Sus últimos libros expresan un acentuado sentimiento religioso. Sus poemas más conocidos son: *Poema de la jícara, Para dormir a un negrito, María Belén Chacón.* Fue también notable ensayista.

baptista gumucio

OBRA PRINCIPAL: **Poesía.** *Júbilo y fuga* (1931); *Cuaderno de poesía negra* (1934); *Elegía sin nombre* (1936); *Nocturno y elegía* (1938); *Sabor eterno* (1939); *Nuestra Señora del Mar* (1943); *Obra poética de Emilio Ballagas* (1955. Se incluye su libro inédito *Cielo en rehenes).* **Ensayo.** *Pasión y muerte del futurismo* (1934); *La herencia viva de Tagore; Ronsard, ni más ni menos.* [J.P.]

BANDA FARFÁN, Raquel (1928-   ).—Narradora mexicana. Maestra rural. Licenciada en Letras en la Universidad Nacional Autónoma de México. Describe al campesino en su medio natural y en sus conflictos íntimos. La obra de Banda Farfán narra la transformación del medio rural, invadido por la civilización. Su libro *La tierra de los geranios,* es un conjunto de crónicas escritas a raíz de un viaje a Córdoba, España.
OBRA PRINCIPAL: **Novela.** *Valle verde* (1957); *Cuesta abajo* (1958). **Cuento.** *Escenas de la vida rural* (1953); *La cita* (1957); *Un pedazo de vida* (1959); *El secreto* (1960); *Amapola* (1964). **Crónicas.** *La tierra de los geranios* (1966). [P.S.]

BAÑUELOS, Juan (1930–   ).—Poeta mexicano. Coordinador de diversos talleres literarios. Trabajó en la editorial Novaro. Coordinador de la sección de literatura de la revista "Plural". Miembro del grupo "La Espiga Amotinada". "La cólera, la pesadumbre, la certeza de vivir en una época agonizante se vierten en páginas donde experiencia vivida y cultura heredada logran una síntesis cada vez más exacta y más personal".
OBRA PRINCIPAL: **Poesía.** *Puertas del mundo* (en "La Espiga Amotinada, 1959); *Escrito en las paredes* (en "Ocupación de la palabra", 1965); *El espejo humeante* (1968); *La guitarra azul* y *Es un buen día para morir* (197   ). [C.T.]

BAPTISTA GUMUCIO, Mariano (1933-   ).—Escritor boliviano. Ensayista, periodista, abogado, diplomático. Residió en Italia, Inglaterra y Venezuela. A los veinte años publicó el libro *Revolución y Universidad en Bolivia,* en el que se vislumbra su posterior preocupación por la problemática educativa vinculada a los procesos de cambio en la sociedad boliviana. Su dedicación al tema educativo le ha llevado a plantear tesis innovadoras en el campo pedagógico y a poner en marcha masivas campañas de alfabetización. Ministro de Educación en 1970 y 1979. Premio Municipal de Literatura y Ciencias, Cochabamba, 1967. Premio Rehza Palevi de UNESCO,

baquero

1976. Miembro de la Academia Boliviana de la Lengua. Director del diario "Ultima Hora", de La Paz.

OBRA PRINCIPAL: **Ensayo**. *Revolución y universidad en Bolivia* (1953); *La guerra final. Guía para uso de intransigentes y desprevenidos* (1965); *Los días que vendrán. América Latina, año 2000* (1968); *Una escuela para la vida* (1970); *Salvemos a Bolivia de la escuela* (1972); *Alfabetización, un programa para Bolivia* (1972); *Ensayos sobre la realidad boliviana* (1976); *Política cultural en Bolivia* (1977); *Yo fui el orgullo. Vida y pensamiento de Franz Tamayo* (1978). **Artículos**. *Cazadores de esfinges* (1967); *Itinerario inconcluso* (1970); *Pido la paz y la palabra* (1970); *De las guerrillas a la escalada nuclear* (1971); *Pasajero en la aeronave tierra* (1973); *Este país tan solo en su agonía* (1973). [P.S.]

BAQUERO, Gastón (1918-   ).—Poeta cubano. Poeta, ensayista y periodista. Cursa estudios de ingeniería agronómica, pero abandona su carrera para dedicarse al periodismo y a la literatura. Colabora en las revistas 'Verbum" y "Espuela de Plata". Su nombre aparece asociado al Grupo de "Orígenes", encabezado por José Lezama Lima. Funda los cuadernos "Clavileño". Jefe de redacción del periódico "Diario de la Marina". La poesía de Baquero es una síntesis de lo mágico y lo cotidiano, expresado en versículos de acentuada musicalidad.

OBRA: **Poesía**. *Poemas* (1942); *Saúl sobre la espada* (1942); *Poemas escritos en España* (1960); *Memorial de un testigo* (1966). **Ensayo**. *Ensayos* (1948); *Escritores hispanoamericanos de hoy* (1961); *Darío, Cernuda y otros temas poéticos* (1969). [J.P.]

BARBIERI, Vicente (1903-1956).—Poeta argentino perteneciente a la llamada generación del cuarenta. En su obra se advierte el tono elegíaco neorromántico característico en sus compañeros de promoción, de la cual fue uno de los nombres más destacados. También es autor de un libro de relatos de infancia: *El río distante* (1945) y de una obra teatral: *Facundo en la ciudadela.* (1956).

OBRA PRINCIPAL: **Poesía**. *Fábula del corazón* (1939); *Nacarid Mary Glynor, Tonos de elegía* (1939); *Arbol total* (1940); *El bosque persuasivo* (1941); *Corazón del oeste* (1941); *La columna y el viento* (1942); *Número impar* (1943); *Cabeza yacente* (1945); *Cuerpo austral* (1945); *Anillo de sal* (1946); *El bailarín* (1953). **Prosa**. *El río distante* (1945); *Desenlace de Endimión* (1951); *El intruso* (1958). [H.S.]

BAREA, Arturo (1897-1957).—Narrador y ensayista español. Escritor testimonial de tendencia naturalista. Prosa directa, poco preocupada por la belleza formal del relato. La obra narrativa de Barea es uno de los documentos más directos y emocionantes de la Guerra Civil. Su obra más famosa: la trilogía titulada *La forja de un rebelde*. *La raíz rota* plantea el retorno de un exiliado y su nueva marcha al comprobar que el mundo que él abandonó, en 1939, ha dejado de existir. Las primeras ediciones de sus libros se publicaron en inglés. Barea murió en Londres.

OBRA PRINCIPAL: **Novela.** *La forja de un rebelde* (1951. *La forja / La ruta / La llama); La raíz rota* (1955). **Relato.** *Valor y miedo* (1939); *El centro de la pista* (1960). **Ensayo.** *Lorca, poeta del pueblo* (1944); *Unamuno* (1950). [P.S.]

BAREIRO SAGUIER, Rubén (1930-   ).—Poeta, cuentista y ensayista paraguayo. Miembro de la promoción del 50. Abogado y licenciado en Filosofía. Cofundador y director de la revista literaria *Alcor*, de Asunción. Profesor de guaraní en la Universidad de París-Vincennes y miembro del Departamento de Etnolingüística Amerindia que dirige Bernard Pttier, en París. Premio Panorama (Buenos Aires, 1954) y Premio Casa de las Américas (1971).

OBRA PRINCIPAL: **Artículos críticos.** *El tema del exilio en la narrativa paraguaya contemporánea; Documento y creación en las novelas de la Guerra del Chaco; El criterio generacional en la literatura paraguaya.* **Poesía.** *Biografía del ausente* (1964). **Cuento.** *El clown* (1954); *La operación* (1968); *Pacto de sangre* (1971); *Ojo por diente* (1972). **Estudio monográfico.** *Paraguay* (1972). [L.F.]

BARQUERO, Efraín (1931-   ).—Poeta chileno. Pertenece a la generación del 50. Con palabra primero altisonante, luego sencilla, y agudo sentido del humor, ha cantado el amor conyugal, la solidaridad humana y la vida cotidiana. Estudios de filosofía y pedagogía en la Universidad de Chile. Jefe de redacción de "La Gaceta de Chile", revista dirigida por Pablo Neruda.

OBRA PRINCIPAL: *La piedra del pueblo* (1954); *La compañera* (1956); *Enjambre* (1959); *El pan del hombre* (1960); *El regreso* (1961)); *Maula* (1962); *El viento de los reinos* (1967); *Epifanías* (1970); *El poema negro de Chile* (1974). [P.S.]

BARRAL, Carlos (1928-   ).—Poeta y editor español. Pertenece a la generación del 50. Licenciado en Derecho. Premio Ciudad de

barrenechea

Barcelona 1978. Como editor dirigió Seix Barral y Barral Editores. Creó colecciones y premios, entre los cuales pueden citarse el "Bibilioteca Breve" de novela, el "Prix International de Littérature" y el "Premio Barral de Novela". Ha traducido los *Sonetos a Orfeo*, de Rilke.

Poesía poblada de alucinaciones eróticas y visiones de un mar mítico. La obra de Barral —afín a la de Carles Riba y a la de Yorgos Seferis— exalta, entre noches lunares y albas melancólicas, la furia de vivir.

OBRA PRINCIPAL: Poesía. *Las aguas reiteradas* (1952); *Metropolitano* (1957); *Diecinueve figuras de mi historia civil* (1961); *Usuras* (1965); *Figuración y fuga* (1966. Recopilación); *Informe personal sobre el alba y acerca de algunas auroras particulares* (1970); *Usuras y figuraciones* (1973. Recopilación). **Memorias**. *Años de penitencia* (1975); *Los años sin excusa* (1978). [P.S.]

BARRENECHEA, Julio (1910-1979).—Poeta y diplomático chileno. Representa "el tono menor, la pureza formal, el equilibrio; es una música delicada, a ratos muy intensa, nunca disonante, de una línea ascendente perfecta" (Alone). Premio Nacional de Literatura 1960. Miembro de la Academia Chilena de la Lengua.

OBRA PRINCIPAL: Poesía. *El mitin de las mariposas* (1930); *El espejo del sueño* (1935); *Rumor del mundo* (1942); *Mi ciudad* (1945); *El libro del amor* (1946); *Vida del poeta* (1948); *Diario morir* (1954); *Ceniza viva* (1968). [P.S.]

BARRENO, María Isabel (1939-   ).—Novelista portuguesa. Licenciada en Historia y Filosofía por la Universidad de Lisboa, fue durante algunos años funcionaria del Instituto Nacional de Investigación Industrial. Fue un elemento dinamizador del movimiento feminista y en los años 70 estuvo implicada —con María Teresa Horta y María Velho da Costa— en el llamado "Proceso de las tres Marías", autoras del libro *Novas Cartas Portuguesas,* traducido a docenas de idiomas.

OBRA PRINCIPAL: Ficción: *De Noite as Arvores sào Negras* (1968); *Os Outros Legítimos Superiores* (1970); *A Morte da Mâe* (1975). [M.V.]

BARRERA, Claudio (1912-1971).—Seudónimo de Vicente Alemán. Poeta hondureño. Periodista y diplomático. Fundó las revistas "Surco" y "Letras de América"; dirigió la página literaria de "El

Cronista". Premio Nacional de Literatura 1954. Reconoció el magisterio de Azorín, Barba Jacob y Poe.

OBRA PRINCIPAL: Poesía. *La pregunta infinita* (1939); *Brotes hondos* (1942); *Cantos democráticos al general Morazán* (1944); *Fechas de sangre* (1946); *Las liturgias del sueño* (1948). *Recuento de la imagen* (1951); *El ballet de los guarias. La niña de Fuenterosa* (1952); *La estrella y la cruz* (1953); *Poesía completa* (1956); *La cosecha* (1957); *Pregones de Tegucigalpa* (1961); *Poemas* (1968); *Hojas de otoño* (1969); *Catorce de julio* (1969); *Canciones para un niño de seis años* (1972). [C.T.]

BARRERA VALVERDE, Alfonso (1929-   ).—Poeta, novelista, abogado y diplomático ecuatoriano. Master en negociación internacional por la Universidad de Harvard. Becado por la UNESCO, residió en Tokio, en donde escribió una monografía sobre la poesía japonesa contemporánea.

OBRA PRINCIPAL: Poesía. *Latitud unánime* (1953, con Eduardo Villacís Meythaler); *Testimonio* (1955); *Del solar y del tránsito* (1957); *Tiempo secreto* (1969, antología). Novela. *Dos muertes en una vida* (1971); *Heredarás un mar que no conoces y lenguas que no sabes* (1978). [P.S.]

BARRIENTOS, Alfonso Enrique (1920-   ).—Escritor guatemalteco. Realizó sus estudios en México. Desempeñó puestos en el Cuerpo Diplomático Guatemalteco.

OBRA PRINCIPAL: *Cuentos de amor y de mentiras* (1956); *El negro* (1958); *Gómez Carrillo (30 años después)* (1959); *Cuentos de Belice* (1961). Novela. *El desertor* (1961). [C.T.]

BASELLS RIVERA, Alfredo (1904-1940).—Escritor guatemalteco. Narrador y periodista. Desempeñó importantes cargos en el Estado, siempre vinculado a la cultura y a la administración.

Su único libro de cuentos en edición póstuma: *El venadeado* (1948). [C.T.]

BASTOS, Baptiste (1934-   ).—Novelista portugués. Hizo estudios secundarios y se dedicó al periodismo, siendo actualmente redactor del "Diario Popular" de Lisboa. Proviene de la corriente neorrealista y alguno de sus textos más importantes se sitúan en el campo del testimonio.

basurto

OBRA PRINCIPAL: **Ficción.** *O Secreto Adeus,* novela (1963); *O Passo de Serpente,* novela (1965); *Cao Velho entre Flores,* novela (1974); *Viagem de um Pai e de um Filho pelas Ruas da Amargura,* novela (1981). **Ensayo.** *O Filme e o Realismo* (1962); *O Cinema na Polémica do Tempo* (1969).

BASURTO, Luis G. (1920-   ).–Dramaturgo mexicano. Crítico teatral, empresario y director. Sus obras se inscriben en la tradición de la alta comedia española, tendiendo al melodrama.
OBRA PRINCIPAL: **Teatro.** *Los diálogos de Suzette* (1940); *Laberinto* (1941); *Faustina* (1942); *El anticristo* (1942); *Bodas de plata* (1943); *La que se fue* (1946); *Frente a la muerte* (1952); *Toda una dama* (1954); *Cada quién su vida* (1955); *Miércoles de ceniza* (1956); *La locura de los ángeles* (1957); *Los reyes del mundo* (1959); *El escándalo de la verdad* (1960); *Intimos enemigos* (1962); *La Gobernadora* (1963); *Todos terminaron ladrando* (1964). **Antología.** *Teatro mexicano* (1958). [C.T.]

BAYLEY, Edgar (1919-   ).–Poeta argentino. En 1944 dirigió la revista *Arturo,* la cual marcó un hito en la poética de la vanguardia argentina, labor que luego continuó desde las páginas de *Poesía Buenos Aires.* Su obra es una constante búsqueda de la imagen pura que sirva "para enriquecer la vida, para agrandar su horizonte" a fin de que "el sueño, los hombres, las cosas, su condición y su acaecer individual, se hagan presentes, con voz y autonomía en el poema, integrándose allí en una estructura nueva".
OBRA PRINCIPAL: **Poesía.** *Invención dos* (1945); *En común* (1949); *La vigilia y el viaje* (1961); *Introducción al arte contemporáneo* (1946); *Realidad interna y función de la poesía* (1952); *El arte, fundamento de la libertad* (1955); *En torno a la poesía contemporánea: la poesía como realidad y comunicación* (1958). [H.S.]

BECERRA, José Carlos (1937–1970).–Poeta mexicano. Beca Guggenheim 1969. Residió en Inglaterra. Murió en Italia a consecuencia de un accidente automovilístico. Su poesía, de raíces románticas, alcanza tonalidades superrealistas y acentos metafísicos. José Emilio Pacheco y Gabriel Zaid prepararon la edición póstuma de su obra poética.
OPRA PRINCIPAL: *Oscura palabra* (1965); *Relación de los hechos* (1967); *El otoño recorre las islas. 1961-1970* (1973). [C.T.]

BEDREGAL, Yolanda (1916-   ).—Poeta, cuentista, novelista y escultora boliviana. Realizó estudios en la Universidad de Columbia, Nueva York. Profesora de estética en la Universidad Mayor de San Andrés, La Paz. Miembro de la Academia Boliviana de la Lengua. Poesía de lenguaje expresionista, superrealista y coloquial. Los seres humildes, las pequeñas cosas, las situaciones cotidianas inspiran a esta artista formada en el crisol del pensamiento existencialista.

Su novela *Bajo el oscuro sol* —realista, introspectiva e inmersa en la historia política boliviana— contiene páginas de un lirismo desbordante que la aproximan, por momentos, a la corriente del realismo mágico. Premio Erich Guttentag 1970.

OBRA PRINCIPAL: **Poesía.** *Naufragio* (1936); *Poemar* (1937); *Ecos* (1940); *Almadía* (1942); *Nadir* (1950); *Del mar y la ceniza. Alegatos. Antología* (1957); *El cántaro del angelito* (1979). **Novela.** *Bajo el oscuro sol* (1971). **Antología.** *Poesía de Bolivia* (1964). [P.S.]

BELAVAL, Emilio S. (1903-1973).—Escritor puertorriqueño. Cuentista, dramaturgo, crítico, ensayista, abogado. Su obra refleja su preocupación ética por el destino de la comunidad puertorriqueña. Fundador de la sociedad dramática "Areyto". Desde 1958 participa activamente en los festivales de teatro puertorriqueño. *La hacienda de los cuatro vientos* es considerada su mejor obra teatral.

OBRA PRINCIPAL: **Cuento.** *Cuentos para colegiales* (1922); *Los cuentos de la universidad* (1930); *Cuentos para fomentar el turismo* (1936); *La mariposa glauca de Borinquen* (1939);*Areyto* (1948); *Cuentos de la Plaza Fuerte* (1963). **Teatro.** *La novela de una vida simple* (1935); *La prisa de los vencedores* (1936); *La hacienda de los cuatro vientos* (1940); *La muerte* (1950); *La vida* (1958); *Cielo caído* (1960); *Circe o el amor* (1962). **Ensayo.** *Los problemas de la cultura puertorriqueña* (1934); *El teatro como vehículo de expresión de nuestra cultura* (1940); *La intríngulis puertorriqueña* (1952). [P.S.]

BELEÑO, Joaquín (1921-   ).—Narrador panameño. Novelista y periodista. Licenciado en administración pública y comercio. Escribió la columna *Temas áridos* en el periódico "La Hora". En tres oportunidades obtuvo el Primer Premio de novela Ricardo Miró (1950, 1959 y 1965). Según Anderson Imbert, Beleño es una de las figuras mayores de la novelística panameña junto con Ramón Jurado y con Tristán Solarte —Guillermo Sánchez—. Su obra refleja la situa-

belo

ción social y política de su país. "Emplea muy hábilmente palabras y giros propios de la jerga popular, con aprovechamiento del inglés hablado por los descendientes de jamaicanos, lo cual ofrece un filón de mucho interés para los estudios dialectológicos del habla panameña. (Ismael García).

OBRA: **Novela**. *Luna verde* (1951); *Gamboa Road Gang* (Los forzados de Gamboa, 1960); *Curundú Line* (1963); *Flor de banana* (Noche de fruta, 1970). [J.P.]

BELO, Ruy (1933-1978).—Poeta portugués. Licenciado en Derecho y en Filología Románica, se doctoró en Derecho Canónico en Roma. Dirigió la redacción de la revista "Rumo", donde colaboró como crítico literario, haciéndolo también en otras publicaciones. Su poesía se entronca en Fernando Pessoa. Fue, hasta poco antes de morir, lector de Portugués en la Universidad de Madrid.

OBRA PRINCIPAL: **Poesía**: *Aquele Grande Rio Eufrates* (1961); *Roca Bilingue* (1966); *Homen de Palavra(s)* (1969; *Transporte no Tempo* (1973); *País Possível* (1973); *A Margem da Alegria* (1974); *Despeço-me da Terra da Alegria* (1978), etc. **Ensayos**: *Na Senda da Poesía* (1969). [M.V.]

BELLI, Carlos Germán (1927-   ).—Poeta y periodista peruano. Profesor de literatura hispanoamericana en la Universidad de San Marcos. Profesor en la Universidad de Iowa. Premio Nacional de Poesía 1962. Traductor de Breton, Michaux, Eluard, César Moro, René Char y Robert Duncan, entre otros.

"Experimentador de la jitanjáfora, adversario de la exaltación emotiva, aficionado a un estridentismo hábilmente conducido, en su poesía hay una extraña mezcla de retorcimiento formal y un tono arcaizante" que lo aproxima a la experiencia del poeta colombiano León de Greiff.

El crítico Alberto Escobar ha señalado que la obra de Belli significa, en el ámbito de las letras peruanas, la ruptura total con el ritmo y la métrica tradicionales y el rechazo de resabios románticos y sentimentales.

OBRA PRINCIPAL: *Poemas* (1958); *Dentro & Fuera* (1960); *¡Oh Hada Cibernética!* (1961);*El pie sobre el cuello* (1964);*Por el monte abajo* (1966); *Sextinas y otros poemas* (1970); *¡Oh Hada Cibernética!* (1971, antología general); *En alabanza del bolo alimenticio* (1979). [P.S.]

BENARÓS, León (1915-).—Poeta y ensayista argentino. Pertenece a la generación neorromántica del 40. Se inició con un libro signado por el tema de la infancia, alucinaciones, goces, recuerdos, terrores infantiles y el temor de la muerte *El rostro inmarcesible*. A partir de entonces su obra posee dos vertientes: una subjetiva, heredera de su postura inicial, y otra folclórica, de tono popular, que busca su temática en el pasado argentino. También ha escrito varios trabajos de índole histórica y ha realizado investigaciones eruditas sobre el tema del tango. Pablo Neruda lo calificó como "el mejor autor de romances de lengua castellana".

OBRA PRINCIPAL: **Poesía.** *El rostro inmarcesible* (1944); *Romances de la tierra* (1950); *Versos para el angelito* (1958); *Romancero argentino* (1959); *Décimas encadenadas* (1962); *El río de los años* (1964). [H.S.]

BENDEZÚ, Francisco (1928-).—Poeta, novelista, ensayista y periodista peruano. Realizó estudios de literatura en la Universidad de Roma. Inicialmente superrealista, retorna a las fuentes de la poesía clásica española. Poeta de estilo pulcro, lenguaje refinado y depurada construcción del poema. Crítico de cine. Profesor de literatura en la Universidad de San Marcos, comparte su vocación poética con dos aficiones: el jazz y el cine. Premio Nacional de Crítica 1965.

OBRA PRINCIPAL: **Poesía.** *Arte menor* (1960); *Los años 1946-1960,* (1961); *Cantos* (1971). **Ensayo.** *La personalidad poética de Alberto Ureta* (196?); *La poética de Martín Adán* (1969). **Novela** *Tres de octubre: crónica de fugitivos* (1976); *Niebla en la isla* (1978). [P.S.]

BENEDETTI, Mario (1920-).—Poeta, narrador, dramaturgo y ensayista uruguayo. Una literatura siempre atenta a la realidad y un creciente compromiso político le han llevado a convertirse, primero, en testigo de la alienación urbana en su país y luego en portavoz de la resistencia a la opresión. Es muy apreciado críticamente por sus cuentos —muchos de ellos perfectos ejemplos de tensión narrativa—, sin embargo es a través de su poesía que se trasparenta mejor su itinerario vital. Habiendo sido uno de los escritores más leídos en Uruguay, en la actualidad se halla exiliado y su obra prohibida. Ha alternado su abundante producción literaria con el periodismo y, más recientemente con una actividad de organización y dirección en Casa de las Américas, Cuba.

OBRA PRINCIPAL: *Esta mañana y otros cuentos* (1949); *Poemas de oficina* (1956); *Ida y vuelta* (1958); *Montevideanos* (1959); *La tre-*

benedetto

gua (1960); *Literatura uruguaya del siglo XX* (1963); *Gracias por el fuego* (1965); *Letras del continente mestizo* (1967); *La muerte y otras sorpresas* (1968); *Inventario 70* (1970); *Cuentos completos* (1970); *El cumpleaños de Juan Angel* (1971); *Letras de emergencia* (1973); *El escritor latinoamericano y la revolución posible* (1974); *Poemas de otros* (1974); *Con y sin nostalgia* (1977); *La casa y el ladrillo* (1977); *El recurso del supremo patriarca* (1979); *Pedro y el capitán* (1979); *Cotidianas* (1979). [H.C.]

BENEDETTO, Antonio Di (1922-   ).–Narrador argentino. El hispanista francés Paul Verdevoye ha dicho que "se puede considerar toda la obra de Di Benedetto como la expresión de cierta perturbación kafkiana que baraja sueños, pesadillas, alucinaciones y elementos sacados de la realidad exterior", y agrega: "La queja metafísica, o el desajuste entre el mundo cotidiano y las aspiraciones profundas se traducen, sin embargo, con un humor y una ironía que ridiculizan a menudo el propio yo. Esta distancia entre la crueldad del dolor y su manifestación literaria, casi siempre se expresa con una sobriedad contundente que requiere toda la atención del lector."

OBRA PRINCIPAL: **Cuento.** *Mundo animal* (1953); *El pentágono* (1955); *Grot* (1957); *Declinación y el ángel* (1958); *El cariño de los tontos* (1961); *El juicio de Dios* (1975); *Absurdos* (1978); *Caballo en el salitral* (1981). **Novela.** *Zama* (1956); *El silenciero* (1964); *Los suicidas* (1969); *Annabella* (1974). [H.S.]

BENET, Juan (1928-   ).–Narrador, ensayista y dramaturgo español. Ingeniero de caminos, canales y puertos. Residió en Finlandia y otros países nórdicos. Benet protagoniza la aventura más radical de la narrativa española contemporánea. Provisto de una vasta cultura y de una novedosa concepción de la literatura, ha escrito una obra que desdeña las fronteras entre los géneros literarios. Funda un *topos* narrativo que él llama Región y, en torno de esa figuración, destruye el concepto espacio-temporal de la narrativa tradicional. La obra de Benet es una disertación sobre diversos temas: recuerdos, reflexiones y descripciones minuciosas. Su estética es sólo comparable a la del francés Alain Robbe-Grillet y a la del irlandés Samuel Beckett. Como aquél, últimamente ha ensayado la novela policíaca en *El aire de un crimen*. En 1970 obtuvo el Premio Biblioteca Breve.

OBRA PRINCIPAL: **Novela.** *Volverás a Región* (1968); *Una meditación* (1970); *Una tumba* (1971); *Un viaje de invierno* (1972); *La otra casa de Mazón* (1973); *El ángel del Señor abandona a Tobías* (1976); *Saúl ante Samuel* (1980); *El aire de un crimen* (1980). **Rela-**

to. *Nunca llegarás a nada* (1961); *Cinco narraciones y dos fábulas* (1972); *Sub rosa* (1973); *En ciernes* (1976); *Del pozo y del numa* (1976) *En el estado* (1977); *Cuentos completos* (1977, 2 vols.); *Trece fábulas y media* (1981). **Ensayo.** *La inspiración y el estilo* (1967); *Qué fue la Guerra Civil* (1976). **Teatro.** *Teatro* (1971. Contiene: *Anasta o El origen de la Constitución,* 1958; *Agonía confutans,* 1966; *Un caso de conciencia,* 1967). [P.S.]

BENÍTEZ, Fernando (1912-   ).—Ensayista y periodista mexicano. Director del diario "El Nacional". Creador de su suplemento literario y cultural, pionero de estas publicaciones en México. Sus libros combinan el ensayo y el reportaje: sociológico, antropológico, de denuncia social.

OBRA PRINCIPAL: **Reportaje y ensayo.** *La ruta de Hernán Cortés* (1950); *La vida criolla en el siglo XVI* (1953); *Los primeros mexicanos* (1962); *El drama de un pueblo y de una planta* (1956); *La ruta de la libertad* (1960); *La última trinchera* (1963); *Los hongos alucinantes* (1964); *Los indios de México* (197). **Relato.** *Caballo y Dios* (1945). **Crónica.** *China a la vista* (1953); *La batalla de Cuba* (1960). **Novela.** *El Rey Viejo* (1960); *El agua envenenada* (1961). [C.T.]

BERENGUER, Luis (1923-1979).—Novelista español. Ingeniero de la Armada con grado de capitán de fragata. Prosa pulcra, desbordante imaginación y gran destreza en el arte de contar historias. Berenguer exalta la libertad, el amor, la justicia y la amistad entre los seres humanos. Lenguaje coloquial sabiamente depurado. Su obra es una elegía a ciertas costumbres, cierto lenguaje y cierto tipo de personajes que, por mor de los tiempos que corren, tienden a desaparecer. Premio de la Crítica 1968. Premio Miguel de Cervantes 1968. Premio Alfaguara 1972.

OBRA PRINCIPAL: **Novela.** *El mundo de Juan Lobón* (1967); *Marea escorada* (1969); *Leña verde* (1972); *Sotavento* (1973); *La noche de Catalina Virgen* (1979); *Tamatea, amor de otoño* (1980). [P.S.]

BERGAMÍN, José (1897-   ).—Dramaturgo, ensayista y poeta español. Pertenece a la generación del 27. Fundador y director de la revista "Cruz y Raya" (1933-1936). Pensador católico heterodoxo, de tendencia liberal, se anticipó al Concilio Vaticano II. Vivió exiliado en México. Actualmente reside en Madrid. Poeta y escritor

bermúdez

de lenguaje conceptista. Influido por Unamuno, poetiza su pensamiento a través de un estilo aforístico y paradójico. Su obra dramática registra piezas de la importancia de *Melusina en el espejo*. Bergamín es uno de los máximos renovadores de la prosa castellana. OBRA PRINCIPAL: **Teatro.** *Tres escenas en ángulo recto* (1924); *Enemigo que huye* (1927); *La hija de Dios* (1945); *La niña guerrillera* (1945); *Melusina en el espejo* (1952). **Ensayo.** *El cohete y la estrella* (1923); *La cabeza a pájaros* (1929); *El arte de birlibirloque* (1930); *Mangas y capirotes* (1933); *La estatua de don Tancredo* (1934); *Disparadero español. 1936-1940* (1940, 3 vols.); *La importancia del demonio* (1941); *El pozo de la angustia* (1941); *La voz apagada* (1943); *Fronteras infernales de la poesía* (1954); *Al volver* (1962); *De una España peregrina* (1972); *Ensayos sobre literatura española* (1973); *Beltenebros y otros ensayos sobre literatura española* (1973); *Del toreo* (1976); *Pensamientos perdidos, Páginas de la guerra y del destierro* (1976); *Calderón y cierra España* (1979). **Poesía.** *Ruinas y sonetos rezagados* (1962); *Duendecitos y coplas* (1963); *La claridad desierta* (1973); *Del otoño y los mirlos* (1975); *Velado desvelo* (1978); *Poesías casi completas* (1980). [P.S.]

BERMÚDEZ, Ricardo J. (1914-   ).—Escritor panameño. Poeta, ensayista y arquitecto graduado en la Universidad de Southern de California. Profesor de la Universidad de Panamá y miembro de la Academia Panameña de la Lengua. Ha sido ministro de Educación. Poeta de filiación superrealista, ceñido al endecasílabo clásico. Premio de cuento Ricardo Miró 1974, por su libro *Para rendir al animal que ronda*. Ha escrito numerosos ensayos y ha vertido al español casi toda la traducción inglesa de *India's Love Lyrics*, de Lawrence Hope. Miembro del Consejo Superior del Instituto de Cooperación Iberoamericana.

OBRA: **Poesía.** *Poemas de ausencia* (1937); *Elegía a Adolfo Hitler* (1941); *Adán liberado* (1944); *Laurel de ceniza* (1952); *Cuando la isla era doncella* (1961); *Con la llave en el suelo* (1970). **Cuento.** *Para rendir al animal que ronda* (1976). [J.P.]

BERNAL, Rafael (1915—   ).—Narrador, dramaturgo, poeta, periodista y diplomático mexicano. Imaginativo, Bernal cuenta historias en las que campean la intriga, la violencia y la fantasía. Sus personajes viven tensos entre el idealismo y los instintos. Ultimamente ha incursionado en el género policial.

blanco

OBRA PRINCIPAL: **Cuento.** *En diferentes mundos* (1968). **Novela.** *Tierra de gracia* (1963); *El complot mongol* (1969). [P.S.]

BERNÁRDEZ, Francisco Luis (1900-1979).—Poeta argentino. Sus primitivos contactos europeos (vivió en España y Portugal) lo vincularon con el ultraísmo y otros movimientos afines. En Buenos Aires dirigió la revista "Proa" y formó parte del grupo *Martín Fierro*. Luego evolucionó hacia una preocupación metafísica de raíces religiosas hasta convertirse en el más representativo poeta católico argentino.

OBRA PRINCIPAL: *Orto* (1922); *Alcándara* (1925); *El buque* (1935); *La ciudad sin Laura* (1938); *Poemas elementales* (1942); *El Angel de la Guarda* (1949); *El arca* (1953); *Poemas de cada día* (1963). **Ensayo.** *Mundo de las Españas* (1967). [H.S.]

BIOY CASARES, Adolfo (1914-   ).—Narrador argentino. Se inició muy joven con la publicación de algunos volúmenes de cuentos, pero su notoriedad llega con *La invención de Morel*. De esta novela, que Jorge Luis Borges en el prólogo calificó de "perfecta", el crítico chileno Fernando Alegría ha asegurado que se trata de "una de las más valiosas en el campo de la ciencia-ficción hispanoamericana".

Artífice de la literatura fantástica argentina, Bioy Casares evolucionó desde un tono metafísico hacia una visión cada vez más humorística e irónica de la realidad, donde lo sorprendente o sobrenatural actúa como un elemento más de la vida cotidiana.

En colaboración con Jorge Luis Borges y bajo los seudónimos de B. Suárez Lynch y H. Bustos Domecq, ha escrito varios volúmenes de cuentos policiales; con sus propios nombres han elaborado varias antologías.

OBRA PRINCIPAL: *Luis Greve muerto* (1937); *La invención de Morel* (1940); *Plan de evasión* (1945); *La trama celeste* (1948); *El sueño de los héroes* (1954); *Historia prodigiosa* (1956); *Guirnalda con amores* (1959); *El lado de la sombra* (1962); *El gran Serafín* (1967); *Diario de la guerra del cerdo* (1969); *Dormir al sol* (1973). En colaboración con Borges: *Seis problemas para Isidro Parodi* (1942); *Dos fantasías memorables* (1946); *Un modelo para la muerte* (1946). [H.S.]

BLANCO, Andrés Eloy (1899-1955).—Escritor venezolano. Poeta, ensayista, dramaturgo, orador, político, diplomático. Poeta popular,

blanco

"antes que García Lorca, ya él reivindicaba la copla y el romance popular" (Picón-Salas). "La elocuencia, la facilidad y lo popular en muchos de sus poemas le caracterizan como verdadero juglar, como uno de los últimos trovadores de nuestra poesía tradicional" (Díaz Seijas). Primer premio en el Concurso Hispano-Americano de Poesía convocado por la Real Academia de la Lengua Española, por su poema "Canto a España", que le dio justo renombre.

Orador de excepcionales condiciones. Se opuso a la dictadura de Juan Vicente Gómez. Sufrió prisión. Vivió exiliado y regresó en 1936, meses después de la muerte del dictador. En 1941 fue uno de los fundadores de Acción Democrática (AD), partido político de honda significación en los destinos de Venezuela. En dos ocasiones fue elegido diputado. Presidente de la Asamblea Constituyente en 1947, ministro de Relaciones Exteriores en el Gobierno constitucional de Rómulo Gallegos, en 1948. Al ser éste derrocado por un golpe militar, Blanco se exilió en México, en donde murió a raíz de un accidente automovilístico. Su poema "Angelitos negros" popularizó el nombre de Blanco al ser convertido en canción popular, con música de Alvarez Maciste.

OBRA PRINCIPAL: **Poesía.** *El huerto de la epopeya* (1919); *Tierras que me oyeron* (1921); *Poda* (1923); *Barco de piedra* (1937); *Giraluna* (1954); *Baedeker 2000* (1950). **Prosa.** *La aeroplana clueca* (1935); *Malvina recobrada* (19); *Liberación y siembra* (19); *Navegación de altura* (19). **Teatro.** *Abigail* (19). [P.S.]

BLANCO, Tomás (1898-1975).—Escritor puertorriqueño. Ensayista, cuentista, novelista y poeta. Estudió Medicina en la Universidad de Georgetown, Washington D.C. Realizó un viaje de estudio por Inglaterra, Italia, Francia y España. En 1930 publicó un ensayo escrito en inglés: *A Port Rican Poet: Luis Palés Matos.* Premio Instituto de Literatura Puertorriqueña 1935.

OBRA PRINCIPAL: **Ensayo.** *Elogio de la plena (Variaciones boricuas)* (1932); *Prontuario histórico de Puerto Rico* (1935); *El prejuicio social en Puerto Rico* (1942); *Sobre Luis Palés Matos* (1950); *Los cinco sentidos* (1955). **Novela.** *Los vates* (1949). **Cuento.** *Tres pasos y un encuentro* (1937); *Naufragio* (1952); *Los aguinaldos del Infante: glosa de la Epifanía* (1954); *La Dragontea. Cuento de Semana Santa* (1956). [J.P.]

BLANCO AMOR, Eduardo (1900-1979).—Narrador, dramaturgo, poeta, ensayista y periodista español de expresión bilingüe: gallega y castellana. Emigró a Buenos Aires, donde vivió una larga temporada. Realizó oficios diversos: empleado de banca, profesor universitario, periodista. En Buenos Aires fundó el Teatro Popular Galego y dirigió el periódico de la Federación de Sociedades Galegas, y las revistas "Céltiga", "Terra" y "Galicia". Miembro de la Real Academia Gallega.

A sus cincuenta y nueve años escribió su primera obra en gallego, viéndose obligado a forjar un lenguaje adecuado a sus propósitos narrativos. Recuperó el habla coloquial gallega, la estudió, la recreó y la utilizó en su obra. Estuvo vinculado a la generación del 27. Su novela más conocida: *A esmorga* (La parranda).

OBRA PRINCIPAL: **En gallego. Poesía.** *Romances galegos* (1928); *Poema en catro tempos* (1931); *Cancioneiro* (1956). **Teatro.** *Teatro para a xente* (1974); *Diálogos frente a casa de Lot* (1974); *Proceso en Xacobusland* (1980). **Relato.** *Os biosbardos* (1970. Las musarañas). **Novela.** *A esmorga* (1959. La parranda); *Xente aolonxe* (1974. Aquella gente). **En castellano. Poesía.** *Horizonte evadido* (1936); *En soledad amena* (1942). **Novela.** *La catedral y el niño* (1956); *Los miedos* (1963). **Ensayo.** *Las buenas maneras* (1956). **Teatro.** *Farsas y autos para títeres.* [P.S.]

BLEIBERG, Germán (1915-   ).—Poeta español. Pertenece a la generación del 36. Doctor en Filología moderna por la Universidad de Madrid. Profesor de español en universidades norteamericanas e inglesas. Miembro de la Hispanic Society of America, de Nueva York. Traductor de Novalis, Taine y Björnson. Premio Nacional de Literatura, en 1938, *ex aequo* con Miguel Hernández.

Su libro *Sonetos amorosos,* junto con *El rayo que no cesa,* de Miguel Hernández y *Abril,* de Luis Rosales, contribuyó a la gestación del movimiento poético Garcilaso, de tendencia clasicista. Es autor de importantes diccionarios de Geografía, Historia y Literatura, este último en colaboración con Julián Marías.

OBRA PRINCIPAL: **Poesía.** *Sonetos amorosos* (1936); *Más allá de las ruinas* (1947); *El poeta ausente* (1948); *La mutua primavera* (1948); *El cantar de la noche* (1956); *Obra completa* (1976). [P.S.]

BLOCK, Pedro (1914-   ).—Médico, periodista, ensayista y dramaturgo brasileño. Autor de una vasta obra teatral. Su pieza *As Maos de Eurídice* lo consagró a niveles masivos. Es considerado uno de los dramaturgos brasileños más traducidos a lenguas extranjeras. Gran parte de su obra ha sido representada en España.

boal

OBRA PRINCIPAL: *As Maos de Eurídice* (1950); *Os inimigos não Mandam Flores* (1951); *Morre um gato na China* (1951); *Esta Noite Choveu Prata* (1951); *A Camisola do Anjo* (1951); *Um Cravo na Lapela* (1952); *Irene* (1951); *Leonora* (1954); *Dona Xepa* (1953); *Uma Flauta para o Negro* (1955); *Miquelina* (1959); *Brasileiros em Nova York* (1959); *O sorriso da Pedra* (1960); *Procurase uma Rosa* (1961); *Amor a Ocho Manos* (1964); *Roleta Paulista* (1966); *Os Pais Abstratos* (1966). [M.L.M.]

BOAL, Augusto (1931-   ).—Nombre artístico de Augusto Pinto Boal. Dramaturgo, novelista, ensayista y director de teatro brasileño. Creador del teatro popular en la década de los años 60. Proponía la simplificación de la organización de la estructura escénica con elementos fijos, escenarios sencillos de modo que permitiese a los actores desplazarse fácilmente de un lugar a otro. Teatro de preocupación social. Creador de nuevos métodos de expresión en escena. Propone el teatro colectivo en contra del "vedetismo" individual. Desarrolló exhaustivamente el teatro llamado de "agit-prop". Ha dirigido grupos de teatro en el extranjero: Buenos Aires, Lisboa, París y Nueva York, y ha enseñado en varias universidades brasileñas y extranjeras.

OBRA PRINCIPAL: **Teatro.** *Murro em Ponta de Faca; Arena Conta Zumbi y Arena Conta Tiradentes* (con Gianfrancesco Guarnieri). **Ensayo.** *Teatro do Oprimido* (1973); *Técnicas Latinoamericanas de Teatro Popular* (1976). **Novela.** *Milagre no Brasil* (1975); *Jane Spitfire, Espia e Mulher Sensual* (1977). [M.L.M.]

BOMBAL, María Luisa (1910-1980).—Narradora chilena. A los doce años viajó a París, donde permaneció hasta 1931. Estudió en la Universidad de París (Sorbona), en donde obtuvo su licenciatura en literatura francesa con una tesis sobre la obra de Prosper Mérimée.

Vivió en la Argentina desde 1933 hasta 1940. En Buenos Aires desarrolló su actividad literaria vinculada a la revista "Sur". Su amistad con Victoria Ocampo influiría en su obra. Residió en Norteamérica desde 1940. Murió en Chile.

De Knut Hamsun, Selma Lagerlöf y Virginia Woolf aprendió a novelar los conflictos psicológicos en una atmósfera de irrealidad, "puro ensueño y tragedia, entre brumas y tentaciones". El elemento clave en la narrativa de Bombal es "la representación de la mujer y sus conflictos [sociales y personales, expresados] desde una perspectiva interior". Sus cuentos fueron publicados en diversas revistas y aún no han sido recopilados en volumen. María Luisa Bombal dio el golpe de gracia al naturalismo criollista. Premio de la Academia Chilena de la Lengua, 1977. OBRA PRINCIPAL: **Novela.** *La última niebla* (1935); *La amortajada* (1938). **Cuento.** *Las islas nuevas* (1939); *El árbol* (1939); *Mar, cielo y tierra* (1940); *Trenzas* (1940); *La historia de María Griselda* (1946); *La maja y el ruiseñor* (1960). [P.S.]

BONIFAZ NUÑO, Rubén (1923-   ).—Poeta mexicano. Abogado, traductor de autores clásicos y profesor de literatura en la UNAM. Miembro de la Academia Mexicana de la Lengua y del Colegio Nacional. Premio Nacional de Letras 1974. Es uno de los más cualificados traductores de Virgilio, Catulo, Propercio, Ovidio y Horacio. En sus comienzos fue un poeta de corte clásico, pero en 1956 derivó hacia una poesía más libre y más coloquial. Sus últimos libros denotan la preocupación del poeta por el destino humano. OBRA PRINCIPAL: **Poesía.** *La muerte del ángel* (1945); *Poética* (1951); *Imágenes* (1953); *Los demonios y los días* (1956); *El manto y la corona* (1958); *Canto llano a Simón Bolívar* (1958); *El dolorido sentir* (1959); *Fuego de pobres* (1961); *Siete de espadas* (1966); *El ala del tigre* (1969); *La flama en el espejo* (1971); *Tres poemas de antes* (1978). [C.T.]

BOPP, Raul (1898-   ).—Poeta, periodista y diplomático brasileño. Figura sobresaliente del *Movimiento Modernista.* Fundó, con Oswald de Andrade, el *Movimiento Antropofágico,* y dirigió la *Revista de Antropofagia.* Su primer libro, *Cobra Norato* (1931), es considerado el más importante del movimiento. Firmó el *Manifiesto Modernista,* que proponía la renovación de la poesía a partir de los motivos primitivos de la tierra y la gente brasileña, en contra de los temas de influencia europea. Su poesía es una de las más originales de la literatura brasileña contemporánea. OBRA PRINCIPAL: **Poesía.** *Cobra Norato* (1931); *Urucungo* (1933); *Poesías* (1947). **Ensayo.** *Os Movimentos Modernistas* (1966). [M.L.M.]

BORDA LEAÑO, Héctor (1927-   ).—Poeta y político boliviano. Interesado por la antropología social, bucea en los mitos andinos y crea una poesía de esencia telúrica y de testimonio social. Por sus ideas políticas ha sido encarcelado y perseguido. Vivió desterrado en Buenos Aires. Reside en Suecia.

borges

OBRA PRINCIPAL: **Poesía.** *El sapo y la serpiente* (1966); *Con rabiosa alegría* (1975). [P.S.]

BORGES, Jorge Luis (1899-   ).—Poeta, narrador y ensayista argentino. Realizó estudios secundarios en Suiza. En 1919 se trasladó, junto con su familia, a España donde participó en las actividades de los ultraístas capitaneados por Cansinos Asséns. De regreso a la Argentina fundó las revistas *Proa* y *Prisma* y publicó su primer poemario, todavía encuadrado en la estética ultraísta. Fue uno de los animadores del grupo *Martín Fierro*. En 1925 dio a conocer su primera colección de ensayos: *Inquisiciones,* y un año después *Luna de enfrente* que junto con *Cuaderno San Martín* (1929) habrían de cimentar su fama. La biografía de un poeta menor, *Evaristo Carriego* (1930) le permitió adentrarse en los temas de la ciudad, centro por entonces de sus preocupaciones. En 1935, con *Historia universal de la infamia,* se inició una nueva etapa en su creación, caracterizada por una notable producción de cuentos cortos cuyos resultados serían dos libros notables: *Ficciones* (1944) y *El Aleph* (1949). La tercera etapa, a partir de 1955, fecha de la acentuación definitiva de su ceguera, será de un paulatino retorno al verso, inclinándose ahora por el rigor formal, especialmente el soneto. En este período sobresale su libro *El otro, el mismo* (1964). Durante los últimos años su narrativa se ha hecho cada vez más despojada y sencilla, como lo prueba *El libro de arena,* de 1975. Considerado por buena parte de la crítica, así como por sus colegas, el mayor escritor de lengua castellana, un balance de su narrativa debería señalar que en el marco de un cuidado artesanal por el lenguaje, su prosa participa de lo mítico, lo fantástico y lo metafísico con frecuentes incursiones en la erudición y el humor, y que su problemática evolucionó desde la historia, los personajes y las leyendas de su ciudad natal hasta una temática de carácter universal que no elude una constante indagación sobre el destino del hombre. Su influencia ha sido decisiva para la transformación de la literatura latinoamericana que se produjo a partir de 1960. Sus obras han sido traducidas a más de veinte idiomas y ha recibido casi todos los más importantes premios internacionales: el Cervantes, 1980, el Ollin Yoliztli, 1981, el Formentor, el Alfonso Reyes, el Mattarazzo Sobrinho, entre muchos otros.

OBRA PRINCIPAL: **Poesía.** *Fervor de Buenos Aires* (1923); *Luna de enfrente* (1926); *Cuaderno San Martín* (1929); *El otro, el mismo* (1964); *Elogio de la sombra* (1969); *El oro de los tigres* (1972); *La rosa profunda* (1975); *La moneda de hierro* (1976). **Narrativa.** *Historia Universal de la Infamia* (1935); *Ficciones* (1944);

70

El Aleph (1949); *El informe de Brodie* (1970); *El libro de arena* (1975). **Poesía y prosa**. *El hacedor* (1960). **Ensayo**. *Historia de la eternidad* (1936); *Otras inquisiciones* (1952); *Antiguas literaturas germánicas* (1951); *El Martín Fierro* (1953); *Manual de zoología fantástica* (1957); *El mundo de los seres imaginarios* (1967). Tiene además varios volúmenes en colaboración con diversos autores. **Conferencias**. *Borges oral* (1980); *Siete noches* (1980). [H.S.]

BORJA, Arturo (1892-1912).—Poeta ecuatoriano. Formado en París, volvió al Ecuador y se enfrentó a su propio desarraigo. Acosado y agotado de luchar contra la incomprensión y la hostilidad de un medio provinciano y tradicionalista, se suicidó. Admirador de Baudelaire, su obra simbolista renovó la poesía de su país. Su parva producción (27 poemas) fue publicada por parientes y amigos, después de su muerte.
OBRA PRINCIPAL: *La flauta de ónix* (1920). [P.S.]

BORRÁS, Tomás (1891-1976).—Narrador, autor teatral, poeta y ensayista español. Uno de los pocos maestros del cuento español contemporáneo, según Ignacio Aldecoa. De extraordinaria capacidad fabuladora, asombroso dominio del lenguaje y refinado humor. Autor de cuarenta títulos. Sus libros más célebres: *Antología de los Borrases* e *Historias de coral y jade*.
OBRA PRINCIPAL: **Novela**. *La pared de la tela de araña* (1924); *La mujer de sal* (1925); *Checas de Madrid* (1939); *Oscuro heroísmo* (1940); *La sangre de las almas* (1948); *Madrid teñido de rojo* (1962). **Cuento**. *Sueños con los ojos abiertos* (1940); *Casi verdad, casi mentira* (1940); *Unos, otros y fantasmas* (1940); *Diez risas y diez mil sonrisas* (1941); *Cuentos con cielo* (1943); *Buen humorismo* (1945); *Polichinelita* (1945); *La cajita de asombros* (1946); *Azul contra gris* (1948); *Cuentacuentos* (1948); *Antología de los Borrases* (1950); *Luna de enero y el amor primero* (1953); *Algo de la espina y algo de la flor* (1954); *Pase usted, fantasía* (1956); *Trébol, diamante y pica* (1964); *Historias de coral y jade* (1966); *Historillas de Madrid y cosas en su punto* (1968); *Agua salada en agua dulce* (1969). **Teatro**. *El pájaro de dos colores; Todos los ruidos de aquel día; Tam-tam; Fantochines*. [P.S.]

BOSCH, Andrés (1926-   ).—Novelista y periodista español. Licenciado en Derecho. Integró el grupo de la novela "metafísica". Postulaba la absoluta autonomía de la imaginación, al margen de

bosch

cualquier referente sociológico o político. Ha realizado excelentes versiones de obras de Virginia Woolf, Alan Sillitoe, Steinbeck, D. H. Lawrence, Erskine Caldwell, William Styron y André Breton. Premio Planeta 1959. Premio Ciudad de Barcelona 1961.

OBRA PRINCIPAL: *La noche* (1959); *Homenaje privado* (1961); *La revuelta* (1961); *La estafa* (1965); *Ritos profanos* (1967); *El mago y la llama* (1970); *El cazador de piedras* (1974); *Arte de gobierno* (1977). [P.S.]

BOSCH, Juan (1909-   ).—Narrador, ensayista y político dominicano . Formó parte del grupo literario "La Cueva". Jefe del Partido Revolucionario Dominicano. Vivió en el destierro durante veinticuatro años. Volvió a su patria, en 1961, después de que fuera asesinado Trujillo. Electo presidente de su país, en 1963 fue derrocado a los siete meses por un golpe militar apoyado por la Marina norteamericana. Abandona República Dominicana y, en calidad de exiliado, reside en España, primero, luego en Puerto Rico. En 1966 se presenta como candidato a la Presidencia de la República, pero es derrotado por Joaquín Balaguer. Desde entonces, vive modestamente en Santo Domingo. La obra de Bosch revela "una honda vivencia de su país y una vital identificación con la psicología del campesino".

OBRA PRINCIPAL: **Cuento.** *Camino real* (1933); *Indios* (1935); *Dos pesos de agua* (1944); *Ocho cuentos* (1947); *La muchacha de la Guaira* (1955); *Cuento de Navidad* (1956); *Cuentos escritos en el exilio y apuntes sobre el arte de escribir cuentos* (1962); *Más cuentos escritos en el exilio* (1964); *Cuentos escritos antes del exilio* (1974). **Novela.** *La mañosa* (1936); *El oro y la paz* (1975). **Ensayo.** *Trujillo: causas de una tiranía sin ejemplo* (1961); *Crisis de la democracia de América en la República Dominicana* (1964); *El pentagonismo: sustituto del imperialismo* (1967); *De Cristóbal Colón a Fidel Castro. El Caribe, frontera imperial* (1970); *Composición social dominicana. Historia e interpretación* (1978, 8.ª ed.). **Biografía.** *David. Biografía de un rey* (1963). [J.P.]

BOTELHO, Fernanda (1926-   ).—Novelista portuguesa. Estudió Filología Clásica en las Facultades de Letras de Coimbra y de Lisboa, y actualmente dirige el Departamento de Turismo Belga en Portugal. Colabora en las revistas "Távola Redonda", "Graal", "Europa", etc., su obra se adhiere a la corriente estilística renovadora de los años 50, con influencias del existencialismo y del "nouveau roman" francés.

OBRA PRINCIPAL: Ficción: *O Enigma das Sete Alíneas,* novela (1956); *O Angulo Raso,* novela (1957); *Calendario Privado,* novela (1958); *A Gata e a Fábula,* novela (1960); *Xerazade e os Outros,* novela (1964); *Terra sem Música,* novela (1969); *Lourenço é Nome de Jogral* (1971). **Poesía.** *As Coordenadas Líricas* (1951). [M.V.]

BOTELHO GOSÁLVEZ, Raúl (1917-   ).—Escritor boliviano. Novelista, ensayista, cuentista, dramaturgo, periodista, diplomático. A los dieciocho años escribió *Borrachera verde,* su primera novela. La obra narrativa de Botelho Gosálvez se sitúa en la corriente del realismo. *Altiplano* es considerada su mejor novela. Miembro de la Academia Boliviana de la Lengua.
OBRA PRINCIPAL: **Novela.** *Borrachera verde* (1938); *Coca* (1941); *Altiplano* (1945); *Vale un Potosí* (1949); *Tierra chúcara* (1957); *Tata Limachi* (1967). **Cuento.** *Los toros salvajes* (1965); *Con la muerte a cuestas* (1975). **Teatro.** *La lanza capitana* (1967). **Ensayo.** *Proceso del imperialismo del Brasil (De Tordesillas a Roboré)* (1960. La segunda edición se titula *Proceso del subimperialismo brasileño,* 1974). [P.S.]

BOTO, Antonio (1897-1959).—Poeta y novelista portugués. Hijo de un hombre que trabajaba en los barcos de transporte del río Tajo, vivió en el barrio popular de Alfama, cuyo ambiente domina en su obra poética. Fue amigo de Fernando Pessoa y colaboró en el movimiento *Presença,* así como en las revistas "Athena", "Contemporânea", etc. Vivió en Angola durante dos años, y más adelante fue funcionario del Gobierno Civil de Lisboa. Murió en el Brasil donde vivía desde 1947, víctima de un accidente de aviación.
OBRA PRINCIPAL: **Poesía:** *Trovas* (1917); *Cantigas de Saudade* (1918); *Cantares* (1919); *Cançoes* (1921) *Motivos de Beleza* (1923); *Curiosidades Estéticas* (1924); *Pequenas Esculturas* (1925); *Dandismo* (1928); *Ciúme* (1934); *Baoinetas da Morte* (1936); *A Vida que te dei* (1938); *Odio e Amor* (1947); *Ainda ñao se escreveu* (1959), etc. **Ficción:** *Os Contos de Antonio Boto Para Crianças e Adultos* (1924). **Teatro:** *Flor do Mal* (1919); *Alfama* (1933); *Antonio* (1933); *Aqui Ninguém nos Ouve* (1942). [M.V.]

BOUSOÑO, Carlos (1923-   ).—Poeta y crítico literario español. Doctor en Filosofía y Letras. Profesor en universidades de España y Norteamérica. Miembro de la Hispanic Society. Miembro de la Real

braga

Academia Española. Su obra crítica ejerce notable influencia en Hispanoamérica.

La poesía de Bousoño "desde la emoción, el escepticismo y el desencanto, invade la realidad, la recrea, la metaforiza, la transforma entre la viva inteligencia alerta y el oscuro temblor irracional" (Emilio Miró). Premio Fastenrath 1966. Premio de la Crítica 1968.

OBRA PRINCIPAL: **Poesía.** *Subida al amor* (1945); *Primavera de la muerte* (1946); *Hacia otra luz* (1951); *En vez de sueño* (1952); *Noche del sentido* (1956); *Poesías completas* (1962); *Invasión de la realidad* (1962); *Oda en la ceniza* (1968); *Al mismo tiempo que la noche* (1971); *La búsqueda* (1971); *Las monedas contra la losa* (1973); *Antología poética* (1976). **Crítica.** *Seis calas en la expresión literaria española* (1951, en col. con Dámaso Alonso); *Teoría de la expresión poética* (1952); *La poesía de Vicente Aleixandre* (1956); *El irracionalismo poético* (1977); *Surrealismo y simbolización* (1968). [P.S.]

BRAGA, María Ondina (1932-   ).—Novelista portuguesa. Estudió en la Alliance Française en París y en la Royal Society of Arts en París. Fue profesora en Macao. Actualmente trabaja sobre todo como traductora. Colaboradora en varias publicaciones.

OBRA PRINCIPAL: **Ficción:** *A China fica ao Lado,* cuentos (1968); *Estatua de Sal,* biografía novelada (1969); *Amor e Morte,* cuentos (1970); *Os Rostos de Janos,* novelas (1973); *A Revolta das Palavras,* cuentos y crónicas (1975); *A Personagem,* novela (1978); *Eu vim para Ver a Terra* (1965). [M.V.]

BRAGA, Mario (1921-   ).—Novelista portugués. Estudió en Coimbra, licenciándose en Ciencias Histórico-Filosóficas, trabajando después en la enseñanza secundaria y en la Dirección General de la Salud. Es director general de la Secretaría de Estado para la Comunicación Social desde 1977. Autor de una vasta obra, pertenece a la corriente del neorrealismo.

OBRA PRINCIPAL: **Cuentos:** *Nevoeiro* (1944); *Serranos* (1948); *Quatro Reis* (1957) e *Historias de Vila* (1958). **Novelas:** *Caminhos sem Sol* (1948); *O Cerco* (1959); *O Livro das Sombras* (1960); *Corpo Ausente* (1961) y *Viagem Incompleta* (1963). **Novela:** *O Reino Circular.* [M.V.]

BRAGA, Rubem (1913-   ).—Escritor y periodista brasileño. Cronista por excelencia, su prosa se caracteriza por un acentuado subjetivismo y un intenso lirismo. Por esta razón, muchas crónicas suyas pueden considerarse verdaderos poemas en prosa.

OBRA PRINCIPAL: *O conde e o passarinho* (1936); *O morro do isolamento* (1944); *Um pé de milho* (1948); *Um homem rouco* (1949); *Cinqüenta crônicas escolhidas* (1951); *A borboleta amarela* (1956); *A cidade e a roça* (1957); *A traição dos elefantes* (1967); *Ai de ti, Copacabana* (1960). [M.L.M.]

BRAGANÇA, Nuno (1929-   ).—Novelista portugués. Licenciado en Derecho, trabajó en la delegación portuguesa en la OCDE, en París, y colaboró en numerosos periódicos y revistas: "Vértice", "Seara Nova" y "O Tempo e o Modo", en éste desde su fundación. Fue dirigente de cineclub y estuvo vinculado a la realización de varias películas, siendo el autor del diálogo de *Verdes Anos.* Se reveló como novelista en 1969, siendo literariamente producto de una mezcla de investigación lingüística y de reminiscencias surrealistas.

OBRA PRINCIPAL: *A Noite e o Riso,* novela (1969); *Directa,* novela (1977). [M.V.]

BRANDÃO, Fiama Hasse Pais (1938-   ).—Poeta y autora teatral portuguesa. Estudió Filología Germánica en la Facultad de Letras de Coimbra y fue colaboradora de varias publicaciones especialmente de "Vértice", "Cadernos do Meio Día", "Seara Nova", etc. Perteneció al movimiento Poesía 61. Obtuvo el Premio Adolfo Casais Monteiro, de la Asociación Portuguesa de Escritores.

OBRA PRINCIPAL: **Poesía.** *Em Cada Pedra um voo imóvel* (1957); *Barcas Novas* (1967); *(Este) Rosto* (1970); *Novas Visões do Passado* (1975); *Homenagem a Literatura* (1976); *Area Branca* (1978), etc. **Ficción.** *O Aquário,* novela (1969). **Teatro.** *Os Chapéus de Chuva* (1961), premio de Revelación del Teatro de la Sociedad Portuguesa de Escritores; *O Testamento* (1962); *A Campanha e outras peças* (1965); *Poe ou o Corvo* (1978). [M.V.]

BRANDÃO, Ignácio de Loyola (1936-   ).—Novelista y cuentista brasileño. Su obra posee un marcado tinte político. Uno de sus libros, *Zero,* prohibido en Brasil, fue publicado por primera vez en Italia, en 1974. Provocó una aguda polémica en los medios culturales y políticos brasileños.

OBRA PRINCIPAL: *Depois do Sol* (1965); *Bebel que a Cidade Comeu* (1968); *Caes Danados* (1977, Literatura infantil); *Zero*

brannon vega

(1979); *A Festa* (1975). **Cuentos.** *Cadeiras Proibidas* (1979). [M.L.M.]

BRANNON VEGA, Carmen (1899-1974).—Véase **Lars, Claudia.**

BRAÑAS, César (1900-   ).—Poeta guatemalteco. Periodista, fundador del diario "El Imparcial". Además de la poesía cultivó la prosa: ensayo histórico y novela. OBRA PRINCIPAL: **Poesía.** *Inquilinos. Boceto para la biografía de un niño* (1937); *El lecho de Procusto. Sonetos baladíes* (1943); *Jardín morado (1952-1956)* (1956); *Diario de un aprendiz de tímido* (1956); *Zarzamora* (1957); *Viento negro* (1958); *Raíz desnuda* (1958); *Ocios y ejercicios (1941-1958)* (1958); *El carro de fuego (1929-1939)* (1959); *Palabras iluminadas* (1961); *El niño y otros poemas* (1962); *La sed innumerable* (1964); *Cancionerillo de octubre* (1966); *Diario de un aprendiz de ausente* (1967). **Ensayo.** *José Rodríguez Cerna o el esplendor de la crónica literaria* (1956); *Itinerario de Ramón Ocaña Durán* (1964); *Tras las huellas de Diéguez.* **Novela.** *Alba emérita.* [C.T.]

BRASCHI, Wilfredo (1918-   ).—Ensayista, narrador y periodista puertorriqueño. Director de la Escuela de Comunicación Pública de la Universidad de Puerto Rico. Uno de los más capacitados teóricos de los medios de comunicación social en Hispanoamérica. Doctorado en Filosofía y Letras por la Universidad de Madrid, con estudios de posgrado en la London School of Economics, en el Instituto de Relaciones Públicas de Gran Bretaña y en el Consejo Superior de Investigaciones Científicas de Madrid. Colabora en "Pueblo", de Madrid; "El Universal", de Caracas; "Novedades", de México; "El Caribe", de Santo Domingo; "Diario de las Américas", de Miami, y "El Mundo", de San Juan, entre otros. OBRA PRINCIPAL: **Ensayo.** *Nuevas tendencias en la literatura puertorriqueña* (1960); *Nuevas relaciones públicas* (1969); *Apuntes sobre el teatro puertorriqueño* (1970); *Las mil y una caras de la comunicación* (1980). **Cuento.** *Metrópoli* (1968); *La primera piedra* (1977). [P.S.]

BREYNER, Sophia de Mello (1919-   ).—Poeta portuguesa. Vive en Lisboa, donde cursó estudios de Filología Clásica. Colaboró en diversas publicaciones, sobre todo en "Távola Redonda", "Unicornio", "Cadernos de Poesia" y "Arvore". Sus poemas, según Jorge

de Sena, "transfiguran una realidad muy concreta, en que el amor a
la vida y a la exigencia moral encuentra símbolos marinos y aéreos".
Es también autora de literatura para niños.
OBRA PRINCIPAL: Poesía. *Poesía* (1944); *Dia do Mar* (1947);
Coral (1950); *No tempo Dividido* (1954); *Mar Novo* (1958); *O
Cristo Cigano* (1961); *Livo Sexto* (1962); *Geografía* (1967); *Grades*
(1970); *Dual* (1972); *O Nome das Coisas* (1977). Ficción. *Contos
Exemplares* (1962). [M.V.]

BRINES, Francisco (1932-   ).–Poeta español. Pertenece a la
generación del 50. Licenciado en Derecho y en Filosofía y Letras.
Lector de español en Oxford. Premio Adonais 1959. Premio de la
Crítica 1966. Exalta la erótica de los cuerpos y el melancólico gozo
de los sentidos. Poesía delicada e irónica, enfrentada al paso del
tiempo. El universo poético de Brines es afín al de Cernuda, Gil-
Albert y Cavafis.
OBRA PRINCIPAL: *Las brasas* (1960); *El santo inocente* (1965);
Palabras a la oscuridad (1966); *Aún no* (1971); *Ensayos de una
despedida* (1974. Recopilación); *Insistencias en Luzbel* (1977).
[P.S.]

BRITO, Casimiro de (1928-   ).–Poeta y novelista portugués.
Formó parte del movimiento Poesía 61 y fue colaborador en varios
periódicos y revistas literarias, principalmente "Vértice" y "Cadernos do Meio Dia".
OBRA PRINCIPAL: Poesía. *Poemas da Solidão Imperfeita*
(1957); *Poemas Rebeldes e Carta a Pablo Picasso* (1958); *Telegramas*
(1959); *Canto Adolescente* (1966); *Vietname-En Nome da Liberdade* (1968); *Mesa do Amor* (1970); *Negaçao da Morte* (1974).
Ficción. *Um certo País ao Sul,* cuentos (1975); *Imitaçao do Prazer,*
novela (1977). [M.V.]

BROSSA, Joan (1919-   ).–Poeta y pintor español de expresión
catalana. Su obra poética es "una de las creaciones más amplias,
completas, variadas y estimulantes de la poesía catalana contemporánea".
OBRA PRINCIPAL: *El cigne i l'oc* (1964); *Poema sobre Frègoli
i el seu teatre* (1965); *Petit festival* (1965); *Sonets del vaitot* (1966);
Cent per tant (1967); *L'esmorzar a la muralla* (1968); *Flor de
fletxa* (1970); *Rua de llibres. 1964-1970* (1980). [P.S.]

brull

BRULL, Mariano (1891-1956).—Poeta cubano. Cultivador de la llamada "poesía pura", configurada en la asimilación de Mallarmé y Valéry. "Brull juega a despojar la palabra de sus implicaciones conceptuales y afectivas, llegando por ese camino a la pura inanidad sonora de la *jitanjáfora* —esa fórmula extrema de la asepsia verbal que acuñara como término el mexicano Alfonso Reyes, tomándolo de un travieso experimento del propio Brull" (José Olivio Jiménez). Son célebres sus traducciones de *El cementerio marino* y *La joven parca*, de Paul Valéry.

OBRA: *La casa del silencio* (1916); *Poemas en menguante* (1928); *Canto redondo* (1934); *Solo de rosa* (1941); *Temps en peine/Tiempo en pena* (traducción de Mathilde Pomés, 1950); *Rien que...* (1954). [J.P.]

BRUNET, Marta (1901-   ).—Narradora, periodista y diplomática chilena. Escritora naturalista, incorporó el tema rural a la novelística chilena. Su obra "rompe abiertamente, y acaso podría añadirse que con gozo, el marco urbano de la novela para buscar sus personajes ante todo en el campo, y son las tragedias rurales, con la tierra de fondo, las que le parecen más dignas de su esfuerzo literario" (Raúl Silva Castro).

La obra de Brunet se caracteriza por su interpretación psicológica del paisaje y de las gentes, y por su prosa densamente lírica. Redactora de "La Nación", de Santiago de Chile. Directora de la revista "Familia". Sus libros más conocidos: *Montaña adentro* y *Humo hacia el sur*.

OBRA PRINCIPAL: **Cuento.** *Reloj de sol* (1930); *Cuentos para Mari-Sol* (1938); *Raíz del sueño* (1949); *Antología de cuentos* (1962); *Soledad de la sangre y otros cuentos* (1967). **Novela.** *Montaña adentro* (1923); *Bestia dañina* (1926); *María Rosa, flor del Quillén* (1929); *Aguas abajo* (1943); *Humo hacia el sur* (1946); *La mampara* (1946); *María Nadie* (1957); *Amasijo* (1962); *Obras completas* (1962). [P.S.]

BRYCE ECHENIQUE, Alfredo (1939-   ).—Narrador peruano. Licenciado en Letras y en Derecho por la Universidad de San Marcos. Doctorado en Letras por la Universidad de París. Profesor de la Universidad de Nanterre. Con prosa sutil, trabajada y torrencial, describe un sistema de ideas y situaciones de la sociedad tradicional limeña. Su obra se caracteriza por una visión crítica e irónica de la existencia. Premio Casa de las Américas/Cuento, 1968.

buero vallejo

OBRA PRINCIPAL: **Cuento.** *Huerto Cerrado* (1968); *La felicidad ja ja* (1974); *Todos los cuentos* (1979). **Novela.** *Un mundo para Julius* (1970); *Tantas veces Pedro* (1977); *La vida exagerada de Martín Romaña* (1981). [P.S.]

BUENAVENTURA, Enrique (1925-   ).–Dramaturgo colombiano. Autor y director teatral. Inicia su actividad como director de la Escuela Departamental de Teatro, en Cali. Bajo su dirección se funda, en 1955, el Teatro Escuela de Cali (TEC), centro de formación de actores y técnicos en el que Buenaventura ha ensayado métodos colectivos. Ha participado, como director, en los festivales internacionales de San Francisco, Nancy, y en el Teatro de las Naciones, en París.
OBRA PRINCIPAL: **Teatro.** *La adoración de los Reyes Magos* (1956); *Tío Conejo Zapatero* (1957); *El monumento* (1958); *En la diestra de Dios Padre* (1960); *La tragedia del rey Christophe* (1962); *Réquiem por el padre Las Casas* (1963); *Los papeles del infierno* (1968); *La trampa* (1968); *Seis horas en la vida de Frank Kuldok* (1969); *El convertible rojo* (1970); *La denuncia* (1973). [J.P.]

BUERO VALLEJO, Antonio (1916-   ).–Dramaturgo y ensayista español. Estudió dibujo y pintura. A la caída de la Segunda República fue condenado a muerte. Ocho meses después se le conmutó la pena, siendo posteriormente indultado. Poeta trágico. El autor más representativo del teatro español de posguerra. "El teatro de Buero es una encrucijada de caminos estéticos y un poderoso y continuado esfuerzo de síntesis de tendencias anteriores, especialmente del realismo y del simbolismo" (Ricardo Doménech). Algunas obras suyas describen la crueldad y la tortura en las luchas políticas de nuestro tiempo, mientras otras —especialmente las últimas— expresan situaciones insólitas y exteriorizan el lado fantástico de la realidad. Ha realizado versiones de Shakespeare y Brecht.
Miembro de la Real Academia Española. Miembro de la Hispanic Society of America. Premio Lope de Vega 1949. Premio Nacional de Teatro 1957, 1958, 1959, 1980. Premio María Rolland 1956, 1958, 1960. Premio Fundación March 1959. Premio de la Crítica de Barcelona 1960. Premio Larra 1962.
OBRA PRINCIPAL: **Teatro.** *Historia de una escalera* (1949); *En la ardiente oscuridad* (1950); *La tejedora de sueños* (1952); *La señal que se espera* (1952); *Casi un cuento de hadas* (1953); *Irene o el tesoro* (1954); *Aventura en lo gris* (1954); *Hoy es fiesta* (1956); *Las cartas boca abajo* (1957); *Un soñador para un pueblo* (1958); *Las*

bullrich

meninas (1960); *El concierto de San Ovidio* (1962); *El tragaluz* (1967); *La doble historia del doctor Valmy* (1968); *El sueño de la razón* (1970); *Llegada de los dioses* (1971); *La fundación* (1974); *Caimán* (1981). Ensayo. *Tres maestros ante el público* (1973). [P.S.]

BULLRICH, Silvina (1915-   ).—Narradora, ensayista y traductora argentina. Desde el intimismo feminista de sus primeras obras, evolucionó hacia un tipo de escritura preocupada por reflejar aspectos de la realidad argentina, en especial la referida a sus capas medias y altas. El ámbito formal es una prosa sencilla, directa, que le ha valido grandes éxitos de venta.

OBRA PRINCIPAL: *Bodas de cristal* (   ); *Teléfono ocupado* (1971); *Los burgueses* (   ); *Los salvadores de la patria* (1965); *Mañana digo basta* (1968); *La creciente* (1967); *Los pasajeros del jardín* (1971); *Mal Don* (1973); *Su Excelencia envió el informe* (1974); *Reunión de directorio* (1977); *Los despiadados* (1978). [H.S.]

BURGOS, Julia de (1916-1953).—Poeta y periodista puertorriqueña. Poesía intimista. Residió en Nueva York y La Habana. Colaboradora de la revista "Pueblos hispanos". Su libro más conocido es *Canción de la verdad sencilla.*

OBRA: **Poesía.** *Poemas exactos a mí misma* (1937); *Poema en 20 surcos* (1938); *Canción de la verdad sencilla* (1939); *Campo* (1941); *El mar y tú y otros poemas* (1958). [J.P.]

C

CABADA, Juan de la (1903-).—Narrador mexicano. Siempre atento al problema social, su obra se inserta en la corriente del realismo crítico. Su obra publicada se halla contenida en tres volúmenes.

OBRA PRINCIPAL: **Cuento.** *Paseo de mentiras* (1940); *Incidentes melódicos del mundo irracional* (1944). **Guión cinematográfico.** *El brazo fuerte* (1963). [P.S.]

CABALLERO BONALD, José Manuel (1928-).—Novelista, poeta y ensayista español. Estudió Astronomía, en Cádiz, y Letras, en Sevilla. Profesor de literatura española en la Universidad Nacional de Colombia. Fue secretario de la revista "Papeles de Son Armadans", dirigida por C. J. Cela. En 1974, su novela *Agata ojo de gato* fue galardonada con el Premio Barral, distinción que el autor rechazó. Colabora en el Seminario de Lexicografía de la Real Academia Española. Director de producción de una casa discográfica.

Premio Boscán 1958. Premio de la Crítica 1959, 1975. Premio Biblioteca Breve 1961.

OBRA PRINCIPAL: **Poesía.** *Vivir para contarlo* (1969. Contiene: *Las adivinaciones,* 1952 / *Memorias de poco tiempo,* 1954 / *Anteo,* 1956 / *Las horas muertas,* 1959 / *Pliegos de cordel,* 1963); *Descrédito del héroe* (1977). **Novela.** *Dos días de septiembre* (1962); *Agata ojo de gato* (1974); *Toda la noche oyeron pasar pájaros* (1981). **Ensayo.** *El baile andaluz* (1957); *Narrativa cubana de la Revolución* (1968); *Luces y sombras del flamenco* (1975). [P.S.]

CABALLERO CALDERÓN, Eduardo (1910-).—Escritor colombiano. Novelista, ensayista, periodista y diplomático. Ha narrado con fidelidad testimonial la infamia, la estolidez, la injusticia, la violencia y la miseria del campo colombiano. Residió larga temporada en España, en donde publicó gran parte de su obra. En sus libros de

cabañero

tema español laten el paisaje y el alma castellanos con el mismo vigor e idéntica profundidad que en los libros de sus admirados maestros de la generación del 98. Premio Nadal 1965. Miembro de la Academia Colombiana de la Lengua. *El Cristo de espaldas* y *El buen salvaje* son sus novelas más célebres. OBRA PRINCIPAL: **Novela.** *Tipacoque* (1940); *El arte de vivir sin soñar* (1943); *Diario de Tipacoque* (1950); *Siervo sin tierra* (1954); *La penúltima hora* (1955); *Manuel Pacho* (1962); *El buen salvaje* (1965); *Caín* (1969); *Historia de dos hermanos* (1977). **Cuento.** *El almirante niño y otros cuentos* (1972); *Azote de sapo* (1975). **Crónica.** *Ancha es Castilla* (1950); *Breviario del Quijote* (195?); *Memorias infantiles* (1964). **Ensayo.** *Suramérica, tierra del hombre* (1942); *Latinoamérica, un mundo por hacer* (1944); *Americanos y europeos* (1957); *El nuevo príncipe* (1969). [J.P.]

CABAÑERO, Eladio (1930-).—Poeta español. Pertenece a la generación del 50. De origen humilde, fue albañil. Su voz entronca con las de Antonio Machado y Miguel Hernández y se proyecta hacia un neorromanticismo de sello personal. Poesía testimonial y amorosa. "Los hombres humildes, las personas del pueblo, son vistos desde un inteligente distanciamiento que logra una participación del lector en la nostalgia del poeta, catapultada desde una palabra sobria, sencilla, exenta de toda anfibología, ordenada sagazmente en un discurso a veces narrativo, descriptivo o filosóficamente popular" (Antonio Hernández). Premio Nacional de Literatura 1963. Premio de la Crítica 1970.

OBRA PRINCIPAL: *Desde el sol y la anchura* (1956); *Una señal de amor* (1958); *Recordatorio* (1961); *Marisa Sabia y otros poemas* (1963); *Poesía. 1956-1970* (1970). [P.S.]

CABRAL, Alexandre (1917-).—Novelista, cuentista y ensayista portugués de historia literaria. Estudió en los Pupilos del Ejército, y luego trabajó en una oficina. Más adelante emigró a Africa, donde permaneció tres años (ex Congo Belga, ex Congo Francés y Angola). De regreso a Portugal, ejerció diversas profesiones, principalmente redactor de una agencia de noticias, realizó publicidad de productos farmacéuticos y fue jefe de oficina. Hizo estudios histórico-filosóficos en la Facultad de Letras de Lisboa y pertenece a la fase inicial de la corriente neorrealista.

OBRA PRINCIPAL: **Ficción.** *Cinzas da Nossa Alma* (1937); *Contos Sombrios* (1938); *O Sol Nascerá um Día* (1942); *Contos da*

Europa e da Africa (1947); *Fonte da Telha* (1949); *Terra Quente* (1953); *Malta Brava* (1955); *Historias do Zaire* (1956); *Margem Norte* (1961). Publicó diversos estudios sobre temas ochocentistas y en particular sobre Camilo Castelo Branco. [M.V.]

CABRAL, Manuel del (1907-   ).—Poeta dominicano. Ha residido en Norteamérica, Colombia, Chile, Argentina y España. Cultivó la poesía negrista como los cubanos Ballagas y Guillén y el puertorriqueño Palés Matos. Su poesía caudalosa, versicular y elocuente, de gran potencia erótica, arrastra consigo un mundo abigarrado de sueño y muerte. *Compadre Mon,* su libro más conocido, es, junto con *Yelidá,* de Tomás Hernández Franco, y *Muerte en el Edén,* de Incháustegui Cabral, uno de los tres poemas de intencionalidad épica escritos en la República Dominicana.

Acerca de este poeta de acento arraigadamente antillano ha dicho Gerardo Diego: "No sabe Santo Domingo lo que le ha caído en suerte con este estupendo, volcánico y casi irresponsable Manuel del Cabral, en el que parecen haberse dado cita todos los hombres en fárfara de la América del porvenir, del continente que se descubre día a día en la imaginación exploradora del espíritu".

OBRA PRINCIPAL: **Poesía** *Color de agua* (1932); *12 poemas negros* (1935); *Pilón* (1936); *8 gritos* (1937); *Biografía de un silencio* (1940); *Compadre Mon* (1940); *Trópico negro* (1942); *Sangre mayor* (1945); *De este lado del mar* (1948); *Los huéspedes secretos* (1951); *Carta a Rubén* (1951); *Pedrada planetaria* (1958); *14 mudos de amor* (1962); *La isla ofendida* (1965); *Egloga del 2000* (1970); *Sexo no solitario* (1970). **Antología** *Antología tierra* (1949); *Segunda antología tierra* (1951); *Antología clave* (1957). **Prosa poética** *Chinchina busca el tiempo* (1945); *30 parábolas* (1956). **Novela** *El escupido* (1970); *El presidente negro* (1973). **Cuento.** *Cuentos* (1976). [P.S.]

CABRERA, Sarandy (1923-   ).—Poeta uruguayo. Estudiante de Arquitectura, cronista de fútbol y profesor de Matemáticas. Colaboró durante cuatro años, desde su fundación, en la revista "Removedor", del taller Torres-García, donde publicó crítica de pintura. Es precursor de la poesía política en Uruguay.

OBRA PRINCIPAL: *Onfalo* (1947); *De nacer y morir* (1948); *Conducto* (1949); *La furia* (1958); *Poso '60* (1960); *Poemas a propósito* (1965); *Banderas y otros fuegos* (1968); *Poeta pistola en mano* (1970). [H.C.]

cabrera infante

CABRERA INFANTE, Guillermo (1929-   ).—Escritor cubano. Novelista, cuentista, periodista, crítico de cine. Utilizó el seudónimo G. Caín para sus críticas de cine en la revista habanera "Carteles". Presidió la Cinemateca de Cuba y dirigió el suplemento literario "Lunes de Revolución". Siendo agregado cultural de la Embajada de Cuba en Bruselas, abandona su cargo diplomático, en 1965, y fija su residencia en Londres, en calidad de exiliado político. Ha escrito guiones cinematográficos como el de *Banishing point,* realizado por Richard C.Cerasian. Su labor como traductor también es importante. Nacionalizado británico.

OBRA: **Relato.** *Así en la paz como en la guerra* (1960); *Vista del amanecer en el trópico* (1974). **Crítica de cine.** *Un oficio del siglo XX* (1963). **Ensayo.** *O* (1975); *Exorcismos de esti(l)o* (1976); *Arcadia todas las noches* (1978). **Novela.** *Tres tristes tigres* (1967); *La Habana para un Infante difunto* (1980). [J.P.]

CABRUJAS, José Ignacio (1937-   ).—Dramaturgo venezolano. Autor, director y actor. Su obra dramática es de carácter histórico. Divulgó, en su país, a Ionesco, Adamov, Jarry y Artaud.

OBRA PRINCIPAL: **Teatro.** *Juan Francisco de León* (1959); *Los insurgentes* (1961); *El extraño viaje de Simón el malo* (1961); *En nombre del rey* (1963); *Fiésole* (1967); *Profundo* (1971); *Acto cultural* (1977); *El día que me quieras* (1980). [J.P.]

CÁCERES, Esther de (1903-   ).—Poeta uruguaya. Voz sutil y delicada, nutre su poesía de una espiritualidad intensa. Su poesía está enraizada en un profundo sentimiento religioso, eje de toda su vida.

OBRA PRINCIPAL: *Las ínsulas extrañas* (1929); *Canción de Esther de Cáceres* (1931); *Libro de la soledad* (1933); *Los cielos* (1935); *Cruz y éxtasis de la Pasión* (1936); *El alma y el ángel* (1937); *Concierto de amor* (1944); *Mar en el mar* (1947); *Los cantos del destierro* (1963); *Tiempo y abismo* (1965). [H.C.]

CÁCERES LARA, Víctor (1915-   ).—Cuentista, historiador, diplomático y periodista hondureño. Fue embajador de Honduras en Venezuela. Miembro del Consejo de redacción del diario "El Día". Columnista del diario "La Noticia". Miembro de la Academia Hondureña de la Lengua y de la Academia Hondureña de la Historia.

OBRA PRINCIPAL: **Cuento.** *Humus* (1952); *Tierra ardiente* (1969). **Memorias.** *Recuerdos de España* (1966). [P.S.]

84

CÁCERES ROMERO, Adolfo (1937-   ).–Narrador, crítico y profesor boliviano. Realizó estudios de especialización lingüística en Montevideo y Madrid. Profesor de lenguaje en la Universidad Mayor de San Simón, de Cochabamba. Su breve obra ha influido notablemente en el proceso de renovación de la narrativa boliviana. Su cuento *La emboscada* figura en varias antologías y ha sido traducido al inglés, al francés y al alemán. Premio Nacional de Cuento 1967.

OBRA PRINCIPAL: **Cuento.** *Argal* (1967); *Copagira. Cuentos marginales* (1975); *El ángel exterminador* (1976). **Novela.** *La mansión de los elegidos* (1973); *Las víctimas* (1980). [P.S.]

CADENAS, Rafael (1930-   ).–Poeta venezolano. Irónico, sombrío, lúcido, desazonado. "Uno de los poetas más hondos de nuestra lírica" (Juan Liscano).

OBRA PRINCIPAL: **Poesía.** *Cantos iniciales* (1946); *Los cuadernos del destierro* (1960); *Falsas maniobras* (1966). [P.S.]

CAJINA-VEGA, Mario (1929-   ).–Cuentista y poeta nicaragüense. Hizo estudios en Estados Unidos y España. Trabaja como impresor en un taller de su propiedad (Editorial Nicaragüense) que ha editado la poesía y la narrativa contemporánea de Nicaragua.

OBRA PRINCIPAL: **Poesía.** *Tribu* (1961). **Cuento.** *El hombre feliz* (1952); *Familia de cuentos* (1969); *El hijo* (1976). [C.T.]

CALDERS, Pere (1912-   ).–Narrador y dibujante español de expresión catalana. Estudió en la Escuela Superior de Bellas Artes de Barcelona. Prosa realista y cargada de humor. En su novela *L'ombra de l'atzavara* describe la vida de los catalanes en México. Vivió exiliado en México, de 1939 a 1963. Actualmente reside en Barcelona. Premio Victor Catalá 1954.

OBRA PRINCIPAL: **Novela.** *(1937); L'ombra de l'atzavara La gloria del doctor Larén* (1964). **Relato.** *El primer arlequí* (1936); *Unitats de xoc* (1939); *Memòries especials* (1942); *Cróniques de la veritat oculta* (1954); *Gent de l'alta vall* (1957); *Demà a les tres de la matinada* (1957); *Ronda naval sota la boira* (1966); *Ací descansa Nevares* (1967); *Tots els contes. 1936-1967* (1968). [P.S.]

CALERO OROZCO, Adolfo (1899-   ).–Escritor nicaragüense. Poeta y cuentista. Ha colaborado con artículos en periódicos y revistas. Aunque su creación ha cubierto especialmente el campo de la narrativa, también se ha destacado en la poesía. Su actividad profesional ha sido exclusivamente la empresa privada. OBRA PRINCIPAL: **Poesía**. *Correrías líricas* (1974). **Cuento**. *Cuentos pinoleros* (1945); *Cuentos nicaragüenses* (1957); *Cuentos de aquí no más* (1963); *Algo así es Nicaragua* (1975). **Novela**. *Sangre Santa* (1939). [C.T.]

CALVETTI, Jorge (1916-   ).—Poeta argentino. En su obra coexisten los recuerdos de infancia, el paisaje provinciano y el tema histórico en textos que van desde los metros clásicos al verso libre, mediante una poesía cuya principal característica es la falta de estridencia. Carlos Mastronardi ha dicho: "Dueño de un estilo seguro y dadivoso, más que sorprender, sabe emocionar mediante una especie de elocuencia sin elocuencia que es su hechizo mayor." OBRA PRINCIPAL: **Poesía**. *Fundación del cielo* (1944); *Memoria terrestre* (1948); *Libro de homenaje* (1957); *Imágenes y conversaciones* (1966). **Narrativa**. *Alabanza del Norte* (1947); *El miedo inmortal* (1969). **Ensayo**. *Juan Carlos Dávalos* (1962). [H.S.]

CALVO-SOTELO, Joaquín (1904-   ).—Dramaturgo español. Abogado. "Dominador como pocos de la técnica teatral, fino humorista y magnífico dibujante de caracteres y de situaciones cálidamente humanas" (Sáinz de Robles). Miembro de la Real Academia Española. Premio Piquer (de la Real Academia Española) 1939. Premio Nacional de Teatro 1950, 1951. Premio Espinosa y Cortina (de la Real Academia Española) 1954. Premio Mariano de Cavia 1950. Colabora en "ABC". Su pieza más célebre: *La muralla.* OBRA PRINCIPAL: *Cuando llegue la noche* (1943); *Plaza de Oriente* (1947); *La visita que no tocó el timbre* (1950); *Criminal de guerra* (1951); *María Antonieta* (1952); *Milagro en la plaza del Progreso* (1953); *El jefe* (1953); *La muralla* (1954); *Historia de un resentido* (1956); *La herencia* (1957); *La ciudad sin Dios* (1957); *Una muchachita de Valladolid* (1957); *Garrote vil a un director de banco* (1958); *La República de Mónaco* (1959); *Dinero* (1961); *El poder* (1965). [P.S.]

CALLADO, Antônio (1917-   ).—Cronista, dramaturgo, ensayista y novelista brasileño. Su obra se sitúa en la corriente de intención política. Su libro *Quarup* (1967) es considerado uno de los más importantes de la década de los 60.

cambours ocampo

OBRA PRINCIPAL: **Novela.** *A Madona de Cedro* (1957); *Quarup* (1967); *Bar Don Juan* (1971); *Reflexos do Baile* (1975). **Teatro.** *Pedro Mico* (1960?). [M.L.M.]

CAMACHO RAMÍREZ, Arturo (1910-   ).—Poeta colombiano. Figura representativa del grupo "Piedra y cielo", junto con Eduardo Carranza y Jorge Rojas. Su obra se caracteriza por un profundo respeto por las formas tradicionales, el aprovechamiento de la efusión sentimental y la intención de crear mundos estrictamente lingüísticos. Admirador de Juan Ramón Jiménez,
OBRA PRINCIPAL: **Poesía.** *Presagio de amor* (1939); *Luna de arena* (1948). [J.P.]

CAMARGO, Joracy (1898-1973).—Periodista y dramaturgo brasileño. Siguiendo la línea del Modernismo, refleja en sus obras el estado de espíritu de la época, marcada por preocupaciones políticas provocadas por la crisis económica mundial. Su obra más importante es *Deus lhe Pague* (1932), que alcanzó 22 ediciones, el mayor éxito de literatura teatral en Brasil.
OBRA PRINCIPAL: *A Menina dos Olhos* (1927); *O Macaco Azul* (1927); *Santinha do Pau Oco* (1927); *Deus lhe Pague* (1932); *Maria Cachucha* (1933); *A Máquina Infernal* (1935); *Sindicato dos Mendigos* (1939-1940); *Nós, as Mulheres* (1943); *Lili do 47* (1945); *A Figueira do Inferno* (1954). [M.L.M.]

CAMARGO FERREIRA, Edmundo (1936-1964).—Poeta boliviano. Superrealista ortodoxo, André Breton le habría tenido por uno de sus incondicionales. Es uno de los pocos poetas bolivianos —otros serían Sergio Suárez Figueroa y el Jaime Saenz de la primera época— que ha llevado hasta sus últimas consecuencias el credo bretoniano. Practicó el automatismo psíquico y creía "en la realidad superior de ciertas formas de asociación desdeñadas hasta ahora, en la omnipotencia del sueño, en el juego desinteresado del pensamiento". Realizó estudios en París y Madrid.
OBRA PRINCIPAL: *Del tiempo de la muerte* (1964). [P.S.]

CAMBOURS OCAMPO, Arturo (1908-   ).—Ensayista y poeta argentino. Se inició cantando a las cosas simples, al barrio, al cine del suburbio, a los atardeceres, para evolucionar hacia una problemática signada por la metafísica y el amor. Como ensayista su obra se ha

campero echazú

centrado en el estudio sistemático y erudito de las generaciones literarias argentinas, así como en aspectos relativos a la técnica de la creación literaria a través del análisis de los diversos géneros. OBRA PRINCIPAL: **Poesía.** *El reloj de la hora bailarina* (1929); *Suburbio mío* (1930); *Mucho cielo* (1931); *Sur atlántico (1932); Naufragio en la tierra* (1938); *Poemas para la vigilia del hombre* (1939); *La soledad entre las manos* (1949). **Ensayo.** *Vida y poemas de Hölderlin* (1944); *Indagaciones sobre literatura argentina* (1952); *Lugones, el escritor y su lenguaje* (1957); *Verdad y mentira de la literatura argentina* (1962); *El problema de las generaciones literarias* (1963); *Teoría y técnica de la creación literaria* (1966); *Letra viva* (1970). [H.S.]

CAMPERO ECHAZÚ, Octavio (1898-1970).—Poeta boliviano. Abogado, profesor universitario. Poeta bucólico de acento nativista. Usó las formas tradicionales —la copla, el romance— para expresar los sentimientos, las costumbres y los paisajes de su tierra natal, Tarija, en el sur de Bolivia. Por la forma, el acento y su amor a la cultura popular, su voz recuerda la de Juan Ramón Jiménez y se une a la de la generación española del 27, sobre todo a la de García Lorca. Su libro *Al borde de la sombra* contiene poemas de intencionalidad metafísica.
OBRA PRINCIPAL: **Poesía.** *Arias sentimentales* (1918); *Amancayas* (1942); *Voces* (1958); *Al borde de la sombra* (1963); *Aroma de otro tiempo* (1971). [P.S.]

CAMPOBELLO, Nellie (1909-   ).—Seudónimo de Nelly Moya Morton. Narradora, poeta y bailarina mexicana. Directora de la Escuela de Danza del Instituto Nacional de Bellas Artes. En su primer libro, *Cartucho,* recuerda sus experiencias de niña durante la Revolución Mexicana.
OBRA PRINCIPAL: **Novela, relatos.** *Cartucho. Relatos de la lucha en el Norte de México* (1931); *Las manos de mamá* (1937); *Apuntes sobre la vida militar de Francisco Villa* (1940). **Poesía.** *Yo, versos por Francisca* (1928). **Testimonio.** *Ritmos indígenas de México* (1940); *Mis libros* (1960). [P.S.]

CAMPOS, Augusto de (1931-   ).—Poeta, crítico de arte y ensayista brasileño. Fundador, junto con Décio Pignatari y su hermano Haroldo, del *Movimiento Concretista.* Después de la escisión del movimiento, en 1962, se mantiene fiel a los principios concretistas. Está incluido en antologías internacionales.

campos cervera

OBRA PRINCIPAL: **Poesía.** En *Noigandres* (1952/1956); en *Invenção* (1962/1967); *O Rei Menos o Reino* (1951). **Ensayo.** *Revisão de Sousândrade* (1964); y *Panorama de Finnegans Wake* (1962, en colaboración con Haroldo de Campos); *Balanço da Bossa* (1968); *Teoria da Poesia Concreta* (1965, en colaboración con Haroldo de Campos y Décio Pignatari). [M.L.M.]

CAMPOS, Haroldo de (1929-   ).—Poeta, crítico de arte y ensayista brasileño. Fundador, junto con Décio Pignatari y Augusto de Campos, del *Movimiento Concretista*, en 1956, a partir de la revista *Noigandres 3*. Después de la escisión del movimiento, en 1962, se mantiene fiel a los principios concretistas. Está incluido en antologías internacionales y el *Concretismo* ha sido valorado por las más importantes vanguardias extranjeras.

Contribuyó, con su hermano Augusto, a la valoración de *Sousândrade* (Joaquín de Sousa Andrade), poeta brasileño del siglo pasado, precursor de la vanguardia poética de nuestro tiempo, antecedente de Fernando Pessoa y Ezra Pound.

OBRA PRINCIPAL: **Poesía.** *O Auto do Possesso* (1949); en *Noigandres* (1952/1956); en *Invenção* (1962/1967). **Ensayo.** *Revisão de Sousândrade* (1964) y *Panorama de Finnegans Wake* (1962, en colaboración con Augusto de Campos); *Teoria da Poesia Concreta* (1965, en colaboración con Augusto de Campos y Décio Pignatari). [M.L.M.]

CAMPOS, Julieta (1932-   ).—Escritora cubana radicada en México. Doctora en Filosofía y Letras por la Universidad de La Habana. Estudios de posgrado en La Sorbona (1953-1954). Traductora en Fondo de Cultura Económica y en Siglo XXI. Colabora en suplementos y revistas literarias.

OBRA PRINCIPAL: **Ensayo.** *La imagen en el espejo* (1965); *Oficio de leer* (1971). **Novela.** *La muerte por agua* (19   ); *Celina o los gatos* (1968). [C.T.]

CAMPOS CERVERA, Herib (1908-1953).—Poeta paraguayo de la generación modernista de 1923, vinculado a la revista "Juventud". Encabezó el grupo de 1940, el cual renovó la literatura paraguaya al conducirla por los cauces de las tendencias vanguardistas. En 1947 se exilia en la Argentina a raíz de la guerra civil. Al morir dejó inacabada una novela y algunos dramas. En su formación poética influyeron Rilke y sus relaciones personales con escritores del Río de la Plata.

cancela

Su breve obra ha ejercido una notable influencia en los jóvenes escritores paraguayos. La poesía de Campos Cervera se caracteriza por su acento lírico, intimista, y por su preocupación social. OBRA: **Poesía.** *Ceniza redimida* (1950); *Hombre secreto* (1966). [L.F.]

CANCELA, Arturo (1892-1957).—Narrador y dramaturgo argentino. Su primer libro, *Tres relatos porteños,* ya incluye todas las características de su obra posterior: un lenguaje típicamente argentino sin recurrir a los modismos ni al lunfardo y una constante incursión en el humor y en la ambigüedad. En colaboración con su mujer, Pilar de Lusarreta, escribió varias obras de teatro y un relato que frecuenta varias antologías: *El destino es chambón,* modelo de cuento corto en el cual se entremezclan lo fantástico y lo cotidiano en el marco de la ciudad.

OBRA PRINCIPAL: *Tres relatos porteños* (1922); *El burro de Maruf* (1925); *Palabras socráticas* (1928); *Film porteño* (1933); *Historia funambulesca del profesor Landormy* (1943). **Teatro.** *El día de la flor* (1915); *El origen del hombre* (1923); *Sansón y Dalila* (1925); y en colaboración con Pilar de Lusarreta: *El culto de los héroes* (1939); *Cristina o la gracia de Dios* (1943). [H.S.]

CANDEL, Francisco (1925-   ).—Narrador, dramaturgo y ensayista español. De origen humilde, desempeñó diversos oficios antes de dedicarse a escribir novelas. Su obra es sencilla, directa, próxima al reportaje y la crónica. Senador por Barcelona. Sus novelas más célebres: *Donde la ciudad cambia de nombre, Han matado un hombre, han roto un paisaje* y *Dios, la que se armó.*

OBRA PRINCIPAL: **Novela.** *Hay una juventud que aguarda* (1956); *Donde la ciudad cambia de nombre* (1957); *Han matado un hombre, han roto un paisaje* (1959); *Dios, la que se armó* (1964); *Historia de una parroquia* (1971); *Diario para los que creen en la gente* (1973). **Relato.** *¡Echate un pulso, Hemingway!* (1959); *El empleo* (1956); *Los hombres de la mala uva* (1968); *Treinta mil pesetas por un hombre* (1973). **Ensayo.** *Los otros catalanes* (1968); *Los que nunca opinan* (1971); *Ser obrero no es ninguna ganga* (1972). **Teatro.** *Sala de espera* (1964); *Richard* (1964). [P.S.]

CANDIDO, Antonio (1918-   ).—Nombre literario de Antonio Candido de Mello Souza. Crítico literario, ensayista, periodista y sociólogo brasileño. Considerado uno de los críticos más importantes del Brasil, ejerció la docencia en las universidades de São Paulo, París y Yale, en las que impartió cursos de Teoría literaria, Literatura comparada e Historia de la literatura brasileña.

Pertenece al grupo de estudiosos que se definieron por la interpretación sociológica de la obra de arte. Analiza el texto a partir de la influencia del medio social y de su capacidad de expresar los problemas y la relaciones sociales.

Su obra más importante es *Formação da Literatura Brasileira* (1959), escrita en dos volúmenes, la cual trata del estudio de la literatura brasileña desde sus orígenes hasta el Romanticismo.

OBRA PRINCIPAL: *Ficção e confissão* (1956); *Formação da literatura brasileira* (momentos decisivos) (1959, 2 vols.); *Tese e antítese* (1964); *Os parceiros do Rio Bonito* (1964); *Literatura e sociedade* (1965); *Introducción a la Literatura de Brasil* (1968, ed. en Caracas); *Varios escritos* (1970). [M.L.M.]

CANO, José Luis (1912-   ).—Poeta, ensayista, biógrafo y crítico literario español. Pertenece a la generación del 36. Licenciado en Derecho y en Filosofía y Letras por la Universidad de Madrid. Fundador y director de la Colección Adonais de poesía (1943-1960). Subdirector de la revista "Insula". Miembro de honor de la Hispanic Society. Premio Fastenrath de la Real Academia Española 1970, por su libro *La poesía de la generación de 1927*.

La poesía de Cano es delicadamente erótica, de tono elegíaco, impregnada de luz, tiempo y paisaje. Tradujo *Poemas,* de Rupert Brooke, y *Manuscrito encontrado en Zaragoza,* de Jan Potocki. Su contribución al desarrollo de la actividad poética en la España de posguerra es importantísima. Sus antologías y ediciones críticas de poetas como Antonio y Manuel Machado, Emilio Prados y Miguel Hernández, son fuentes de consulta obligada.

OBRA PRINCIPAL: **Poesía.** *Sonetos de la bahía* (1942); *Voz de la muerte* (1945); *Otoño en Málaga y otros poemas* (1955); *Luz del tiempo* (1962); *Poesía. 1942-1962* (1964). **Ensayo y crítica.** *De Machado a Bousoño* (1955); *Poesía española del siglo XX* (1960); *Lírica española de hoy* (1964); *El escritor y su aventura* (1966); *La poesía de la generación de 1927* (1970); *Poesía española. Las generaciones de posguerra* (1974); *Heterodoxos y prerrománticos* (1974); *Españoles de dos siglos. De Valera a nuestros días* (1975); *Vicente Aleixandre* (1977). **Biografía.** *García Lorca* (1962); *Antonio Machado* (1975). **Antología.** *Antología de poetas andaluces contemporáneos* (1952); *Antología de la nueva poesía española* (1963); *Antología de la lírica española actual* (1964); *El tema de España en la poesía española contemporánea* (1964). [P.S.]

cañas

CAÑAS, Alberto F. (1920-   ).–Dramaturgo, narrador y periodista costarricense. Abogado, diplomático, miembro de la Academia Costarricense de la Lengua. Director de la Escuela de Periodismo de la Universidad de Costa Rica. Ministro de Cultura (1970-1974). Prosa realista de gran penetración psicológica y agudo sentido del humor. Sobresale como autor teatral. OBRA PRINCIPAL: **Cuento.** *Aquí y ahora* (1964). *Novela. Feliz años, Chaves Chaves* (1975). **Ensayo.** *Los ocho años* (1950); *La exterminación de los pobres y otros "pienses"* (1974). **Teatro.** *El héroe* (1956); *Los pocos sabios* (1959); *El luto robado* (1959); *En agosto hizo dos años* (1966); *Algo más que dos sueños* (1967); *La Segua* (1971). [P.S.]

CAPETILLO, Manuel (1937-   ).–Narrador mexicano. Dentro de la corriente del *nouveau roman,* la obra de Capetillo es una reflexión sobre la vida y la muerte. En una atmósfera de ensueño, el autor describe la obsesión de sus personajes por la enfermedad y la muerte, cifra del tiempo y la descomposición de las cosas. OBRA PRINCIPAL: **Relato.** *Las tres visitantes* (1975). **Novela.** *El cadáver del tío* (1971); *Plaza de Santo Domingo. 1: Propio de la noche* (1977). [P.S.]

CARBALLO, Emmanuel (1929-   ).–Escritor, ensayista y periodista mexicano. Director de las revistas "Ariel" (1949-1953) y "Odiseo" (1952). Colaborador de la "Revista de la Universidad". Jefe de redacción de la revista "La Gaceta", del Fondo de Cultura Económica. Actualmente es director de la Editorial "Diógenes". OBRA PRINCIPAL: **Ensayo.** *José López Portillo y Rojas, cuentos completos* (1952); *Ramón López Velarde en Guadalajara* (1953); *Ramón López Velarde, prosa política "López Velarde, político reaccionario"* (1954); *Emilio Rabasa, la guerra de tres años* (1955); *Cuentistas mexicanos modernos* (1956); *El cuento mexicano del siglo XX* (1964); *19 protagonistas de la literatura mexicana. Antología* (1965). **Poesía.** *Amor se llama* (1951). [C.T.]

CARBALLIDO, Emilio (1925-   ).–Escritor mexicano. Dramaturgo, autor de cuentos, novelas cortas, monólogos y argumentos de ópera y ballet. Maestro en Letras. Subdirector de la Escuela de Teatro de la Universidad Veracruzana. Maestro de la Escuela de Arte Dramático del Instituto Nacional de Bellas Artes. Catedrático de la Universidad Veracruzana. Miembro del Consejo Editorial de la Universidad Veracruzana. Premio Casa de las Américas 1962.

cardenal

OBRA PRINCIPAL: **Teatro.** *Rosalba y los llaveros* (1950); *La zona intermedia* (1950); *El pozo* (1953); *La danza que sueña la tortuga o Las palabras cruzadas* (1954-1955); *La hebra de oro* (1955); *El día que se soltaron los leones; El relojero de Córdoba; Medusa; Pastores de la ciudad; Las estatuas de marfil* (1960); *Un pequeño día de ira* (1962); (Premio Casa de las Américas); *Silencio pollos pelones ya les van a echar su maíz* (1963); *Te juro Juana, que tengo ganas...* (1965); *Yo también hablo de la rosa* (1965). **Relato.** *La caja vacía* (1962). **Novela corta.** *La veleta oxidada* (1956); *El Norte* (1958); *Las visitaciones del diablo* (1965); *El sol* (1970). [C.T.]

CÁRCAMO, **Jacobo (1916-1959).**—Poeta hondureño. Colaboró en el diario "El Cronista", la revista "Tegucigalpa" y la "Revista de la Asociación Nacional de Cronistas". Vivió en México desde 1941. Premio Nacional de Literatura Ramón Rosa (1955, Tegucigalpa).

OBRA PRINCIPAL: *Flores del alma* (1935); *Brazas azules* (1938); *Laurel del Anáhuac* (1954); *Vino y sangre* (1958). [C.T.]

CARDENAL, **Ernesto (1925-   ).**—Poeta nicaragüense. Sacerdote católico. Procede de un ambiente familiar afín a la poesía: Pablo Antonio Cuadra y José Coronel Urtecho son parientes suyos. Pertenece a la promoción de Ernesto Mejía Sánchez y Carlos Martínez Rivas. Estudió Filosofía y Letras en la UNAM. Se doctoró en la Universidad de Columbia, Nueva York. Sus estudios de sacerdocio los realizó en seminarios de Colombia. Su "poesía exteriorista", formada en la lectura de la poesía norteamericana, la Biblia y los clásicos latinos, se mueve entre el epigrama, la crónica y el salmo. Sus poemas extensos son verdaderas composiciones sinfónicas que expresan la santa ira del profeta enfrentado a la dictadura y revelan, también, el asombro del poeta ante la naturaleza y la historia. Los poetas norteamericanos que más le ayudaron a encontrar su propia voz fueron, sin duda, Ezra Pound, Archibald MacLeish y Thomas Merton. *El estrecho dudoso* es uno de los grandes aportes de Cardenal a la poesía en lengua española. Tomó parte activa en la lucha contra la dictadura somocista, lo cual le ocasionó ser perseguido, encarcelado y desterrado en varias ocasiones. En la isla de Solentiname intentó llevar adelante un proyecto de comuna con los campesinos del lugar. La comunidad fue intervenida y prohibida por el somocismo. Actualmente, Cardenal es ministro de Educación. Premio Rubén Darío 1965. Premio de la Paz de los Libreros Alemanes 1980.

OBRA PRINCIPAL: **Poesía.** *La ciudad deshabitada* (1946);

cárdenas peña

Hora 0 (1960); *Epigramas. Gethsemaní Ky. Poemas* (1961); *Salmos* (1964); *Oración por Marylin Monroe y otros poemas* (1965); *El estrecho dudoso* (1966); *Vida en el amor* (1970); *Homenaje a los indios americanos* (1971); *Canto nacional* (1973). **Testimonio.** *Vida en el amor* (1970); *En Cuba* (1971); *Cristianismo y revolución* (1974); *La santidad en la revolución* (1976); *El Evangelio en Solentiname* (1977). [P.S.]

CÁRDENAS PEÑA, José (1918-1963).—Poeta y diplomático mexicano. Residió en Buenos Aires y París. En 1952 formó parte de la Delegación de México ante la Unesco. Colaboró en las revistas "Insula", de Madrid; "Orígenes", de La Habana; y "Diario de Noticias", de Lisboa, entre otras.

La poesía de Cárdenas Peña es esencialmente amorosa, aunque su libro de tono elegíaco *Retama del olvido* es un canto a la muerte, dedicado a la memoria del poeta italiano Giacomo Leopardi.

OBRA PRINCIPAL: *Sueño de sombras* (1940); *Llanto subterráneo. 1940-1941* (1945); *La ciudad de los pájaros* (1947); *Conversación amorosoa* (1950); *Retama del olvido y otros poemas* (1954); *Adonáis o la elegía del amor* y *Canto de Dionisio* (1961); *Los contados días* (1964). [P.S.]

CARDONA, Rafael (1892-1973).—Poeta y ensayista costarricense. Su obra se encuadra en los lineamientos formales del ultraísmo. Desde muy joven ejerció el periodismo.

OBRA PRINCIPAL: **Poesía.** *Oro de la mañana* (1916); *Los medallones de la conquista, partenón, estirpe; loanza de una cultura* (1951). [C.T.]

CARDONA JARAMILLO, Antonio (1914-1966).—Narrador colombiano. Cuentista, banquero, diplomático. Realizó estudios militares que no llegó a completar en la Escuela de Cadetes de Bogotá. "Su prosa descriptiva es ágil, compleja, artística, imaginativa".

OBRA: **Cuento.** *Cordillera* (1945). [J.P.]

CARDONA PEÑA, Alfredo (1917-   ).—Escritor costarricense. Poeta, narrador, crítico, ensayista y periodista. Reside en México desde 1938. Profesor de Literatura. Colaborador de varias editoriales. Premio Centroamericano de Poesía 1948, Premio Continental 1951, Premio Nacional de Poesía 1963.

OBRA PRINCIPAL: **Poesía.** *El mundo que tú eres* (1944); *Valle de México* (1949); *Poemas numerales* (1950); *Los jardines amantes* (1952); *Recreo sobre las barbas* (1953); *Zapata* (1954); *Primer paraíso* (1955); *Poema nuevo* (1955); *Semblanzas mexicanas* (1955); *Poesía de pie* (1959); *Oración futura* (1959); *Mínimo estar* (1959); *Poema a la juventud* (1960); *Poema del retorno* (1962); *Lectura de mi noche* (1963); *Cosecha mayor* (antología) (1954); *Confín de llamas* (1969); *Asamblea plenaria* (1972). **Cuento.** *La máscara que habla* (1944); *El secreto de la reina Amaranta* (1946); *La muerte cae en un vaso* (1962). [C.T.]

CARDONA TORRICO, Alcira (1926-   ).–Poeta boliviana. Pertenece a la segunda generación de Gesta Bárbara. Ha cantado la tragedia del minero boliviano. Voz testimonial de clave existencialista. Es célebre su *Carcajada de estaño,* uno de los poemas cumbres de la poesía social hispanoamericana.

OBRA PRINCIPAL: *Carcajada de estaño y otros poemas* (1949); *Rayo y simiente* (1961); *Tormenta en el Ande* (1967). [P.S.]

CARDOSO, Lúcio (1913-1968).–Nombre literario de Joaquim Lúcio Cardoso Filho. Poeta, dramaturgo, crítico, pintor y novelista brasileño. Su obra se inscribe en la línea del análisis introspectivo. Cardoso forjó una prosa de gran densidad poética, conseguida a través de descripciones de carácter onírico. Su novela más importante es *Crónica da Casa Assasinada* (1959).

OBRA PRINCIPAL: **Novela.** *Maleita* (1934); *Salgueiro* (1935); *A Luz no Subsolo* (1936); *Mãos Vazias* (1938); *Histórias da Lagoa Grande* (1939); *O Desconhecido* (1940); *Dias Perdidos* (1943); *Inácio* (1946); *O Anfiteatro* (1946); *A Professôra Hilda* (1946); *O Enfeitiçado* (1954); *Crônica da Casa Assassinada* (1959). **Poesía.** *Poesías* (1941); *Novas Poesías* (1944). **Teatro.** *O Escravo* (1937); *O Coração Delator* (s.d.); *A Corda de Prata* (1947); *O Filho Pródigo* (1947); *Angélica* (1950). [M.L.M.]

CARDOSO, Onelio Jorge (1914-   ).–Narrador cubano. De origen campesino, fue aprendiz de fotógrafo, vendedor de productos farmacéuticos, maestro rural, etc. En La Habana trabajó como autor de guiones radiofónicos. Premio Hernández Catá 1945, por su cuento *El Carbonero.* Representante del realismo en la narrativa cubana. Su libro *Gente de pueblo* (1962) ha sido traducido a ocho

cardoza y aragón

idiomas. Se trata de un puñado de crónicas sobre la interpretación social y humana del campesino cubano.
OBRA PRINCIPAL: **Cuento.** *Taita, diga usted cómo* (1945); *El cuentero* (1958); *El caballo de coral* (1960); *Cuentos completos* (1960, 1962, 1966, 1969); *La lechuza ambiciosa* (1960); *El perro* (1964): *La muerte del gato* (1964); *Iba caminando* (1966); *Abrir y cerrar los ojos* (1969); *El hilo y la cuerda* (1974). [J.P.]

CARDOZA Y ARAGÓN, Luis (1904-   ).–Escritor guatemalteco. Poeta, narrador, ensayista y periodista. Desde su fecundo exilio mexicano ha escrito libros importantes, tanto en el campo de la crítica de arte como en el de la reflexión política. Su libro más difundido: *Guatemala, las líneas de su mano.* Los textos de Cardoza y Aragón tienden a borrar la frontera entre prosa y poesía.
OBRA PRINCIPAL: **Poesía.** *Luna Park* (1923); *Cuatro recuerdos de infancia* (1931); *Entonces, sólo entonces* (1933); *Soledad* (1936); *El sonámbulo* (1937); *Venus y tumba* (1940); *Pequeña sinfonía del nuevo mundo* (1948); *Poesía* (1948); *Elogio de la embriaguez* (1931); *Pequeños poemas (1945-1964)* (1964); *Arte poética (1960-1973)* (1973); *Quinta estación* (1972); *Poesías completas y algunas prosas* (1977). **Prosa.** *Malstrom* (1926); *Apolo y Coatlicue* (1944); *Retorno al futuro* (1948); *Dibujos de ciego* (1969). **Ensayo.** *Fez, ciudad santa de los árabes* (1926); *Carlos Mérida* (1927); *La nube y el reloj* (1940); *Guatemala, las líneas de su mano* (1955); *El pueblo de Guatemala, la United Fruit Company y la protesta de Washington* (1954); *La revolución guatemalteca* (1955); *Orozco* (1959); *Nuevo mundo* (1960); *José Guadalupe Posada* (1964); *México, pintura activa* (1961); *México, pintura de hoy* (1964); *Perfiles de Balzac, Antonio Machado, Picasso, Alfonso Reyes* (1964); *Círculos concéntricos* (1967). **Traducción de teatro maya.** *Rabinal H* (1972). [C.T.]

CARÍAS REYES, Marcos (1905-1949).–Escritor hondureño. Cuentista y novelista. Se graduó de abogado por la Universidad de Honduras. Primer Secretario en la Embajada de Honduras en Francia. Ministro de Educación Pública.
OBRAS PRINCIPALES: **Narración.** *La heredad* (1934); *Prosas fugaces* (1938); *Crónicas frívolas* (1939); *Artículos y discursos* (1943); *Hombres de pensamiento* (1947); *Germinal* (1936); *Cuento de lobos* (1941); *La ternura que esperaba* (1970); *Una función con móviles y tentatiesos* (1979). [C.T.]

CARPENTIER, Alejo (1904-1980).—Escritor cubano. Novelista, cuentista, ensayista, musicólogo, diplomático. Miembro del Grupo Minoritario. Participó en la fundación de la "Revista de Avance" (1927-30), órgano de la literatura cubana de vanguardia, y dirigió "Carteles". Sus convicciones políticas le obligaron a vivir en el exilio. En París se relaciona con los superrealistas, muy especialmente con Robert Desnos. Vive en Haití y Venezuela. Al caer Batista, retorna a Cuba y ocupa importantes cargos oficiales relacionados con la actividad cultural. Embajador en París, obtuvo numerosos galardones internacionales como el Premio Internacional Alfonso Reyes 1975 y el Premio Literario Miguel de Cervantes 1977.

Escribió libretos para partituras del compositor francés Marius François Gaillard. De uno de esos libretos arranca su primera novela *Ecué-Yamba-O* (que significa " ¡Sálvanos, Jesús!"), editada en Madrid, en 1933.

El término "lo real maravilloso" —inventado por Carpentier y divulgado en el prólogo a su novela *El reino de este mundo*— ha servido para tipificar su propia novelística. Es un símil del llamado "realismo mítico" incorporado a la descripción de la realidad hispanoamericana. La realidad y el sueño, la razón y la imaginación, la historia y la fábula, la vida y la muerte, entretejen sus lizos narrativos hasta llegar a conformar una especie de tapiz suntuoso, mágico y alegórico, conceptual y, por momentos, culterano.

Por razones familiares (su padre era francés), fue un profundo conocedor de la cultura gala; sin embargo, Carpentier reconoció siempre su deuda con la cultura española. El legado literario hispánico informa su prosa garrida, pulcra, musical. En ella alienta el genio de la lengua española a través de una sabia asimilación de las novelas de caballerías, la picaresca, la generación del 98, Quevedo y los cronistas de Indias. Sus obras más celebradas siguen siendo *El reino de este mundo*, *El siglo de las luces* y *Los pasos perdidos*.

OBRA PRINCIPAL: **Ensayo.** *La música en Cuba* (1946); *Tientos y diferencias* (1966); *La novela latinoamericana en vísperas de un nuevo siglo y otros ensayos* (1981). **Relato.** *Los pasos perdidos* (1953); *Asilo diplomático* (1972); *Concierto barroco* (1974). **Novela.** *Ecué-Yamba-O* (1933); *El reino de este mundo* (1949); *El siglo de las luces* (1962); *El recurso del método* (1974); *La consagración de la primavera* (1978). **Testimonio.** *Crónicas* (1972, 2 vols.). [P.S.]

CARRANZA, Eduardo (1913-   ).—Poeta colombiano. Principal animador del grupo "Piedra y cielo", junto con Jorge Rojas y Arturo

carrera andrade

Camacho Ramírez. El nombre del grupo fue tomado del título de una obra de Juan Ramón Jiménez, poeta que orientó, en gran medida, la estética del grupo. La poesía de Carranza se caracteriza por haber logrado "un equilibrio entre lo vital y lo formal, la perfecta correspondencia entre el impulso creador y la expresión artística: lo sentimental ciñéndose exactamente al modelado de lo intelectual". Miembro de la Academia Colombiana de la Lengua. Miembro del Consejo Superior del Instituto de Cooperación Iberoamericana.

OBRA PRINCIPAL: Poesía. *Canciones para iniciar una fiesta* (1936); *Seis elegías y un himno* (1939); *La sombra de las muchachas* (1941); *Azul de ti. Sonetos sentimentales* (1944); *Los días que ahora son sueños* (1946); *Poesía en verso, 1935-1950* (1953); *El olvidado y Alhambra* (1957); *El corazón escrito* (1967); *Los pasos cantados* (1970); *Hablar soñando* (1978). [J.P.]

CARRERA ANDRADE, Jorge (1903-1978).—Poeta y diplomático ecuatoriano. Residió en España y Francia. Estudió filosofía y letras en la Universidad de Barcelona. Fue secretario de Gabriela Mistral, en Marsella. Director de "Letras del Ecuador". Colaboró en el diario "El Sol", de Quito. Amigo de Pedro Salinas, éste le dedicó un estudio —*Registro de Jorge Carrera Andrade*— en su libro *Ensayos de literatura hispánica.*

Al estallar la Segunda Guerra Mundial, Carrera Andrade se hallaba en Japón, en misión diplomática. En Tokio estudió la estructura del *Haiku,* composición que imitó en su libro *Microgramas.*

Conocedor de la lírica francesa publicó una antología comentada y traducida por él, *Poesía francesa contemporánea,* 1951, de honda repercusión en el ámbito hispanoamericano. Trabó amistad con Paul Valéry y Pierre Reverdy.

"El ejercicio del verso ha sido para Carrera Andrade algo más profundo; un intento por descubrir ese "país secreto", sin mapa, que es el ser humano total de nuestro tiempo, en su soledad, pero también en su integración solidaria con el otro, con los otros" (José Olivio Jiménez). Sus libros más leídos son: *Biografía para uso de los pájaros, País secreto, Hombre planetario* y, sobre todo, *Floresta de los guacamayos.*

OBRA PRINCIPAL: Poesía. *El estanque inefable* (1922); *La guirnalda del silencio* (1926); *Boletines de mar y tierra* (1930. Prólogo de Gabriela Mistral); *Rol de la manzana. Poesías 1926-1929* (1935); *El tiempo manual* (1935); *La hora de las ventanas iluminadas* (1937); *Biografía para uso de los pájaros* (1937); *Microgramas* (1940); *País secreto* (1940); *Registro del mundo, 1922-1939* (1940. Prólogo de Pedro Salinas); *Canto al puente de Oakland* (1941); *Lugar de origen* (1945); *Rostros y climas* (1948); *Aquí yace la espuma* (1950); *Dictado por el agua* (1951); *Familia de la noche* (1953); *Edades poéticas, 1922-1956* (1958); *Hombre planetario* (1959); *Floresta de los guacamayos* (1964); *Crónica de las Indias* (1965); *Poesía última* (1968). **Crónica.** *Latitudes* (1934). [P.S.]

CARRIÓN, Alejandro (1915-   ).—Poeta, narrador, crítico y periodista ecuatoriano. Poesía simbolista, "extraña, alucinante y enigmática" (Matilde Elena López). Redactó con Isaac J. Barrera *Ecuador,* del "Diccionario de la literatura latinoamericana", editado por la Unión Panamericana, 1962. Firma sus colaboraciones periodísticas con el seudónimo de "Juan sin Cielo". Editor en Quito de la revista "Vistazo", de Guayaquil. Premio María Moors Cabot 1961, otorgado por la Universidad de Columbia, de Nueva York.

OBRA PRINCIPAL: **Poesía.** *Luz del nuevo paisaje* (1937); *¡Aquí, España nuestra!* (1938); *Poesía de la soledad y el deseo* (1945); *Tiniebla* (1947); *Agonía del árbol y la sangre* (1948); *La noche oscura* (1954); *Cuaderno de canciones* (1954); *Canto a la América Española* (1954); *Poesía* (1961, incluye toda su obra poética). **Novela.** *La espina* (1959). **Relato.** *La manzana dañada* (1948); *La llave perdida* (1970). [P.S.]

CARRIÓN, Benjamín (1897-1979).—Ensayista, crítico, político y diplomático ecuatoriano. Promotor cultural, fundó la Casa de la Cultura Ecuatoriana en base al Instituto Cultural Ecuatoriano. Fundó con Alfredo Pareja Diezcanseco el diario "El Sol", de Quito. Gabriela Mistral y Ramón Gómez de la Serna le prologaron dos libros. Premio Benito Juárez, México, 1968.

Su obra de mayor aliento fue *Atahuallpa,* un "vasto y bien proporcionado tapiz en el que se muestra el final del Incario, la llegada de los españoles, el choque de ambas culturas y el comienzo de nuestra América".

Carrión publicó, además, dos antologías —una de poesía y otra de relato— de mucha utilidad para el investigador de las letras ecuatorianas.

OBRA PRINCIPAL: **Ensayo.** *Los creadores de la nueva América* (1928, Prólogo de Gabriela Mistral); *Mapa de América* (1930.

99

cartagena portalatín

Prólogo de Ramón Gómez de la Serna); *Atahuallpa* (1934); *Cartas al Ecuador* (1943); *José Carlos Mariátegui* (1953); *San Miguel de Unamuno* (1954); *Santa Gabriela Mistral* (1956); *García Moreno, el santo del patíbulo* (1959); *Nuevas cartas al Ecuador* (1960); *Por qué Jesús no vuelve* (1963); *El cuento de la patria* (1967). **Novela.** *El desencanto de Miguel García* (1929). **Antología.** *Indice de la poesía ecuatoriana contemporánea* (1937); *El nuevo relato ecuatoriano* (1950/1951, 2 vols.). [P.S.]

CARTAGENA PORTALATÍN, Aida (1918-   ).—Escritora dominicana. Poeta, novelista, cuentista, ensayista. Profesora de la Facultad de Humanidades en la Universidad Autónoma de Santo Domingo. Realizó estudios de museología y artes plásticas en París. Directora del Museo de Antropología de la Universidad Autónoma de Santo Domingo. Finalista del Premio Biblioteca Breve de la Editorial Seix Barral, en el año 1969.

OBRA PRINCIPAL. **Poesía.** *Vísperas del sueño* (1944); *Del sueño al mundo* (1944); *Una mujer está sola* (1955); *Mi mundo, el mar* (1955); *La voz desatada* (1961); *La tierra escrita* (1967). **Novela.** *Escalera para Electra* (1970). **Antología.** *Narradores dominicanos* (1969). [P.S.]

CARVAJAL, María Isabel (1890-1949).—Véase **LYRA, Carmen.**

CARVALHO, José Cândido (1914-   ).—Novelista y cuentista brasileño. Su obra de análisis psicológico revela los conflictos del hombre en la sociedad. Dotado de un extraordinario sentido del humor, utiliza el lenguaje clásico con gran precisión expresiva. Su libro más importante: *O Coronel e o lobisomem.*

OBRA PRINCIPAL: *Olha para ó céu, Frederico* (1939); *O Coronel e o lobisomem* (1964). [M.L.M.]

CARVALHO, María Judite de (1921-   ).—Novelista y cronista portuguesa. Vivió algunos años en Francia y Bélgica, tras haber estudiado en la Facultad de Letras de Lisboa. A semejanza de Fernanda Botelho, cultiva en sus primeras obras las tendencias existencialistas de los años 50. Publica regularmente en varios periódicos sus crónicas sobre la vida cotidiana.

OBRA PRINCIPAL: **Ficción.** *Tanta Gente, Mariana*, novela y cuentos (1959); *As Palavras Poupadas*, cuentos (1961); *Paisagem sem Barcos*, cuentos (1963); *Os Armarios Vazios*, novela (1966); *O Seu*

casaccia

Amor por Etel, novela (1967); *Flores ao Telefone,* cuentos (1968); *Os Idólatras,* cuentos (1969), etc. **Crónicas.** *A Janela Fingida* (1975), etcétera. [M.V.]

CARVALHO, Rómulo de (1906-   ).—Véase **Gedeão, Antonio.**

CARVALHO, Ronald de (1893-1935).—Poeta, ensayista, historiador de la literatura y crítico brasileño. Preparó el advenimiento del Modernismo, integrando el grupo de Rio de Janeiro. Figura destacada de la *Semana de Arte Moderno,* celebrada en São Paulo, en febrero de 1922. Fundador, con el portugués Luis de Montalvor, de la revista *Orfeu* (Lisboa, 1915). Su libro más importante: *Epigramas Irônicos e Sentimais* (1922), está entre los fundamentales del Modernismo, por adecuarse perfectamente al "sentimiento nativista" que era una de las tónicas claves del Movimiento.

El poema *Toda a América,* publicado en 1926, es precursor del *Canto General,* de Pablo Neruda. Se distingue por su acento lírico y su visión de Iberoamérica como unidad indivisible.

OBRA PRINCIPAL: **Poesía.** *Luz Gloriosa* (1913); *Poemas e Sonetos* (1919); *Epigramas Irônicos e Sentimais* (1922); *Toda a América* (1926); *Jogos Pueris* (1926). **Ensayo, crítica e historia de la literatura.** *Pequeña História da Literatura brasileira* (1919); *O Espelho de Ariel* (1923); *Estudos Brasileiros* (3 vols., 1924-1931). [M.L.M.]

CASACCIA, Gabriel (1907-1980).—Novelista, cuentista y dramaturgo paraguayo. El primer gran narrador de la literatura paraguaya actual. Iniciador del naturalismo. Su novela *Mario Pereda* constituye un hito importante en la novelística paraguaya. Educado en la Argentina, en donde residió, no perteneció a ningún grupo literario. Su prosa realista, no exenta de poesía, sostiene una obra caracterizada por la visión personal de hechos, paisajes y personajes del Paraguay contemporáneo. Premio Kraft 1964, por su novela *La llaga,* y Premio Primera Plana 1966, por su novela *Los exiliados.*

OBRA PRINCIPAL: **Novela.** *Hombres, mujeres y fantoches* (1928); *Mario Pereda* (1940); *La babosa* (1952); *La llaga* (1964); *Los exiliados* (1966); *Los herederos* (1975). **Cuento.** *El guahjú* (1938); *El pozo* (1947). [L.F.]

cascudo

CASCUDO, Luiz da Câmara (1898-   ).–Historiador y folclorista brasileño. Es considerado uno de los más importante historiadores y folcloristas del Brasil. Sus obras le garantizan el título de pionero en la etnografía brasileña. Es miembro de la Academia de Letras de Río Grande del Norte, su estado natal; del Instituto Histórico y Geográfico del mismo Estado y uno de los directores de la Campaña de Defensa del Folclore Brasileño.

OBRA PRINCIPAL: *Intencionalidade do Descobrimento do Brasil* (1928); *Viajando pelo Sertão* (1935); *Vaqueiros e Cantadores* (1939); *Informação de História e Etnografia* (1940); *Antologia do Folclore Brasileiro* (1944); *Os Melhores Contos Populares de Portugal* (1945); *Lendas Brasileiras* (1945); *Contos Tradicionais do Brasil* (1946); *Geografia dos Mitos Brasileiros* (1947); *Diccionàrio do Folclore Brasileiro* (1956); *Supersticões e Costumes* (1958); *Rêde de dormir* (1959). [M.L.M.]

CASEY, Calvert (1923-1969).–Narrador cubano, nacido en Baltimore, Estados Unidos. Educado en Cuba, reside en Nueva York y al triunfo de la Revolución vuelve a Cuba. Colabora en el diario "Revolución". Abandona Cuba en 1965 y como traductor de la FAO reside en Italia. Se suicida en Roma. Su obra refleja un mundo angustiado con personajes acosados por el sinsentido y la desolación.

OBRA PRINCIPAL: **Artículos.** *Memorias de una isla* (1964). **Relato.** *El regreso* (1962); *Notas de un simulador* (1969). [J.P.]

CASONA, Alejandro (1903-1965).–Seudónimo de Alejandro Rodríguez Alvarez. Dramaturgo, poeta y pedagogo español. Al final de la Guerra Civil emigró a la Argentina, en cuya capital vivió y escribió gran parte de su obra dramática. Exponente de una línea casi inédita antes de 1933 –fecha de estreno de *La sirena varada*–, Casona representa, en la vida teatral española del siglo XX, la fantasía, el lirismo y la ternura que da vida a un teatro eminentemente poético y simbólico. Autor de veintidós dramas, cinco farsas, dos textos de teatro para niños y cuatro adaptaciones.

OBRA PRINCIPAL: **Teatro.** *La sirena varada* (1933); *Otra vez el diablo* (1934); *Nuestra Natacha* (1935); *Prohibido suicidarse en primavera* (1943); *La dama del alba* (1944); *La barca sin pescador* (1945); *Los árboles mueren de pie* (1949); *Retablo jovial. Cinco farsas en un acto* (1949); *La tercera palabra* (1953); *El caballero de las espuelas de oro* (1964). [P.S.]

castelpoggi

CASTAGNINO, Raúl H[éctor] (1914-   ).—Ensayista argentino. Se inició como crítico teatral, especializándose luego en el tema dramático, en especial en los comienzos de la escena en la Argentina, como lo prueban algunos de sus trabajos mayores: *El teatro en Buenos Aires en la época de Rosas; Esquema de la literatura dramática argentina; La iniciación dramática de Martín Coronado* y *El circo criollo.* También ha escrito libros puramente teóricos como *¿Qué es literatura?* y *Teoría del teatro.* Asimismo se ha destacado como docente. En este sentido se encuentra su libro *Algunas observaciones metodológicas sobre la enseñanza de la composición.*

OBRA PRINCIPAL: *El teatro en Buenos Aires en la época de Rosas* (1945); *Esquema de la literatura dramática argentina* (1949); *La iniciación dramática de Martín Coronado* (1953); *El circo criollo. Datos y documentos para su historia* (1953); *Teoría del teatro* (1956); *El análisis literario* (1953); *¿Qué es literatura?* (1954); *El teatro de Roberto Arlt* (1964); *Literatura dramática argentina* (1968); *Revaloración del género chico criollo* (1977). [H.S.]

CASTELNUOVO, Elías (1893-   ).—Narrador argentino, nacido en el Uruguay. Es el arquetipo del conjunto de escritores conocido como "grupo de Boedo". Su obra se inscribe en una línea ortodoxamente realista, de atmósferas opresivas, alucinantes, herederas del mejor Dostoievsky. Castelnuovo ha definido su literatura: "Mi preocupación principal no es lograr un lenguaje pulcro, elegante, cosmético, retorcido, difícil de entender, sino un lenguaje sencillo y económico, al alcance de todo el mundo".

OBRA PRINCIPAL: *Tinieblas* (1923); *Malditos* (1924); *Entre los muertos* (1925); *Carne de cañón* (1930); *Larvas* (1931); *Calvario* (1956). **Teatro**. *Almas benditas* (1926); *En nombre de Cristo* (1928); *El puerto* (1933); *La noria* (1936). **Ensayo**. *El arte y las masas* (1935). [H.S.]

CASTELPOGGI, Atilio Jorge (1919-   ).—Poeta argentino. Su obra se inscribe en una línea coloquial que le permite transitar de lo lírico a lo social o a lo descriptivo de su ciudad (Buenos Aires).

OBRA PRINCIPAL: *Tierra sustantiva* (1952); *Los hombres del subsuelo* (1954); *Cuaderno de noticias* (1956); *Frente del corazón* (1959); *Poema al barrio* (1959); *Destino de Buenos Aires* (1960); *El alucinado* (1963); *Las máscaras* (1967). **Ensayo**. *Miguel Angel Asturias* (1961). [H.S.]

castellani

CASTELLANI, Leonardo (1895-1979).—Ensayista, narrador y poeta argentino. Sacerdote jesuita, toda su obra —aún la narrativa y la poética— es sólo un arma para difundir su concepción del mundo. Como poeta maneja variados metros clásicos y en tanto narrador se advierte la influencia de Gilbert K. Chesterton, en especial su personaje policial el Padre Metri, émulo argentino del padre Brown. En sus novelas y sus cuentos, además del toque teológico, existe una constante referencia a la sociedad. Esas objeciones se dirigen por igual al capitalismo y al comunismo. Parte de la crítica argentina lo considera el mejor ensayista católico de su país. También ha publicado libros estrictamente exegéticos. Dirigió la revista literaria *Jauja* y es autor de una muy difundida antología: *Las cien mejores poesías* (argentinas), recopilada con Fermín Chávez.

OBRA PRINCIPAL: **Narrativa:** *Bichos y personas; Su majestad Dulcinea; El enigma del fantasma en coche; El nuevo gobierno de Sancho; Las muertes del Padre Metri; Los papeles de Benjamín Benavides; Doce parábolas cimarronas; Camperas; Cuentos del Norte Bravo; Cuentos de fantasmas.* **Ensayo:** *Las canciones de Militis; Cristo, ¿vuelve o no vuelve?; El evangelio de Jesucristo; Las parábolas de Cristo; La crítica de Kant; Conversación y crítica filosófica; Crítica Literaria; Decíamos ayer...;* **Poesía:** *La muerte de Martín Fierro.* [H.S.]

CASTELLANOS, Rosario (1925-1974).—Escritora mexicana. Realizó estudios de posgrado en España. Colaboró en el Instituto Indigenista de México. Profesora en la Facultad de Filosofía y Letras de la UNAM. Profesora invitada en varias universidades norteamericanas. Colaboró en el diario "Excelsior". Su novela más conocida —*Oficio de tinieblas*— trata de prejuicios, la explotación del indígena, la desdicha de los explotados; "combina —dice J.S. Brushwood— información antropológica y habilidad artística de un modo único". Su obra corona la corriente de la novela indigenista.

OBRA PRINCIPAL: **Poesía.** Su obra poética fue reunida en un solo volumen: *Poesía no eres tú* (1972). **Cuento y novela.** *Balún Canán* (1957); *Ciudad Real* (1960); *Oficio de tinieblas* (1962); *Los convidados de agosto* (1964); **Teatro.** *El eterno femenino* (1976). **Ensayo.** *Juicios sumarios* (1966); *El mar y sus pescaditos* (1974); *Mujer que sabe latín* (1973); *El uso de la palabra* (1974). [C.T.]

CASTILLA, Manuel J. (1918-1979).—Poeta argentino. Su obra tiene una íntima relación con el hombre y el paisaje del norte argentino.

castillo-puche

Los árboles, las plantas, los animales y el aliento telúrico signan toda su poesía. También ha sido autor de canciones folclóricas de gran éxito.
OBRA PRINCIPAL: *Agua de lluvia* (1941); *Luna muerte* (1943); *La niebla y el árbol* (1946); *Copajira* (1949); *La tierra de Uno* (1951); *Norte adentro* (1954); *De solo estar* (1957); *El cielo lejos* (1959); *Bajo las lentas nubes* (1963); *Posesión entre pájaros* (1966); *Andenes al ocaso* (1967); *El verde vuelve* (1970); *Cantos del gozante* (1972); *Triste de la lluvia* (1977). [H.S.]

CASTILLO, Abelardo (1935-   ).—Narrador y dramaturgo argentino. Se inició en la literatura, en 1959, como director de la revista *El grillo de papel*, que luego cambió su nombre por *El escarabajo de oro*. Con su pieza teatral *Israfel*, suerte de biografía de Edgar Allan Poe, obtuvo el Premio Internacional de la UNESCO. Su narrativa dedicada exclusivamente al cuento se reconoce por un estilo ágil, vertiginoso y realista. En sus personajes el tema de la culpa y el castigo se presentan casi como una constante en el ámbito de una precisión formal heredada de Jorge Luis Borges.
OBRA PRINCIPAL: **Narrativa.** *Las otras puertas* (1963); *Cuentos crueles* (1966); *Las panteras del templo* (1976). **Teatro.** *El otro Judas* (1959); *Israfel* (1966). [H.S.]

CASTILLO, Otto René (1936-1967).—Poeta guatemalteco. Estudios en Guatemala y Leipzig. Exiliado en 1954, reside en El Salvador. Premio Centroamericano de Poesía compartido con Roque Dalton en 1955. Premio Autonomía de la Universidad 1956. Premio Internacional de Poesía 1957. En 1964 regresa a su país y en 1965 es nuevamente desterrado. En marzo de 1967 vuelve a su país. Es herido en combate, capturado, torturado y asesinado.
OBRA: **Poesía.** *Tecún Umán* (1964); *Vámonos, patria, a caminar* (1965); *Poemas* (1971); *Informe de una injusticia* (1975). [C.T.]

CASTILLO-PUCHE, José Luis (1919-   ).—Novelista, ensayista y periodista español. Estudios de teología en la Universidad Pontificia de Comillas. Estudios de Filosofía y Letras y de Periodismo. Corresponsal de "ABC" en Nueva York. Director de la revista "Mundo Hispánico". Fue presidente de la Editora Nacional. Profesor en la Facultad de Ciencias de la Información, Universidad Complutense de Madrid.
Premio Miguel de Cervantes 1958. Premio de Literatura de

castiñeira de dios

Bellas Artes 1963. Premio Laurel de Novela Católica 1957. Premio Cultura Hispánica 1955. Premio Dirección General de Periodismo 1953.

Admirador de Pío Baroja y Hemingway. Interesado por los conflictos espirituales y los problemas sociales de su época, Castillo-Puche ha sabido crear una obra de hondas preocupaciones humanas y metafísicas. Su prosa —a veces expresionista— es vigorosa, ágil con tendencia al patetismo y la sátira. Precursor, en España, del "nuevo periodismo".

OBRA PRINCIPAL: Novela. *Con la muerte al hombro* (1954); *El vengador* (1956); *Sin camino* (1956); *Hicieron partes* (1957); *Paralelo 40* (1963); *Oro blanco* (1963); *Como ovejas al matadero* (1971); *Jeremías el anarquista* (1975); *El libro de las visiones y apariciones* (1977); *El amargo sabor de la retama* (1980). Crónica. *América de cabo a rabo* (1959); *El Congo estrena libertad* (1961). Relato. *De dentro de la piel* (1972). Ensayo. *Biografía. Memorias íntimas de Aviraneta* (1952); *Diario íntimo de Alfonso XIII* (1960); *Hemingway entre la vida y la muerte* (1968). [P.S.]

CASTIÑEIRA DE DIOS, José María (1920-   ).—Poeta argentino. Fundó y dirigió una de las revistas claves de la llamada "generación del cuarenta": *Huella*, editora, además, de libros y cuadernos de poesía. Su primer título, *Del ímpetu dichoso*, encuadrado dentro de la temática de su promoción, trataba la nostalgia y el espíritu contemplativo, desde una visión personal y en el marco del formalismo clásico. La preocupación subjetiva de los primeros años, dejó paso luego a una temática de índole social en la que siempre aparece el tono de profunda religiosidad. En ese sentido ha sabido aunar la concepción lírica a los postulados del catolicismo imbricándolos en los problemas del hombre contemporáneo, en especial argentino. En *Las antorchas* encaró con tono salmódico el panegírico peronista, movimiento al que pertenecía y pertenece su autor.

OBRA PRINCIPAL: Poesía. *Del ímpetu dichoso* (1942); *Campo sur (1950); Las antorchas* (1954); *El leño verde (1960); Cada día su pena* (1960); *Santos Vega y Campo sur* (1967); *El santito Ceferino Namuncurá* (1969); [H.S.]

CASTRILLO, Primo (1896-   ).—Poeta y arquitecto boliviano. Reside desde hace sesenta años en Norteamérica. Inmerso en un medio lingüístico ajeno a su cultura nativa, a los cuarenta años se pone a escribir arrebatadamente poesía en español. Hombre de vastas lecturas, su poesía es elegíaca, bucólica, de profunda concentración telúrica y sincera intencionalidad ética. Como Rilke, cree que "la poesía es experiencia", y como Heidegger, considera que la poesía es, más que una forma verbal, una expresión existencial. Su poesía elaborada "en los recónditos escondrijos del subconsciente" es sensorial, luminosa y nostálgica. Su sentimiento de la luz le aproxima al simbolismo, mientras que su obsesión del tiempo como categoría metafísica le convierten en un existencialista por temperamento. Como la de García Lorca, esta poesía es eminentemente dramática, con personajes entrañablemente populares y con escenarios que evocan el paisaje de su patria añorada. Miembro de la Academia Boliviana de la Lengua.

OBRA PRINCIPAL: **Poesía.** *Valle y mundo* (1947); *Hombre y tierra* (1958); *Raíz y tiempo* (1960); *Ciudad y selva* (1961); *Kantutas* (1963); *Violeta sorprendida* (1965); *El mar canta mi sueño* (1968); *Zonas de tiempo azul* (1968); *Ecos de montaña* (1969); *Albas y combates* (1971); *Zampoñas telúricas* (1974); *Hermano del viento* (1978). [P.S.]

CASTRO hijo, Alejandro (1914-).—Escritor hondureño. Cuentista y periodista. Miembro de la llamada "Generación del 35". Ha realizado una brillante carrera periodística. Subdirector del diario "El Cronista". Subdirector de la revista "Tegucigalpa", del semanario "La Nación", "Prensa Libre" y "El Nacional".

OBRA: *El ángel de la balanza* (1957, cuentos). [C.T.]

CASTRO, E. M. de Melo e (1932-   ).—Poeta portugués. Diplomado en ingeniería textil en Inglaterra, en 1956, es considerado uno de los principales introductores en Portugal de la poesía experimental, habiendo colaborado en los "Cadernos do Meio Dia", "Bandarra", "Poesía Experimental 1 e 2", "Hidra 1 e 2", "Operaçao 2", "Colóquio", etc.

OBRA PRINCIPAL: **Poesía.** *Salmos* (1953); *Ignorância da Alma* (1956); *Entre o Som e o Sul* (1960); *Queda Livre* (1961); *Mudo, Mudando* (1962); *Ideogramas* (1962); *Poligonia do Soneto* (1963); *Versus-in-Versus* (1968); *Alea e Vazio* (1971); *Resistência das Palavras* (1975), etc. [M.V.]

CASTRO, José María Ferreira de (1898-1974).—Novelista portugués. Oriundo de una familia campesina muy modesta, a los doce años emigró al Brasil, llegando a trabajar en condiciones muy duras en el interior de Amazónia, en plantaciones de caucho. Allí reco-

castro

ge el material humano que más tarde evocaría en su libro más famoso, *A Selva,* que tuvo repercusión mundial, siendo traducido a casi todos los idiomas. Después de cerca de cuatro años de vida en la selva amazónica, regresa a Belém do Pará, donde vive en condiciones de extrema pobreza. Allí funda, en 1917, en colaboración con un compatriota, el semanario "Portugal", iniciando entonces una intensa actividad literaria y periodística. Si bien puede definirse como un naturalista, algunos de sus libros, particularmente *Emigrantes,* le señalan como precursor del neorrealismo.

OBRA PRINCIPAL: Novela. *Emigrantes* (1928); *A Selva* (1930); *Eternidade* (1933); *Terra Fria* (1934); *A Tempestade* (1940); *A La e a Neve* (1947); *A Curva da Estrada* (1950); *A Missao* (1954); *O Instinto Supremo* (1968), etc. [M.V.]

CASTRO, Julio César (1932-   ).—Narrador y humorista uruguayo. Es una de las figuras más personales en el humor rioplatense a través del libro, la radio y la televisión, donde son enormemente populares los personajes del campo que ha creado "Juceca".

OBRA PRINCIPAL: *Cuentos de Don Verídico* (1975); *Vuelta de Don Verídico* (1977). [H.C.]

CASTRO, Oscar (1910-1947).—Poeta, cuentista y novelista chileno. Poeta bucólico. Inició su andadura bajo la influencia de García Lorca; después realizó una especie de ejercicios de poetización en torno a Góngora. Su libro más personal es *Rocío en el trébol;* en él cantó su "mundo de humildad y de tristeza". También es conocida su novela *Llampo de sangre.*

OBRA PRINCIPAL: Poesía. *Camino en el alba* (1938); *Viaje del alba a la noche* (1940); *Glosario gongorino* (1947); *Rocío en el trébol* (1950). Novela. *La sombra de las cumbres* (1944); *Llampo de sangre* (1950); *La vida simplemente* (1951); *Lina y su sombra* (1958). Cuento. *Huellas en la tierra* (1940); *La comarca del jazmín y sus mejores cuentos* (1953). [P.S.]

CASTRO ARENAS, Mario (1932-   ).—Novelista y ensayista peruano. Pertenece a la generación del 50. Su obra aborda el tema urbano y se inserta en la corriente del realismo crítico.

OBRA PRINCIPAL: Novela. *El líder* (1960). Ensayo. *La novela peruana y la evolución social* (1964). [P.S.]

108

CASTRO LEAL, Antonio (1896-1981).—Ensayista, narrador y diplomático mexicano. Abogado. Director de la "Colección de Escritores Mexicanos", de la editorial Porrúa. Fue rector de la Universidad Nacional Autónoma de México (1928-1929). Fundó y dirigió la "Revista de la Literatura Mexicana" (1940). Miembro de la Academia Mexicana de la Lengua.
La elegancia de su prosa y el gusto por las alegorías revelan su formación anglosajona. Tradujo *Vencidos*, de Georges Bernard Shaw; *Adonais*, de Shelley, en colaboración con Manuel Altolaguirre; y *James Joyce. Introducción crítica*, de H. Levin.
OBRA PRINCIPAL: **Cuento.** *El laurel de San Lorenzo* (1959). **Ensayo.** *Juan Ruiz de Alarcón, su vida y su obra* (1943); *Las dos partes del Quijote* (1948); *La poesía mexicana moderna* (1953); *Un mensaje a la América Latina y Una elegía por España* (1960). [P.S.]

CASTRO SAAVEDRA, Carlos (1925-   ).—Poeta colombiano. Canta la vida en sus aspectos más triviales con lenguaje pulcro de gran densidad poética.
OBRA PRINCIPAL: **Poesía.** *El libro de los niños* (s.a.); *Obra selecta* (1962); *Todos los días son lunes* (1963); *Cosas elementales* (1963); *Elogio de los oficios* (1965, 2.ª ed.); *Cartilla popular* (1970). [J.P.]

CEA, José Roberto (1939-   ).—Poeta salvadoreño. Cuentista y dramaturgo. Se dio a conocer con *Los días enemigos*. Premio Internacional de Poesía, New York 1966. Premio Centroamericano de Teatro 1966, Premio Leopoldo Panero 1968. Premio de Poesía Rubén Darío 1981.
OBRA PRINCIPAL: **Poesía.** *Los días enemigos* (1965); *Casi el encuentro* (1966); *De aquí en adelante* (Muestra antológica de cinco jóvenes poetas salvadoreños) (1967); *Todo el códice* (1968); *Códice liberado* (1968); *Códice de amor* (1968); *Náufrago genuino* (1969); *El potrero* (1969); *Informe para Isa* (inédito) y *Mester de picardía* (inédito); *Los herederos de Farabundo* (1981). **Antología.** *Antología de la poesía en El Salvador* (1971). [C.T.]

CELA, Camilo J[osé] (1916-   ).—Escritor español. Ha abordado todos los géneros literarios. Su copiosa producción abarca la poesía, la novela, el relato, el ensayo, el teatro, el artículo de prensa, la crónica de viajes y la investigación filológica. Es autor de obras

cela trulock

singulares como su famoso *Diccionario secreto* y sus no menos célebres *Toreo de salón* e *Izas, rabizas y colipoterras.*

Soldado profesional, torero, funcionario, pintor, actor de cine y conferenciante. Su curiosidad, su vitalidad, su temperamento, su sólida cultura literaria anclada en la picaresca y en el Siglo de Oro, y su capacidad de trabajo, fundamentan su obra narrativa. Novelista ante todo, *La familia de Pascual Duarte* constituye —con *Nada*, de Carmen Laforet— un hito en la narrativa española contemporánea. Creador inquieto e inconforme con sus propios logros, Cela ha escrito novelas —*Pabellón de reposo* y *La colmena*— precursoras de modas más recientes.

Premio de la Crítica 1956. Miembro de la Real Academia Española. Ex-senador real. Fundó y dirigió la revista "Papeles de Son Armadans". Colabora en "ABC". La *Obra completa* de C.J.C. consta de diez volúmenes.

OBRA PRINCIPAL: **Poesía.** *Pisando la dudosa luz del día* (1935); *El monasterio y las palabras* (1945); *Cancionero de la Alcarria* (1948). **Novela.** *La familia de Pascual Duarte* (1942); *Pabellón de reposo* (1943); *Nuevas andanzas y desventuras de Lazarillo de Tormes* (1944); *La colmena* (1951); *Mrs. Caldwell habla con su hijo* (1953); *La catira* (1955); *Tobogán de hambrientos* (1962); *San Camilo, 1936* (1969); *Oficio de tinieblas 5* (1973). **Relato.** *Esas nubes que pasan* (1945); *Baraja de invenciones* (1953); *Once cuentos de fútbol* (1963); *Cuentos para leer después del baño* (1974). **Crónica de viajes.** *Viaje a la Alcarria* (1948); *Del Miño al Bidasoa* (1952); *Avila* (1952); *Vagabundo por Castilla* (1955); *Judíos, moros y cristianos* (1956); *La cucaña* (1960); *Cuaderno del Guadarrama* (1960); *Viaje al Pirineo de Lérida* (1965); *Páginas de geografía errabunda* (1965). **Artículos.** *Cajón de sastre* (1956); *La rueda de los ocios* (1956); *Gavilla de fábulas sin amor* (1963); *Las compañías convenientes y otros fingimientos y cegueras* (1963); *La bola del mundo* (1969). **Teatro.** *María Sabina, oratorio en verso* (1967); *El carro de heno o el inventor de la guillotina* (1969). **Ensayo.** *Ensueños y figuraciones* (1954); *Cuatro figuras del 98 y otros retratos y ensayos españoles* (1961); *Al servicio de algo* (1969). [P.S.]

CELA TRULOCK, Jorge (1932-   ).—Narrador y periodista español. Licenciado en la Facultad de Derecho. Fue secretario de "Cuadernos Hispanoamericanos" y de "Papeles de Son Armadans". Actualmente trabaja en los servicios informativos de Televisión Española y en el Gabinete Técnico del Instituto de Cooperación

Iberoamericana. Ha publicado cuentos que aún no han sido recopilados en volumen.

"La obra de Cela Trulock está dentro del llamado *nuevo realismo español...* Cultivador más sistemático entre nosotros de las técnicas objetivistas que podrían recordar a las del *nouveau-roman* francés, escritor minucioso y detallista, a la vez imaginativo y con el instrumento lingüístico generalmente bien utilizado, pone una técnica implacablemente objetalista, especialmente en su último libro, al servicio de unas novelas de ponderado contenido crítico". (Carmen Sáez Sánchez).

OBRA PRINCIPAL: **Novela.** *Las horas* (1958); *Blanquito, peón de brega* (1958); *Trayecto circo-matadero* (1968); *Compota de adelfas* (1968); *Carta a la novia* (1969); *Inventario base* (1969); *Joc de pilota, pelota valenciana* (1972); *A media tarde* (1981). [P.S.]

CELAYA, Gabriel (1911-   ).—Seudónimo de Rafael Múgica Celaya; también firmó algunos trabajos como *Juan de Leceta.* Pertenece a la generación del 36. Poeta, narrador, dramaturgo y ensayista español. Empezó escribiendo una poesía afín a la del 27, pero luego viró hacia una poesía que "hablara" de problemas humanos. Su vasta producción comprende más de sesenta títulos de poesía, cinco de narración, ocho de ensayo y uno de teatro.

Ingeniero industrial. Su permanencia en la célebre Residencia de Estudiantes fue decisiva para su formación. Ha realizado excelentes traducciones de Rimbaud, Rilke, Eluard y Blake. Premio Centenario de Bécquer 1935. Premio Internacional Libera Stampa 1936. Premio Internacional Etna-Taormina 1968.

Excelente ensayista, ha escrito páginas memorables sobre Bécquer, Antonio Machado, Rosalía de Castro y San Juan de la Cruz. El propio Celaya ha realizado varias antologías de poemas suyos como *Cien poemas de un amor* (1970); *Canto en lo mío* (1973) e *Itinerario poético* (1975). En 1969 se editó *Obras completas.*

OBRA PRINCIPAL: **Poesía.** *Las cartas boca arriba* (1951); *Paz y concierto* (1953); *Cantos iberos* (1955); *Las resistencias del diamante* (1957); *Cantata en Aleixandre* (1959); *Poesía urgente* (1960); *Rapsodia euskera* (1961); *Buenos días, buenas noches (1976); Poesía hoy. 1968-1979* (1981). **Narración.** *Tentativas* (1946); *Lázaro calla* (1949); *Penúltimas tentativas* (1960); *Lo uno y lo otro* (1962); *Los buenos negocios* (1965). **Teatro.** *El relevo* (1972). **Ensayo.** *El arte como lenguaje* (1951); *Poesía y verdad* (1960); *Exploración de la poesía* (1964); *Inquisición de la poesía*

(1972); *La voz de los niños* (1972); *Bécquer* (1972); *Los espacios de Chillida* (1974). [P.S.]

CEPEDA SAMUDIO, Alvaro (1926-1972).—Narrador colombiano. Cuentista y novelista. Maneja con maestría la simultaneidad del tiempo, los monólogos interiores y los focos narrativos. Sus cuentos y su novela expresan la violencia política y la matanza de obreros en la huelga bananera de 1928. OBRA: **Cuento.** *Todos estábamos a la espera* (1954). **Novela.** *La casa grande* (1962). [J.P.]

CERNUDA, Luis (1904-1963).—Poeta, narrador y ensayista español. Pertenece a la generación del 27. Defensor de la causa republicana, emigró en 1938. Profesor en universidades británicas (1938-1947). Enseñó en Mount Holyoke, Estados Unidos (1947-1953). Residió y murió en México (1953-1963).

Con Aleixandre, representa la más depurada expresión romántica en la poesía española contemporánea. Su obra poética, de acentuado carácter narrativo y aguda reflexión moral, es la resolución de un "sentimiento que piensa". El poeta intentó un equilibrio entre el lenguaje hablado y el lenguaje escrito.

Cernuda reunió en un solo volumen —*La Realidad y el Deseo*— toda su obra poética. En él subyace la biografía espiritual del poeta, acosado por la pasión de vivir y por el dolor de no poder atrapar, de una vez y para siempre, la belleza efímera.

Heredera de la tradición romántica inglesa y alemana, la poesía de Cernuda es la más extraña de la generación del 27 y una de las que más influye en las jóvenes promociones de poetas españoles. Tradujo a Hölderlin y a Shakespeare.

OBRA PRINCIPAL: **Poesía.** *La realidad y el deseo. 1924-1962* (1964); *Poesía completa* (1974). **Narración.** *Ocnos* (1942); *Tres narraciones* (1948); *Variaciones sobre tema mexicano* (1952). **Ensayo.** *Pensamiento poético en la lírica inglesa* (1958); *Estudios sobre poesía española contemporánea* (1957); *Historial de un libro* (1959); *Poesía y Literatura, I* (1960); *Poesía y Literatura, II* (1964); *Crítica, ensayos y evocaciones* (1970); *Prosa completa* (1975). [P.S.]

CERRETANI, Arturo (1907-   ).—Narrador y dramaturgo argentino. Militó desde los primeros tiempos en la llamada *novísima generación,* aparecida en su país alrededor de 1930. Su obra,

cesariny de vasconcelos

heredera de la tradición costumbrista, se caracteriza por un tono donde los sobreentendidos y las sorpresas funcionan en un plano de igualdad, dentro de un realismo tradicional.

OBRA PRINCIPAL: **Narrativa.** *Celuloide* (1931); *Triángulo isósceles* (1932); *La muerte del hijo* (1933); *El hombre despierto* (1936); *La violencia* (1956) *El deschave* (1965); *Matar a Tililo* (1974). **Teatro.** *El hombre que perdió su nombre* (1934); *Hay que salvar a Susana* (1934); *A la salud del viajero* (1935); *La mujer de un hombre* (1936); *Esta noche me mato, señora* (1939); *Delito frente al mar* (1952). [H.S.]

CERRUTO, Oscar (1912-1981).—Poeta, novelista, cuentista, ensayista, periodista y diplomático boliviano. Erudito, refinado, su aguda inteligencia ha producido los textos más memorables de la literatura boliviana contemporánea. Rosa de geometría, la poesía de Cerruto es exacta, controlada, reticente, orlada por el misterio del pensamiento que siente y del sentimiento que piensa. Hay en ella una sabia maduración de lecturas clásicas y un tributo implícito a su maestro boliviano Franz Tamayo. La prosa de Cerruto acusa una perfección parnasiana. Su escritura artesanal constituye la codificación gregoriana del habla cotidiana de los bolivianos. Cerruto descubre la íntima belleza de las cosas y derrota al naturalismo, imponiéndole su imaginación y su talento. Expresó, con gran jerarquía estética, el alma boliviana a través de la creación de mitos y alegorías cuyos referentes son metafísicos universales: la inmortalidad, el miedo, el odio, la violencia, la soledad, el amor y la muerte. Cerruto vivió la literatura como una pasión y su estética —tan cercana a la de Santayana, a la de Valéry, a la de Borges— se basa en la absoluta autonomía de la imaginación. Sus ensayos no han sido recogidos aún en volumen.

Director de "El Diario" y "Ultima Hora", de La Paz. Realizó giras culturales por América, Europa y Asia. Miembro de la Academia Boliviana de la Lengua.

OBRA PRINCIPAL: **Poesía.** *Cifra de la rosa y siete cantares* (1957); *Patria de sal cautiva* (1958); *Estrella segregada* (1973); *Reverso de la transparencia* (1975); *Cántico traspasado* (1976). **Novela.** *Aluvión de fuego* (1935). **Cuento.** *Cerco de penumbras* (1958). [P.S.]

CESARINY DE VASCONCELOS, Mário (1923-).—Poeta y ensayista portugués. Hizo estudios de Bellas Artes y Música. Realizó sus primeras pinturas, poemas y dibujos a partir de 1942. Entra en

113

céspedes

contacto en 1947 con André Breton y, según sus propias palabras "encuentra en el surrealismo la teoría (práctica) que mejor corresponde a su propio camino, en la exaltación de la imaginación, de la libertad y del amor como verbos sinónimos". Forma, en el mismo año, un grupo surrealista con Alexander O'Neill y otros, del que se desliga en 1949 para formar un nuevo grupo, redactando entonces el texto *cadavre-exquis* del manifiesto colectivo "A Afixação Proibida".

OBRA PRINCIPAL: **Poesía.** *Corpo Visivel* (1950); *Discurso sobre a Reabilitação do Real Quotidiano* (1952); *Manual de Prestidigitação* (1956); *Pena Capital* (1957); *Nobilíssima Visão* (1959); *Planisferio e Outros Poemas* (1961); *Burlescas, Teóricas e Sentimentais* (1972); *Titânia e a Cidade Queimada* (1977), etc. **Ensayo.** *Antologia Surrealista do Cadaver Exquisito* (1961); *Do Surrealismo e da Pintura em 1967* (1967); etc. [M.V.]

CÉSPEDES, Augusto (1904-   ).—Novelista, cuentista, polemista, memorialista, abogado, periodista, político y diplomático boliviano. Pertenece a la generación del Chaco. Su humanismo heroico, fundado en Nietzsche y la épica romántica; sus convicciones antiimperialistas y su temperamento rebelde le llevaron a militar en organizaciones nacionalistas de tendencias populistas y reformadoras. Su oposición sistemática a la Rosca (oligarquía minera) le obligó a llevar una vida azarosa y agitada. Sus libros —sobre todo *El dictador suicida* y *El presidente colgado*— son una lograda síntesis de biografía, historia, novela, reportaje, autobiografía y ensayo político. Céspedes escribió verdaderas "antimemorias", sin tener en cuenta para nada a Malraux, a quien sin embargo se asemeja en gran medida. Escribió artículos incendiarios en "La Calle" y dirigió el diario "La Nación", de La Paz. Fue diputado en varias ocasiones. Su prosa quevedesca es mordaz, ingeniosa, demoledora, de gran fuerza expresiva y de gran creatividad lingüística. Sus neologismos, idiotismos, metáforas y sus apotegmas y dicterios caracterizan su estilo. Premio Nacional de Literatura 1957.

OBRA PRINCIPAL: **Cuento.** *Sangre de mestizos* (1936). **Novela.** *Metal del diablo* (1946); *Trópico enamorado* (1968). **Crónica.** *El dictador suicida* (1956); *El presidente colgado* (1966); *Salamanca o el metafísico del fracaso* (1973); *Crónicas heroicas de una guerra estúpida* (1975). **Monografía.** *Bolivia* (1962, ed. Unión Panamericana). [P.S.]

coloane

CINATI, Ruy (1915-   ).—Poeta portugués. Nació en Londres trasladándose posteriormente a Lisboa donde estudió Agronomía. Fue también meteorólogo. Vivió algunos años en Timor, donde fue secretario del gobernador y, más tarde, jefe de los Servicios agronómicos. En Inglaterra, estudió antropología social. Fundó los "Cadernos de Poesia", de los que fue co-director y la revista "Aventura" (1942-44).

OBRA PRINCIPAL: Poesía. *Nós não somos deste Mundo* (1941); *Anoitecendo a Vida Recomeça* (1942); *Poemas Escolhidos* (1951); *O Livro do Nómada Meu Amigo* (1958); *Sete Septetos* (1967); *O Tédio Recampensado* (1968); *Memória Descritiva* (1970); *Borda d'Alma* (1972).

CLEMENTE, José Edmundo (1918-   ).—Ensayista argentino que abarca una amplia gama de intereses que van de la literatura hasta las biografías de personajes olvidados de la historia universal y los problemas estéticos de la lectura.

OBRA PRINCIPAL: *Estética del lector* (1950); *El idioma de Buenos Aires* (en colaboración con Jorge Luis Borges) (1953); *Estética de la razón vital* (1956); *Estética del contemplador* (1960); *El ensayo* (1961); *Historia de la soledad* (1971). [H.S.]

CODINA, Iverna (1924-   ).—Narradora y poeta, nacida en Quillota, Chile, nacionalizada argentina. Se inició en el campo de la poesía llegando a publicar tres volúmenes, para inclinarse luego por la narrativa, donde obtuvo sus mayores éxitos.

En su obra se advierte un profundo conocimiento de los personajes que habitan la zona montañosa que sirve de frontera entre Chile y Argentina, hundidos en la miseria y la violencia. En su novela *Los guerrilleros* (1968) se ocupó de una generación argentina que ante la falta de salidas y frente a las sucesivas frustraciones políticas buscó en las organizaciones armadas una posibilidad de cambio que también habría de concluir en fracaso.

OBRA PRINCIPAL: Poesía. *Canciones de lluvia y cielo* (1946); *Más allá de las horas* (1951); *Después del llanto* (1955). Narrativa. *La luna ha muerto* (1957); *Detrás del grito* (1962); *La enlutada* (1966); *Los guerrilleros* (1968). [H.S.]

COLOANE, Francisco (1910-   ).—Narrador chileno. Fue ovejero y marino. Narró, con lenguaje sencillo y directo, las masacres de los indios onas y yaganes por los colonizadores y buscadores de oro. Ha sido considerado el "Jack London del Chile Austral".

conde

"Pocos narradores cautivan más seriamente al lector con una presentación sincera de un ambiente real y fantástico a la vez" (Carlos Hamilton). Premio Sociedad de Escritores de Chile. Premio Municipalidad de Santiago. Premio Nacional de Literatura 1964. Miembro de la Academia Chilena de la Lengua. OBRA PRINCIPAL: **Cuento.** *Cabo de Hornos* (1941); *Golfo de Penas* (1945); *Tierra de Fuego* (1956). **Novela.** *El último grumete de la Baquedano* (1941); *Los conquistadores de la Antártida* (1946); *El camino de la ballena* (1962). **Teatro.** *La Tierra del Fuego se apaga* (1946). [P.S.]

CONDE, Carmen (1907-   ).–Narradora, poeta, ensayista y autora teatral española. Miembro de la Real Academia Española de la Lengua; es la primera mujer que logra tal distinción en España. Ha sido profesora invitada en universidades hispanoamericanas y ha pronunciado conferencias en universidades europeas. Premio Elisenda de Moncada 1953. Premio Internacional de Poesía Simón Bolívar, Siena 1954. Premio Laurel de Murcia. En sus últimos poemarios "la poesía de Carmen Conde se ha ido entrañando cada vez más en las raíces de la condición humana, en su más íntima realidad, desde el sufrimiento hasta la soledad, pero también en la *luz* y en el *viento,* que están en su obra, en esa *Iluminada tierra,* título de uno de sus libros" (Emilio Miró).
OBRA PRINCIPAL: **Poemas en prosa.** *Brocal* (1929); *Júbilos* (1934). **Poesía.** *Ansia de la gracia* (1945); *Mi fin en el viento* (1947); *Sea la luz* (1947); *Mujer sin Edén* (1947); *Iluminada tierra* (1951); *Derribado arcángel* (1960); *Obra poética. 1929-1966* (1967); *A este lado de la eternidad* (1970); *Corrosión* (1975); *Cita con la vida* (1976); *El tiempo es un río lentísimo de fuego* (1978). **Novela.** *Vida contra su espejo* (1944); *En manos del silencio* (1950); *Las oscuras raíces* (1954). **Relatos.** *Soplo que va y no vuelve* (1944); *Cobre* (1953). **Teatro.** *A la estrella por la cometa* (1961); **Ensayo.** *Menéndez Pidal* (1969); *Juan Ramón Jiménez* (1978). [P.S.]

CONGRAINS MARTÍN, Enrique (1932-   ).–Narrador peruano. Pertenece a la generación del 50. Su breve obra ha contribuido decisivamente al desarrollo de la novelística peruana. La superación del ambiente rural por el urbano, la revelación de la clase media y "del fascinante y doloroso mundo de las barriadas", la forja de un lenguaje narrativo fundado en el habla popular y la divulgación de libros de autores peruanos en el Perú, son logros que hay que agradecer a Congrains Martín. Autodidacto, político, sindicalista, se

ha dedicado a diversos oficios: editor, diseñador y fabricante de muebles, decorador y director de "academias de lectura veloz para ejecutivos", entre otros menesteres.
OBRA PRINCIPAL: Novela. *No una, sino muchas muertes* (1958). Cuento. *Lima, hora cero* (1954); *Kikuyo* (1955). [P.S.]

CONTE, Rafael (1935-   ).—Ensayista, crítico y periodista español. Fue corresponsal del diario "Informaciones", en París. Uno de los pocos críticos españoles que ha estudiado en profundidad la nueva narrativa hispanoamericana y la narrativa española en el exilio. Redactor jefe de la sección cultural de "El País". Colabora en "Cuenta y Razón" y "Diálogo Iberoamericano".
OBRA PRINCIPAL: *Valle-Inclán: estudio y antología* (1966); *Narraciones de la España desterrada* (1969); *Lenguaje y violencia. Introducción a la nueva novela hispanoamericana* (1972); *16 escritores hispanoamericanos* (1976). [P.S.]

CONTI, Haroldo (1925-1976).—Narrador argentino. Se inició tardíamente en la literatura, en 1962, con la novela *Sudeste,* que obtuvo el primer premio de Fabril editora. A lo largo de toda su obra se advierte una búsqueda a través de personajes marginales que, a su manera, se rebelan contra la sociedad. Conocedor de ambientes naturales, sus obras transcurren fuera de la ciudad, cerca de los puertos, en las islas del delta del río de La Plata, lo cual le permite también descripciones escenográficas muy personales. Su lenguaje es coloquial, sencillo y su técnica, pese a ocuparse de personajes reales, por momentos recrea un clima distante que actúa como por planos cinematográficos. Una constante a lo largo de su labor narrativa: su denuncia de la injusticia en una sociedad que funciona como una cárcel para sus habitantes.
Haroldo Conti fue uno de los primeros "desaparecidos" del Gobierno argentino surgido a partir de marzo de 1976.
OBRA PRINCIPAL: *Sudeste* (1962); *Todos los veranos* (1964); *Alrededor de la jaula* (1967); *Con otra gente* (1967); *Mascaró, el cazador americano* (1976). [H.S.]

CONY, Carlos Heitor (1926-   ).—Novelista y cuentista brasileño. Su obra se sitúa en la corriente del neorrealismo psicológico con aproximaciones a la ficción política.
OBRA PRINCIPAL: *O ventre* (1958); *Título de segurança* (1959); *Informação ao crucificado* (1960); *Matéria de memória*

corcuera

(1961); *Da arte de falar mal* (1963); *Antes, o verão* (1964); *Pôsto 6* (1965); *Pessach: a travessia* (1967). [M.L.M.]

CORCUERA, Arturo (1935-   ).—Poeta peruano. Realizó estudios de literatura en España. Profesor en la Universidad de San Marcos. Premio Nacional de Poesía de 1963. Premio César Vallejo 1968. Según el crítico Alberto Escobar, la mesura y el sentido del equilibrio confieren a los textos de Arturo Corcuera una hermosa transparencia, "sobre la que destacan los juegos semánticos, la sátira, la ironía, con un lenguaje depurado y esencial".
OBRA PRINCIPAL: **Poesía.** *Cantoral* (1953); *El grito del hombre* (1957); *Sombra del jardín* (1961); *Primavera triunfante* (1963); *Noé delirante* (1963); *Las sirenas y las estaciones* (1967); *Poesía de clase* (1968); *El arca y sus ojos de buey* (197?). [P.S.]

CORNEJO POLAR, Antonio (1936-   ).—Ensayista peruano. Director de la "Revista de Crítica Literaria Latinoamericana". Fue director del programa de literatura hispánica en la Universidad de San Marcos y sucedió a José María Arguedas en la dirección de la Casa de la Cultura de Lima. Profesor en la Facultad de Letras de la Universidad de San Marcos.
Con prosa precisa y amena ha abordado el análisis de la obra de José María Arguedas, la novela peruana y la corriente indigenista.
OBRA PRINCIPAL: **Ensayo.** *Discurso en loor de la poesía* (1964); *Los universos narrativos de José María Arguedas* (1972); *Literatura y sociedad en el Perú: la novela indigenista* (1980); *El pensamiento crítico de Mariátegui* (1981). [P.S.]

CORONEL URTECHO, José (1906-   ).—Poeta nicaragüense. Ensayista, antólogo, traductor. Mentor del Grupo de Vanguardia. Su obra y su magisterio contribuyeron a la universalidad de la poesía hispanoamericana. Por su erudición, su sensibilidad y su talento, ejerció una notable influencia en el movimiento de renovación de la poesía nicaragüense. Verdadero conocedor de la literatura francesa, inglesa y norteamericana, tradujo a poetas de aliento épico como Whitman, Blaise Cendrars, Claudel, Carl Sandburg, Ezra Pound y James Oppenheim, entre otros. La tardía publicación de su obra poética corroboró su categoría de poeta excepcional. Coronel Urtecho "despojó a la poesía de solemnidad y decorativismo, presentándola jubilosa, lúcida y genuina, pero siempre deleitable y mágica" (Ernesto Gutiérrez). El título de su libro *Pol-la D'Ananta, Katanta, Paranta. Imitaciones y traducciones,* es la transcripción de un verso homérico tomado de la *Odisea:* "Y por muchas subidas y caídas, vueltas y revueltas...", verso que expresa su vivencia poética y testifica su aventura estética.

OBRA PRINCIPAL: **Poesía.** *Pol-la D'Ananta, Katanta, Paranta. Imitaciones y traducciones* (1970). **Teatro.** *Chinfonía burguesa* (1957), (farsa escrita en verso con Joaquín Pasos). **Ensayo.** *Rápido tránsito (al ritmo de Norteamérica)* (1959, con nota preliminar de Pedro Laín Entralgo); *Reflexiones sobre la historia de Nicaragua (De Gaínza a Somoza)* (1962). **Antología.** *Panorama y antología de la poesía norteamericana.* [P.S.]

CORREA, Julio (1890-1953).—Poeta, actor, director y autor teatral paraguayo. Vinculado al grupo de la revista "Crónica" (1913), integra, asimismo, el grupo del 40 que se caracterizó por renovar la vida literaria paraguaya. Correa tiene dos méritos incuestionables: su poesía de tono social contribuyó a dignificar la figura del poeta en el medio paraguayo y su producción teatral escrita en guaraní opacó la escrita en español durante los años cruciales de la Guerra del Chaco. (1932-1935).

OBRA PRINCIPAL: **Poesía.** *Cuerpo y alma* (1945). **Teatro.** *Sandía Ivivy; Guerra ayá; Pleito riré; Terejó yeby frentepe; Peicha guarante.* [L.F.]

CORREIA, Natalia (1923-   ).—Poetisa, novelista y ensayista portuguesa. Nació en la isla de San Miguel, Azores, y todavía niña marchó a Lisboa donde hizo estudios de bachillerato. Colaboró en numerosas publicaciones de carácter literario como "O Sol", "Seara Nova", "Jornal de Letras e Artes", etc., y dirigió la "Vida Mundial". Fue consultora literaria en editoras y en la Secretaría de Estado de la Cultura, y actualmente es diputada en Asamblea de la República por Aliança Democrática. Su poesía siempre estuvo próxima de la inspiración surrealista.

OBRA PRINCIPAL: **Poesía.** *Rio de Nuvens* (1947); *Dimensão Encontrada* (1957); *Passaporte* (1958); *Cántico do País Emerso* (1961); *O Vinho e a Lira* (1967); *Mátria* (1969); *As Maçãs de Orestes* (1970); *A Mosca Iluminada* (1972); *O Anjo do Occidente à Entrada do Ferro* (1973); *Poemas a Rebate* (1975), etc. **Teatro.** *O Progresso de Edipo* (1957); *O Homúnculo* (1965); *O Encoberto* (1969). **Ficción.** *Anoiteceu no Bairro,* novela (1946); *A Madona,* novela (1968). **Ensayo.** *Poesía de Arte e Realismo Poético* (1958), etc. **Memorias.** *Ñao Percas a Rosa* (1978). [M.V.]

correia

CORREIA, Romeu (1917-   ).—Dramaturgo portugués. Integrado en la corriente del neorrealismo es uno de sus dramaturgos más notables y autor de numerosas obras, en su mayor parte ya representadas. Antiguo deportista de gran mérito, es hoy uno de los dirigentes de la Sociedad Portuguesa de Autores.

OBRA PRINCIPAL: **Teatro.** *Razão* (1949); *Casaco de Fogo* (1953); *Isaura* (1955); *O Vagabundo das Mãos de Ouro* (1961); *Bocage* (1965), etc. **Ficción.** *Sábado sem Sol,* cuentos (1947); *Bonecos de Luz,* novela (1961); *Um Passo em Frente,* cuentos (1976). [M.V.]

CORREIA DA ROCHA, Adolfo (1907-   ).—Véase **Torga, Miguel.**

CORTÁZAR, Julio (1914-   ).—Narrador, ensayista y poeta argentino, nacido en Bélgica donde su padre cumplía una función diplomática. Se inició en la literatura con un libro de poemas firmado con el seudónimo de Julio Denis, al que le siguió una obra teatral: *Los reyes* (1949). Pero lo fundamental de su obra comienza con su libro de cuentos *Bestiario,* editado en 1951. Al año siguiente viajó a París, donde reside desde entonces. Sus libros de cuentos: *Final de juego, Las armas secretas* y *Todos los fuegos el fuego,* lo colocaron, junto con sus novelas *Los premios* y especialmente *Rayuela,* entre los nombres mayores de la literatura latinoamericana. Partiendo de un contexto realista, Cortázar expresa en la mayoría de sus relatos lo fantástico, mediante un elemento irreal que poco a poco comienza a formar parte de la vida de los personajes y se instala en su cotidianeidad. En su novela *Los premios* existe una notable descripción de los diversos estratos de las clases sociales argentinas y también allí existe un elemento, sino fantástico, al menos misterioso, que no se desvela a lo largo del libro. *Rayuela* (1963) constituye su obra mayor donde Costázar pone en práctica todas las posibilidades de la experimentación narrativa; convierte al lenguaje en el verdadero protagonista de la escritura; un lenguaje antirretórico, descubridor, humorístico y al mismo tiempo profundamente argentino y latinoamericano. En sus ensayos, Cortázar aborda la mayoría de los temas que le preocupan: el box, el jazz, la injusticia y la obra de varios autores a los que se siente afines como el cubano José Lezama Limo, por ejemplo. También se ha destacado como traductor de obras de Henri Brémond, Edgar A. Poe, Defoe y Marguerite Yourcenar, entre otros.

OBRA PRINCIPAL: **Narrativa.** *Bestiario* (1951); *Final de juego* (1956); *Las armas secretas* (1959); *Los premios* (1960); *Historias de*

costa du rels

cronopios y famas (1962); *Rayuela* (1963); *Todos los fuegos el fuego* (1966); *62, modelo para armar* (1968); *Libro de Manuel* (1973); *Octaedro* (1974); *Silvalandia* (1975); *Alguien que anda por ahí* (1977); *Un tal Lucas* (1979); *Queremos tanto a Glenda* (1981). **Ensayo.** *La vuelta al día en ochenta mundos* (1967); *Ultimo round* (1969). **Poesía.** *Presencia* (1938); *Pameos y meopas (1971).* **Teatro.** *Los reyes* (1949). [H.S.]

CORTÉS, **Alfonso (1893-1969).**—Poeta nicaragüense. Con Azaharías Pallais y Salomón de la Selva renovaron la poesía nicaragüense en oposición a la corriente rubendariana. En plena juventud perdió sus facultades mentales, pero siguió escribiendo. Vivió durante muchos años en la que fuera casa de Rubén Darío. Después, se le recluyó en un centro psiquiátrico.
OBRA: **Poesía.** *La odisea del Istmo* (1922); *Poesías* (1931); *Tardes de oro* (1934); *Poemas eleusinos* (1935); *Las siete antorchas del sol* (1952); *Las rimas universales* (1964); *Las coplas del pueblo* (1965); *Las puertas del pasatiempo* (1967); *El poema cotidiano y otros poemas. Autobiografía* (1967). [C.T.]

COSTA, **María de Fátima Bivar Velho da (1938-   ).**—Novelista y narradora portuguesa. Autora de una obra todavía restringida, conquistó sin embargo un lugar de gran relieve en la novelística portuguesa contemporánea. Licenciada en Filología Germánica por la Universidad de Lisboa se adentró por el camino de lo experimental en la lingüística que encuentra sus orígenes en Lacan, Genette o Kristeva. Co-autora —con María Teresa Horta y María Isabel Barreno— de un libro famoso que hizo escándalo en el momento de su publicación y que se conoció por todo el mundo a través de decenas de traducciones, *Novas Cartas Portuguesas,* María Velho da Costa reafirmó su talento con dos libros, de lo más original que ofrece la literatura portuguesa actual: *Casas Pardas y Maina Mendes.* Fue presidenta de la Asociación Portuguesa de Escritores, y actualmente vive en Londres. Recibió el Premio de Novela "Cidade de Lisboa".
OBRA PRINCIPAL: **Cuentos.** *O Lugar Comum* (1966). **Novela.** *Maina Mendes* (1969); *Casas Pardas* (1977). **Prosa.** *Da Rosa Fixa* (1978). [M.V.]

COSTA DU RELS, **Adolfo (1891-1980).**—Escritor boliviano. Novelista, cuentista, poeta, ensayista, dramaturgo, periodista, diplomá-

costantini

tico. Escritor bilingüe (francés-español). Gran parte de su obra fue escrita originalmente en francés. Sus éxitos teatrales los obtuvo en París, ciudad en donde pasó buena parte de su existencia. La obra narrativa de Costa du Rels es de un realismo arraigado en la corriente modernista; ella tiene por escenario el paisaje boliviano: el trópico, el altiplano, el sertón chaqueño y las breñas andinas. Su obra dramática de carácter simbolista ha tratado temas controvertidos como el de los curas obreros en Francia. Su obra poética –de linaje parnasiano– no ha sido aún traducida al español. El libro de relatos *El embrujo del oro* contiene una novela corta –*La Miskki-Simi*–, considerada por la crítica como una de las obras maestras de la narrativa boliviana. Miembro de la Academia Boliviana de la Lengua. Premio Rivarol 1954. Premio Gulbenkian de Teatro 1972. Premio Nacional de Literatura 1976.

OBRA PRINCIPAL: **Novela.** *Terres embrasées* (Tierras hechizadas) (1931); *Lagune H3* (La laguna H3) (1938); *Coronel* (1932); *Los Andes no creen en Dios* (1973). **Relato.** *La hantise de l'or* (El embrujo del oro) (1929). **Teatro.** *Hacia el atardecer* (1919); *El traje de arlequín* (1921, en colaboración con Alberto Ostria Gutiérrez); *Les forces du silence* (Las fuerzas del mal) (1944); *Les etendards du Roi* (Los estandartes del Rey) (1957); *Le signe du feu* (1961, en colaboración con Thierry Maulnier); *Le cinquième chevalier* (El quinto jinete) (1964). **Poesía.** *Le sourire navré* (1922); *Amaritudine* (1949). **Ensayo.** *De l'influence française sur l'evolution des idées en Amerique du Sud* (1937); *La mission spirituelle de la France* (1941); *El drama del escritor bilingüe* (1941); *Félix Avelino Aramayo·y su época* (1943); *Les croisés de la haute mer* (1954). [P.S.]

COSTANTINI, Humberto (1924-   ).–Narrador y poeta argentino. Heredero de la línea social, su temática realista se encuentra matizada por su erudición clásica, lo cual le permite –algunas veces– recrear mitos en medio de la vida cotidiana de la ciudad de Buenos Aires. Algunos de sus relatos se inscriben directamente en la literatura fantástica. Según Pedro Orgambide, una de las características de su estilo "es la de llevar al personaje a situaciones límite, a exasperar la realidad en el grotesco. Tal modalidad define también a sus breves obras de teatro, que pueden considerarse desprendimientos de su narrativa". Su poesía participa del coloquialismo para abordar temas en donde lo cotidiano es una presencia constante, así como una defensa permanente de los valores del hombre corriente, del anti-héroe. En su novela *De dioses, hombrecitos y policías* denuncia la represión en un plano donde vuelven a conjugarse los mitos griegos con los tics y la cursilería de la baja clase media de Buenos Aires en

122

crémer

una historia que es capaz de rozar la tragedia sin desprenderse del humor. **OBRA PRINCIPAL: Narrativa.** *De por aquí nomás* (1958); *Un señor alto, rubio, de bigotes* (1963); *Una vieja historia de caminantes* (1966); *Bandeo* (1975); *De dioses, hombrecitos y policías* (1979). **Poesía.** *Cuestiones con la vida* (1966); *Más cuestiones con la vida* (1974). **Teatro.** *Tres monólogos* (1960). **Narración testimonio.** *Libro de Trelew* (1973). [H.S.]

COTE LAMUS, Eduardo (1928-1964).—Escritor colombiano. Poeta, cuentista, diplomático. Formó parte de la "generación de cuadernícolas" (por los cuadernos de pocas páginas en que algunos de ellos imprimieron sus primeros poemas). Residió en España. Poeta conceptualista de lenguaje coloquial.
OBRA PRINCIPAL: **Poesía.** *Preparación para la muerte* (1950); *Salvación del recuerdo* (1953); *Los sueños* (1956); *La vida cotidiana* (1959); *Estoraques* (1963). **Prosa.** *Diario del Alto San Juan y del Atrato* (1959). [P.S.]

COUTINHO, Afranio dos Santos (1911-   ).—Crítico literario, ensayista y periodista brasileño. Inauguró el criterio estético en los análisis literarios así como la periodización estilística. Promovió una campaña de renovación de los métodos literarios de la crítica especializada y planteó para las nuevas generaciones el estudio de la expresión verbal como elemento fundamental del texto. Coutinho y sus seguidores formaban la llamada crítica formalista o "nueva crítica". Su obra más importante es *A Literatura no Brasil* (1955-1959), que consta de seis volúmenes y reúne bajo la dirección de Afranio, a los más importantes estudiosos de la literatura brasileña.
OBRA PRINCIPAL: *Correntes Cruzadas* (1953); *Por Uma crítica Estética* (1953); *Da Crítica e da Nova Crítica* (1957); *A Literatura no Brasil* (1955-1959); *Conceito de Literatura Brasileira* (1960). [M.L.M.]

CRÉMER, Victoriano (1907-   ).—Poeta, narrador, ensayista y periodista español. Fundador de la revista "Espadaña" (1944-1951), junto con Eugenio de Nora y Antonio de Lama. Su obra ensayística y poética contribuyó al desarrollo de la denominada "poesía social".
Premio Boscán 1951. Premio de Novela Nueva España, México 1958. Premio Nacional de Poesía 1963. Premio de Poesía Punta Europa 1966.

123

crespo

OBRA PRINCIPAL: **Poesía.** *Tacto sonoro* (1944); *Fábula de B.D.* (1946); *Caminos de mi sangre* (1947); *Las horas perdidas* (1949); *La espada y la pared* (1949); *Nuevos cantos de vida y esperanza* (1952); *Libro de Santiago* (1954); *Furia y paloma* (1956); *Con la paz al hombro* (1959); *Tiempo de soledad* (1963); *Diálogos para un hombre solo* (1963); *El amor y la sangre* (1966); *Poesía total* (1970. Antología); *Lejos de esta lluvia tan amarga* (1971). **Ensayo.** *El trabajo y la poesía* (1960). **Novela.** *Libro de Caín* (1958); *Historias de Chu-Ma-Chuco* (1971). [P.S.]

CRESPO, Ángel (1926-).—Poeta español. Doctor en Filosofía por la Universidad de Upsala. Licenciado en Derecho por la Universidad de Madrid. Maestro nacional. Traductor de poetas y narradores portugueses, brasileños e italianos. Sobresalen sus versiones de *Grande sertão: veredas,* de João Guimarães Rosa; *Poemas,* de Fernando Pessoa, los atribuidos al heterónimo Alberto Caeiro; *La Divina Comedia,* de Dante, y una valiosa *Antología de la Poesía Brasileña.* Fue director de las revistas "Decaulión", "Poesía de España" y "Revista de Cultura Brasileña". Residió en Suecia, Italia y Brasil. Actualmente vive en Puerto Rico.
OBRA PRINCIPAL: **Poesía.** *Una lengua emerge* (1950); *Quedan señales* (1953); *La pintura* (1956); *Todo está vivo* (1956); *La cesta y el río* (1957); *Oda a Nanda Papirir* (1959); *Junio feliz* (1959); *Puerta clavada* (1961); *Suma y sigue* (1962); *Cartas desde un pozo* (1964); *No sé cómo decirlo* (1965); *Docena florentina* (1966).[P.S.]

CRESPO PANIAGUA, Renato (1922-).—Dramaturgo y novelista boliviano. Abogado, profesor de Derecho en la Universidad Mayor de San Simón, de Cochabamba. Con tenacidad ejemplar ha escrito obras de teatro, las cuales se han representado con éxito en varias ciudades bolivianas. Con agudo sentido del humor y mediante la recreación del lenguaje coloquial, Crespo Paniagua ha renovado el teatro costumbrista en su país. Su incursión en la novela revela a un escritor neorrealista de gran poder descriptivo.
OBRA PRINCIPAL: **Teatro.** *Narciso* (1968); *La plaza de maíz* (1969); *¡Cuidado... que viene España!* (1971); *La promesa verde* (1972); *El alfarero de marzo* (1973); *Caras y caretas* (1975); *Morir un poco* (1977). **Novela.** *La isla de José Miguel* (1978). [P.S.]

CUADRA, José de la (1903-1941).—Cuentista, novelista ensayista, abogado, profesor y diplomático ecuatoriano. Pertenece al grupo de

Guayaquil que inició, en la década de 1930, la nueva narrativa ecuatoriana. El lema del grupo era: "La realidad y nada más que la realidad". Describió la vida, el paisaje y las costumbres del habitante de la costa. Su obra mejor lograda: *Los sangurimas*. OBRA PRINCIPAL: Novela. *Olga Catalina* (1925); *Los sangurimas*. *Novela montuvia ecuatoriana* (1934). Ensayo. *El montuvio ecuatoriano* (1937). Relato. *El amor que dormía* (1930); *Repisas* (1931); *Horno* (1932); *Guásinton* (1938); *Los monos enloquecidos* (1951). Memoria. *Perlita Lila* (1925). Semblanza. *12 siluetas* (1934); *Obras completas* (1958). [P.S.]

CUADRA, Manolo (1908-1957).—Poeta y narrador nicaragüense. Boxeador, telegrafista, soldado, operador de radio, curandero, hotelero, estibador. Miembro de la Guardia Nacional que combatió contra Sandino. Después militó en la oposición contra Somoza, lo que le costó cárcel, persecuciones y destierro. Vivió exiliado en Costa Rica.

OBRA PRINCIPAL: Poesía. *Tres amores* (1954). Cuento. *Contra Sandino en las montañas* (1942). Novela. *Itinerario de Little Corn Island* (1973); *Almidón* (1945). [C.T.]

CUADRA, Pablo Antonio (1912-   ).—Poeta nicaragüense. Periodista, ensayista, político, diputado a Cortes, catedrático, dramaturgo. Fundador del Grupo de Vanguardia, junto con Joaquín Pasos y Julio Ycaza Tigerino. Antes de dedicarse al periodismo, fue agricultor, ganadero, maderero. Codirector del diario "La Prensa", de Managua. Director de "La Prensa Literaria" y de la revista "El Pez y la Serpiente". Director de la Academia Nicaragüense de la Lengua. Miembro del Consejo Superior del Instituto de Cooperación Iberoamericana.

OBRA PRINCIPAL: Poesía. *Canciones de pájaro y señora* (1964); *Poemas nicaragüenses* (1934); *Canto temporal* (1943); *Libro de horas* (1964); *Poemas con un crepúsculo a cuestas* (1949); *La tierra prometida* (1952); *Elegías* (1957); *El jaguar y la luna* (1959); *Zoo* (1962); *Poesía* (1964); *Noche de América para un español* (1965); *Personae* (1968); *Poesía escogida* (1968); *Los cantos de Cifar* (1969); *Doña Andreíta y otros retratos* (1971). Ensayo. *Hacia la cruz del sur* (1936); *Breviario imperial* (1940); *Promisión de México* (1945); *Entre la cruz y la espada* (1946). Teatro. *Por los caminos van los campesinos* (1957); *El árbol seco* (19   ); *Satanás entra en escena* (19   ); *La cegua* (19   ). [C.T.]

cuesta

CUESTA, Jorge (1903-1942).–Poeta y ensayista mexicano. Pertenece al grupo de la revista "Contemporáneos". Su existencia atormentada desembocó en la locura. Perdida la razón, se suicidó. Lector de los poetas malditos (Baudelaire, Rimbaud, Verlaine) su poesía "es el documento de un insatisfecho obsesionado por la intuición del pasado". Son importantes sus ensayos sobre Eluard, Desnos, Ortega y Gasset y Salvador Díaz Mirón. La obra poética de Cuesta fue editada en 1958 con notas de Elías Nandino y Rubén Salazar Mallén. OBRA PRINCIPAL. **Poesía** (1942); *Poesía de Jorge Cuesta* (1958); *Poemas y ensayos* (1964, 4 vols.). [P.S.]

CÚNEO, Dardo (1914-   ).–Ensayista argentino. Se desempeñó como secretario de Prensa y embajador en las Naciones Unidas. Sus trabajos evolucionaron desde un socialismo de cuño liberal hasta convertirse en uno de los mejores expositores de las tesis del desarrollismo. Su libro *Comportamiento y crisis de la clase empresaria* (1967), en el que cuestiona la histórica incapacidad empresarial para modernizarse y prever el futuro, se ha convertido en texto imprescindible para el estudio de la historia socio-económica argentina. También se destacan sus estudios sobre diversos intelectuales de su país. OBRA PRINCIPAL: *Sarmiento y Unamuno* (1949); *Juan B. Justo y las luchas sociales en la Argentina* (1956); *Las nuevas fronteras* (1962); *Aventura y letra de América Latina* (1964); *El desencuentro argentino* (1965); *Breve historia de América Latina* (1968). [H.S.]

CUNHA, Juan (1910-   ).–Poeta uruguayo. Ha ejercido una gran influencia sobre los poetas de la llamada Generación de 1945, en Uruguay, a través de un cuidadoso manejo de las formas tradicionales sobre un contenido lírico que tamiza la experiencia de la realidad. En su libro *Literatura uruguaya del medio siglo* (1966), Emir Rodríguez Monegal considera que con Cunha y con Líber Falco se inicia hacia 1940 un nuevo estadio de la poesía uruguaya. Barroca y coloquial, sustentada en un lenguaje culto y cotidiano, hermética y directa, la poesía de Cunha es "proteica y elusiva". OBRA PRINCIPAL: *El pájaro que vino de la noche* (1929); *En pie de arpa* (1950); *Sueño y retorno de un campesino* (1951); *Variación de Rosamía* (1952); *Cancionero de pena y luna* (1953); *Pequeña antología* (1957); *Gestión terrestre* (1959); *A eso de la tarde* (1961); *Pastor perdido* (1966); *De cosa en cosa* (1967). [H.C.]

CUNQUEIRO, Alvaro (1912-1981).—Narrador, poeta, dramaturgo y periodista español de expresión bilingüe: gallega y castellana. Principal exponente del realismo mágico en España. Su estilo original, su fino humorismo, la elegancia de su prosa, le convirtieron en un maestro tanto en lengua gallega como castellana. Dio vida a la tradición cultural céltica y reconstruyó historias y personajes del pasado. Sus artículos sobre gastronomía constituyen una de las joyas del periodismo especializado. Erudito, sutil, vivificó el arte de contar fábulas de una forma sencilla y clara e inició, en poesía, la corriente del neotrovadorismo, reactualización de las cantigas.

Premio Gil Vicente 1934. Premio Nacional de la Crítica 1958. Premio Nadal 1968. Premio Frol de Auga 1979. Miembro de la Real Academia Gallega. Sus libros más conocidos: *Merlin e familia i outras historias, As crónicas do sochantre, Tertulia de boticas y escuelas de curanderos* y *Un hombre que se parecía a Orestes.* Dirigió el diario "El Faro de Vigo" y colaboró en las principales revistas españolas.

OBRA PRINCIPAL: **En gallego. Poesía.** *Mar a o norde* (1932); *Poemas de sí e non* (1934); *Cantiga nova que se chama Riveira* (1934); *Herba eiquí ou aculá* (1979). **Narración.** *Merlin e familia i outras historias* (1953); *As crónicas do sochantre* (1956); *Escola de menciñeiros* (1960); *Si o vello Sinbad volvese ás illas* (1961). **Teatro.** *Don Hamlet e tres pezas máis* (1974). **Ensayo.** *A cociña galega* (1973). **En castellano. Poesía.** *Elegías y canciones* (1940). **Narración.** *El Caballero, la Muerte y el Diablo* (1947); *Balada de las damas del tiempo pasado* (1950); *Las mocedades de Ulises* (1960); *Vida y fugas de Fanto Fantini de la Gherardesca* (1963); *Flores del año mil y pico de ave* (1968); *Un hombre que se parecía a Orestes* (1969); *El año del cometa* (1969); *La otra gente* (1975); *Tertulia de boticas y escuelas de curanderos* (1976). **Crónicas.** *Paisajes y retratos* (1936); *Rías bajas gallegas* (1975). **Ensayo.** *La cocina cristiana de Occidente* (1970). [P.S.]

CUZZANI, Agustín (1924-).—Dramaturgo y narrador argentino. Después de publicar algunos libros de narrativa, se inclinó definitivamente por el teatro, dentro de una línea de humor corrosivo y absurdo que es su manera de efectuar una profunda crítica de la realidad social latinoamericana.

OBRA PRINCIPAL: *El centroforward murió al amanecer* (1955); *Los indios estaban cabreros* (1958); *Sempronio* (1962); *Para que se cumplan las escrituras* (1965). [H.S.]

CH

CHACEL, Rosa (1898-   ).—Narradora, ensayista y poetisa española. Pertenece a la generación del 27. Colaboró en la "Revista de Occidente" y en "Hora de España". Estudió escultura en la Escuela Superior de Bellas Artes de San Fernando. Vivió exiliada en Brasil y Argentina. Actualmente reside en Madrid.

Admiradora de la obra de James Joyce, Rosa Chacel escribe novelas analíticas, introspectivas, de indagación psicológica. *Estación, ida y vuelta,* publicada en 1930, puede considerarse precursora del "nouveau roman". La narradora se confunde con sus personajes y monologa con ellos sobre temas estéticos, religiosos y morales. Su primer libro de poemas, *A la orilla de un pozo,* fue prologado por Juan Ramón Jiménez, quien la retrató literariamente en *Españoles de tres mundos.*

Chacel ha declarado que su novela más importante sigue siendo *La sinrazón.* La trilogía novelística iniciada con *Barrio de maravillas* (1976) no ha sido completada aún.

OBRA PRINCIPAL: **Novela.** *Estación, ida y vuelta* (1930); *Teresa* (1936); *Memorias de Leticia Valle* (1954); *La sinrazón* (1960); *Barrio de maravillas* (1976); *Novelas antes de tiempo* (1981). **Relato.** *Sobre el piélago* (1952); *Ofrenda a una virgen loca* (1960); *Icada, Nevda, Diada* (1971). **Poesía.** *A la orilla de un pozo* (1936. *Sonetos); Versos prohibidos* (1978). **Ensayo.** *La confesión* (1971); *Saturnal* (1972). **Memoria.** *Desde el amanecer* (1972). **Biografía crítica.** *Timoteo Pérez Rubio y sus retratos del jardín* (1980). [P.S.]

CHACÓN Y CALVO, José María (1893-1969).—Ensayista e investigador cubano. Miembro de la Academia de Artes y Letras y presidente de la Academia Cubana de la Lengua y del Ateneo de La Habana. Dejó una obra erudita con trabajos notables como el dedicado a José María Heredia. Contribuyó ampliamente al desarrollo de la historiografía cubana.

chalbaud

OBRA PRINCIPAL: *Los orígenes de la poesía en Cuba* (1913); *Cervantes y el Romancero* (1917); *Las cien mejores poesías cubanas* (1922); *El padre Sarmiento y el Poema del Cid* (1924); *Manuel de la Cruz* (1925); *Ensayos de literatura española* (1928); *El Consejo de Indias y la historia de América* (1932); *La experiencia del indio* (1934); *Quevedo y la tradición senequista* (1947). [J.P.]

CHALBAUD, Román (1931-   ).—Dramaturgo venezolano. Poeta, cuentista, cineasta, director teatral. Su obra es de marcado carácter crítico-social. Escribe y dirige varias películas como *La quema de Judas* (1974), basada en su obra de teatro.
OBRA PRINCIPAL: **Teatro.** *Los adolescentes* (1951); *Muros horizontales* (1953); *Caín adolescente* (1955); *Réquiem para un eclipse* (1959); *Sagrado y obsceno* (1961); *Café y orquídeas* (1962); *Las pinzas* (1962); *La quema de Judas* (1965); *Los ángeles terribles* (1967); *El pez que fuma* (1969); *Ratón de ferretería* (1970). [J.P.]

CHANGMARÍN, Carlos Francisco (1922-   ).—Escritor panameño. Poeta, cuentista, maestro, pintor, músico y fotógrafo. Iniciado bajo el influjo de los vanguardistas, escribe una poesía de acento angustiado y clara intención social. Su prosa sigue las tendencias del realismo crítico.
OBRA: **Poesía.** *Punto e llanto* (1948); *Dos poemas* (1953); *Poemas corporales* (1956); *Socavón* (1959). **Cuento.** *Faragual* (1961). *Las tonadas y los cuentos de la cigarra* (Poesía para niños, 1975). [J.P.]

CHARRY LARA, Fernando (1920-   ).—Poeta colombiano "de reminiscencias deliberadamente vagas, desvanecidas. Sueña con sombras y así su mundo íntimo se va poblando de distraídos, sonámbulos y fantasmas hechos de polvo y nostalgia" (Anderson Imbert). Integra el consejo de redacción de "Eco. Revista de la cultura de Occidente".
OBRA PRINCIPAL: **Poesía.** *Nocturno y otros sueños* (1949); *Los adioses* (1963); *Lector de poesía* (1975). [J.P.]

CHAVES, Fernando (1902-   ).—Novelista y ensayista, profesor, político y diplomático ecuatoriano. Ministro de educación. Director de la Biblioteca Municipal de Quito. Con *Plata y bronce* sentó las bases de la novela indigenista en el Ecuador. Traductor de Kafka, es célebre su versión de *La carta al padre*. Su ensayo sobre el escritor checo es citado a menudo porque amplía la comprensión de la obra del autor de *El castillo* y *El proceso*. OBRA PRINCIPAL: **Novela**. *Plata y bronce* (1927); *Escombros* (1958). **Relato**. *La embrujada* (1923). **Ensayo**. *Ideas sobre la posición actual de la pedagogía* (1933); *Obscuridad y extrañeza* (1956. Prólogo a la edición ecuatoriana de *La carta al padre*, de Franz Kafka). [P.S.]

CHAVES, Julio César (1907-   ).—Escritor paraguayo. Historiador, político, diplomático, periodista, ensayista y profesor universitario. Presidente del Instituto Paraguayo de Historia y presidente de la Academia Paraguaya de Letras. Miembro de la generación de historiadores del año 23, miembro del Consejo Superior del Instituto de Cooperación Iberoamericana.

OBRA PRINCIPAL: *Historia de las relaciones entre Buenos Aires y el Paraguay: 1810-1813* (1937); *El supremo dictador* (1942); *San Martín y Bolívar* (1950); *Unamuno y América* (1964); *Itinerario de Antonio Machado* (1968). [L.F.]

CHAVES DE FERREIRO, Ana Iris (1922-   ).—Narradora, autora teatral y periodista paraguaya. Su obra narrativa analiza —mediante el tratamiento psicológico de sus personajes— la sociedad paraguaya contemporánea. Chaves de Ferreiro supera la novela de ambiente rural y construye un universo novelístico vinculado a la historia de su país. Sus cuentos, aún inéditos, han sido publicados en antologías y revistas. Premio Hispanidad 1975. Miembro de la Academia Paraguaya de la Lengua Española.

OBRA: **Novela**. *Crónica de una familia* (1966): *Andresa Escobar* (1975). **Teatro**. *Sangre olvidada* (1967). [P.S.]

CHÁVEZ ALFARO, Lisandro (1929-   ).—Escritor nicaragüense. Ha cultivado preferentemente la novela; también ha escrito cuento y poesía. Radica en México desde 1948. Ha sido traducido al rumano, italiano, alemán y búlgaro. Premio de Cuento Casa de las Américas 1963.

OBRA: **Poesía**. *Hay una selva en mi voz* (1950); *Arquitectura inútil* (1954). **Cuento**. *Los monos de San Telmo* (1963); *Trece veces nunca* (1977). **Novela**. *Trágame tierra* (1969); *Balsa de serpientes* (1976). [C.T.]

chocrón

CHOCRÓN, Isaac (1933-   ).—Escritor venezolano. Dramaturgo, novelista, cuentista y ensayista. Figura influyente de "El Nuevo Grupo" (1967), se inicia literariamente como cuentista, pero abandona el género narrativo y se dedica al teatro. Su obra dramática es renovadora. Premio Nacional de Teatro 1979.

OBRA PRINCIPAL: **Teatro**. *Mónica y el florentino* (1959); *El quinto infierno* (1961); *Animales feroces* (1963); *Tric-Trac* (1967); *Asia y el Lejano Oriente* (1968); *O.K.* (1969); *La revolución* (1971); *La máxima felicidad* (1975); *Mesopotamia* (1978). **Relato**. *Pasaje* (1956). **Novela**. *Se ruega no tocar la carne por razones de higiene* (1970). **Ensayo**. *Tendencias del teatro contemporáneo* (1968). [J.P.]

CHUEZ, Enrique (1934-   ).—Narrador panameño. Profesor de Filosofía e Historia en la Universidad de Panamá. Ha sido obrero, pescador, empleado público. Su obra narrativa expresa una visión sin esperanzas del hombre y la sociedad.

OBRA: **Novela**. *Las averías* (1973). **Cuento**. *Al hombro mi socavón* (1964); *Decimario* (1965); *Tiburón y otros cuentos* (19   ); *La mecedora* (19   ). [J.P.]

CHUMACERO, Alí (1918-   ).—Poeta mexicano. Con José Luis Martínez, Leopoldo Zea y Jorge González Durán fundó y dirigió la revista "Tierra Nueva" (1942). Animador de "Letras Mexicanas" (1937-1947). Redactor de "El Hijo Pródigo". Cofundador del suplemento "México en la Cultura". Gerente de producción del Fondo de Cultura Económica. Miembro de la Academia Mexicana de la Lengua. Poeta de gran perfección formal, considera la poesía como "un fin en sí misma". Con Octavio Paz, José Emilio Pacheco y Homero Aridjis realizó la antología *Poesía en movimiento*.

OBRA PRINCIPAL: **Poesía**. *Páramo en sueños* (1944); *Imágenes desterradas* (1948); *Palabras en reposo* (1956). **Antología**. *Poesía romántica* (1941). [C.T.]

D

DALTON, Roque (1933-1975).—Poeta salvadoreño. Abogado, antropólogo, ensayista. Cofundador del Círculo Literario Universitario. Premio Centroamericano de Poesía 1956, 1958, 1959. Por sus convicciones políticas fue perseguido, encarcelado y desterrado. Residió, exiliado, en Guatemala, México, Checoslovaquia y Cuba. Premio Casa de las Américas 1969. Murió asesinado.

OBRA PRINCIPAL: **Poesía.** *La ventana en el rostro* (1961); *El turno del ofendido* (1963); *Los testimonios* (1964); *Taberna y otros lugares* (1969); *Los pequeños infiernos* (1970). **Narración.** *Las historias prohibidas de Pulgarcito* (1974). **Novela.** *Pobrecito poeta que era yo...* (1976). **Ensayo.** *César Vallejo* (1963); *¿Revolución en la revolución? y la crítica de derecha* (1970). **Biografía.** *Miguel Mármol* (1972). [C.T.]

DÁVILA, Amparo (1928–   ).—Narradora y poeta mexicana. Su prosa poética crea un espacio narrativo donde no existe el tiempo. Su obra es una memoria desgarrada por la soledad, la fugacidad del tiempo y los recuerdos.

OBRA PRINCIPAL: **Cuento.** *Tiempo destrozado* (1959); *Música concreta* (1964); *Arboles petrificados* (1977). **Poesía.** *Salmos bajo la lluvia* (1950); *Perfil de soledades* (1954); *Meditaciones a la orilla del sueño* (1954). [P.S.]

DÁVILA ANDRADE, César (1918-1967).—Poeta y narrador ecuatoriano. Residió en Venezuela. Misántropo, bohemio, romántico, huidizo y ensimismado, Dávila Andrade escribió una poesía gnóstica, provista de recursos tomados del simbolismo y del superrealismo. Una de las voces más originales y creativas de la lírica ecuatoriana. Se suicidó.

OBRA PRINCIPAL: **Poesía.** *Espacio me has vencido* (1946); *Consagración de los instantes* (1950); *Catedral salvaje* (1952); *Bole-*

dávila torres

tín y elegía de las mitas (1954); En un lugar no identificado (1960); Conexiones con la tierra (1964). **Relato**. 13 relatos (1955); Abandonados en la tierra (1956); Cabeza de gallo (1966). [P.S.]

DÁVILA TORRES, César (1932-   ).—Poeta y abogado ecuatoriano. Poesía testimonial preocupada por el destino humano. Fiel a su vocación poética, rehusa la retórica fácil y busca incesantemente nuevos caminos de expresión. Pertenece al grupo Umbral.
OBRA PRINCIPAL: Los hijos de la tierra (1955); La sangre gozosa (1957); Otra vez Eurídice (1960); Cuatro poemas terroristas (1964). [P.S.]

DÉBOLE, Carlos Alberto (1915-   ).—Poeta argentino. Su obra se basa en la búsqueda de un verso despojado de adornos inútiles, estructurado en el marco de una notable sencillez. Su temática trata de centrarse en los pequeños detalles, en las cosas y los hechos mínimos. Varios de sus libros están íntimamente vinculados a la naturaleza, el paisaje, los animales de su país, pero a partir de 1972 con El cobrador de olvidos, su trayectoria se amplía hacia una temática en donde la metafísica juega un papel protagónico y la poesía se transforma en una manera del conocimiento. De este período deben destacarse sus libros Arbol de sombra, Mirar por dentro y Abrapalabra.
OBRA PRINCIPAL: La soledad repleta (1951); Canto al Paraná (1963); Zoo entrañable (1964); Tiempo de la carpintería (1966); De nuevo amor (1967); De garzas y flamencos (1968); Memoria del futuro (1969); El cobrador de olvidos (1972); El hueso florecido (1974); Desván de aparecidos (1976); Mirar por dentro (1977); Arbol de sombra (1978); Abrapalabra (1979). [H.S.]

DEBRAVO, Jorge (1938-1967).—Poeta costarricense. Murió trágicamente, pero su fecunda obra se contiene en nueve libros que publicó en vida y trece que dejó inéditos. Fundó el grupo de poetas de Turrialba.
OBRA: **Poesía**. Milagro abierto (1959); Bestiecillas plásticas (1960); Consejos para Cristo al comenzar el año y otras especies de poemas (1962); Devocionario del amor sexual (1963); Poemas terrenales (1964); Digo (1965); Nosotros los hombres (1966); Canciones cotidianas (1967); Los despiertos (1972); Antología mayor (1974); Vórtices (1975). [C.T.]

DÉLANO, Poli (1936-   ).–Narrador chileno. Heredero del realismo naturalista, Délano se inscribe en la corriente del realismo crítico. Su prosa clara, directa y sencilla, no está exenta de atisbos líricos. Premio Casa de las Américas, por su libro de cuentos *Cambio de máscara*.

OBRA PRINCIPAL: *Gente solitaria* (1960); *Amaneció nublado* (1962); *Como buen chileno* (1973); *Cambio de máscara* (1973); *El dedo en la llaga* (1974); *Sin morir del todo* (1975); *Dos lagartos en una botella* (1976). [P.S.]

DELGADO, Washington (1927-   ).–Poeta y ensayista peruano. Realizó estudios de posgrado en España. Profesor de literatura en la Universidad de San Marcos. Premio Nacional de Poesía 1953. Poeta de amplio registro tonal, ha publicado ensayos críticos sobre la obra de Jorge Guillén, Rubén Darío, Pedro Salinas y Lope de Vega.

Asimiló las lecciones de la poesía española de la Generación del 27, especialmente las de Pedro Salinas. *Para vivir mañana*, su libro más celebrado, "conjuga la agudeza de su lirismo intenso con la censura mordaz de una realidad alienada".

OBRA PRINCIPAL: Poesía. *Formas de la ausencia* (1955); *Días del corazón* (1957); *Para vivir mañana* (1959); *Parque* (1965); *Tierra extranjera* (1968); *Destierro por vida* (1969); *Un mundo dividido. 1951-1970* (1970). [P.S.]

DELIBES, Miguel (1920-   ).–Narrador y periodista español. Doctor en Derecho. Trabajó como caricaturista y empleado de Banca. Fue director del diario "El Norte de Castilla". Miembro de la Real Academia Española y de la Hispanic Society of America. Premio Nadal 1948. Premio Miguel de Cervantes 1955. Premio Fastenrath 1959. Premio de la Crítica 1963.

Agudo observador de la clase media castellana, describe –con gran economía de estilo– la degradación moral, la soledad y la incomunicación de sus antihéroes. Expresa, con prosa sobria y pulcra, el ambiente provinciano y la psicología de sus pobladores.

Sus novelas más célebres: *Diario de un cazador*, *Las ratas*, *La hoja roja* y *Cinco horas con Mario* (de esta última se ha realizado una versión teatral). *Parábola del náufrago* es caso aparte. El crítico Santos Sanz Villanueva la ha calificado de "parodia de corte kafkiano de la deshumanización del hombre moderno, donde, además de hacer una crítica de la literatura desde la propia literatura, el autor utiliza los más variados recursos de la experimentación novelística".

denevi

OBRA PRINCIPAL: **Novela**. *La sombra del ciprés es alargada* (1948); *Aún es de día* (1941); *El camino* (1950); *Mi idolatrado hijo Sisí* (1953); *Diario de un cazador* (1955); *Diario de un emigrante* (1957); *Las ratas* (1962); *La hoja roja* (1962); *Cinco horas con Mario* (1967); *Parábola del náufrago* (1970); *El príncipe destronado* (1973); *Las guerras de nuestros antepasados* (1975); *El disputado voto del señor Cayo* (1978); *Los santos inocentes* (1981). **Relato**. *Siestas con viento sur* (1959); *La caza de la perdiz roja* (1963); *Viejas historias de Castilla la Vieja* (1964); *El libro de la caza menor* (1964). **Reportaje**. *Por esos mundos* (1958); *Europa, parada y fonda* (1963); *USA y yo* (1966); *La primavera de Praga* (1968). [P.S.]

DENEVI, Marco (1922-   ).—Narrador argentino. Se inició en la literatura al obtener el premio Kraft por su novela *Rosaura a las diez* en 1955. Es un artífice del cuento corto, dentro de una línea generalmente realista. El crítico Fernando Sorrentino ha escrito que "existe en Denevi predilección por los ámbitos cerrados, el misterio que late en lo cotidiano y —es una constante en él— la suplantación de la personalidad: ésta se da en *Rosaura a las diez* y se repite, desde otro punto de vista, en *Ceremonia secreta* (1960) y en *Los asesinos de los días de fiesta* (1972)".

Denevi es además autor de obras teatrales.

OBRA PRINCIPAL: **Narrativa**. *Rosaura a las diez* (1955); *Ceremonia secreta* (1960); *Un pequeño café* (1966); *Falsificaciones* (1966); *El emperador de la China* (1970); *Parque de diversiones* (1970); *Hierba del cielo* (1972). **Teatro**. *Los expedientes* (1957); *La muerte del emperador de la China* (1961); *El cuarto de la noche* (1962). [H.S.]

DESCALZI, Ricardo (1912-   ).—Dramaturgo, historiador y narrador ecuatoriano. Su voluminosa y erudita *Historia crítica del teatro ecuatoriano* es un análisis exhaustivo y documentado de la evolución del género en el Ecuador. Premio Nacional de Literatura 1963, por su novela *Saloya*.

OBRA PRINCIPAL: **Teatro**. *Anfiteatro* (1960); *Portovelo* (1951); *En el horizonte se alzó la niebla* (1961); *Clamor de sombras* (1961); *Una quimera en París* (1966). **Cuento**. *Los murmullos de Dios* (1960). **Novela**. *Saloya* (1963). **Historia**. *Historia crítica del teatro ecuatoriano* (1968. 6 vols.). [P.S.]

DESNOES, Edmundo (1930-   ).—Narrador y ensayista cubano. Residió en Venezuela, Las Bahamas y Estados Unidos, donde fue redactor de la revista "Visión". Trabaja en el Instituto Cubano del Libro. Ha sido profesor de la Escuela de Instructores de Arte y redactor de la revista "Casa de las Américas". Su novela *Memorias del subdesarrollo* ha sido llevada al cine por Tomás Gutiérrez Alea. Actualmente reside en Estados Unidos.
OBRA PRINCIPAL: Novela. *No hay problema* (1961); *El cataclismo* (1965); *Memorias del subdesarrollo* (1965). Ensayo. *Puntos de vista* (1967); *Para verte mejor América Latina* (1972). [J.P.]

DIAS DA CRUZ, Edy (1907-   ).—Véase Rebelo, Marques.

DÍAZ, Jorge (1930-   ).—Dramaturgo, arquitecto y pintor chileno, nacido en la Argentina. Vinculado inicialmente al teatro del absurdo, su obra ha evolucionado hacia posiciones de crítica social. Sus rasgos más característicos son el sentido del humor y una preocupación por el lenguaje. Reside en España desde 1965. Premio Tirso de Molina 1975.
OBRA PRINCIPAL: Teatro. *Un hombre llamado Isla* (1961); *El cepillo de dientes* (1961); *Réquiem por un girasol* (1961); *El velero en la botella* (1962); *El lugar donde mueren los mamíferos* (1963); *Topografía de un desnudo* (1966); *La víspera del degüello* (1967); *Introducción al elefante y otras zoologías* (1968); *Liturgia para cornucopias* (1969); *La orgástula* (1969); *La pancarta* (1970); *Americaliente* (1971); *Antropología de salón* (1972); *La corrupción del ángel cibernético* (1974); *El paraíso ortopédico* (1975); *Mata a tu prójimo como a ti mismo* (1977). [P.S.]

DÍAZ, José Pedro (1921-   ).—Narrador y crítico uruguayo. Su reconocida actividad docente y como crítico ha impuesto tal vez ciertas pausas a su obra de ficción donde sobresale su afinado sentido del lenguaje. La atmósfera fantástica de la mayoría de sus obras está penetrada por un interés culturalista que le otorga una dimensión muy singular en la literatura uruguaya.
OBRA PRINCIPAL: *El abanico rosa* (1941); *Ejercicios antropológicos* (1957); *Tratado de la llama* (1957); *Gustavo Adolfo Bécque: vida y poesía* (1959); *Los fuegos de San Telmo* (1964); *Tratados y ejercicios* (1967); *Partes de naufragios* (1969). [H.C.]

díaz alfaro

DÍAZ ALFARO, Abelardo (1919-   ).—Narrador puertorriqueño.
Trabajador social en el área rural. Profundo conocedor del jíbaro
—campesino puertorriqueño—; le preocupa defender su supervivencia
ante la creciente influencia norteamericana.
OBRA: **Cuento.** *Terrazo* (1947). **Estampas.** *Mi isla soñada*
(1967). [J.P.]

DÍAZ ARRIETA, Hernán (1891-   ).—Véase **Alone.**

DÍAZ BLAITRY, Tobías (1919-   ).—Poeta y ensayista panameño. Perito mercantil, maestro de escuela y profesor de Filosofía e
Historia en la Universidad de Panamá. *Master of arts* en Filosofía por
la Universidad de Chicago. Miembro de la Academia Panameña de
la Lengua. Su poesía es conceptual, fundada en un lenguaje sencillo
que busca la esencia de las cosas.
OBRA: **Poesía.** *La luna en la mano* (1944); *Poemas del camino*
(1949); *Memorial de arena* (19). **Ensayo.** *La idea de Dios en
Charles Hartshorne* (1967); *Imágenes del tiempo* (1968). [P.S.]

DÍAZ CASANUEVA, Humberto (1908-   ).—Poeta y diplomático
chileno. Con Rosamel del Valle y Ludwig Zeller se adhiere al superrealismo órfico. El poeta ha definido su poesía como "hija del
trance". Durante su residencia en Caracas, colaboró en la revista
"Viernes" y contribuyó a la renovación de la poesía venezolana. "Su
poesía —escribe Juan Liscano— de gran lenguaje blasfematorio y
explosión onírica, sus relaciones con la filosofía existencial y con la
poesía de los románticos alemanes desconocidos hasta entonces en
Venezuela", constituyó un estallido erótico-onírico de inusitada
violencia.
Desempeñó funciones diplomáticas en España, Argelia y Estados
Unidos de Norteamérica. Actualmente vive en el exilio.
OBRA PRINCIPAL: **Poesía.** *El aventurero de Saba* (1926);
Vigilia por dentro (1932); *El blasfemo coronado* (1940); *Réquiem*
(1945); *La estatua de sal* (1947); *La hija vertiginosa* (1954); *Los
penitenciales* (1960); *El sol ciego* (1966). [P.S.]

DÍAZ FERNÁNDEZ, José (1898-1940).—Novelista y ensayista
español. Periodista y político, falleció en Francia. Su obra narrativa pertenece a la corriente del realismo social. La intención de Díaz
Fernández era la de "reintegrar la novela al terreno histórico, a la
realidad político-social de la cual había sido sacada por los vanguar-

díaz lozano

distas". Su novela más célebre: *El blocao*, en la que relata sus experiencias de la guerra de Marruecos. OBRA PRINCIPAL: **Novela.** *El blocao* (1928); *La venus mecánica* (1929). **Ensayo.** *El nuevo romanticismo* (1930). [P.S.]

DÍAZ GRULLÓN, Virgilio (1924-   ).—Escritor dominicano. Abogado. Su obra ha renovado el género cuentístico en su país. Expresa el sentido del absurdo en la vida cotidiana de unos personajes confusos y desorientados, la frustración del hombre urbano y "el trauma pşíquico del hombre que vegeta en estas poblaciones que no alcanzan la categoría de la ciudad, pero que han perdido el encanto parroquial y eglógico de las aldeas tradicionales" (Carlos Curiel). Premio Nacional de Literatura 1958. OBRA: **Cuento.** *Un día cualquiera* (1958); *Crónicas de Altocerro* (1968); *Más allá del espejo* (1975). **Novela.** *Los algarrobos también sueñan* (1977). [P.S.]

DÍAZ ICAZA, Rafael (1925-   ).—Poeta, cuentista, novelista, periodista y profesor ecuatoriano. Pertenece al grupo Madrugada. Su obra inicia nuevos derroteros en la narrativa ecuatoriana, aún estancada en las fórmulas del realismo. Por su prosa lírica, rica en imágenes, y su imaginación desbordante, Díaz Icaza es uno de los escritores más interesantes de su generación. OBRA PRINCIPAL: **Poesía.** *Estatuas en el mar* (1946); *Cuaderno de bitácora* (1949); *La llave de aquel país* (1954); *El regreso y los sueños* (1959); *Botella al mar* (1965). **Cuento.** *Las fieras* (1952); *Los ángeles errantes* (1958); *Tierna y violentamente* (1970). **Novela.** *Los rostros del miedo* (1962); *Los prisioneros de la noche* (1967). [P.S.]

DÍAZ LOYOLA, Carlos (1894-1968).—Véase **Rokha, Pablo de.**

DÍAZ LOZANO, Argentina (1912-   ).—Poeta hondureña. Estudió en Estados Unidos y en la Universidad de San Carlos, de Guatemala. Primer Premio en el Concurso Latinoamericano de Novela (1942-1943). Directora de la Academia Moderna de Tegucigalpa. Colaboradora de "El Imparcial" de Guatemala y en "La Hora" del mismo país. Premio Nacional de Literatura (Tegucigalpa, 1968). OBRA PRINCIPAL: *Perlas de mi rosario* (1930); *Luz en la senda* (1935); *Topacios* (1940); *Peregrinaje* (1943); *Enriqueta and I (Peregrinaje)* (1944); *Mayapán* (1950); *Fuego en la ciudad* (1966); *Sandalias sobre Europa* (1967); *Aquí vive un hombre; biografía de*

díaz machicao

Clemente Marroquín Rojas (1968); *Eran las doce... y de noche. Un amor y una época* (1976). [C.T.]

DÍAZ MACHICAO, Porfirio (1909-1981).—Cuentista, novelista, ensayista, periodista, conferenciante, historiador y diplomático boliviano. Pertenece a la generación del Chaco. Director del diario "El País", de Cochabamba (1937-1953). Activista en favor de la paz, fue condenado a participar en la guerra contra el Paraguay, en el frente de combate. Fundador del Museo Nacional de Escritores, del Museo Franz Tamayo y del Archivo Epistolar Histórico. Su obra específicamente histórica es continuación de la obra de Alcides Arguedas, según sus propias palabras. Miembro de la Academia Boliviana de la Lengua y de la Academia Nacional de Historia. Premio Nacional de Cultura 1973. Autodidacto, intuitivo, vitalista, impresionista, sus cuentos son verdaderas obras maestras del género.

OBRA PRINCIPAL: **Cuento.** *Cuentos de dos climas* (1936); *Trópico* (1944). **Novela.** *Los invencibles en la guerra del Chaco* (1936); *El estudiante enfermo* (1939); *Vocero* (1942); *La bestia emocional* (1955); *El rey chiquito* (1962); *Tupac Catari, la sierpe* (1964); *María del Valle y sus cruces* (1966); *Cruz de aldea* (1967). **Biografía.** *Salamanca* (1938); *Melgarejo* (1944); *Nataniel Aguirre* (1945). **Conferencias.** *Veinte lecciones sobre Bolívar* (1949); *Veinte lecciones sobre Santa Cruz* (1965); *Cauce de palabras* (1967); *Testificación de la cueca* (1968); *Camilo José Cela* (1969). **Semblanzas.** *El ateneo de los muertos* (1956); *Crónica de crónicas* (1963). **Historia.** *Historia de Bolivia* (1954-1958, 5 vols.). **Antología.** *Prosa y verso de Bolivia* (1966-1968, 4 vols.); *Antología de la oratoria boliviana* (1968); *Antología del teatro boliviano* (1969). [P.S.]

DÍAZ-PLAJA, Fernando (1918-   ).—Ensayista, novelista, historiador y periodista español. Doctor en Filosofía y Letras. Profesor de diversas universidades norteamericanas. Autor de cincuenta títulos, su voluminosa obra reúne ensayos de tipo sociológico y literario, estudios, antologías, memorias y crónicas periodísticas. Agudo observador, fino prosista, combina el dato erudito con la reflexión irónica. Sus libros de viajes y costumbres, de pura cepa romántica, constituyen su mejor legado. Describe la historia de España con desenfado, intercalando anécdota y documento, acontecimientos políticos con detalles de la vida cotidiana. Colaborador de "ABC", "Diario de Barcelona" y "El País Semanal". Ha traducido a Montherlant, Giraudoux, Dürrenmatt, Shakespeare y De Filippo.

díaz sánchez

OBRA PRINCIPAL: **Ensayo.** *El español y los 7 pecados capitales; El americano y los 7 pecados capitales; El francés y los 7 pecados capitales; El italiano y los 7 pecados capitales; El automovilista español y los 7 pecados capitales; Mis pecados capitales; La historia de España contada por los poetas; Teatro español de hoy; Otra historia de España; La Biblia contada a los mayores; El mundo de colores; Manual del imperfecto viajero; La Europa de Lenin.* **Novela.** *A Roma por todos los caminos; Puente de sol; Puente de sombra; El desfile de la victoria.* [P.S.]

DÍAZ-PLAJA, Guillermo (1909-   ).—Ensayista, crítico literario y poeta español. Doctor en Filosofía y Letras. Miembro de la Hispanic Society. Miembro de la Real Academia Española. Premio Nacional de Literatura 1935. Premio de Cultura Hispánica 1980 (*ex aequo* con Carlos M. Rama). Escritor fecundo, de cultura enciclopédica. Su obra abarca más de ciento cincuenta títulos. Director de obras colectivas de gran aliento, como *Historia de las Literaturas Hispánicas* (2 vols.); *Antología mayor de la literatura española* (4 vols.); *Antología mayor de la literatura hispanoamericana* (2 vols.) y *Tesoro breve de las letras hispánicas* (15 vols.).
OBRA PRINCIPAL: **Poesía.** *Primer cuaderno de sonetos* (1941); *Vencedor de mi muerte* (1953); *La soledad caminante* (1966); *América vibra en mí* (1969). **Ensayo.** *Rubén Darío, la vida, la obra* (1930); *Visiones contemporáneas de España* (1935); *El arte de quedarse solo y otros ensayos* (1936); *El espíritu del barroco* (1941); *Federico García Lorca* (1948); *Modernismo frente a Noventa y ocho* (1951); *Poesía y realidad* (1952); *Juan Ramón Jiménez en su poesía* (1958); *La letra y el instante* (1966); *Las estéticas de Valle-Inclán* (1965); *Memoria de una generación destruida* (1966); *El oficio de escribir* (1969); *Retrato de un escritor* (1978); *Los retornos, sociología cultural del posfranquismo* (1978). [P.S.]

DÍAZ SÁNCHEZ, Ramón (1903-1968).—Escritor venezolano. Novelista, cuentista, ensayista, periodista, político. De familia humilde —hijo de obreros— hubo de esforzarse hasta convertirse en uno de los hombres más cultos de su país. Desempeñó los oficios más diversos: aprendiz de mecánico, vendedor ambulante de cigarrillos, pintor de carteles para los cines de pueblo... Autodidacto, su conocimiento del mundo clásico era impresionante. Su obra, en apariencia localista, es expresión de un espíritu abierto y universal. Su estilo directo, breve, claro, pero siempre engalanado por una prosa pulcra, castiza, le convierten en un maestro de novelistas.

díaz solís

Díaz Sánchez residió en España como agregado cultural. Premio de Novela Ateneo de Caracas, 1947. Premio de Novela Arístides Rojas, 1948. Premio Nacional de Literatura 1951. Miembro de la Academia Venezolana de la Lengua. Miembro de la Academia Nacional de la Historia. Su novela más célebre: *Cumboto*. OBRA PRINCIPAL: **Novela**. *El sacrificio del padre Renato* (1926); *Mene* (1936); *Cumboto* (1948); *Casandra* (1957); *Borburata* (1960). **Cuento**. *Cardonal* (1933); *Caminos del amanecer* (1941); *La Virgen no tiene cara* (1951). **Ensayo**. *Cam* (1933); *Transición* (1937); *Ambito y acento* (1937); *Historia de una historia* (1941); *Guzmán, eclipse de una ambición de poder* (1949). [J.P.]

DÍAZ SOLÍS, Gustavo (1920-   ).—Narrador venezolano. Poeta, ensayista. Doctor en Ciencias Políticas. Enseñó literatura inglesa y norteamericana en la Universidad Central de Venezuela y en el Instituto Pedagógico. Ha representado a su país en organismos internacionales. En su obra se observa la influencia ejercida por autores ingleses y norteamericanos.
OBRA PRINCIPAL: **Cuento**. *Marejada* (1940); *Llueve sobre el mar* (1943); *Cuentos de dos tiempos* (1950); *Detrás del monte está el campo* (1951); *Cinco cuentos* (1963); *Cachalo* (1965, antología); *Ophidia y otras personas* (1968). **Ensayo**. *Exploraciones críticas/ Explotion in criticism* (1968). [J.P.]

DIEGO, Eliseo (1920-   ).—Poeta cubano. Uno de los exponentes de la renovación poética representada por la revista "Orígenes", fundada por José Lezama Lima. Empezó evocando la vieja Habana, pero evolucionó hacia temas de gran concentración lírica como la muerte, el miedo, el amor. "Diego es un maestro en muchas formas y rimas que bordean el folksong. Es capaz de utilizar un lenguaje críptico y de condensar, en unas cuantas líneas e imágenes, impresiones que evocan la visión de la infancia". (J.M. Cohen). Trabaja en la Biblioteca Nacional y es autor de ensayos críticos sobre autores cubanos y norteamericanos.
OBRA: **Poesía**. *En las oscuras manos del olvido* (19   ); *En la calzada de Jesús del Monte* (1949); *Por los extraños pueblos* (1958); *El oscuro esplendor* (1967); *El muestrario del mundo o libro de las maravillas de Boloña* (1968). **Relato**. *Divertimento.* [J.P.]

DÍAZ VALCÁRCEL, Emilio (1929-   ).—Narrador puertorrique-ño. Estilo expresionista de gran fuerza narrativa. Sus cuentos y novelas son macabras descripciones de un mundo despeñado en los abismos del horror.

OBRA: **Cuento**. *El asedio y otros cuentos* (1958); *Harlem todos los días* (1978). **Novela**. *El hombre que trabajó el lunes* (19   ); *Figuraciones en el mes de marzo* (1972); *Mi mamá me ama* (1981). [J.P.]

DIEGO, Gerardo (1896-   ).—Poeta y ensayista español. Pertenece a la generación del 27. Premio Miguel de Cervantes 1978 (*ex aequo* con Jorge Luis Borges). Miembro de la Real Academia Española de la Lengua. Doctor en Filosofía y Letras. A su iniciativa se debe la convocatoria de la conmemoración del Centenario de Góngora en 1927. Su antología *Poesía española* (1932) influyó en la evolución de la poesía española. Junto con Juan Larrea fundó el movimiento *ultraísta*, en 1919, influido por el chileno Vicente Huidobro y su *creacionismo*. En el *ultraísmo* hay un intento de humanizar y profundizar las emociones mediante la creación de un nuevo lenguaje poético fundado en la imaginación y la rebelión de las formas. Sensible a todo lo hispánico, Diego ha sido, sin duda alguna, el poeta español más abierto al diálogo con sus colegas hispanoamericanos. Entre sus amistades se contaron Huidobro, Borges, Vallejo, González Tuñón, Neruda, Miguel Angel Asturias, entre otros.

En 1925 le fue otorgado el Premio Nacional de Literatura (compartido con Rafael Alberti), por su libro *Versos humanos,* en el cual se percibe la influencia de Antonio Machado y, sobre todo, de Lope de Vega, su poeta preferido. Su afición a la pintura, a los toros y a la música se reflejará en poemas como *Egloga de Antonio Bienvenida, La suerte o la muerte, El Cordobés dilucidado, Los árboles de Granada a Manuel de Falla, Revelación de Mozart, Nocturnos de Chopin* y *Preludio, aria y coda a Gabriel Fauré.*

Diego es un poeta a quien atraen simultáneamente el campo y la ciudad, la naturaleza y la cultura, la tradición y la vanguardia, la realidad y la trascendencia, los temas humanos y divinos; dualidad que explica su variedad de estilos.

OBRA PRINCIPAL: **Poesía**. *Imagen* (1922); *Manual de espumas* (1924); *Versos humanos* (1925); *Fábula de equis y zeda* (1932); *Angeles de Compostela* (1940); *Alondra de verdad* (1941); *La luna en el desierto y otros poemas* (1949); *Paisaje con figuras* (1956); *Amor solo* (1958); *Nocturnos de Chopin* (1962); *Sonetos a Violante* (1967); *La suerte o la muerte* (1963); *El jándalo* (1964); *La fundación del querer* (1970); *Versos divinos* (1971); *Cementerio civil* (1972); *Carmen jubilar* (1975); *Poemas mayores* (1980);

dieste

Poemas menores (1980). **Ensayo.** *El poeta Manuel Machado* (1975); *Veintiocho pintores contemporáneos vistos por un poeta* (1975). [P.S.]

DIESTE, Rafael (1899-1981).—Narrador, poeta, dramaturgo, ensayista y periodista español de expresión bilingüe (gallego y castellano). Fue secretario de redacción del diario "El Pueblo Gallego", de Vigo. Cofundador, en 1938, de la revista "Hora de España". Residió en Buenos Aires. Profesor invitado en universidades de Norteamérica y México. Al retornar a España, residió en su pueblo natal, Rianxo, La Coruña.
OBRA PRINCIPAL: **Cuentos.** *Dos arquivos do trasno* (1926); *Historias e invenciones de Félix Muriel* (1943); *En Galicia y en las nubes* (1944). **Poesía.** *Rojo farol amante* (1933). **Teatro.** *A friestra valdeira* (1927); *Quebranto de doña Luparia y otras farsas* (1934); *Viaje, duelo y perdición* (1945). **Ensayo.** *La vieja piel del mundo* (1936); *Colmeiro* (1941); *Tratado mínimo del arte de la escena* (1944); *Luchas con el desconfiado* (1948); *Nuevo tratado de paralelismo* (1955); *Diálogo de Manuel y David y otros ensayos* (1965); *¿Qué es un axioma?* (1967); *A vontade de estilo na fala popular* (1970); *Testamento geométrico* (1975); *El alma y el espejo* (1981). [P.S.]

DIEZ DE MEDINA, Fernando (1908-   ).—Escritor boliviano. Ensayista, político, diplomático, crítico, biógrafo, cuentista, novelista, poeta y autor teatral. Ministro de Educación (1956). Director de las revistas "Cordillera" y "Nova". Aunque su libro más célebre sea *Franz Tamayo. Hechicero del Ande. Retrato al modo fantástico,* el más divulgado es *Literatura boliviana,* obra en la cual se entremezclan referencias críticas de carácter impresionista con ciertos atisbos sociológicos y anotaciones que pertenecen a la historia política de Bolivia. Premio Nacional de Literatura 1951.
OBRA PRINCIPAL: **Ensayo.** *El velero matinal* (1935); *Thunupa* (1947); *Sariri* (1954); *Fantasía coral* (1958); *Nayjama* (1960); *Sueño de los arcángeles* (1961); *Bolivia y su destino* (1962); *El alfarero desvelado* (1964); *Desde la profunda soledad* (1966); *Teogonía andina* (1973); *Imantata: lo escondido* (1975); *Selección de ensayos sobre temas nacionales* (1975). **Cuento.** *La enmascarada y otras narraciones* (1955); *El guerrillero y la luna* (1972). **Poesía.** *La clara senda* (1928); *Imagen* (1932); *Laudes a la esposa muy amada* (1971). **Biografía.** *El arte nocturno de Victor Delhez* (1938); *Franz Tamayo. Hechicero del Ande. Retrato al modo fantástico* (1942); *El general*

dobles

del pueblo (1972). **Crítica.** *Literatura boliviana* (1957). **Novela.**
Mateo Montemayor (1969). **Teatro.** *Ollantas, el jefe kolla* (1970).
Memoria. *Cuaderno de viaje* (1968). **Aforismos.** *El arquero* (1960).
[P.S.]

DÍEZ CANSECO, José (1905-1949).—Novelista peruano. Fue uno de
los primeros en abordar la temática urbana en la novelística peruana.
Antecedente de la narrativa urbana propia de la generaciín del 50.
Sus novelas realistas están impregnadas, sin embargo, de criollismo.
Estampás mulatas recoge dos novelas cortas: *El Gaviota* y *El
kilómetro 83.*
   OBRA PRINCIPAL: *Duque* (1934); *Estampas mulatas* (1938).
[P.S.]

DIONISIO, Mario (1916-   ).—Ensayista y prosista portugués.
Licenciado en Filología Románica por la Facultad de Letras de
Coimbra, fue profesor de enseñanza secundaria y actualmente ejerce
su labor pedagógica en la Facultad de Letras de Lisboa. Fue, desde el
inicio del neorrealismo, su verdadero teorizante, aunque después
haya adoptado sobre ese particular una posición crítica evolutiva.
Colaboró en publicaciones que se destacaron en las décadas de los 30
y los 40, principalmente "O Diabo", "Sol Nascente", "Vértice",
"Ler", etc.
   OBRA PRINCIPAL: **Ensayo.** *Ficha 14* (1944); *Introdução à
Pintura* (1963); *A Paleta e o Mundo* (1956), etc. **Poesía.** *Poemas*
(1941); *O Riso Dissonante* (1950); *Memorias dum Pintor Desconhecido* (1965); *Poesía Incompleta* (1936-1965); *Le Feu qui dort*
(1967), etc. **Ficción.** *Día cinzento* (1944); *Ñao há Morte nem
Princípio* (1969), etc. [M.V.]

DOBLES, Fabián (1918-   ).—Escritor costarricense. Narrador,
cuentista, novelista y poeta. Catedrático, empresario, ebanista, teje-
dor. Galardonado con el Premio Nacional de Literatura (1969) y
otros premios nacionales e internacionales. Su obra figura en las más
importantes antologías nacionales e hispanoamericanas. Miembro
de la Academia Costarricense de la Lengua.
   OBRA PRINCIPAL: **Novela.** *Ese que llamamos pueblo* (1942);
Aguas turbias (1943); *Una burbuja en el limbo* (1946); *La rescoldera*
(1947); *El sitio de las abras* (1950); *Los leños vivientes* (1962); *En el
San Juan hay tiburón* (1967). **Cuento.** *El jaspe* (1955); *Historias de
Tata Mundo* (1956); *El maiju y otras historias de Tata Mundo*

145

dobles segreda

(1957); *El targua* (1960); *El violín y la chatarra* (1966); *Cuentos de Fabián Dobles* (1972). **Poesía.** *Tú, voz de sombra* (1944); *Verdad del agua y del viento* (1949); *Yerbamar* (1966). [C.T.]

DOBLES SEGREDA, Luis (1890-1956).—Novelista y ensayista costarricense. Maestro, diputado, diplomático, profesor universitario, ministro de Educación.

OBRA PRINCIPAL: *Por amor de Dios* (1918); *Rosa mística* (1921); *Caña brava* (1926); *El clamor de la tierra* (1917); *El libro del héroe* (1926); *El rosario de marfil* (1928); *Santa Ana* (1949); *Fadrique Gutiérrez, hidalgo extravagante de muchas andanzas* (1954); *Indice bibliográfico de Costa Rica* (1927-1936) (obra en 9 volúmenes). [C.T.]

DOLUJANOFF, Emma (1922-   ).—Narradora y autora teatral mexicana. Doctora en Medicina, especializada en neuropsiquiatría. Sus cuentos para niños son de una gran originalidad. Sus conocimientos médicos la han llevado a preocuparse por la dimensión psicológica de sus personajes.

OBRA PRINCIPAL: **Novela.** *Adiós, Job* (1961); *La calle de fuego* (1966). **Cuento.** *Cuentos del desierto* (1959); *El gallo de oro* (1961); *El venado niño* (1961); *La madre lobo y otros cuentos* (1958). **Teatro.** *Las muñecas* (1957). [P.S. ']

DOMÍNGUEZ, Franklin (1931-   ).—Poeta y dramaturgo dominicano. Actor y director teatral. Graduado en Filosofía y Letras, y Derecho. Estudió dramaturgia en la Universidad de Texas. Maestro de la farsa. Su obra se mueve entre la parodia y la comedia; ella ha reivindicado el miedo como aspecto positivo de la condición humana. Domínguez ha sido acusado de hacer concesiones estéticas en beneficio de una mayor comercialidad. En todo caso, él es uno de los dramaturgos más representativos y más representados del actual teatro dominicano. Su obra incluye unos cuarenta y cinco títulos.

OBRA PRINCIPAL: **Teatro.** *Exodo* (1951); *El vuelo de la paloma* (1952); *Alberto y Ercilia* (1954); *Un amigo desconocido nos aguarda* (1957); *Espigas maduras* (1958); *Antígona-Humor* (1961); *Omar y los demás* (1969); *Duarte, fundador de una república* (1975). **Cine.** *La silla* (1962). [J.P.]

DOMÍNGUEZ, Ramiro (1929-   ).—Escritor paraguayo de la promoción del 50, denominada de la Academia Universitaria. Poeta, dramaturgo y crítico literario. Doctor en Derecho y profesor universitario. Realiza tareas de rescate de la literatura oral indígena mediante la organización de un complejo archivo de grabaciones. OBRA PRINCIPAL: **Poesía**. *Zumos* (1962); *Salmos a deshora* (1963); *Ditirambos para coro y flauta* (1964); *Las cuatro fases del Luisón* (1967); *Perurimá* (s/f.). **Artículos críticos**. *"Yo el Supremo"*, *de Augusto Roa Bastos* y *El hombre paraguayo en tres poetas sociales: Campos Cervera, Roa Bastos y Elvio Romero*. [L.F.]

DOMÍNGUEZ ALBA, Bernardo (1904-   ).–Véase **SINÁN, Rogelio.**

DONOSO, José (1924-   ).–Narrador chileno. Pertenece a la generación del 50. Profesor de literatura inglesa en la Universidad Católica de Chile. Profesor en las universidades norteamericanas de Iowa, Princeton y Dartmouth. Redactor de la revista "Ercilla". Beca Guggenheim en dos oportunidades. Residió en España de 1967 a 1981. Premio Municipal de Santiago 1955. Premio de la Crítica 1978. Miembro de la Academia Chilena de la Lengua.

Reaccionó contra las fórmulas consagradas del realismo y asumió "con hondura los síntomas de angustia que señalan las corrientes existencialistas propagadas desde Europa y que afectan ostensiblemente al concepto de realidad, las relaciones entre individuo y sociedad y los efectos de esta tensión en la conciencia del escritor". OBRA PRINCIPAL: **Cuento**. *Verano y otros cuentos* (1955); *El charleston* (1960); *Cuentos* (1971). **Memoria**. *Historia personal del "boom"* (1972). **Novela**. *Coronación* (1958); *Este domingo* (1966); *El lugar sin límites* (1967); *El obsceno pájaro de la noche* (1970); *Tres novelitas burguesas* (1973); *Casa de campo* (1978); *La misteriosa desaparición de la marquesita de Loria* (1980); *El jardín de al lado* (1981). [P.S.]

DOSSETTI, Santiago (1902-   ).–Narrador uruguayo. Autor de un solo libro hasta el presente, la fuerza de sus cuentos se basa en la armonía de su composición, en la riqueza de sus imágenes, en la cuidadosa composición de los personajes —ocho de los nueve cuentos se centran en la figura del negro—.
OBRA: *Los Molles* (1936). [H.C.]

DOURADO, Autran (1926-   ).–Nombre literario de Waldomiro Autran Dourado. Periodista, cuentista y novelista brasileño. Su obra

dragún

se sitúa en la corriente experimental, de renovación temática y estructural, al mismo tiempo que desarrolla la profundidad psicológica de los personajes, sus emociones y reacciones frente al mundo que los rodea. OBRA PRINCIPAL: **Cuento**. *Três Histórias na Praia* (1956); *Nove Histórias em Grupo de Três* (1957). **Novela**. *Teia* (1947); *Tempo de Amar* (1952); *A Barca dos Homens* (1962); *Uma Vida em Segrêdo* (1964); *Opera dos Mortos* (1967); *O Risco do Bordado* (1970); *Solidão, Solitude* (1972). [M.L.M.]

DRAGÚN, Osvaldo (1929-   ).—Dramaturgo argentino. Su obra, tal como ha destacado el crítico Luis Ordaz, se divide en tres líneas perfectamente definidades: una, que se vale de planteos históricos para el replanteo de problemas sociales vigentes *(La peste viene de Melos, Túpac Amaru);* otra, que utiliza directamente el mundo de su propia experiencia o el reflejo de su contorno, con agudeza crítica *(Historias para ser contadas, El jardín del infierno, Historia de mi esquina, Y nos dijeron que éramos inmortales);* o, finalmente, procura el trazado psicológico de personajes *(Amoretta, Milagro en el mercado viejo)* y aborda una temática de la desconexión y el aislamiento de los seres humanos *(Dos en la ciudad).* Su producción comprende, además, excelentes guiones televisivos que marcaron una época en su país. Su obra parte de la concepción brechtiana del teatro asimilándola a la experiencia latinoamericana, cuya problemática constituye una constante en su obra.
OBRA PRINCIPAL: *La peste viene de Melos* (1956); *Tupac Amaru* (1957); *Historias para ser contadas* (1957); *El jardín del Infierno* (1961); *Y nos dijeron que éramos inmortales* (1962); *Un maldito domingo* (1968); *Milagro en el mercado viejo* (1963); *Heroica de Buenos Aires* (1966); *Historias con cárcel* (1973). [H.S.]

DROGUETT, Carlos (1915-   ).—Narrador y periodista chileno. Subyugado por la violencia y la muerte, Droguett ha creado una obra de corte expresionista. *Eloy* es su obra maestra. "Los héroes de Droguett parecen descubrir la belleza de la vida y la voluntad de permanencia del hombre en la tierra, en las cosas materiales y en ciertos seres a quienes recuerda repentinamente en un arranque de amor, de odio o de terror onírico" (Fernando Alegría).
OBRA PRINCIPAL: *Los asesinados del Seguro Obrero* (1940); *Sesenta muertos en la escalera* (1953); *Eloy* (1960); *100 gotas de sangre y 200 de sudor* (1961); *Patas de perro* (1965); *Supay el cristiano* (1967); *El compadre* (1967); *El hombre que había olvidado*

durand

(1968); *Todas esas muertes* (1971); *El cementerio de los elefantes* (1971); *Después del diluvio* (1971); *Escrito en el aire* (1972). [P.S.]

DUEÑAS, Guadalupe (1920-   ).—Escritora mexicana. Empezó publicando versos, pero renunció a su producción poética y se dedicó al cuento. Sobresale por su delicadeza, por su tendencia a escribir sobre cosas nimias y personajes repulsivos. Sus cuentos pertenecen al linaje de la literatura expresionista.
OBRA PRINCIPAL: **Cuento.** *Las ratas y otros cuentos* (1954); *Tiene la noche un árbol* (1959); *No moriré del todo* (1976). [C.T.]

DURÁN, Manuel (1925-   ).—Poeta y ensayista mexicano, nacido en Barcelona (España). Llegó exiliado y se formó en México. Profesor en la Universidad de Yale. Su obra "es testimonio de una sensibilidad que no desdeña el trazo realista del gris paisaje de las ciudades y del retrato de sus habitantes".
OBRA PRINCIPAL: **Poesía.** *Ciudad asediada* (1954); *La paloma azul* (1959); *El lugar del hombre* (1965). **Ensayo.** *El superrealismo en la poesía española contemporánea* (1952); *Entre magia y cibernética. Las máquinas vivas* (1959, en col. con Ramón Xirau); *La ambigüedad en el Quijote* (1960). **Antología.** *Antología de la poesía italiana* (1961); *A Critical Anthology* (1962). [P.S.]

DURÁN BÖGER, Luciano (1904-   ).—Poeta, novelista y crítico boliviano. Su obra se inscribe en el realismo crítico vitalista. Los elementos telúricos y humanos son captados a través de su temperamento romántico y rebelde. Admirador de Jack London y Maiakovski, este andariego solitario escribió poemas que van desde el simbolismo hasta la vanguardia superrealista, pasando por el futurismo. Al acentuado color local de sus novelas, Durán Böger une su visión voluntarista y alucinada de unos seres en lucha constante contra la injusticia social.
OBRA PRINCIPAL: **Novela.** *Sequía* (1960); *Inundación/ Limoquije* (1965); *En las tierras de Enín* (1967); *Sangre en la esmeralda* (1972). **Poesía.** *Geografía de la sangre* (1963). **Ensayo.** *Poetas del Beni* (1963). [P.S.]

DURAND, Luis (1895-1954).—Narrador y ensayista chileno. Espíritu observador, escéptico y atento a los menores latidos de la existencia nacional chilena. Escritor naturalista de acentuado color local.

durand

OBRA PRINCIPAL: **Novela.** *La Chabela* (1927); *Mal de amor* (1928); *Tierra de pellines* (1929); *Campesinos* (1929); *Mercedes Urízar* (1934); *Piedra que rueda* (1934); *El primer hijo* (1936); *Frontera* (1949); *Casa de la infancia* (1944); *La noche en el camino* (1945); *Don Arturo* (1952); *Un amor* (1957). **Cuento.** *Cielos del sur y otros relatos* (1933); *Mi amigo Pidén y otros relatos mejores cuentos y trozos selectos de Luis Durand* (1959). **Ensayo.** *Visión de Sarmiento* (1938); *Presencia de Chile* (1942); *Alama y cuerpo de Chile* (1947); *Paisajes y gentes de Chile* (1953). **Crónica.** *Gente de mi tiempo* (1953). [P.S.]

E

ECHEVERRI MEJÍA, Oscar (1918-   ).—Poeta colombiano. Periodista, diplomático. Espíritu barroco de hondo acento metafísico, su poesía es una perpetua transfiguración del mundo. Preocupado por la metamorfosis del idioma español en el ámbito colombiano escribió un texto para la enseñanza del español. Miembro de la Academia Colombiana de la Lengua.
OBRA PRINCIPAL: **Poesía.** *Destino de la voz* (1942); *Canciones sin palabras* (1948); *Cielo de poesía* (1952); *La rosa sobre el muro* (1952); *La llama y el espejo* (1956); *Viaje a la niebla* (1958); *Mar de fondo* (1961); *España vertebrada* (1963); *Humo del tiempo* (1965); *La patria ilímite* (1966); *Las cuatro estaciones* (1970). **Estudios.** *21 años de poesía colombiana. 1942-1963* (1964, en colaboración con Alfonso Bonilla-Naar); *Nuestro idioma al día* (1965); *Guillermo Valencia.* Estudio biográfico-crítico (1965). [P.S.]

EDWARDS, Jorge (1931-   ).—Narrador y ensayista chileno. Miembro de la Academia Chilena de la Lengua. Su obra supera el regionalismo costumbrista y aborda el tema urbano con lenguaje de formas depuradas. Su novela testimonial *Persona non grata*, relata su experiencia como diplomático en La Habana y su expulsión de Cuba.
OBRA PRINCIPAL: **Novela.** *El patio* (1952); *Gente de la ciudad* (1961); *El peso de la noche* (1964); *Las máscaras* (1967); *Persona non grata* (1973); *Los convidados de piedra* (1978); *El museo de cera* (1980). **Ensayo.** *Temas y variaciones* (1969); *Desde la cola del dragón* (1977). [P.S.]

EICHELBAUM, Samuel (1894-1967).—Dramaturgo argentino. Su primera obra se estrenó cuando apenas contaba 18 años, *Por el mal cambio,* pero su primer éxito lo consiguió en 1919 con *La quietud del pueblo.* A partir de ese momento desarrollaría una ardua la-

151

bor escénica donde las principales características son, al decir del crítico Luis Ordaz, los conflictos de conciencia y subconsciencia, sus personajes son seres que en medio de una vida gris, monótona, se encuentran a sí mismos. En esta línea está su obra más popular y al mismo tiempo su pieza más lograda: *Un guapo del 900,* llevada al cine en dos oportunidades.

OBRA PRINCIPAL: **Teatro**. *Cuando tengas un hijo* (1929); *Soledad es tu nombre* (1932); *En tu vida estoy yo* (1934); *El gato y su selva* (1936); *Pájaro de barro* (9140); *Un guapo del 900* (1940); *Un tal Servando Gómez* (1942); *Dos brasas* (1955); *Las aguas del mundo* (1957); *Subsuelo* (1967). **Relato**. *El monstruo en libertad (1925); Tormenta de Dios* (1929); *El viajero inmóvil* (1933). [H.S.]

EIELSON, Jorge Eduardo (1921-   ).—Poeta, narrador y pintor peruano. Su formación gongorina le convierte en un maestro en el uso del hipérbaton. Su poesía barroca, de verso libre, es una exaltación de la realidad a través de un lenguaje personalísimo. La alucinación y la maravilla presiden esta poesía. Reside en Europa.

OBRA PRINCIPAL: **Poesía**. *Reinos* (1945); *Canción y muerte de Rolando* (1954); *Mutatis mutandis* (1967). **Novela**. *El cuerpo de Giulia-No* (1971). [P.S.]

ELIZONDO, Salvador (1932-   ).—Escritor mexicano. Poeta, novelista, cuentista. Discípulo de Arreola y Samuel Beckett, Elizondo reduce la realidad al puro signo. Sus libros son verdaderas construcciones verbales. Jefe de redacción de la revista "Estaciones". Fundó y dirigió la revista"S.Nob". Como cineasta realizó *Apocalipsis 1900,* en 1965. Premio Villaurrutia 1965. Miembro de la Academia Mexicana de la Lengua.

OBRA PRINCIPAL **Poesía**. *Poemas* (1960). **Novela**. *Farabeuf o la crónica de un instante* (1965). **Relato**. *Narda o el verano* (1964); *El hipogeo secreto* (1968); *El retrato de Zoe y otras mentiras* (1969); *El grafógrafo* (1972). **Antología**. *Museo poético* (1974); *Antología personal* (1974). [P.S.]

ELVIR ROJAS, Felipe (1927-   ).—Poeta hondureño. Abogado. Funcionario en el Ministerio de Educación. Diputado al Congreso Nacional. Jefe de redacción del diario "El Pueblo". Director de la revista "Pegaso".

OBRA PRINCIPAL: **Poesía**. *Bronces de América* (1955); *Poemas heroicos* (1956); *Perfil de Rigoberto López Pérez* (1956); *La* *muerte hasta en los labios* (1957); *Dos elegías* (1958); *La rama y el cielo* (1960). [C.T.]

ENGEL, Paul (1907-   ).—Véase **VIGA, Diego.**

ESCOBAR, Eduardo (1932-   ).—Poeta colombiano. Pertenece al grupo nadaísta. "Es uno de los poetas más ambiciosos del grupo, con la particularidad de que apunta con mayor insistencia que sus compañeros en el contexto exterior". Su obra es, de alguna manera, vocero de las inquietudes y desencantos de los "jóvenes colombianos". (Samuel Jaramillo).
OBRA PRINCIPAL: **Poesía**. *Invención de la uva* (1966); *Monólogos de Noé* (1967); *Segunda persona* (1969); *Del embrión a la embriaguez* (1969); *Cuac* (1970); *Buenos días noche* (1973); *Cantar sin motivo* (1977); *Confesión mínima* (1975). **Antología**. *Antología poética* (1978). [P.S.]

ESCOBAR VELADO, Oswaldo (1919-1961).—Poeta salvadoreño. Hizo de la poesía un arma contra la injusticia. Se colocó del lado de los desposeídos. En todos sus libros se advierte esa protesta por la que figura en la mayoría de las antologías de poesía revolucionaria y poesía rebelde de América Latina.
OBRA PRINCIPAL: **Poesía**. *Poemas de los ojos cerrados* (1943); *10 Sonetos para mil y más obreros* (1950); *Arbol de lucha y esperanza* (1955); *Rebelión de la sangre* (1945); *Tierra azul donde el venado cruza* (1959); *Puño y letra* (antología de poetas salvadoreños) (1959); *Critoamérica* (1959); *Cubamérica* (1960); *Cuscatlán en TV* (1960); *Elegía infinita* (1961); *Poemas escogidos* (1967). [C.T.]

ESCUDERO, Gonzalo (1903-1971).—Poeta y abogado ecuatoriano. Profesor de Lógica en la Universidad Central de Quito. Según Benítez Vinueza, la poesía de Escudero es cósmica, cercana a la concepción panteísta del mundo, sin llegar a ser mística. "Escudero vive en la imagen, viaja en la imagen. Todo en su poesía es un tejido de imágenes" (Augusto Arias).
OBRA PRINCIPAL: **Poesía**. *Los poemas del arte* (1919); *Las parábolas olímpicas* (1922); *Hélices de huracán y de sol* (1933); *Altanoche* (1947); *Estatua de aire* (1951); *Materia del ángel* (1953); *Autorretrato* (1957); *Introducción a la muerte* (1960); **Poesía**. *Obra*

esperança

completa (1965); *Variaciones* (1972). **Teatro.** *Paralelogramo.* *Comedia* (1935); *Semblanza. Crespo Toral* (1940). [P.S.]

ESPERANÇA, Assis (1892-1975).—Novelista portugués. Fundador de la Sociedad Portuguesa de Escritores (1966), fue miembro de su primera dirección. Es considerado como uno de los precursores del neorrealismo, pero todavía dentro de la línea de naturalismo de Ferreira de Castro. Sus libros abordan temas sociales del Alemtejo y del Algarve.
OBRA PRINCIPAL: **Ficción.** *O dilúvio,* cuentos (1932); *Gente de Bem,* novela (1939); *Servidao,* novela (1946); *Trinta Dinheiros* (1958); *Pão Incerto,* novela (1946); *Fronteiras* (1973). [M.V.]

ESPINEL, Ileana (1933-   ).—Poeta ecuatoriana. Miembro de la Casa de la Cultura Ecuatoriana, núcleo de Guayaquil. Posee un fino sentido de la ironía, gran capacidad de síntesis y una depurada sensibilidad respecto a la creación de imágenes insólitas.
OBRA PRINCIPAL: **Poesía.** *Piezas líricas* (1957); *La estatua luminosa* (1959); *Diríase que canto* (1970). [P.S.]

ESPÍNOLA, Francisco (1901-1973).—Narrador uruguayo. Su producción escrita es breve. Espínola fue una figura que contribuyó a conservar viva la tradición del cuento oral. En su narrativa sobresalen la creación de personajes extravagantes y la sabia mezcla de elementos reales y sobrenaturales. Su obra se nutre de la tradición popular.
OBRA PRINCIPAL: **Novela.** *Sombras sobre la tierra* (1933). **Relato.** *El rapto y otros cuentos* (1950); *Don Juan el Zorro* (1968), **Ensayo.** *Milón o el ser del circo* (1954). **Teatro.** *La fuga en el espejo.* [H.C.]

ESPINOSA, Germán (1938-   ).—Narrador, poeta, dramaturgo y periodista colombiano. Ejerce el periodismo en la televisión y revistas de su país. En 1965 apareció un volumen de cuentos que incluye dos breves piezas teatrales. Su novela *Los cortejos del diablo* narra una historia de inquisidores y brujas en la Cartagena colonial.
OBRA PRINCIPAL: **Cuento y teatro.** *El arca de la alianza* (1965); **Novela.** *Los cortejos del diablo* (1970). **Poesía.** *Poesía retrospectiva. 1954-1967* (1967). [J.P.]

etchepare de henestrosa

ESPRIU, Salvador (1913-   ).—Poeta, autor teatral, narrador y ensayista español de expresión catalana. Licenciado en Derecho e Historia Antigua por la Universidad de Barcelona. Afín a Carles Riba, Valèry y Jorge Guillén, Espriu considera que la poesía es conocimiento y comunicación. Su obra —nutrida de elementos de las culturas griega y hebrea— es "una meditación constante y obsesiva de la muerte". Poesía solidaria de alta tensión lírica. Lletra d'Or 1955. Premio Montaigne 1971. Premio de la Crítica 1972. Espriu reside en Barcelona y trabaja en una empresa de seguros médicos. En 1929 publicó su primer libro, escrito en castellano: *Israel.*

OBRA PRINCIPAL: **Poesía.** *Cementiri de Sinera* (1946); *Les cançons d'Ariadna* (1949); *Obra lírica* (1952, incluye *Cementiri de Sinera, Les hores* y *Mrs. Death*); *El caminant i el mur* (1954); *Final de laberint* (1955); *La pell de brau* (1960); *Obra poètica* (1963) *Llibre de Sinera* (1963); *Per al llibre de salms d'aquests vells cecs* (1967); *Setmana santa* (1971); *Formes i paraules* (1974); *Antologia poética* (1980); *Poesía 1/Obras completas. Años de aprendizaje* (1980); *Poesía 2/Obras completas* (1981); *Poesía 3/Obras completas* (1981). **Teatro.** *Primera història d'Esther* (1948); *Antígona* (1955); *Ronda de mort a Sinera* (1966); *Una altra Fedra si us plau* (1978). **Narrativa.** *El Dr. Rip* (1931); *Laia* (1932); *Aspectes* (1934); *Ariadna al laberint grotesc* y *Miratge a Citerea* (1935); *Letizia i altres proses* (1937); *Anys d'aprenentatge* (1952); *Narracions* (1965). **Ensayo.** *Evocació de Roselló-Pòrcel i altres notes* (1957). [P.S.]

ETCHEPARE DE HENESTROSA, Armonía (1917-   ).—Véase SOMERS, Armonía.

155

F

FABBIANI RUIZ, José (1911-   ).—Narrador venezolano. Ensayista, profesor y periodista. Sus artículos de crítica literaria se publican en el diario "El Nacional". Profesor de literatura en la Universidad Central de Venezuela. Decano de la Facultad de Humanidades y Educación (1959-1962). OBRA PRINCIPAL: **Cuento**. *Agua salada* (1939); *A orillas del sueño* (1959). **Novela**. *Valle hondo* (1934); *Mar de leva* (1941); *La dolida infancia de Perucho González* (1946). **Ensayo**. *Clásicos castellanos: novelas y novelistas* (1944); *Cuentos y cuentistas* (1951); *El cuento en Venezuela* (1953); *Tres temas de poesía venezolana* (1966). [J.P.]

FAJARDO, Julio José (1925-   ).—Poeta y narrador colombiano. Ingeniero industrial graduado en Massachussets, Estados Unidos. Poeta de aliento épico y expresión existencial. Su poesía, afín a la de Saint John-Perse, canta al hombre, la naturaleza y la historia. Premio Nacional de Poesía 1963.

Su libro *Epicoidal* canta la epopeya de España en América. Su novela *Del Presidente no se burla nadie* es una sátira despiadada de la dictadura de Duvalier.

OBRA PRINCIPAL: **Poesía**. *Acuarimántica; Epicoidal; Hombre esencial; El memorial de Hermes*. **Novela**. *Del Presidente no se burla nadie; Help.* [P.S.]

FALCÓ João (1892-1958).—Véase **LISBOA, Irene.**

FALCO, Líber (1906-1955).—Poeta uruguayo. Es lo opuesto al poeta intelectual. Con pocas, pero profundas lecturas, su poesía deja al descubierto el íntimo desgarramiento del hombre. Su límpida expresión intimista se centra en los grandes temas de la muerte, la soledad

fallas

y el tiempo. Una obra breve, una personalidad retraída y un tardío reconocimiento crítico son, seguramente, responsables de la escasa difusión de su poesía, que, sin embargo, ha quedado como una de las más puras de la lírica uruguaya.

OBRA PRINCIPAL: *Cometas sobre los muros* (1940); *Equis andacalles* (1942); *Días y noches* (1946); *Tiempo y tiempo* (1956. Recopilación de su obra poética). [H.C.]

FALLAS, Carlos Luis (1911-1966).—Novelista costarricense. Es el autor nacional más traducido a lenguas extranjeras y más leído dentro del país. Su obra es breve cuantitativamente, pero de gran resonancia y repercusión en las letras costarricenses, sobre todo por su identificación popular.

De origen humilde, Fallas se ganó la vida como zapatero y peón de las compañías bananeras. Militó en el partido comunista.

Su obra refleja las condiciones del trabajo en los bananales, selvas y rancheríos. Su novela *Marcos Ramírez* es una de las mejores novelas que se han escrito en Costa Rica; sin embargo, *Mamita Yunai* sigue siendo la más conocida. En ella, Fallas denuncia la explotación de las masas rurales por la United Fruit.

OBRA PRINCIPAL: **Novela.** *Mamita Yunai* (1941); *Gentes y gentecillas* (1947); *Marcos Ramírez* (1952); *Mi madrina* (1954); *Tres cuentos* (1967). **Crónica.** *Un mes en la China Roja* (1977). [C.T.]

FARIA, Octávio (1908-   ).—Novelista brasileño. Su obra se sitúa en la corriente espiritualista católica. Sus novelas se caracterizan por la introspección psicológica y moral de los personajes. Toda su obra está conjugada de manera cíclica, bajo el título general de *"Tragedia Burguesa"*.

OBRA PRINCIPAL: *Mundos Mortos* (1937. Ed. modificada, 1962); *Os Caminhos da Vida* (1939); *O Anjo de Pedra* (1944); *O Senhor do Mundo* (1957); *Angela ou as Areias do Mundo* (1963). [M.L.M.]

FEIJOO, Samuel (1914-   ).—Escritor cubano. Ha escrito poesía, ensayos, crónicas, dramas y novelas. Dirigió la revista "Isla", publicación de la Universidad Central de la ciudad de Santa Clara. Investigador de las formas populares de expresión.

OBRA: **Poesía.** *Camarada celeste* (1944); *Faz y La hoja del poeta* (156); *El girasol sediento* (   ); *Cuerda menor* (   ); *Carta de otoño* (   ). **Novela.** *Juan Quinquín en Pueblo Mocho* (1964);

fernández

Tumbaga (novela corta y seis cuentos, 1964). **Ensayo.** *La décima culta en Cuba* (   ); *Cuentos populares cubanos* (   ); *Mitos y leyendas de Las Villas* (   ). **Diario.** Diario de viajes (1958). [J.P.]

FELIPE, Carlos (1914-1975).—Dramaturgo cubano. Su producción supera los veinte títulos. Felipe mezcla elementos realistas y simbólicos en situaciones de auténtico sabor criollo.

OBRA PRINCIPAL: *Esta noche en el bosque* (1938); *Tambores* (1947); *Capricho en rojo* (1948); *El travieso Jimmy* (1949); *Ladrillos de plata* (1957); *Requiem por Yarini* (1960); *El alfabeto o la bata de encaje* (1962); *De película* (1963). [J.P.]

FELLMAN VELARDE, José (1922-1982).—Novelista, ensayista, cuentista, historiador, periodista y político boliviano. Ministro de Relaciones Exteriores (1962-1963). En sus primeras novelas describe las aspiraciones, las luchas, las victorias y los fracasos de unos seres humanos enfrentados entre sí por sus diferencias de clase. En sus últimas novelas, Fellman Velarde supera el naturalismo y adopta los modos de la nueva narrativa.

OBRA PRINCIPAL: **Novela.** *Una bala en el viento* (1952); *La montaña de los ángeles* (1958); *Réquiem para una rebeldía* (1967); *Prohibido ser feliz* (1973). **Cuento.** *Dos caras tiene la vida* (1977). **Ensayo.** *El sentido de lo nacional en la teoría y en la práctica* (1948). **Historia.** *Historia de Bolivia. Los antecedentes de la bolivianidad.* Vol. I (1968); *Historia de la cultura boliviana* (1976). [P.S.]

FERNÁNDEZ, Jorge (1912-   ).—Novelista, periodista y diplomático ecuatoriano. Su novela *Agua,* ambiciosa novela indigenista, describe "la desesperada lucha por el agua, durante una sequía". La crítica ecuatoriana considera que, por la grandiosidad épica del tema y del escenario, *Agua* supera a *Huasipungo,* de Icaza.

Editorialista y subdirector del diario "El Comercio", de Quito. Director del Centro Internacional de Estudios de Periodismo para la América Latina (CIESPAL), organismo dependiente de la UNESCO. Ministro de Educación.

OBRA PRINCIPAL: **Novela.** *Agua* (1937); *Los que viven por sus manos* (1951). **Cuento.** *Antonio ha sido una hipérbole* (1933). [P.S.]

159

fernández

FERNÁNDEZ, Miguel Angel (1938-   ).—Poeta paraguayo. Su labor de crítica literaria se ha centrado en la figura de Rafael Barrett. Fundador de las ediciones "Diálogo", en 1957; también edita la revista cultural "Diálogo". Discípulo de Josefina Plá y portavoz del grupo poético del 60, contribuye a la difusión de la obra de autores paraguayos.
OBRA PRINCIPAL: **Poesía.** *Oscuros días* (1960); *A destiempo* (1966). **Ensayo.** *Rafael Barrett.* [L.F.]

FERNÁNDEZ, Sergio (1926-   ).—Escritor mexicano. Profesor universitario. Beca del Instituto de Cultura Hispánica de Madrid, 1953. Ha escrito numerosos ensayos sobre la obra de los autores más representativos del Siglo de Oro.
OBRA PRINCIPAL: **Novela.** *Los signos perdidos* (1958); *En tela de juicio* (1964); *Retratos del fuego y la ceniza* (1968); *Segundo sueño* (1976). **Ensayo.** *Ideas sociales y políticas en el "Infierno" de Dante y en los "Sueños" de Quevedo* (1950); *Ventura y muerte de la picaresca* (1953); *Cinco escritores hispanoamericanos* (1958); *Ensayos sobre literatura española de los siglos XVI y XVII* (1961); *Las grandes figuras españolas del renacimiento y el barroco* (1966). [C.T.]

FERNÁNDEZ, Pablo Armando (1930-   ).—Poeta, narrador y periodista cubano. Residió en los Estados Unidos, en donde tuvo que realizar toda clase de trabajos: lavaplatos, camarero, empleado de una compañía naviera, etc. En 1959 regresó a Cuba. Subdirector de "Lunes de Revolución". Jefe de redacción de "Casa de las Américas". Premio Casa de las Américas 1963, por su libro de poemas *Libro de los héroes*. Premio Casa de las Américas 1968, por su novela *Los niños se despiden*. Accésit del Premio Adonais 1969, por su libro *Un sitio permanente*. Poeta neorromántico de lenguaje riguroso, conciso y preciso.
OBRA PRINCIPAL: **Poesía.** *Toda la poesía* (1961); *Himnos* (1962); *El libro de los héroes* (1963); *Un sitio permanente* (1970). **Novela.** *Los niños se despiden* (1968). **Teatro.** *Las armas son de hierro.* [J.P.]

FERNÁNDEZ DE CASTRO, José Antonio (1897-1951).—Ensayista cubano. Miembro del Grupo Minorista y uno de los protagonistas de la "Protesta de los Trece", junto con Rubén Martínez Villena, Juan Marinello y otros.

fernández moreno

OBRA: *Medio siglo de historia colonial de Cuba* (1923); *José Antonio Saco y sus amigos durante la revolución de Yara* (1923); *Barraca de feria* (1923); *Larra en Rizal* (1937); *El tema negro en las letras cubanas* (1943); *Esquema histórico de las letras cubanas* 1949). [J.P.]

FERNÁNDEZ GARRIDO, Raúl (1935-   ).—Véase **Guerra Garrido, Raúl.**

FERNÁNDEZ MORENO, César (1919-   ).—Poeta y ensayista argentino. Se inició muy joven con un libro multipremiado, *Gallo ciego,* encuadrado en la línea elegíaca usual por esos años en su país. Fue asimismo uno de los animadores de la llamada "generación neorromántica del cuarenta". Su notable evolución se advierte a partir de su libro *Veinte años después,* aparecido en 1953. Dentro de un tono coloquial, desenfadado, se advertía un acercamiento a las experiencias de vanguardia que no eludía el redescubrimiento del tema ciudadano propio de los poetas argentinos de la década de los veinte. En esa línea, pero redoblando sus investigaciones verbales, se encuentra su libro mayor: *Argentino hasta la muerte,* que lo transformó en uno de los artífices de la nueva poesía argentina, caracterizada por un mayor enraizamiento en la vida argentina, con fuerte acento crítico donde el humor juega un papel decisivo. Ese humor es el que le permite descubrir el revés de situaciones y actitudes abordadas por poetas anteriores.

Es, además, autor de varios libros de crítica poética entre los que se destacan especialmente su *Introducción a Fernández Moreno* (Baldomero, su padre, notable poeta argentino (1886-1950) creador del *sencillismo), Introducción a la poesía* y en especial *La realidad y los papeles,* donde lo subjetivo y hasta arbitrario de su visión no le impide exponer ideas lúcidas acerca del tema de la poesía argentina hasta 1960.

OBRA PRINCIPAL: *Gallo ciego* (1940); *Veinte años después* (1953); *Sentimientos* (1961); *Argentino hasta la muerte* (1963); *Los aeropuertos* (1967); *Buenos Aires, me vas a matar* (1977). **Ensayo.** *Introducción a Fernández Moreno* (1956); *Esquema de Borges* (1957); *Situación de Alfonsina Storni* (1959); *La poesía argentina de vanguardia* (1959); *Introducción a Macedonio Fernández* (1960); *Introducción a la poesía* (1962); *La realidad y los papeles* (1967). [H.S.]

fernández retamar

FERNÁNDEZ RETAMAR, Roberto (1930-   ).—Poeta y ensayista cubano. Profesor en la Universidad de La Habana y en la Yale University (Estados Unidos). Profesor de teoría y crítica literarias en la Universidad de La Habana. Director de la revista "Casa de las Américas". Premio Rubén Darío 1980.

OBRA PRINCIPAL: **Poesía.** *Elegía como un himno* (1950); *Patrias* (1952); *Alabanzas y conversaciones* (1955); *Vuelta a la antigua esperanza* (1959); *La realidad* (1960); *Con las mismas manos* (1962); *Historia antigua* (1964); *Algo semejante a los monstruos antediluvianos* (1970); *A quien pueda interesar* (1972). **Ensayo.** *La poesía contemporánea en Cuba* (1954); *Idea de la estilística* (1958); *Papelería* (1962); *Ensayo de otro mundo* (1967); *El intelectual y la sociedad* (1969, en colaboración); *Calibán. Apuntes sobre la cultura en nuestra América* (1971); *Para una teoría de la literatura hispanoamericana y otras aproximaciones* (1975); *El son de vuelo popular* (1979, ensayo sobre la poética de Nicolás Guillén). [J.P.]

FERNÁNDEZ SANTOS, Jesús (1926-   ).—Narrador español. Licenciado en Filosofía y Letras. Director de Teatro de Cámara. Estudios en el Instituto de Investigaciones y Experiencias Cinematográficas. Crítico de cine en el diario "El País". Premio Gabriel Miró 1957. Premio Nadal 1970.

Inició su andadura en el realismo social con su novela *Los bravos,* pero, poco a poco, se va interesando por la "intrahistoria" de comunidades o grupos sociales. Escritor refinado, de gran dominio lingüístico, Fernández Santos hurga el inconsciente colectivo y, de forma alusiva, describe situaciones de opresión, fanatismo e injusticia seculares.

Sus libros más logrados: *Libro de la memoria de las cosas, Extramuros* y *A orillas de la vieja dama.*

OBRA PRINCIPAL: **Novela.** *Los bravos* (1954); *En la hoguera* (1956); *Laberintos* (1964); *El hombre de los santos* (1969); *Libro de la memoria de las cosas* (1971); *Paraíso encerrado* (1973); *La que no tiene nombre* (1977); *Extramuros* (1978); *A orillas de la vieja dama* (1979); *Cabrera* (1981). **Relato.** *Cabeza rapada* (1958); *Las catedrales* (1970); *Cuentos completos* (1978). [P.S.]

FERNÁNDEZ MORALES, Juanita (1895-1979).—Véase **IBARBOUROU, Juana de.**

FERNÁNDEZ SPENCER, Antonio (1923-   ).—Poeta dominicano. Su residencia en España marcó su poesía, cuyos temas
recurrentes son el amor y la muerte. Su poesía adopta, en ocasiones,
el tono conversacional, pero se vale de variados y múltiples recursos
como la asonancia y el habla prosaica, familiar, arrítmica. Su divisa
parece ser: "contar lo que en la vida sucede". Algunos de sus poemas
constituyen un tácito homenaje a Antonio Machado, poeta por
quien Fernández Spencer siente verdadera devoción. Premio Adonais
1952. Miembro de la Academia Dominicana de la Lengua.
OBRA PRINCIPAL: **Poesía.** *Vendaval interior* (1944); *Siete
poemas* (1950); *Bajo la luz del día* (1953); *Los testigos* (1962); *El
camino y la vida* (1965) *Diario del mundo. 1952-1967* (1970).
Antología. *Nueva poesía dominicana. Selección y estudio* (1953).
Ensayo. *A orillas del filosofar* (1960); *Ensayos literarios* (1960);
Meditaciones en torno a la Restauración (1963); *Caminando por
la literatura hispánica* (1964). [J.P.]

FERRÁN, Jaime (1928-   ,).—Poeta, narrador y crítico literario
español. Miembro de la generación del 50. Espíritu vanguardista,
inquieto, viajero, ávido de experiencias y lecturas nuevas, Ferrán
encarna la libertad creadora, la lucidez del "homo ludens", la
apertura de la lírica castellana hacia visiones y ritmos americanos. Ha
traducido a Pound, Yeats, Pierre Emmanuel, Joan Maragall y Josep
Carner. Con Carmen R. de Velasco tradujo la novela *El grupo*, de
Mary McCarthy. Ha publicado importantes estudios sobre Eugenio
d'Ors y una antología de textos de Ezra Pound. Premio Ciudad
de Barcelona 1954. Premio Lazarillo 1967. Premio Lope de Vega por
su obra docente en Estados Unidos. Director del Centro de Estudios
Hispánicos de la Universidad de Syracuse, Estados Unidos.
OBRA PRINCIPAL: **Poesía.** *La piedra más reciente* (1952);
Desde esta orilla (1953); *Poemas del viajero* (1954); *Descubrimiento
de América* (1957); *Ramón lo Foll* (1957); *Canciones para Dulcinea*
(1959); *Libro de Ondina* (1964); *Tarde de Circo* (1966); *Nuevas
cantigas* (1967); *Memorial* (1971); *Mañana de parque* (1972).
Narración. *Angel en España* (1960); *Angel en Colombia* (1967);
Tarde de circo (1966); *Historias de mariposas* (1966); *Angel en USA*
(1971); *Angel en la luna* (1976); *La playa larga* (1981); *Cuaderno de
música* (1981). **Ensayo.** *Alfonso Costafreda* (1980). [P.S.]

FERRAZ, Geraldo (1905-   ).—Nombre literario de Geraldo
Galvão Ferraz. Novelista, ensayista y periodista brasileño. Figura
sobresaliente en la literatura brasileña por el papel precursor de su

ferreira

novela *Doramundo*. Esta plantea, junto con *Grande sertão: veredas*, de Guimarães Rosa, el problema de la "forma" en la novelística brasileña contemporánea.

OBRA PRINCIPAL: *A famosa revista* (1945, en colaboración con Patrícia Galvão); *Doramundo* (1956). [M.L.M.]

FERREIRA, Alberto (1920-   ).— Ensayista y novelista portugués. Hizo el curso de perito agrícola y recorrió el país como técnico agrario. Vivió en París, y de regreso a Portugal, se licenció en Historia y Filosofía por la Facultad de Letras de Lisboa. Trabajó en publicidad durante muchos años y actualmente es profesor en la Universidad de Lisboa. Fue colaborador de "Vértice" y "Seara Nova".

OBRA PRINCIPAL: **Ensayo**. *Condicões sociais do Pensamento Moderno* (1954); *Diálogos com a Realidade* (1959); *Da Filosofia para a História* (1962); *A Questao Coimbra* (1966); *Perspectiva do Romantismo Portugués* (1971);etc. **Ficción**. *Diario de Edipo* (1965); *Crise* (1974). [M.V.]

FERREIRA, David Morão (1927-   ).— Poeta, novelista y ensayista portugués. Licenciado en Filología Románica. Es actualmente profesor de la Facultad de Letras de Lisboa y miembro de la Academia de Ciencias. Dirigió el periódico "A Capital", fue Secretario de Estado para la Cultura (1976-78 y 79) y colaboró en numerosas publicaciones. Es uno de los autores del *Dicionário das Literaturas Portuguesa, Galega e Brasileira*.

OBRA PRINCIPAL: **Poesía**. *A Secreta Viagem* (1950); *Tempestade de Verão* (1954); *Os Quatro Cantos do Tempo* (1958); *Infinito Pessoal* (1962); *Do Tempo ao Coração* (1966); *Cancioneiro de Natal* (1971); *Matura Idade* (1973), etc. **Ficción**. *Gaivotas em terra*, narraciones(1959);*Os Amantes*, cuentos(1968). **Ensayo**. *Vinte Poetas contemporâneos* (1960); *Motim Literario* (1962); *Hospital das Letras* (1966); *Sobre Viventes* (1976); *Presença de "Presença"* (1977), etc. **Teatro**. *O Irmão* (1965). [M.V.]

FERREIRA, José Gomes (1900-   ).—Poeta, cronista y narrador portugués. Se licenció en Derecho, después de haber cursado estudios en el Liceo Gil Vicente, donde fue alumno del filósofo Leonardo Coimbra, que le reveló los poetas "saudosistas" y la grandeza de Raul Brandão, uno de los mayores escritores de este siglo. Fue cónsul de Portugal en Noruega, de 1925 a 1930, y de

ferreiro

regreso a Portugal inició una permanente e intensa actividad periodística. Colaborador de "Presença", en ella publica en 1931 el poema *Viver sempre também cansa,* que le integra en la llamada "Poesía Modernista". Ligado al "Novo Cancioneiro" —revista del neorrealismo—, colabora después en la "Seara Nova", "Gazeta Musical e de todas as Artes", etc. Al defender la condición del "Poeta Militante", su obra durante estos últimos años ha adquirido un sello de acentuado didactismo revolucionario. A los 80 años se adhirió al Partido Comunista.

OBRA PRINCIPAL: Poesía. *Lirios do Monte* (1918); *Longe* (1921); *Poesía I, II, III, IV, V e VI* (1948-1975); *Poeta Militante* (1977-78), etc. Ficción. *O mundo dos Autros* (1950); *Aventuras Maravilhosas de João Sem Medo* (1963); *Imitação dos Dias* (1966); *Tempo Escandinavo,* cuentos (1969); *O Irreal Quotidiano* (1971); *Sabor das Trevas* (1976); *A memoria das Palavras* (1965), etc. [M.V.]

FERREIRA, Virgilio (1916-   ).—Novelista portugués. Asistió al Seminario de Fundão (Guarda), y más tarde se licenció en Filología Clásica por la Universidad de Coimbra. Fue profesor en los Liceos de Faro, Bragança, en el Liceo Camões de Evora, donde todavía enseña. Inspirado por el neorrealismo de los años 40, se separó de esa corriente con las novelas *Mudança* y *Aparição,* sufriendo las influencias del pre-simnolismo de Raul Brandão, y más tarde del existencialismo sartriano, inclinándose por el pensamiento de Malraux. Al conflicto arte-sociedad, opone la libertad total del arte: "Si el arte habla inequívocamente con la voz invencible y profunda de la libertad, sólo hay un proceso de afirmarlo y dignificarlo, que es precisamente el de consentir que sea libre".

OBRA PRINCIPAL: Ficción. *O Caminho Fica Longe,* novela (1943); *Onde Tudo Foi Morrendo,* novela (1944); *Vagão "J",* novela (1946); *Mudança,* novela (1949); *Manhã Submersa,* novela (1954); *Aparição,* novela (1959); *Cântico Final,* novela (1960); *Estrela Polar,* novela (1962); *Apelo da Noite,* novela (1963); *Alegria Breve,* novela (1971); *Rápida Sombra,* novela (1974); *Contos* (1976); *Signo Sinal,* novela (1979); *Conta-Corrente,* memoras (1981). Ensayo. *Sobre o Humorismo de Eça de Queirós* (1943); *Do Mundo Original* (1957); *Da Fenomenologia a Sartre* (1962); *André Malraux (Interogação ao Destino),* (1963), etc. [M.V.]

FERREIRO, Celso Emilio (1914-1980).—Poeta, biógrafo y narrador español de expresión gallega. Poeta testimonial. Concibió la sátira "como una purga del corazón". Residió en Venezuela de 1966 a

ferreiro

1973. De esta experiencia nace su *Viaxe ao pais dos ananos,* libro de poesía que levantó polvareda de condenas y adhesiones. Publicó *Cantigas de escarño e maldecir* y *Paco Pixiñas* bajo el seudónimo de Arístides Silveira.

La poesía de Ferreiro entronca con el cancionero medieval, con la obra de Curros Enríquez —a quien dedicó un enjundioso estudio biográfico— y con la tradición oral gallega. Muchos poemas suyos fueron convertidos en canciones populares. Premio Alamo de Poesía 1971. Premio Nacional de la Crítica 1976. Sus libros *Longa noite de pedra* y *Viaxe ao país dos ananos,* le dieron justo renombre.

OBRA PRINCIPAL: **Poesía.** *O soño sulagado* (1955); *Longa noite de pedra* (1962); *Viaxe ao país dos ananos* (1968); *Terra de ningures* (1969); *Paco Pixiñas. Historia dun desleigado contada por il mesmo* (1970); *Antipoemas* (1972); *Cimenterio privado* (1973); *Onde o mundo se chama Celanova* (1975); *Cantigas de escarño e maldecir* (1975). **Relato.** *A frontera infinda* (1972). **Biografía.** *Curros Enríquez* (1954). [P.S.]

FERREIRO, Oscar (1921-   ).—Poeta, ensayista y antropólogo paraguayo. Pertenece al grupo del 40, integrado por Roa Bastos, Elvio Romero, Herib Campos Cervera y José Antonio Bilbao, entre otros. Poeta superrealista, su obra se halla diseminada en diarios, revistas y antologías publicadas en Paraguay, Argentina y Estados Unidos. Miembro de la Academia Paraguaya de la Lengua Española. Miembro de la Academia de Cultura Guaraní. Miembro de la Academia Paraguaya de la Historia.

OBRA: **Poesía.** *Poemoides* (1977). **Ensayo.** *Explosión demográfica* (1962); *El cielo guaraní* (1972). [P.S.]

FIGUEIREDO, Guilherme (1915-   ).—Novelista, periodista y dramaturgo brasileño. Su obra se sitúa en la corriente del teatro existencial dotado de un agudo sentido del humor.

A raposa e as uvas es una presunta biografía escénica de Esopo, construida a través de diversas fábulas. En realidad, plantea el problema de la libertad —desde una óptica existencialista—, uno de los temas que más preocupan a Figueiredo.

OBRA PRINCIPAL: *Lady Godiva* (1948); *Greve Geral* (1949); *Um Deus Dormiu lá em Casa* (1949); *Don Juan* (1950); *A Raposa e as Uvas* (1953). [M.L.M.]

flores jaramillo

FILIPE, Daniel (1925-1964).—Poeta portugués. Natural de Cabo Verde, se trasladó a Portugal donde estudió y ejerció varias profesiones, desde la de periodista hasta la de funcionario de la antigua Gerencia General de Ultramar. Fue co-director de los cuadernos "Noticias do Bloqueio" y colaboró en "Távola Redonda". Sin abandonar la temática africana, se integró sin embargo en la corriente neorrealista.
OBRA PRINCIPAL: **Poesía.** *Missiva* (1946); *Marinheiro em Terra* (1949); *O Viageiro Solitario* (1951); *Recado para a Amiga Distante* (1956); *A Ilha e a Solidão* (1957); *A invenção do Amor* (1961); *Pátria, Lugar de Exílio* (1963). [M.V.]

FILLOY, Juan (1894-).—Narrador argentino. Comenzó su actividad literaria en la década de los treinta en ediciones de muy escaso tiraje. Sólo en 1967, con la reedición de su novela más importante, *Op Oloop,* su nombre comenzó a ser redescubierto por la crítica de su país. Se le considera un adelantado de las experiencias vanguardistas posteriores y sus trabajos han influido en nombres como Cortázar, Marechal y también en Jorge Luis Borges. El mexicano Alfonso Reyes lo definió como el "progenitor de una nueva literatura americana" y la configuración psicológica de *Op Oloop* fue elogiada sin retaceos por Sigmund Freud. A su obra publicada hay que añadir una vastísima obra inédita que, aunque conocida parcialmente por la crítica, aún no ha sido impresa.
OBRA PRINCIPAL: **Narrativa.** *Periplo* (1931); *Estafen* (1932); *Op Oloop* (1934); *Aquende* (1936); *Caterva* (1937) y *Finesse* (1939). **Poesía.** *Balumba* (1933). [H.S.]

FLAG, Suzana (1912-1980).—Véase **Rodrigues, Nelson.**

FLORES, Marco Antonio (1937-).—Poeta guatemalteco. Estudió Medicina y Psicología en la Universidad de San Carlos, Guatemala. Hizo estudios de teatro en Cuba. Colaborador de "El Corno Emplumado". Premio en el Concurso Centroamericano de Poesía (San Salvador, 1962). Autor de una antología de poesía checoslovaca y cubana.
OBRA PRINCIPAL: **Poesía.** *La voz acumulada* (1964); *Muros de luz* (1968). [C.T.]

FLORES JARAMILLO, Renán (1928-).—Ensayista, novelista, periodista y pedagogo ecuatoriano. Abogado, doctor en Derecho por

florit

la Universidad Complutense de Madrid. Presidente de la Asociación de Corresponsales de Prensa Iberoamericana. Secretario General adjunto de la Oficina de Educación Iberoamericana (OEI). Premio Nacional de Periodismo Miguel de Cervantes, 1974. Premio Carabela de Plata, 1975. Premio Carlos Septién, 1976.

Sus libros sobre pedagogía: *La explosión de las comunicaciones y la educación permanente* y *El uso de la prensa en la educación de los adultos*, han sido traducidos a todos los idiomas cultos.

OBRA PRINCIPAL: **Ensayo**. *Ortega y la nueva interpretación de la Historia Universal* (1952); *La reforma educativa en España* (1970); *Coello o la magia del dibujo* (1974); *La prensa en Hispanoamérica* (1976); *El otro rostro de América* (1977); *Vientos contrarios* (1979); *Los huracanes* (1979); *Jorge Icaza: una visión profunda y universal del Ecuador* (1979); *Acercamiento a Cuenca* (1980). **Novela**. *El sol vencido* (1980). [P.S.]

FLORIT, Eugenio (1903-   ).—Poeta cubano, nacido en Madrid, España. En 1917 llega a La Habana, en donde vive hasta 1940, año en que se establece en Estados Unidos. Profesor en la Universidad de Columbia. En su obra aparecen los más variados acentos: neogongorismo, poesía pura, superrealismo, neoclasicismo, poesía religiosa, testimonial, etc. Poesía de tono elegíaco. El crítico Cintio Vitier considera *Doble acento,* el libro central de Florit.

OBRA PRINCIPAL: *32 poemas breves* (1927); *Trópico* (1930); *Doble acento* (1937, con prólogo de J.R. Jiménez); *Reino* (1938); *Poema mío* (1947); *Conversación a mi padre* (1949); *Asonante final y otros poemas* (1955); *Antología poética* (1956); *Hábito de esperanza* (1965); *Antología penúltima* (1970). [J.P.]

FOIX, J[osep] V[icenç] (1894-   ).—Poeta, narrador, ensayista y periodista español de expresión catalana. Miembro de la Sección Filológica del Instituto de Estudios Catalanes. Dirigió publicaciones como "Trossos", "Monitor" y "Revista de Catalunya". Máximo representante en Cataluña del movimiento superrealista, se considera básicamente "poeta, mago, especulador de las palabras, peregrino de lo invisible, insatisfecho, aventurero o investigador en la linde del sueño". En 1960 fue distinguido con la *Lletre d'Or* de las letras catalanas.

OBRA PRINCIPAL: **Verso**. *Sol, i de dol* (1947); *Les irreals omegues* (1948); *On he deixat les claus...* (1953); *Onze nadals y un cap d'any* (1960); *Obres poetiques* (1964). **Prosa**. *Gertrudis* (1927);

fonseca

Krtu (1932); *Diari 1918* (1956); *L'estrella d'en Perris* (1963); *Quatre nus* ((1964 incluido en *Obres poetiques*); *Catalans de 1918* (1965); *Escenificacion de cinc poemes* (1965); *Els lloms transparents* (1969). [P.S.]

FOMBONA PACHANO, Jacinto (1901-1951).—Poeta venezolano. Miembro de la generación del 18. Su obra es de tono fundamentalmente criollista, fiel a la tradición literaria española, sea clásica o barroca. Por momentos, el poeta se angustia ante la amenaza de la guerra.
OBRA: **Poesía.** *Virajes* (1932); *Las torres desprevenidas* (1940); *Sonetos* (1945). [J.P.]

FONSECA, Branquinho da (1905-1974).—Novelista portugués. Estudió Derecho en Coimbra, donde convivió con José Régio y João Gaspar Simões, con los cuales fundó y dirigió la revista "Presença". Ejerció funciones de conservador del Registro Civil en Marvão y en Nazaré, fue director del Museo-Biblioteca Conde de Castro Guimarães, y más tarde del Servicio de Bibliotecas Itinerantes de la Fundación Gulbenkian. Utilizó el seudónimo literario de Antonio Madeira.
OBRA PRINCIPAL: **Ficción.** *Zonas,* cuentos (1931); *Caminhos Magnéticos,* cuentos (1938); *O Barao,* novela (1943); *Rio Turvo* cuentos (1945); *Portas de Minerva,* novela (1947); *Mar Santo,* novela (1952); *Bandeira Preta,* cuentos (1956). **Poesía.** *Poemas* (1926); *Mar Coalhado* (1932). **Teatro.** *Posição de Guerra* (1928). [M.V.]

FONSECA, Manuel da (1911-   ).—Poeta y novelista portugués. Es uno de los precursores del neorrealismo, y ha pertenecido al grupo del *Novo Cancionero.* Aunque su talento se haya afirmado principalmente como poeta, su novelística obtuvo estos últimos años gran popularidad.
OBRA PRINCIPAL: **Poesía.** *Rosa dos Ventos* (1940); *Planície* (1941); *Poemas Completos* (1958). **Ficción.** *Aldeia Nova,* cuentos (1942); *Cerromaior,* novela (1943), recientemente adaptado para el cine; *O Fogo e as Cinzas,* cuentos (1951); *Seara de Vento,* novela (1958); *Un Anjo no Trapezio,* cuentos (1965). [M.V.]

FONSECA, Rubem (1925-   ).—Narrador, crítico literario y periodista brasileño. Su obra contribuyó al auge del cuento brasileño en

169

franco

las décadas de los sesenta y setenta. Se inscribe en la línea social. El humor, la ironía y la violencia son una constante en su obra. Mediante el uso del lenguaje coloquial, crea con mucha fidelidad situaciones y personajes de ambientes urbanos. Influido por la narrativa norteamericana —más exactamente por la novela policial—, Fonseca está considerado como un innovador. Varias novelas suyas han sido vertidas al español.

OBRA PRINCIPAL: **Cuento**. *Os prisioneiros* (1963); *A coleira do cão* (1965); *O homem de fevereiro ou março* (1973); *Feliz ano novo* (1975); *O cobrador* (1979). **Novela**. *Lúcia McCartney* (1969); *O caso Morel* (1973).[M.L.M.]

FRANCO, José (1931-   ).—Escritor panameño. Periodista, maestro y poeta. Su poesía de encendido patriotismo se caracteriza por el cultivo de la décima como forma métrica. Ha sido embajador en Uruguay y Argentina.

OBRA: **Poesía**. *Sollozos anónimos* (1955); *Panamá defendida* (1959); *Patria del dolor y llanto* (1961); *Dormir con los muertos* (1972); *Horas testimoniales* (1979). En 1958 publicó *Poemas a mi patria*, una antología de sus poemas cívicos. **Teatro**. *Redobles al amanecer* (1975). [J.P.]

FRANCOVICH, Guillermo (1901-   ).—Escritor boliviano. Ensayista, dramaturgo, cuentista, abogado, diplomático. Rector de la Universidad de San Francisco Xavier. Director del Centro Regional de UNESCO, con sede en La Habana. Su obra ensayística se propuso sistematizar y divulgar las corrientes del pensamiento boliviano contemporáneo. También ha escrito profundos ensayos sobre Rilke, Francis Bacon, Toynbee, Heidegger, Whitehead, Francisco Romero, los filósofos brasileños, Lévi-Strauss y Pascal.

Como dramaturgo, su obra se inserta en la corriente existencialista. Sus cuentos no han sido publicados en libro. Miembro de la Academia Boliviana de la Lengua.

OBRA PRINCIPAL: **Ensayo**. *Supay* (1939); *Pachamama* (1942); *Los ídolos de Bacon* (1942); *La filosofía en Bolivia* (1945); *El pensamiento boliviano en el siglo XX* (1956); *Todo ángel es terrible* (1959); *Tres poetas modernistas en Bolivia* (1960); *El cinismo* (1963); *La búsqueda* (1972); *Ensayos pascalianos* (1979); *Los mitos profundos de Bolivia* (1980). **Teatro**. *Un puñal en la noche* (1954); *El monje de Potosí* (1962); *Teatro* (1975. Doce piezas). [P.S.]

freire

FRANQUI, Carlos (1921-   ).—Ensayista, poeta, crítico de arte, periodista y político cubano. Protagonista e historiador del movimiento guerrillero que derrocó a Fulgencio Batista. Director del diario "Revolución". Promovió la actividad periodística y cultural de la Revolución Cubana hasta el Congreso Cultural de 1968, año que marca su disidencia y exilio. Reside en Italia. Su obra periodística se halla dispersa en publicaciones americanas y europeas. Sus poemas se han publicado en plaquetas ilustradas por Miró, Tapiès, Calder, Adami, Rebeyrolle, Asger Jorn, Lam y Vedova, entre otros. Luigi Nono puso música al poema *Entonces comprendió,* de Franqui. OBRA PRINCIPAL: **Ensayo.** *Los doce* (1965); *Diario de la Revolución Cubana* (1976); *Retrato de familia con Fidel* (1981). **Poesía. Textos.** *La jungla* (1960); *Entonces comprendió* (1969); *El círculo de piedra* (1970); *Viaje a la pintura* (1970); *La caña* (1971); *El muro* (1973); *Poemas para mirar* (1976). **Crítica de arte.** *Móviles, estables. Sobre Calder* (1969); *El universo mironiano* (1973); *Pintura haitiana* (1978); *Pintor cubano/Sobre Jorge Camacho* (1979); *La revolución de la escultura. Sobre Alexander Calder* (1979); *Libertad. Texto sobre Joan Miró* (1979). [P.S.]

FREIRE, Gilberto (1900-   ).—Nombre literario de Gilberto de Mello Freire. Ensayista y sociólogo brasileño. Sus estudios en Estados Unidos le permitieron tomar contacto con grandes maestros y figuras destacadas de la literatura de lengua inglesa. Cuando vuelve a Brasil se vincula inmediatamente con los grupos modernistas de la *Semana de Arte Moderna de 1922* y del Movimiento del mismo nombre. Crea entonces el llamado *Movimiento Regionalista* que va a ser de fundamental importancia para el resurgimiento de la nueva novela nordestina en Brasil. Su obra más importante es *Casa Grande & Senzala* (1933), que es la historia de la formación de la familia brasileña bajo el régimen patriarcal. En 1936 publica otra obra muy importante, *Sobrados e Mocambos,* la cual trata de la decadencia del patriarcado rural y del desarrollo urbano. Es considerado uno de los padres de la crítica sociológica en Brasil. Miembro del Consejo Superior del Instituto de Cooperación Iberoamericana.

OBRA PRINCIPAL: *Casa Grande & Senzala* (1933); *Sobrados e Mocambos* (1936); *Nordeste* (1937); *Mocambos do Nordeste* (1937); *Problemas Brasileiros de Antropologia* (1943); *Sociologia* (1945); *Interpretação do Brasil* (1945); *Ordem e Progresso* (1959); *Dona Sinhá e o Filho Padre* (1964). [M.L.M.]

freitas

FREITAS, Rogerio de (1910-   ).—Novelista portugués. Vivió doce años en París, donde se dedicó a la crítica, a la pintura y a la decoración. De regreso a Lisboa, en 1940, ejerció el periodismo. Fue director literario de varias casas editoras y en 1976 fue nombrado director general de Espectáculos de la Secretaría de Estado de la Cultura. OBRA PRINCIPAL: **Ficción.** *A Porta Fechada,* cuentos (1952); *Un Resto de Esperança* (1955); *Tempo de Angústia* (1958); *Sangue na Madrugada* (1960); *Memoria Destruída,* novela (1970). **Teatro.** *Os Mortos Chegam Mais Tarde* (1968). [M.V.]

FUENTE BENAVIDES, Rafael de la (1908-   ).—Véase **Adán, Martín.**

FUENTES, Carlos (1928-   ).—Escritor mexicano. Novelista, cuentista, ensayista, dramaturgo, diplomático y profesor universitario. Fundó y dirigió con Emmanuel Carballo la "Revista Mexicana de Literatura" (1955-1958). Catedrático de Literatura en la Universidad de Princeton, Estados Unidos de Norteamérica. Sus ensayos han contribuido a la comprensión de la nueva novela hispanoamericana y al examen de la sociedad y la historia mexicanas. En la obra narrativa de Fuentes hay un propósito de expresar y explicar su ciudad, su país y su civilización. De estilo fluctuante, Fuentes ha intentado plasmar una visión crítica del mundo, *su* mundo, mediante la utilización de *collages,* referencias, analogías, citas, transcripciones, parodias y alegorías, donde la reflexión y la poesía, la erudición y el sentimiento, tienden siempre al análisis crítico de su sociedad y su tiempo. Preocupado por sus orígenes y pugnando por descifrar las claves de nuestro tiempo, Fuentes ha esbozado el gran fresco de la sociedad urbana mexicana. Según José Donoso, *La muerte de Artemio Cruz* es su novela "más completa, más perfecta, más lograda". Premio Biblioteca Breve 1967. Premio Rómulo Gallegos 1977. Premio Internacional Alfonso Reyes 1979.

Fuentes es autor de guiones cinematográficos importantes como *Las dos Elenas* (1964), *Un alma pura* (1965), *El gallo de oro* (1964) *Pedro Páramo* (1966).

OBRA PRINCIPAL: **Novela.** *La región más transparente* (1958); *Las buenas conciencias* (1959); *Aura* (1962); *La muerte de Artemio Cruz* (1962); *Zona sagrada* (1967); *Cambio de piel* (1967); *Cumpleaños* (1969); *Terra nostra* (1977); *La cabeza de la hidra* (1978); *Una familia lejana* (1980). **Cuento.** *Los días enmascarados* (1954);

fuertes

Cantar de ciegos (1964); *Agua quemada* (1981). **Ensayo.** *La nueva novela hispanoamericana* (1969); *Casa con dos puertas* (1970); *Tiempo mexicano* (1971); *Cervantes o la crítica de la lectura* (1976). **Teatro.** *El tuerto es rey* (1974); *Todos los gatos son pardos* (1970). [P.S.]

FUERTES, Gloria (1918-   ).—Poeta, narradora y autora teatral española. Estuvo vinculada al *postismo,* movimiento literario de la posguerra que intentó recuperar y poner al día la herencia superrealista.

Poesía de lenguaje deliberadamente prosaico, humor expresivo e imágenes insólitas. "Lo cotidiano, más gris, como la pequeña vulgaridad o hasta la ramplonería, son admitidos en el poema y, ¡oh maravilla! , se transfiguran con un raro hechizo" (Francisco Ynduráin). También escribe fábulas, farsas y poemas para niños.

OBRA PRINCIPAL: **Poesía.** *Isla ignorada* (1950); *Antología y poemas del suburbio* (1954); *Aconsejo beber hilo* (1954); *Todo asusta* (1958); *Que estás en la tierra* (1962); *Ni tiro, ni veneno, ni navaja* (1965); *Poeta de guardia* (1968); *Cómo atar los bigotes del tigre* (1969); *Sola en la sala* (1973); *Obras incompletas* (1975); *Historia de Gloria* (1980). **Cuentos.** *La pájara pinta* (1972); *La gata Chundarata y otros cuentos* (1974). [P.S.]

173

G

GAITÁN DURÁN, Jorge (1924-1962).—Poeta colombiano. Ensayista, cuentista y crítico de literatura y cine. Fundador de la revista "Mito", revista liberal abierta a escritores de diversas tendencias. Su poesía oscila entre un refinado erotismo y una vocación ética preocupada por el destino humano. Escribió un libreto para ópera titulado *Los hampones*. Viajó por Europa, la Unión Soviética y China. Divulgó en Colombia textos marginales de Sade, Fourier y Roland Penrose. Escribió lúcidos comentarios sobre La Celestina y El Cid. Gaitán Durán vivió en Madrid.

OBRA: **Poesía**. *Insistencia en la tristeza* (1946); *Presencia del hombre* (1947); *Asombro* (1949); *El libertino* (1954); *China* (1955); *Amantes* (1958-1959); *Si mañana despierto* (1961). **Crónica**. *Diario* (1950-1960). **Ensayo**. *La revolución invisible. Apuntes sobre la crisis y el desarrollo de Colombia* (1959); *Sade* (1960). **Obra completa**. *Obra literaria de Jorge Gaitán Durán* (1975). [P.S.]

GALA, Antonio (1936-   ).—Dramaturgo, narrador y poeta español. Licenciado en Derecho, Filosofía y Letras y Ciencias Políticas y Económicas. Su teatro poético, próximo al neosimbolismo, deriva, a veces, hacia la tragicomedia. A través de alegorías y alusiones míticas, Gala plantea la necesidad de ser libres para lograr la convivencia y alcanzar la plenitud existencial. Ha realizado adaptaciones de Claudel, Albee, Shakespeare, Eurípides y Molière.

Premio Adonais de Poesía 1959; Premio Calderón de la Barca (1963); Premio Ciudad de Barcelona (1965); Premio Nacional de Literatura (1972); Premio Nacional de la Crítica (1972); Premio María Rolland (1973). Colabora en "Sábado Gráfico" y "El País Semanal".

OBRA PRINCIPAL: **Poesía**. *Enemigo íntimo* (1959); *La deshora* (1962); *Meditación en Queronea* (1965). **Narración**. *Solsticio de invierno* (1963); *La compañía* (1964). **Teatro**. *Los verdes campos*

galich

del Edén (1963); *El sol en el hormiguero* (1965); *Los buenos días perdidos* (1972); *Anillos para una dama* (1973); *Las cítaras colgadas de los árboles* (1974); *¿Por qué corres, Ulises?* (1974); *La vieja señorita del paraíso* (1980); *Petra regalada* (1980). [P.S.]

GALICH, Manuel (1913-   ).—Dramaturgo, ensayista y político guatemalteco. Maestro, abogado y diplomático. Ministro de Educación durante los Gobiernos de Arévalo y Arbenz. Vive exiliado en Cuba. Director de la revista teatral "Conjunto". Profesor de Historia de América en la Universidad de La Habana. Premio Casa de las Américas/Teatro, 1961.
    OBRA PRINCIPAL: **Teatro.** *El canciller Cadejo* (1940); *De lo vivo a lo pintado* (1943); *La historia a escena* (1949); *Ida y vuelta* (1949); *El tren amarillo* (1955); *El pescado indigesto* (1961); *Pascual Abah* (1966). **Ensayo.** *Por qué lucha Guatemala: Arévalo y Arbenz, dos hombres contra un imperio* (1956). [P.S.]

GALINDO, Sergio (1926-   ).—Escritor mexicano. Profesor de estética en la Escuela de Teatro de Xalapa, Veracruz. Jefe del Departamento Editorial de la Universidad Veracruzana. Director de la revista "La palabra y el hombre". Jefe de coordinación del Instituto Nacional de Bellas Artes. Miembro de la Academia Mexicana de la Lengua. Realismo crítico con gran dominio del lenguaje. Describe la vida de provincia mediante la utilización del monólogo interior, la visión retrospectiva y los giros coloquiales.
    OBRA PRINCIPAL: **Teatro.** *Un dios olvidado* (19). *La máquina vacía* (1951); *Polvos de arroz* (1958); *La justicia de enero* (1959); *El bordo* (1960); *La comparsa* (1964); *Nudo* (1970); *¡Oh, hermoso mundo!* (1975); *El hombre de los hongos* (1976). [C.T.]

GALLARDO, Sara (1936-   ).—Narradora argentina. Una constante preocupación a lo largo de toda su obra señala la quiebra de la clase alta argentina, sus contradicciones, conflictos y decadencia, por lo general en el marco campesino que la autora conoce en profundidad.
    OBRA PRINCIPAL: *Enero* (1958); *Pantalones azules* (1963); *Los galgos, Los galgos* (1968). [H.S.]

GALLEGOS LARA, Joaquín (1911-1947).—Novelista y cuentista ecuatoriano. Pertenece al grupo de Guayaquil. Pese a ser inválido, fue un activo sindicalista, promotor de organizaciones obreras. Trabajador incansable y artista exigente.

Más que ninguno de sus colegas de grupo, Gallegos Lara es el novelista de Guayaquil. Con prosa realista y trabajada, pinta "un ardiente cuadro humano de las clases trabajadoras que habitan la ciudad". Su única novela –*Las cruces sobre el agua*– describe las luchas sociales del Ecuador, "especialmente de aquel 15 de noviembre de 1922 en que cadáveres de obreros, víctimas de la represión, fueron arrojados a la ría de Guayaquil.

Con Demetrio Aguilera Malta y Enrique Gil Gilbert publicó el libro de cuentos *Los que se van. Cuentos del cholo y del montuvio* (1930);

OBRA PRINCIPAL: **Novela**. *Las cruces sobre el agua* (1946). **Cuento**. *Los que se van...* (1930). [P.S.]

GÁMBARO, Griselda (1928-   ).–Autora teatral y narradora argentina. Aunque sus primeras piezas tenían directa relación con las experiencias de la vanguardia europea, su obra fue madurando hasta alcanzar, con *El campo,* su plena madurez. Un campo de concentración nazi le sirve de pretexto para enjuiciar la realidad cotidiana.

OBRA PRINCIPAL: **Narrativa**. *Madrigal en la ciudad* (1963); *El destino* (1964); *Una felicidad con pena* (1967); *Ganarse la muerte* (1976). **Teatro**. *Las paredes* (1963); *Viejo matrimonio* (1965); *El desatino* (1965); *Los siameses* (1967); *El campo* (1968); *Nada que ver* (1970); *Sucede lo que pasa* (1974). [H.S.]

GANGOTENA, Alfredo (1904-1944).–Poeta ecuatoriano de expresión francesa. Poeta simbolista. Desde muy joven residió en París, en donde obtuvo el título de ingeniero de minas. Cuando Gangotena retorna a su país, se duele del ambiente aldeano que le rodea y del aislamiento al que se le somete. En contraste, los escritores franceses de la época le elogiaron sin regateos: Cocteau, Max Jacob, Jean Cassou y Jacques Maritain, entre otros. El poeta Henri Michaux realiza una expedición al Ecuador, invitado por Gangotena. Escribió en francés, pero su lenguaje, sus imágenes y su tropicalismo son ecuatorianos. Un solo libro –*Tempestad secreta*– fue escrito directamente en español. La obra de Gangotena ha sido traducida por Gonzalo Escudero y Filoteo Samaniego, y publicada por la Casa de la Cultura Ecuatoriana.

OBRA PRINCIPAL: **Poesía**. *Orogenia* (1928); *Nuit* (1938); *Absence* (1932); *Tempestad secreta* (1940); *Poesía completa* (1956). [P.S.]

gaos

GAOS, Vicente (1919-1980).—Poeta y ensayista español. Licenciado en lenguas clásicas. Doctor en Filosofía y Letras por la Universidad Nacional Autónoma de México. Profesor de Literatura Española en los Estados Unidos. Profesor en la Universidad de Valencia. Premio Adonais 1943. Tradujo a Péguy, Rimbaud, Shelley, T.S. Eliot y Pasternak. Como ensayista, contribuyó a revindicar la importancia de Campoamor. Autor de un libro importante: *Claves de literatura española*, 2 vols.

OBRA PRINCIPAL: **Poesía.** *Arcángel de mi noche* (1944); *Primera antología de poemas* (1945); *Sobre la tierra* (1945); *Luz desde el sueño* (1947); *Profecía del recuerdo* (1956); *Poesía completa, 1937-1957* (1959); *Mitos para tiempo de incrédulos* (1964); *Concierto en mí y en vosotros* (1965); *Un montón de sombra* (1971); *Poesías completas, 1958-1973* (1974); *Ultima Thule* (1980). **Ensayo.** *Poesía y técnica poética* (1955); *La poética de Campoamor* (1955); *Temas y problemas de literatura española* (1959); *Claves de literatura española* (1971, 2 vols.); *Cervantes. Novelista, dramaturgo, poeta* (1981). [P.S.]

GARCÍA ASCOT, Jomi (1929-   ).—Nombre literario de José Miguel Ascot. Poeta, ensayista y cineasta español, nacido en Túnez y exiliado en México. Autor del cortometraje "El balcón vacío".

OBRA PRINCIPAL: **Poesía.** *Un otoño en el aire* (1964); *Estar aquí* (1966). **Ensayo.** *Baudelaire, poeta existencial* (19   ). [P.S.]

GARCÍA CANTÚ, Gastón (1917-   ).—Escritor mexicano. Ensayista y periodista. Director del suplemento "México en la Cultura". Subdirector del departamento de publicaciones del Instituto Nacional Indigenista. Director de Difusión Cultural de la UNAM. Director del Instituto Nacional de Antropología e Historia. Satiriza la vida y el ambiente provincianos.

OBRA PRINCIPAL: **Ensayo.** *El Mediterráneo americano* (1960); *Cuadernos de notas* (1961); *Papeles públicos* (1962); *Utopías mexicanas* (1963); *El pensamiento de la reacción mexicana. Historia documental (1810-1962); Universidad y antiuniversidad* (1970). **Cuento.** *Los falsos rumores* (1955). [C.T.]

GARCÍA GUERRA, Iván (1938-   ).—Escritor dominicano. Dramaturgo, cuentista, actor y guionista de radio y televisión. Profesor de español y literatura hispanoamericana en la State University of

New York Collage of Oswego, Estados Unidos. "Existe en el fondo de su obra una crítica a las grandes sociedades de consumo, pero también un constante interrogar a los socialismos, un constante ponerlos en ascuas, un reiterativo deseo de enrostrarles lo que él considera sus defectos" (Veloz Maggioli). Maneja la farsa con maestría.

OBRA PRINCIPAL: **Teatro.** *Más allá de la búsqueda* (1967. Contiene: *Más allá de la búsqueda* / *Don Quijote de todo el mundo* / *Un héroe más para la mitología* / *Los hijos del Fénix* / *Fábula de los Cinco Caminantes).* [P.S.]

GARCÍA HORTELANO, Juan (1928-   ).—Narrador español. Licenciado en Derecho. Principal representante de la narrativa behaviorista (descripción de la conducta como método literario). Con cuidada prosa, denuncia las lacras morales de diversos grupos de la burguesía. Premio Biblioteca Breve 1959. Premio Formentor 1961.

OBRA PRINCIPAL. **Novela.** *Nuevas amistades* (1959); *Tormenta de verano* (1962); *El gran momento de Mary Tribune* (1972). **Relato.** *Gente de Madrid* (1967); *Apólogos y milesios* (1975); *Echarse las pecas a la espalda* (1977); *Cuentos completos* (1980). [P.S.]

GARCÍA LORCA, Federico (1898-1936).—Poeta y dramaturgo español. Pertenece a la generación del 27. Poeta de mitos, su poesía es esencialmente simbólica. Detrás de la apariencia folclórica y popular, su obra revela la tragedia de un ser atormentado por su condición humana. Lorca opondrá siempre su instinto, su condición personal, a los convencionalismos sociales. De esa tensión surgirá su obra caracterizada por símbolos eróticos. El mundo de Lorca es la noche poblada de "caballos soñolientos". Un nocturno siempre lunar, femenino, pero estéril.

El teatro de Lorca está inspirado por una intención didáctica y tiene, por lo tanto, una función moralizadora y de acción social. Como un contemporáneo suyo, Bertolt Brecht, Lorca incorpora el aria del teatro modernista y la canción aprendida en Lope, y configura escenas líricas no para distanciar al espectador y así despertar su conciencia política, sino —y aquí se diferencia de Brecht— para implicar al espectador, para inducirlo e incorporarlo a la acción dramática. La razón de esta diferenciación entre Brecht y Lorca reside en la poética que los guía. Brecht apela a la razón. Lorca,

garcía márquez

al sentimiento. Lorca está más cerca del poeta y dramaturgo irlandés William Butler Yeats.

Liberal educado por krausistas republicanos, amigo de marxistas y anarquistas, Lorca era un intuitivo que apenas sabía de teoría política. No fue nunca un militante. Su labor desarrollada al frente de "La Barraca" lo definió, ante las fuerzas conservadoras, como "izquierdista". De esa confusión fue víctima el poeta, asesinado en Granada a principios de la guerra civil.

Innovador en materia teatral, sobre todo a partir de la publicación de sus piezas *El público* y *Comedia sin título*. A pesar de la popularidad de *Romancero gitano*, sus libros más importantes siguen siendo *Llanto por Ignacio Sánchez Mejías, Poeta en Nueva York* y *El Diván de Tamarit*.

OBRA PRINCIPAL: **Poesía.** *Primer Romancero gitano* (1928); *Poema del cante jondo* (1931); *Llanto por Ignacio Sánchez Mejías* (1935); *Seis poemas galegos* (1935); *Poeta en Nueva York* (1940); *El Diván de Tamarit* (1940); *Obras completas* (1942, 7 vols.). **Teatro.** *Mariana Pineda* (1928); *Bodas de sangre* (1935); *Yerma* (1937); *La casa de Bernarda Alba* (1942); *El público* y *Comedia sin título* (1978). [P.S.]

GARCÍA MÁRQUEZ, Gabriel (1928-   ).—Escritor colombiano. Novelista, cuentista, periodista, guionista de cine. Abandona su país en 1944 y reside en Roma, París, México y Barcelona. Antes de establecerse en México, viaja por el sur de Estados Unidos y comprueba "en esos caminos polvorientos y calurosos, en la misma vegetación, en los árboles, en las mansiones", la analogía entre el universo novelístico de Faulkner y la realidad del trópico hispanoamericano. "No hay que olvidar que Faulkner de algún modo es un autor latinoamericano. Su mundo es el del Golfo de México", ha dicho García Márquez.

Avido y sagaz lector de novelas, García Márquez reconoce, sin embargo, que el libro que marcó una profunda huella en su sensibilidad fue *Edipo rey,* de Sófocles, "un libro del que he hablado mucho y pienso que es el fundamental de mi vida". Después vendrán Faulkner, Truman Capote, Virginia Woolf, Nabokov, Bradbury, Ballard, Rabelais, Defoe y, por supuesto, Cervantes.

Su obra más ambiciosa y la que le consagró a escala planetaria es, sin lugar a dudas, *Cien años de soledad.* Esta novela (una epopeya, en sentido estricto) es, simultáneamente, tradicional y moderna, localista y universal, imaginaria y realista... "Es una novela total en la medida en que describe un mundo cerrado, desde su nacimiento hasta su muerte y en todos los órdenes que lo componen —el individual y el colectivo, el legendario y el histórico, el cotidiano y el mítico" (Vargas Llosa).

Varios cuentos suyos han sido llevados al cine. *En este pueblo no hay ladrones,* película del realizador Alberto Isaac, cuenta con la participación de García Márquez como actor. También actuaron en ella Juan Rulfo, Luis Buñuel y Carlos Monsiváis.

Premio literario Esso 1961. Doctorado en Letras *honoris causa* en Columbia University, 1971. Premio Rómulo Gallegos 1972.

OBRA PRINCIPAL: **Cuento.** *Los funerales de la Mamá Grande* (1962); *La increíble y triste historia de la cándida Eréndira y de su abuela desalmada* (1972); *Ojos de perro azul* (1974). *Todos los cuentos* (1975). **Relato.** *Relato de un náufrago...* (1970). **Novela.** *La hojarasca* (1955); *El coronel no tiene quien le escriba* (1961); *La mala hora* (1962); *Cien años de soledad* (1967). *El otoño del patriarca* (1975); *Crónica de una muerte anunciada* (1981). **Crónica.** *Cuando era feliz e indocumentado* (1975); *Textos costeños I* (1981). [P.S.]

GARCÍA MARRUZ, Fina (1923-   ).—Poeta cubana. Formó parte del grupo "Orígenes". Su poesía es de corte clásico, aunque también ha tenido una que otra audacia métrica. En sentido general, y en lo que atañe a la forma, se encuentra lejos de los procedimientos de su grupo: rehusa el versículo y las imágenes herméticas. Inicialmente fue influida por Juan Ramón Jiménez. Como prosista ha publicado algunos ensayos sobre poesía y un estudio sobre José Martí.

OBRA: *Poemas* (1942); *Transfiguración de Jesús en el Monte* (1947); *Las miradas perdidas* (1951). [J.P.]

GARCÍA NIETO, José (1914-   ).—Poeta español. Director de las revistas "Garcilaso", "Acanto", "Poesía Española", "Poesía Hispánica" y "Mundo Hispánico". Desde "Garcilaso" propugnó los valores formales de tipo clasicista. Premio Nacional de Poesía 1951. Premio Fastenrath 1957. Premio Nacional de Literatura 1961. Premio Ciudad de Barcelona 1968. Premio Boscán 1977. Miembro de la Real Academia Española de la Lengua.

OBRA PRINCIPAL: *Víspera hacia ti* (1940); *Poesía 1940-1943* (1944); *Del campo y soledad* (1945); *Tregua* (1951); *La red* (1955); *El parque pequeño* (1959); *Elegía en Covadela* (1959); *Geografía es amor* (1961); *La hora undécima* (1963); *Hablando solo* (1968);

garcía pavón

Taller de arte menor y cincuenta sonetos (1973); *Súplicas por la paz del mundo y otros "collages"* (1977); *Los cristales fingidos* (1978). [P.S.]

GARCÍA PAVÓN, Francisco (1919-   ).—Narrador y ensayista español. Doctor en Filosofía y Letras. Profesor de Literatura en la Escuela Superior de Arte Dramático. Colabora en "ABC". Premio de la Crítica 1968. Premio Nadal 1969. Premio Hucha de Oro 1975. Ha creado un original mundo narrativo en torno a un personaje llamado Manuel González, alias *Plinio*, jefe de la Guardia Municipal de Tomelloso. La caracterización de los tipos populares, el estudio psicológico de los personajes, las magníficas descripciones ambientales y un lenguaje sobrio y elegente, constituyen las principales características de su estilo. Sus novelas policíacas derivan —a veces— hacia la literatura fantástica con agudas observaciones críticas. Sus novelas más célebres: *El reinado de Witiza* y *Las hermanas coloradas.*

OBRA PRINCIPAL: **Narración.** *Cerca de oviedo* (1946); *Cuentos de mamá* (1952); *Las campanas de Tirteafuera* (1955); *Cuentos republicanos* (1956); *Los liberales* (1956); *Los carros vacíos* (1965); *El reinado de Witiza* (1967); *Historias de Plinio* (1968); *El rapto de las sabinas* (1970); *Las hermanas coloradas* (1970); *Nuevas historias de Plinio* (1971); *Vendimiario de Plinio* (1972); *Voces en Ruidera* (1973); *Ya no es ayer* (1975); *Los nacionales* (1977); *Cuentos* (1980, 2 vols.). **Ensayo.** *El teatro social en España* (1962). [P.S.]

GARCÍA PONCE, Juan (1932-   ).—Narrador, ensayista, dramaturgo y periodista mexicano. Beca Rockefeller 1960-1961. Destaca como crítico de teatro, arte y literatura. Como crítico literario ha colaborado bajo el seudónimo de "Jorge Olmo". Director de la "Revista Mexicana de Literatura". Secretario de redacción de la "Revista de la Universidad". Premio Ciudad de México 1956, por su drama *El canto de los grillos.* Premio Anagrama de Ensayo, Barcelona 1981, por *La errancia sin fin.* Colabora en "Plural" y "Vuelta".

Su obra presenta un mundo en pugna (la capital contra la provincia) y ahonda sicológicamente en los caracteres de sus personajes devastados y amenazados por el paso del tiempo.

OBRA PRINCIPAL: **Novela.** *Figura de Paja* (1964); *La casa en la playa* (1966); *La presencia lejana* (1968); *La cabaña* (1969); *El libro* (1970); *El nombre olvidado* (1970); *La invitación* (1972); *El* *gato* (1974); *Unión* (1974). **Cuento.** *Cariátide* (1961); *Reunión de familia* (1962); *Imagen primera* (1963); *La noche* (1963); *Encuentros* (1972). **Teatro.** *El canto de los grillos* (1956); *La feria distante* (1957); *Doce y una, trece* (1964); *Sombras* (1969). **Ensayo.** *Cruce de caminos* (1965); *Entrada en materia* (1968); *La aparición de lo invisible* (1968); *Cinco ensayos* (1969); *Vicente Rojo* (1971); *El reino milenario* (1972); *Trazos* (1974); *La errancia sin fin: Musil, Borges, Klossowski* (1981). [P.S.]

GARCÍA SARAVI, Gustavo (1920-   ).—Poeta argentino. Impecable sonetista. En la segunda etapa de su obra —a partir de su *Libro de quejas*— también ha manejado el verso libre de tono coloquial.

OBRA PRINCIPAL: *Tres poemas para la libertad* (1955); *Monografía para mi muerte y otras soledades* (1956); *Los sonetos* (1958); *Los viajes* (1959); *Con la patria adentro* (1964); *Libro de quejas* (1972); *Cuentas pendientes* (1975); *Cuadernos del Ecuador* (1976); *Segundas intenciones* (1976); *Salón para familias* (1977). **Ensayo.** *Estructura del poeta contemporáneo* (1959); *Pedro Miguel Obligado* (1962); *Historia y resplandor del soneto* (1962). [H.S.]

GARCÍA TERRÉS, Jaime (1924—   ).—Poeta y ensayista mexicano. Abogado. Realizó estudios de Estética y Filosofía Medieval. Subdirector del Instituto Nacional de Bellas Artes. Director de Difusión Cultural de la Universidad Nacional Autónoma de México. Director del Archivo de Relaciones Exteriores. Miembro del Colegio Nacional. Subdirector del Fondo de Cultura Económica y director de "La Gaceta", suplemento del Fondo.

Su poesía concilia la sustancia lírica con la observación gozosa o doliente del mundo objetivo. Ha traducido a poetas ingleses, franceses y griegos, en particular a John Donne y Yorgos Seferis.

OBRA PRINCIPAL: **Poesía.** *El hermano menor* (1953); *Correo nocturno* (1954); *Las provincias del aire* (1956); *La fuente oscura* (1961); *Los reinos combatientes* (1961); *Todo lo más por decir* (1971); *Corre la voz (1980)*. **Ensayo y crónica.** *Panorama de la crítica literaria en México* (1941); *Sobre la responsabilidad del escritor* (1949); *La feria de los días* (1961); *Grecia 60* (1962); *Los infiernos del pensamiento* (1966); *Reloj de Atenas* (1977); *Poesía y alquimia. Los tres mundos de Gilberto Owen* (1980). **Antología.** *Cien imágenes del mar* (1962). [C.T.]

garcía viñó

GARCÍA VIÑÓ, Manuel (1928-).—Novelista, ensayista, poeta y crítico de arte español. Licenciado en Derecho. Fundador de la revista "Guadalquivir". Redactor-jefe de "La Estafeta Literaria". Miembro de la Asociación Española de Críticos de Arte. Colabora en "Goya". "Punta Europa", etc. Uno de los principales téoricos del movimiento narrativo "metafísico". Postula una novela de la trascendencia, despojada de referentes sociológicos o políticos. OBRA PRINCIPAL: Novela. *El caballete del pintor* (1958); *La última palabra* (1958); *Nos matarán jugando* (1962); *El infierno de los aburridos* (1963); *La pérdida del centro* (1964); *Construcción 53* (1965); *El pedestal* (1967); *El pacto del Sinaí* (1968); *La granja del Solitario* (1969); *El escorpión* (1969); *Fedra* (1975). Poesía. *Jardín de estrellas* (1952); *La ciudad abandonada* (1955); *Encontrado paraíso* (1958); *Ruiseñores del fondo* (1958); *Un mundo sumergido* (1967); *Paisajes de dentro y fuera* (1975). Ensayo. *Novela española actual* (1967); *La nueva novela española* (1968); *Novela española de posguerra* (1971); *Situación del artista en la sociedad contemporánea* (1974); *Arte de hoy, arte del futuro* (1976). [P.S.]

GARCIASOL, Ramón de (1913-).—Seudónimo de Miguel Alonso Calvo. Poeta, narrador y ensayista español. Licenciado en Derecho en la Universidad de Madrid. Pertenece a la Hispanic Society of America, de Nueva York. Su poesía, heredera de la de Unamuno y Antonio Machado, se distingue por su sentido solidario, su acento religioso y su entrañable amor a España. Son conocidos sus estudios sobre Cervantes y Rubén Darío. Premio Escálamo de Poesía 1954. Premio Pedro Henríquez Ureña 1965. Premio Fastenrath de la Real Academia Española 1965. OBRA PRINCIPAL: Poesía. *Defensa del hombre* (1950); *Cancio nes* (1952); *Palabras mayores* (1952); *Tierras de España* (1955); *Poemas de andar España* (1962); *Antología provisional* (1967); *Apelación al tiempo* (1968); *Los que viven por sus manos* (1970); *Del amor y del camino* (1970); *Decido vivir* (1976); *Mariuca* (1977). Relato. *Las horas del amor y otras horas* (1977). Ensayo. *Una gran pregunta mal hecha: ¿Qué es la poesía?* (1955); *Claves de España: Cervantes y el Quijote* (1965); *Lección de Rubén Darío* (1968); *Quevedo* (1976). [P.S.]

GARFIAS, Pedro (1901-1967).—Poeta español. Pertenece a la generación del 27. Iniciador del ultraismo junto con Gerardo Diego. Fundador de la revista "Horizontes". Su obra poética registra diferentes etapas: a la vanguardia juvenil le sigue la poesía militante y culmina en una poesía autobiográfica de gran perfección formal. El libro que revela "al hombre interior, solo y melancólico" es *Primavera en Eaton Hastings,* considerada su mejor obra. Premio Nacional de Literatura 1938, por su libro *Poesías de la guerra.* Murió exiliado en México.

OBRA PRINCIPAL: *Ala del sur* (1926); *Acordes* (1928); *Ritmos cóncavos* (1929); *Poesías de la guerra* (1938); *Primavera en Eaton Hastings* (1940); *Elegía a la presa de Dnie prostroi* (1943); *Viejos y nuevos poemas* (1951); *Río de aguas amargas* (1953). [P.S.]

GARIBAY, Angel María (1892-1967).—Poeta, humanista, polígloto y erudito mexicano, autor de numerosos estudios, ensayos, versiones y antologías relacionadas con las culturas náhuatl, hebrea y helénica. En 1957 se ordenó sacerdote. Premio Nacional de Literatura 1965. Miembro de la Academia Mexicana de la Lengua.

Residió, durante más de veinte años, en diversas comunidades indígenas y rurales de la altiplanicie del estado de México. Su *Historia de la Literatura Náhuatl* transformó la valoración del México antiguo. Sus estudios han planteado la necesidad de que "el estudio de la literatura mexicana debe iniciarse teniendo en cuenta los antecedentes de las ricas culturas prehispánicas".

Garibay fue también una autoridad en la comprensión de las culturas griega, latina y hebraica. Tradujo a Esquilo, Sófocles, Eurípides y la Biblia.

OBRA PRINCIPAL: **Poesía.** *Poema de los árboles* (1932). **Estudios/Ensayos.** *La poesía lírica azteca* (1937); *Clave del náhuatl* (1940); *Historia de la literatura náhuatl* (1953, 1954, 2 vols.); *Los maestros prehispánicos de la palabra* (1962); *La literatura de los aztecas* (1964. Antología). [P.S.]

GARIBAY, Ricardo (1923-   ).—Narrador, ensayista y periodista mexicano. Saltó a la fama a través de la publicación de su cuento "El coronel". Su realismo irradia erotismo, brutalidad y ternura. Su arte de narrar es novedoso, combinatorio de diversas técnicas experimentalistas. Su novela más célebre: *Beber un cáliz.*

OBRA PRINCIPAL: **Cuento.** *Cuadernos* (1950); *Cuentos* 1952); *Mazamitla* (1955). **Relato.** *La casa que arde de noche* (1970); *Rapsodia para un escándalo* (1971); *Diálogos mexicanos* (1975). **Novela.** *La nueva amante* (1946); *Beber un cáliz* (1965); *Bellísima bahía* (1968); *Lo que es del César* (1970. Seis novelas cortas).

garmendia

Crónicas. *Capítulos en La Habana* (1967). **Ensayo.** *Nuestra Señora de la Soledad en Coyoacán* (1955). [P.S.]

GARMENDIA, Julio (1898-1967).—Narrador venezolano. Iniciador del realismo fantástico en la narrativa venezolana. Su obra está vinculada a la literatura expresionista de la época. Viajero, visitó Francia, Italia, Alemania y Dinamarca. Su primer libro se publicó en París. Su obra está considerada como una de las más valiosas manifestaciones de la narrativa posmodernista venezolana en oposición al folclorismo pintoresco de acentuado color local. Premio Municipal de Prosa 1951.
    OBRA PRINCIPAL: **Cuento.** *La tienda de muñecos* (1927); *La tuna de oro* (1952). [J.P.]

GARMENDIA, Salvador (1928-   ).—Narrador venezolano. Vinculado al grupo "Sardio". Jefe de redacción de la revista "Actual", de la Universidad de los Andes, en donde trabajó como director de Cultura y jefe de Publicaciones. Fundador y animador del grupo "El techo de la ballena". Expresa la alienación que provocan en el hombre moderno las complejidades de la vida urbana. En sus últimos libros también aborda la realidad rural en su dimensión cotidiana. Premio Municipal de Prosa 1959. Premio Nacional de Literatura 1973.
    OBRA: **Novela.** *Los pequeños seres* (1959); *Los habitantes* (1961); *Día de ceniza* (1963); *La mala vida* (1968); *Memorias de Altagracia* (1969). **Cuento.** *Doble fondo* (1966); *Difuntos, extraños y volátiles* (1970); *Los escondites* (1972). [J.P.]

GARRO, Elena (1920-   ).—Escritora mexicana. Novelista, dramaturga, periodista y guionista de cine. Su obra es una referencia constante a la condición humana en su dimensión erótica y existencial. "En su mundo —ha dicho Emmanuel Carballo— hay únicamente seres felices y desdichados... Sus personajes luchan contra la muerte y aspiran solamente a ser felices". La frustración, la soledad, la incomunicación y la angustia son temas que preocupan a esta autora dotada de un estilo que bien podría insertarse en la corriente del realismo mágico. Premio Villaurrutia 1963, por su novela *Los recuerdos del porvenir*.
    OBRA PRINCIPAL: **Cuento.** *La semana de colores* (1964). **Novela.** *Los recuerdos del porvenir* (1965). **Teatro.** *Un hogar sólido y otras piezas en un acto* (1958); *La mudanza* (1959); *El rey mago* (1960); *La señora en su balcón* (1963); *El árbol* (1963); *La dama boba* (1964); *Felipe Angeles* (1969). [P.S.]

GATÓN ARCE, Freddy (1920-   ).–Poeta dominicano. Periodista
y narrador de estilo sarcástico. Aún no ha reunido sus relatos
publicados en revistas y periódicos. Pertenece al grupo "La Poesía
Sorprendida". Poesía lírica en donde lo divino aparece emparentado
con lo demoníaco.
OBRA: *Vlía (Poemas en Prosa)* (1944); *La leyenda de la
muchacha* (1952); *Poblana* (1965). [J.P.]

GEDEÃO, Antonio (1906-   ).–Seudónimo de Rómulo de Carvalho, poeta y ensayista portugués. Profesor de segunda enseñanza e
investigador de Historia de las Ciencias. La ironía y el rigor científico
caracterizan su obra poética, que conquistó estos últimos años
notable popularidad.
OBRA PRINCIPAL: **Poesía**. *Movimento Perpétuo* (1956); *Teatro do Mundo* (1958); *Máquina de Fogo* (1961); *Poema para Galileu*
(1964); *Linhas de Força* (1967), etc. **Ensayo**. *O Sentimento
Científico en Bocage* (1965). **Teatro**. *RTX 78/24* (1963). [M.V.]

GELMAN, Juan (1930-   ).–Poeta argentino. Dos líneas caracterizan su poesía: Una lírica, centrada en las cosas simples, cotidianas,
en el amor a la gente y al paisaje, y otra comprometida,
denunciadora de la injusticia, por momentos indignada y siempre
receptiva al dolor ajeno. Lo cotidiano, el barrio, lo simple, forman
los elementos de sus primeros libros en los que ya se advierte la
búsqueda de un nuevo lenguaje fundado en elementos del habla
cotidiana. Un manejo constante de la metáfora a veces infantil, en el
más hondo y creador de sus sentidos, le permite establecer
comparaciones sorprendentes, imágenes límpidas y sin trampas. Mediante la invención de heterónimos: John Wendell, Dom Pero,
Yamanokuchi Ando y Sidney West, amplió el campo de sus
indagaciones verbales al poder trasladarse geográficamente gracias a
sus desdoblamientos, uno de los cuales, el de Sidney West, obtuvo un
notable éxito, y tal vez se trate de su mejor libro. Los poemas de los
últimos años, sin caer en el panfleto, están signados por la militancia
política que Gelman ejerció en su país.
OBRA PRINCIPAL: *Violín y otras cuestiones* (1956); *El juego
en que andamos* (1959); *Velorio del solo* (1961); *Gotán* (1962);
Cólera buey (1965); *Traducciones III (Los poemas de Sidney West)*
(1969); *Fábulas* (1971); *Obra poética* (que recoge varios libros
inéditos) (1975); *Hechos y relaciones* (1979); *Si tan dulcemente*
(1980). [H.S.]

geoffroy rivas

GEOFFROY RIVAS, Pedro (1910-   ).—Poeta salvadoreño. Antropólogo y lingüista. Poeta testimonial; en sus versos refleja sus convicciones políticas y su protesta contra la injusticia social. Residió en México. Miembro de la Academia Salvadoreña de la Lengua. OBRA PRINCIPAL: *Poesía. Canciones en el viento; Rumbos; Para cantar mañana; Yulcuicat; Sólo amor; Cuadernos del exilio.* [C.T.]

GERBASI, Vicente (1913-   ).—Poeta venezolano. Miembro del grupo "Viernes". Poeta "de actitud contemplativa, de mirada interior y de impulso transcendente". Su libro *Mi padre, el inmigrante* es "una creación clave en la poesía venezolana que conjuga con maestría verbal e inspiración existencial los términos del paisaje tropical y las vivencias en torno al padre, inmigrante italiano" (Juan Liscano). OBRA PRINCIPAL: *Poesía. Vigilia del náufrago* (1937); *Bosque doliente* (1940); *Liras* (1943); *Poemas de la noche y de la tierra* (1943); *Mi padre, el inmigrante* (1945); *Tres nocturnos,* (1946); *Poemas* (1947); *Los espacios cálidos* (1952); *Círculos del trueno* (1953); *Tirano de sombra y fuego* (1955); *Antología poética* (1956); *Por arte de sol* (1958); *Olivos de eternidad* (1961). [J.P.]

GIANUZZI, Joaquín (1924-   ).—Poeta argentino. La realidad cotidiana y los creadores de la literatura son analizados, estudiados, a través de una poesía que busca una visión inédita de cada fenómeno. H.A. Murena ha dicho: "Dotado de una ternura penetrante y radical, Gianuzzi se singulariza por su capacidad para percibir la belleza y el desamparo de todo lo creado. Y de tal percepción surge una obsesiva compasión por el destino final de seres y cosas, que resuena en sus poemas con acentos que permiten reconocer en este contemporáneo a uno de la estirpe leopardiana". OBRA PRINCIPAL: *Poesía: Nuestros días mortales* (1958); *Contemporáneo del mundo* (1963); *Las condiciones de la época* (1968); *Señales de una causa personal* (1977); *Principios de incertidumbre* (1978). [H.S.]

GIL-ALBERT, Juan (1906-   ).—Poeta español. Pertenece cronológicamente a la generación del 36. A raíz de la Guerra Civil eligió el destierro. Vivió exiliado en México. Actualmente reside en Valencia.

gil gilbert

Solitario y escéptico, Gil-Albert es —a decir de Francisco Brines— un "hondo moralista de raíces paganas, un hedonista que concilia el lujo con la austeridad". Su poesía, erótica y elegíaca, establece una síntesis entre contemplación y goce sensual. OBRA PRINCIPAL: **Obra poética completa** (1981, 3 vols.): Tomo I: *Misteriosa presencia/ Candente horror/ Son hombres ignorados/ Las ilusiones.* Tomo II: *Poemas (El existir medita su corriente)/ Concertar es amor/ Poesía (A los presocráticos/Migajas del pan nuestro)/ La metafísica/ Los homenajes.* Tomo III: *El ocioso y las profesiones/ Varios/ La siesta.* **Prosa.** *Breviarium vitae* (1979, 2 vols.). [P.S.]

GIL DE BIEDMA, Jaime (1929-   ).—Poeta y ensayista español. Licenciado en Derecho por la Universidad de Salamanca. Su poesía se nutre de proficientes lecturas de Vallejo, Cernuda y, sobre todo, de Antonio Machado. Una preocupación ética y un limpio sentimiento erótico caracterizan esta poesía de lenguaje coloquial y tono elegíaco. Ha realizado notables traducciones de *The use of poetry and the use of criticism,* de T. S. Eliot, y de *Goodbye to Berlin,* de Christopher Isherwood.

OBRA PRINCIPAL: **Poesía.** *Según sentencia del tiempo* (1953); *Compañeros de viaje* (1959); *Moralidades* (1966); *Poemas póstumos* (1968); *Las personas del verbo* (1975. Obra poética completa). **Memoria.** *Diario del artista seriamente enfermo* (1974). **Ensayo.** *Cántico: el mundo y la poesía de Jorge Guillén* (1960); *El pie de la letra* (1980). [P.S.]

GIL GILBERT, Enrique (1912-1973).—Novelista, cuentista y periodista ecuatoriano. Pertenece al grupo de Guayaquil. Con Demetrio Aguilera Malta y Joaquín Gallegos Lara publicó la famosa colección de cuentos *Los que se van. Cuentos del cholo y del montuvio* (1930).

Prosa impresionista de carácter dramático. Sus descripciones son vivas, dinámicas, llenas de colorido. Gil Gilbert identifica, sin proponérselo, al hombre con la naturaleza. Recrea el ciclo de la vida del montuvio (hombre de la costa ecuatoriana) en lucha contra la injusticia. Su novela *Nuestro pan* lo lanzó a la celebridad.

OBRA PRINCIPAL: **Novela.** *Nuestro pan* (1942). **Cuento.** *Los que se van...* (1930); *Yunga* (1933); *Relatos de Emmanuel* (1939). [P.S.]

giménez caballero

GIMÉNEZ CABALLERO, Ernesto (1899-   ).—Ensayista y periodista español. Doctor en Filosofía por la Universidad de Madrid. Colaboró en "El Sol" y fundó y dirigió la revista "La Gaceta Literaria" (1927), de extraordinaria influencia en los medios literarios de lengua española. Animador del movimiento de la vanguardia, abandonó —en 1929— su ideario liberal y vanguardista por otro, tradicional y nacionalista. Firmó muchos artículos con los seudónimos *Gecé* y *El Robinsón literario.* Embajador de España en el Paraguay (1963-1974). Escribió exaltados libros de crónicas sobre Portugal, Galicia, Argentina, México, Bolivia y Paraguay. Premio Nacional de Literatura 1934. Premio Nacional 1953. Sus libros memorables: *Yo, inspector de alcantarillas, Julepe de menta* y *Hércules jugando a los dados.*

OBRA PRINCIPAL: *Notas marruecas de un soldado* (1923); *Carteles* (1927); *Los toros, las castañuelas y la Virgen* (1927); *Yo, inspector de alcantarillas* (1928); *Julepe de menta* (1928); *Hércules jugando a los dados* (1929); *En torno al casticismo de España* (1929); *Circuito imperial* (1930); *Esencia de verbena* (1931); *Trabalenguas de España* (1931); *Genio de España* (1932); *Manuel Azaña. Profecías españolas* (1932); *Don Quijote ante el mundo (y ante mí)* (1980). [P.S.]

GIRONDO, Oliverio (1891-1967).—Poeta argentino. Se inició en la literatura con dos obras de teatro. Desde 1922, fecha de la publicación de su primer libro: *Veinte poemas para ser leídos en el tranvía,* se dedicó de forma exclusiva a la poesía. En los primeros años de la posguerra europea tomó contacto con las corrientes vanguardistas, en especial el cubismo y el dadaísmo y, a su regreso a la Argentina, se convirtió en un artífice de las corrientes de avanzada, actitud que mantendría hasta su muerte. Su libro *En la masmédula* (1954) es una de las más audaces aventuras verbales de la poesía argentina donde la experimentación encuentra significaciones ocultas y sorprendentes en las palabras, que adquieren posibilidades semánticas inéditas al perder los soportes habituales. El crítico Aldo Pellegrini ha dicho que Girondo "descubre en las cosas un espíritu que las define por encima de su inerte realidad empírica, un espíritu burlón, travieso, funambulesco, y a veces triste", pero al mismo tiempo "introduce un tono de humor muy particular y aparentemente nuevo en la tradición de la poesía hispano-parlante: un humor duro, violento, acre, desenfadado, irrespetuoso, que rehúye lo decorativo y prefiere penetrar en profundidad mediante una expresión ceñida que recurre a palabras despreciadas o triviales para exaltar su grandeza".

girri

OBRA PRINCIPAL: *Veinte poemas para ser leídos en el tranvía* (1922); *Calcomanías* (1925); *Espantapájaros* (1932); *Persuasión de los días* (1942); *Campo nuestro* (1946); *En la masmédula* (1956) y *Topatumba* (1958). [H.S.]

GIRONELLA, José María (1917-   ).—Novelista, poeta y periodista español. Obtuvo fama mundial con su trilogía de novelas sobre la Guerra Civil: *Los cipreses creen en Dios, Un millón de muertos* y *Ha estallado la paz.* El éxito de Gironella debe atribuirse no sólo al interés suscitado por el tema de la Guerra Civil, sino a la prosa directa, periodística, sin grandes complicaciones estilísticas ni complejidades de composición. La trilogía es un reportaje novelado de las causas, los hechos y los efectos de la contienda española. En Gironella hay una sana intención de ser justo, objetivo e imparcial; para ello se valió de una, a veces, abrumadora colección de datos, testimonios y citas. Gironella ganó el Premio Nadal, en 1946, con su novela *Un hombre.* Premio Nacional de Literatura 1955. Premio Planeta 1971.

OBRA PRINCIPAL: **Novela.** *Un hombre* (1946); *La marea* (1949); *Los cipreses creen en Dios* (1953); *Un millón de muertos* (1961); *Ha estallado la paz* (1966); *Los fantasmas de mi cerebro* (1959); *Mujer, levántate y anda* (1962); *Condenados a vivir* (1971). **Poesía.** *Ha llegado el invierno y tú no estás aquí* (1946). **Artículos.** *Gritos en el mar* (1967). **Crónica de viajes.** *Personas, ideas, mares* (1964); *Todos somos fugitivos* (1966). [P.S.]

GIRRI, Alberto (1919-   ).—Poeta y traductor argentino. Desde su primer libro, *Playa sola,* su obra se mostró ajena a las corrientes, escuela e ismos en boga en la poesía argentina. Heredero formal de la poesía anglosajona y enemigo de toda exteriorización sentimental, Girri busca en la desnudez de las palabras una forma de indagación metafísica regida por una lucidez sistemática que cierra el camino a cualquier tentativa irracional. Esa posibilidad de acceder al conocimiento se centra, además, en la ambigüedad.

Con los años, su poesía —en un comienzo algo más verbal— ha ido perdiendo adjetivación y su particular arritmia se ha convertido en una característica de su estilo.

Girri se ha destacado además como notable traductor y difusor de poetas ingleses y norteamericanos como John Donne, Wallace Stevens, Lee Masters, Robert Lowell y Stephen Spender, entre otros.

glantz

OBRA PRINCIPAL: **Poesía.** *Playa sola* (1964); *El tiempo que destruye* (1951); *La penitencia y el mérito* (1957); *Propiedades de la magia* (1959); *Elegías italianas* (1962); *El ojo* (1963); *Casa de la mente* (1968); *En la letra, ambigua selva* (1972); *Quien habla no está muerto* (1975); *El motivo es el poema* (1976). **Narrativa.** *Crónica del héroe* (1946); *Un brazo de Dios* (1966); *Prosas* (1977). [H.S.]

GLANTZ, Margo (1930-   ).—Ensayista y crítica literaria mexicana. Doctorada en letras por la Universidad de París, realizó estudios de especialización en literatura inglesa, francesa e italiana. Profesora de Historia del Teatro y Literatura Comparada en la Facultad de Filosofía y Letras de la Universidad Nacional Autónoma de México. Ha traducido *Baby doll*, de Tennessee Williams.
OBRA PRINCIPAL: **Ensayo.** *Tennessee Williams y el teatro norteamericano* (1964). **Estudios.** *Antología del absurdo* (1962); *Los medios de confusión* (1964). [P.S.]

GOMES, Dias (1922-   ).—Novelista, dramaturgo y periodista radiofónico brasileño. Sigue la corriente del teatro político. Su obra más importante es *O Pagador de Promessas* (1959), que fue presentado por primera vez bajo la dirección de Flávio Rangel, en Río de Janeiro. Se trata de un drama violento de cuño social, que analiza el misticismo y el fanatismo religioso en el nordeste brasileño. Esta obra fue llevada al cine bajo la dirección de Anselmo Duarte y recibió el primer premio en el Festival de Cannes de 1962. Escribió también varias piezas para la radio y la televisión, las que alcanzaron gran popularidad.
OBRA PRINCIPAL: *Pé-de-Cabra* (1942); *Amanha Será Outro Dia; Doutor Ninguém; Zeca Diabo; Os 5 Fugitivos do Juizo Final* (1954); *O Pagador de Promessas* (1959); *A Invasão* (1960); *A Revolução dos Beatos* (1961); *O Berço do Herói* (1963); *O Santo Inquérito* [M.L.M.]

GOMES, Soeiro Pereira (1909-1949).—Novelista portugués. Hizo el curso de perito agrícola en Coimbra y marchó para Africa a finales de la década de los 30, permaneciendo allí tan sólo un año. Fue empleado de oficina en una fábrica de Alhandra, en las proximidades de Lisboa. Interesado por la vida de los obreros, participó en la actividad política laboral, optando más tarde por la actuación clandestina como militante comunista, muriendo en esa situación algunos años después. Fue uno de los iniciadores del movimiento

neorrealista, habiendo alcanzado su obra, muy escasa, bastante repercusión más allá de las fronteras.
OBRA PRINCIPAL: **Ficción.** *Esteiros*, novela (1940); *Engrenagem*, novela (1961); *Contos Vermelhos* (1974) etc. [M.V.]

GÓMEZ SANJURJO, José María (1930-   ).—Poeta paraguayo. Miembro de la promoción del 50. En su obra convergen el intimismo y la observación de la realidad, características heredadas de la generación del 40, a la cual pertenece Roa Bastos. También escribe ensayos y narraciones que aún no han sido publicados en libro. Ejerce la docencia universitaria en Asunción.
OBRA: *Poemas* (1978). [L.F.]

GÓMEZ VALDERRAMA, Pedro (1923-   ).—Escritor colombiano. Novelista, cuentista, ensayista, político y diplomático. Vinculado al grupo de la revista "Mito". Estudios de economía y política en Londres. Ministro de Educación. Miembro Honorario del Instituto Caro y Cuervo. Condecorado por los Gobiernos de Italia y Francia. De su experiencia como embajador de Colombia en la Unión Soviética surgió su libro *Los ojos del burgués*. Pertenece a la redacción de "Eco. Revista de la cultura de Occidente".
OBRA PRINCIPAL: **Novela.** *La otra raya del tigre* (1977). **Cuento.** *El retablo de Maese Pedro* (1967); *La procesión de los ardientes* (1973); *Invenciones y artificios* (1975, selección de cuentos). **Ensayo.** *Muestras del diablo, justificadas por consideraciones de brujas...* (1958); *Nosotros y la libertad* (1959); *Ideas sobre la educación y la cultura* (1964); *La universidad colombiana* (1965); **Crónica.** *Los ojos del burgués* (un año en la Unión Soviética) (1971). [P.S.]

GÓMEZ-VIDAL, Oscar (1923-   ).—Poeta y narrador cubano. Abogado, marinero, diplomático y profesor. Master of Arts por la California State University. En 1947 funda el grupo "Señal".
OBRA: **Poesía.** *Canto del faro en el mar* (1947); *El otro mundo de Tina* (1975); *Definiciones* (1979). **Relato.** *Diez cuentos de Ciudad Amarga* (1975); *¿Sabes la noticia...? ¡Dios llega mañana!* (1978). [J.P.]

GONÇALVES, Egito (1922-   ).—Poeta portugués. Estudió comercio y es gerente comercial. Vive en Oporto, donde estuvo siempre

gonzález

muy ligado a la actividad comercial. Es colaborador de varias publicaciones, principalmente de "A Septente", "Notícias do Bloqueio", "Arvore", etc.

OBRA PRINCIPAL: **Poesía.** *Poemas para os Companheiros de Ilha* (1950); *Un Homem na Neblina* (1950); *A Evasão Possível* (1952); *O Vagabundo Decepado* (1957); *A Viagem com o Teu Rosto* (1958); *Memória de Setembro* (1960); *Luz Vegetal* (1975); *As Zonas Quentes do Inverno* (1977). [M.V.]

GONZÁLEZ, Angel (1925-   ).—Poeta español, miembro de la generación del 50. Abogado, maestro de escuela, periodista, crítico musical y literario. Licenciado en Derecho por la Universidad de Oviedo. Profesor en la Universidad de Albuquerque, New Mexico. Premio Antonio Machado 1962, por su libro *Grado elemental.* Poesía testimonial y solidaria, saturada de ironía. González recurre al humorismo como método de distanciamiento. Su visión es acerbamente crítica; su lenguaje, preciso y conversacional. Una colección de poemas suyos ha sido traducida por Donald D. Walsh y editada por la Universidad de Princeton, New Jersey, bajo el título de *Harsh world and other poems* (1977).

OBRA PRINCIPAL. *Aspero mundo* (1956); *Sin esperanza, con convencimiento* (1961); *Grado elemental* (1962); *Palabra sobre palabra* (1965); *Tratado de urbanismo* (1967); *Palabra sobre palabra.* *Antología* (1968); *Breves acotaciones para una biografía* (1971); *Procedimientos narrativos* (1972); *Muestra de algunos procedimientos narrativos y de las actitudes sentimentales que habitualmente comportan* (1976). [P.S.]

GONZÁLEZ, Fernando (1895-1964).—Escritor colombiano. Solitario, mordaz, iconoclasta, de acento profético y ademán anarquista. Saturado de lecturas nietzscheanas, vivió su marginalidad alejado de los círculos de poder, literarios, políticos o religiosos, escribiendo libros de difícil catalogación por género. Enemigo declarado del poder constituido —anticlerical por sobre todas las cosas— "veía a Colombia como el país del diablo, del confesionario y los ejercicios espirituales". Fundó y dirigió la importante revista "Antioquia" (1937-1938). Cultivó la disidencia respecto a los estudios históricos tradicionales. Fue mentor y guía de la insurrección nadaísta. Su libro *Mi compadre* es una sátira feroz del dictador venezolano Juan Vicente Gómez. Seudónimo de Lucas Ochoa.

OBRA PRINCIPAL: *Pensamientos de un viejo* (1916); *Una tesis*

(1919); *Viaje a pie* (1929); *Mi Simón Bolívar* (1930); *Don Mirócletes* (1932); *El hermafrodita dormido* (1933); *Mi compadre* (1934); *Cartas a Estanislao* (1935); *El remordimiento* (1935); *Santander* (1940); *El maestro de escuela* (1941); *Los negroides* (1957); *Libro de los viajes o de las presencias* (1959); *La tragicomedia del padre Elías y Martina la Velera* (1962). [P.S.]

GONZÁLEZ, José Carlos (1937-   ).—Poeta portugués, oriundo de Galicia, por cuya cultura sigue estando muy influido, estuvo varios años exiliado en París. Colaboró en numerosas publicaciones, en particular tras su regreso a Portugal, después del 25 de abril 1974. Influido por el surrealismo, se ha inclinado estos últimos años por una poesía de raíz social. OBRA PRINCIPAL: **Poesía.** *Poemas da Noite Nova* (1957); *Naufrágio* (1960); *Isis, ou o Cérebro da Noite* (1961); *Viagem Contra o Silêncio* (1978); *Sapatos e Outros Mais* (1980). [M.V.]

GONZÁLEZ, José Luis (1926-   ).—Escritor puertorriqueño. Cursó estudios en San Juan, Nueva York y México, ciudad donde reside desde 1953. Maestro y doctor en Letras por la UNAM. Profesor universitario y traductor. En 1955 obtuvo la nacionalidad mexicana. Cuentista, novelista y ensayista; su estilo, no exento de poesía, se adscribe a la corriente del realismo crítico. OBRA: **Cuento.** *En la sombra* (1943); *Cinco cuentos de sangre* (1945); *El hombre en la calle* (1948); *En este lado* (1954); *Mambrú se fue a la guerra* (1972); *La galería* (1972); *En Nueva York y otras desgracias* (1973). **Novela.** *Paisa* (1950); *Balada de otro tiempo* (1978). **Ensayo.** *Proceso de la cultura puertorriqueña desde los cronistas de Indias hasta la Generación del 98* (19   ); *Literatura y sociedad en Puerto Rico* (1976). [P.S.]

GONZÁLEZ, Juan Natalicio (1897-1956).—Sociólogo, cuentista y novelista paraguayo. Presidente de la República en 1948, derrocado en 1949. Pertenece al grupo de ensayistas del año 1915. Fundador de la revista "Guarania". OBRA PRINCIPAL: **Ensayo.** *Solano López y otros ensayos* (1926); *El Paraguay eterno* (1936); *Proceso y formación de la cultura paraguaya* (1938); *Geografía del Paraguay* (1964). **Narrativa.** *Cuentos y parábolas* (1922); *La raíz errante* (novela escrita en 1951, editada en 1953). [L.F.]

195

gonzález

GONZÁLEZ, Otto Raúl (1921-   ).—Poeta guatemalteco. Hizo estudios de Derecho. Miembro del grupo *Acento* que se integró en torno a la revista del mismo nombre, como órgano de expresión de la llamada "Generación del 40". Sus componentes, entre otros: Carlos Illescas, Raúl Leiva, Enrique Juárez Toledo. Ha sido traducido al inglés, francés, ruso, checo y chino.

OBRA PRINCIPAL: **Poesía** *Voz y voto del geranio* (1943); *A fuego lento; Sombra era; Poemas para congregarse en los claros del bosque; Poema patriótico; Viento claro* (1953); *El bosque* (1955); *Hombre en la luna* (1960); *Para quienes gusten oir la lluvia en el tejado* (1962); *Cuchillo de caza* (1965); *Oratorio del maíz* (1970); *Poesía fundamental (1943-1967)* (1973); *Tun y chirimía* (1978); *Consagración del hogar. (Cantata para mi esposa)* (1973). [C.T.]

GONZÁLEZ LANUZA, Eduardo (1900-   ).—Poeta y ensayista argentino, nacido en Santander, España. Desarrolló toda su obra en la Argentina, adonde llegó a los nueve años.

Desde unos ingenuos comienzos ultraístas (dirigió las revistas *Prisma, Proa* y colaboró en *Martín Fierro*) evolucionó hacia un estricto formalismo que es el instrumento para una constante exaltación del júbilo.

OBRA PRINCIPAL: **Poesía.** *Treinta i tantos poemas* (1932); *La degollación de los inocentes* (1938); *Puñado de cantares* (1940); *Suma y sigue* (1960). **Ensayo.** *Horacio Butler* (1941); *Los martinfierristas* (1961). [H.S.]

GONZÁLEZ LEÓN, Adriano (1931-   ).—Narrador venezolano. Vinculado al grupo "Sardio" y a "El techo de la ballena". Premio Municipal de Prosa 1957. Su nombre saltó a la fama al serle concedido el Premio Biblioteca Breve de Seix Barral, en 1968, por su novela *País portátil.* Profesor en la Escuela de Periodismo. Profesor de literatura en la Universidad Central de Venezuela y en la Católica Andrés Bello.

OBRA: **Cuento.** *Las hogueras más altas* (1957); *Asfalto-Infierno* (1963); *Hombre que daba sed* (1969). **Novela.** *País portátil* (1968). [J.P.]

GONZÁLEZ MONTALVO, Ramón (1909-   ).—Novelista salvadoreño. Abogado, periodista, diplomático. Novelista de tendencia social.

gonzález vera

OBRA PRINCIPAL: **Novela.** *Las tinajas* (1950); *Barbasco* (1955). **Relato.** *Pacunes.* [C.T.]

GONZÁLEZ TUÑÓN, Raúl (1905-1974).–Poeta argentino. Participó muy joven en revistas ultraístas como *Proa* e *Inicial.* Fue un activo colaborador de *Martín Fierro,* aunque por su temática, cercana al tema social, algunos críticos lo ubican en la línea de Boedo. Pedro Orgambide ha dicho que "Con *El violín del diablo* (1926) y *Miércoles de ceniza* (1928), trae Tuñón a la poesía argentina el desenfado y la picardía de los muchachos de los puertos, de los vagos y malentretenidos que deambulan por el viejo Paseo de Julio. Es un reconocimiento apasionado no sólo de la gente sino de los escenarios poco prestigiosos de la ciudad durante los años 20." Con su viaje a París, en 1929, Tuñón incorporó a su obra las vivencias de la vida europea, evolucionando hacia un verso libre que habría de caracterizar algunos de los aciertos más notorios de su labor, aunque cada tanto volvería al poema rimado de verso breve, como en su famoso *Juancito Caminador.* Durante la década de los treinta la tendencia social de sus primeros libros tomaría un marcado signo político, como en *La rosa blindada* (1936) que mereció el elogio de Pablo Neruda: "Raúl fue el primero que blindó la rosa". A este respecto su biógrafo, Héctor Yánover, resaltó: "Si como poeta lírico, como cantor de la ciudad y su país, ocupa un lugar destacado en nuestras letras, no ocupa uno menor como poeta social. Esa línea de poesía, tiene en Tuñón a su más alto representante en nuestro país. La injusticia social, económica, la discriminación racial y política, encuentran eco en él."
OBRA PRINCIPAL: *El violín del diablo* (1926); *Miércoles de ceniza* (1928); *La calle del agujero en la media* (1930); *Todos bailan* (1935); *La rosa blindada* (1936); *A la sombra de los barrios amados* (1957); *Demanda contra el olvido* (1963); *Poemas para el atril de una pianola* (1965). [H.S.]

GONZÁLEZ VERA, José Santos (1987-1970).–Narrador chileno. Escritor naturalista de prosa impresionista y estilo pulcro y reticente. Cultivó la autobiografía adosada al relato regionalista y costumbrista. Fue un intérprete inigualable de la vida popular chilena.
OBRA PRINCIPAL: *Vidas mínimas. Novelas breves* (1923); *Alhué. Estampas de una aldea* (1928); *Cuando era muchacho* (1951); *Eutrapelia, honesta recreación* (1955); *Algunos* (1959); *La copia y otros originales* (1961). [P.S.]

197

gorostiza

GOROSTIZA, Carlos (1920-   ).—Dramaturgo argentino. Se inició como poeta y titiritero, habiendo escrito varias obras para niños que reunió en *La clave encantada* (1943) y *Nuevos títeres de la clave encantada* (1949). Ese mismo año aparece como autor dramático con una obra que según varios críticos e historiadores del teatro argentino, marca un hito fundamental en la trayectoria dramática de aquel país: *El puente,* obra de corte realista con personajes y situaciones de gran eficacia dramática. En esa línea se hallan todas sus obras posteriores en donde la cotidianeidad se encuentra bien retratada, dentro de un total dominio del desarrollo escénico.

OBRA PRINCIPAL: *El puente* (1949); *El fabricante de piolín* (1950); *El caso del hombre de la valija negra* (1951); *Marta Ferrari* (1954); *El juicio* (1954); *El pan de la locura* (1958); *Vivir aquí* (1964); *Los prójimos* (1967); *¿A qué jugamos?* (1968). [H.S.]

GOROSTIZA, Celestino (1904-1967).—Dramaturgo mexicano. Crítico literario y teatral. Nombre clave en la historia del teatro mexicano. Miembro de la Academia Mexicana de la Lengua. Fundador de la Academia Cinematográfica. Premio Ruiz de Alarcón 1952, por *El color de nuestra piel.* Traductor de O'Neill, Pellerin, Achard, Lenormand. Preocupado inicialmente por el problema del tiempo, renuncia al refinamiento y se interesa por los problemas del conflicto del espíritu mestizo con la civilización criolla occidental.

OBRA PRINCIPAL: **Teatro.** *El nuevo paraíso* (1930); *La escuela del amor* (1933); *Ser o no ser* (1934); *Escombros del sueño* (1938); *La reina de nieve* (1940); *La mujer ideal* (1943); *El color de nuestra piel* (1952); *Columna social* (1955); *La leña está verde* (1958). [C.T.]

GOROSTIZA, José (1901-1973).—Poeta mexicano. Profesor universitario y diplomático. Secretario de Relaciones Exteriores. Presidente de la Comisión Nacional de Energía Nuclear. Miembro de la Academia Mexicana de la Lengua. Miembro del grupo "Contemporáneos". Su poema *Muerte sin fin* es fundamental en la poesía mexicana contemporánea; junto con *Altazor,* de Vicente Huidobro, y *Piedra de sol,* de Octavio Paz, integra la trilogía de grandes poemas extensos de la lírica hispanoamericana contemporánea. *Muerte sin fin* es —según Octavio Paz— "un largo delirio razonado"; "marca el apogeo de cierto estilo de "poesía pura" y, simultáneamente, es una burla del mismo estilo".

goytisolo

OBRA: **Poesía.** *Canciones para cantar en las barcas* (1925); *Muerte sin fin* (1939); *Poesía* (1964). [P.S.]

GOYTISOLO, José Agustín (1928-   ).—Poeta español. Pertenece a la generación del 50. Licenciado en Derecho y en Ciencias Políticas. Premio Adonais 1954. Premio Boscán 1956. Premio Ausias March 1959. Premio Ciudad de Barcelona 1980. Ha traducido a Espriu, Pasolini, Quasimodo, Montale y Ungaretti. Es autor de conocidas antologías: *Poetas catalanes contemporáneos* (1969); *Nueva poesía cubana* (1972); *Posible imagen de José Lezama Lima* (1973) y *Posible imagen de Jorge Luis Borges* (1974).

Poesía testimonial de amplio registro: el amor, la historia, la cultura, los recuerdos, conforman el universo poético de Goytisolo. Entre la sátira y la elegía, su poesía de lenguaje coloquial expresa un mundo hostil hundido en el desencanto.

OBRA PRINCIPAL: *El retorno* (1955); *Salmos al viento* (1957); *Claridad* (1960); *Años decisivos* (1961); *Algo sucede* (1968); *Bajo tolerancia* (1974); *Taller de arquitectura* (1977); *Del tiempo y del olvido* (1977); *Palabras para Julia y otras canciones* (1979); *Los pasos del cazador* (1980); *A veces gran amor* (1981). [P.S.]

GOYTISOLO, Juan (1931-   ).—Narrador, ensayista y periodista español. Pertenece a la generación del 50. Licenciado en Derecho. Asesor literario de la editorial Gallimard, de París. Su obra compleja y ambiciosa "progresa con una gran autoexigencia y constancia, y, sobre todo, en un camino de perfeccionamiento". A los 21 años publicó su primer libro —*El mundo de los espejos*—, pero sólo en 1966, al publicar su novela más célebre —*Señas de identidad*—, alcanzará a configurar un estilo y a consolidar una obra caracterizada por el desarraigo, la visión crítica de la España contemporánea y el abandono de la técnica del relato objetivo por procedimientos más intrincados.

OBRA PRINCIPAL: **Novela.** *El mundo de los espejos* (1952); *Juegos de manos* (1954); *Duelo en el paraíso* (1955); *El circo* (1957); *Fiestas* (1958); *La resaca* (1958); *La isla* (1961); *Fin de fiesta* (1962); *Señas de identidad* (1966); *Reivindicación del Conde don Julián* (1970); *Juan sin tierra* (1975); *Makbara* (1979). **Relato.** *Para vivir aquí* (1960). **Ensayo.** *Problemas de la novela* (1959); *El furgón de cola* (1967); *Disidencias* (1977); *Libertad, libertad, libertad* (1978). **Crónica de viajes.** *Campos de Níjar* (1960); *La Chanca* (1962). **Reportaje.** *Pueblo en marcha* (1963). [P.S.]

goytisolo

GOYTISOLO, Luis (1935-   ).—Narrador español. Pertenece a la generación del 50. La prosa realista de Goytisolo, pese a su intencionalidad ética, se inscribe en la corriente del realismo mítico. Su tetralogía novelesca "Antagonía", una de las obras fundamentales de la literatura española contemporánea, está integrada por *Recuento, Los verdes de mayo hasta el mar, La cólera de Aquiles* y *Teoría del conocimiento.* Premio Biblioteca Breve 1959.

OBRA PRINCIPAL: *Las afueras* (1959); *Las mismas palabras* (1962); *Ojos, círculos, búhos* (1970); *Devoraciones* (1976); *Recuento* (1973); *Los verdes de mayo hasta el mar* (1976); *La cólera de Aquiles* (1979); *Teoría del conocimiento* (1981); *Fábulas* (1981). [P.S.]

GRAMCKO, Ida (1925-   ).—Escritora venezolana. Poeta, dramaturga, narradora, ensayista. La poesía de Gramcko tiende a la abstracción y a la sublimación de los sentimientos. Por momentos es romántica, pero en su obra predomina la forma clásica y la visión metafísica.

OBRA PRINCIPAL: **Poesía.** *Contra el desnudo corazón del cielo* (1944); *La vara mágica* (1948); *Cámara de cristal* (1948); *Poemas* (1952); *Poemas de una psicópata* (1965); *Sol y soledades* (1966); *Salmos* (1968); *Lo máximo murmura* (1970). **Narrativa.** *Juan sin miedo* (19   ). **Teatro.** *María Lionza; La rubiera; La loma del ángel; Belén Silveira; La mujer del Caty; La danza y el oso; Juan Palomo.* [J.P.]

GRANDA, Euler (1935-   ).—Poeta y médico siquiatra ecuatoriano. Pertenece a la generación del 60. Poeta testimonial de lenguaje coloquial. Su universo lírico se funda en la vida cotidiana y sus pequeñas frustraciones. De vez en cuando, el poeta alza su voz sencilla para hablar de justicia.

OBRA PRINCIPAL: *El rostro de los días* (1961); *Voz desbordada* (1963); *Etcétera etcétera* (1965); *El lado flaco* (1968); *El cuerpo y los sucesos* (1971). [P.S.]

GRANDE, Félix (1937-   ).—Poeta, narrador y ensayista español. Subdirector de la revista "Cuadernos Hispanoamericanos". Poesía caracterizada por la denuncia de una realidad mezquina y dolorosa. Sus últimos libros expresan un "intenso erotismo que el poeta vive y canta, siente y piensa". Premio Adonais 1963. Premio Guipúzcoa

1965. Premio Gabriel Miró 1966. Premio Eugenio D'Ors 1966. Premio Casa de las Américas 1967. Premio Nacional de Literatura 1978. OBRA PRINCIPAL: **Poesía.** *Biografía* (1971. Reúne: *Taranto,* 1961 / *Las piedras,* 1963 / *Música amenazada,* 1965 / *Blanco spirituals,* 1967 / *Puedo escribir los versos más tristes esta noche,* 1967-1969); *Las rubáiyátas de Horacio Martín* (1978). **Relato.** *Por ejemplo, doscientas* (1968); *Tiempos modernos* (1973); *Parábolas* (1975); *Las calles* (1981); *Lugar siniestro este mundo, caballeros* (1980). **Ensayo.** *Occidente, ficciones, yo* (1968); *Apuntes sobre poesía española contemporánea* (1970); *Mi música es para esta gente* (1975); *Memoria del flamenco* (1979, 2 vols.). [P.S.]

GRAVINA, Alfredo (1913-).–Escritor uruguayo. Narrador y periodista. Su prosa inserta en el realismo crítico, registra tonalidades dramáticas con destellos de humor. Obtuvo el Premio Casa de las Américas 1974 por su libro de cuentos *Despegues.*
OBRA PRINCIPAL: **Novela.** *Historia de una historia* (1941); *Macadán* (1948); *Fronteras al viento* (1951); *Del miedo al orgullo* (1959); *Seis pares de zapatos* (1964); *Brindis por el húngaro* (1967); *La isla* (1970). **Cuento.** *Sangre en los surcos* (1938); *Los ojos del monte* (1962); *Despegues* (1974). [P.S.]

GREIFF, León de (1895-1976).–Poeta colombiano. Perteneció al grupo de la revista "Los Nuevos", editada por Jorge Zalamea y Alberto Lleras Camargo. Junto con Rafael Maya y Germán Pardo García contribuyó a la renovación de la poesía colombiana. De padre sueco y madre alemana, trabajó como funcionario en el Banco Central, en el Ferrocarril Troncal de Occidente, en la Dirección General de Caminos, en el Consejo Administrativo de los Ferrocarriles Nacionales, en el Ministerio de Educación Nacional y en el Servicio Exterior, como diplomático. Miembro de la Academia Colombiana de la Lengua.
Se inicia en el modernismo, pero a partir de 1920 asume la vanguardia de un modo radical. Los aportes del dadaísmo, superrealismo, ultraísmo y creacionismo son asimilados y reelaborados de forma excepcional. La sincopada musicalidad de los poemas de León de Greiff le emparentan con las vanguardias musicales. La orquestación sinfónica de sus poemas, la valoración tipográfica de los blancos y los espacios, las alineaciones quebradas le acercan a Mallarmé, Apollinaire, Vicente Huidobro y a los poetas *imagists* norteamericanos.

grosso

La valoración musical de la palabra —herencia del simbolismo— y el uso nada arbitrario de arcaísmos, onomatopeyas, neologismos, cultismos, configuran su poesía que, además, tiende a "adquirir un valor visual, un relieve plástico, una arquitectura visible". De Greiff creó un universo lingüístico barroco, exultante, lúdicro, sardónico, que sólo la estulticia califica de hermético o extravagante. La obra poética de León de Greiff sólo es comparable a la del boliviano Franz Tamayo.

OBRA PRINCIPAL: **Poesía.** *Tergiversaciones* (1925); *Libro de signos* (1930); *Variaciones alrededor de nada* (1936); *Farsa de los pingüinos peripatéticos* (1942); *Poemillas de Bogislao von Greiff* (1949); *Fárrago* (1954); *Velero paradójico* (1957); *Obras completas* (1960, prólogo de Jorge Zalamea). **Prosa.** *Prosas de Gaspar. Primera suite 1915-1926* (1937); *Relatos de oficios y menesteres de Beremundo* (1955). [P.S.]

GROSSO, Alfonso (1928-   ).—Narrador y ensayista español. Profesor mercantil. Técnico en publicidad. Lector de español en la Universidad de Estocolmo. Se inició en el realismo social. A partir de su novela *Un cielo difícilmente azul*, se percibe una tendencia a la alegoría, cuya máxima expresión es *Florido mayo*. En *Los invitados,* Grosso ha intentado combinar el arte del novelista con la técnica del reportaje periodístico. Premio Sésamo 1959. Premio de la Crítica 1962. Premio Alfaguara 1973.

OBRA PRINCIPAL: **Novela.** *La zanja* (1961); *Un cielo difícilmente azul* (1961); *Testa de copo* (1963); *El capirote* (1966); *Inés just coming* (1968); *Guarnición de silla* (1972); *Florido mayo* (1973); *Los invitados* (1978); *El correo de Estambul* (1980); *Con flores a María* (1981). **Relato.** *Germinal y otros relatos* (1962); *La buena muerte* (1976). **Ensayo.** *Los días iluminados* (1964); *Por el río abajo* (1964, en col. con Armando López Salinas); *Andalucía, un mundo colonial* (1972). [P.S.]

GUARAMATO, Oscar (1916-   ).—Narrador venezolano. Peón, agricultor y vagabundo, desembocó en el periodismo. Vinculado al grupo "Fantoches", formó parte del grupo "Contrapunto". Su estilo depurado se caracteriza por su preocupación por lo social. Dotado de un sentido irónico muy particular, en su obra se percibe la presencia de Kafka.

OBRA PRINCIPAL: **Cuento.** *Biografía de un escarabajo* (1949); *Por el río de la calle. Estampas* (1953); *La niña vegetal y otros*

guerra

cuentos (1956); *Cuentos en tono menor* (1969. Compilación de sus relatos). [J.P.]

GUARDIA, Miguel (1924-   ).—Poeta, dramaturgo y ensayista mexicano. Ha escrito crónicas teatrales y crítica literaria en los suplementos de "Novedades" y "Excelsior". Su poesía aborda los temas del amor, la soledad y la justicia social, y expresa "una delicada ternura que se complace en aprehender la realidad con un penetrante sentido de lo táctil". OBRA PRINCIPAL: **Poesía.** *Ella nació en la tierra* (1951); *Tema y variaciones. 1948-1951* (1952); *El retorno y otros poemas* (1956); *Palabra de amor* (1965). **Teatro.** *¡Ay, Dios mío* (1949); *El niño de jabón* (1958). **Ensayo.** *El teatro en México* (1965). [P.S.]

GUARNIERI, Gianfrancesco (1934-   ).—Nació en Italia y se naturalizó brasileño. Dramaturgo y director de teatro. Sigue la línea del teatro de Brecht. Aborda problemas sociales provenientes del proceso de industrialización del país. Es considerado el inaugurador de la dramaturgia social urbana. En varias ocasiones trabajó en compañía de Augusto Boal. Fue uno de los fundadores del Teatro de Arena de São Paulo, centro de gran importancia para la dramaturgia nacional. OBRA PRINCIPAL: *Eles Nao Usam Black-tie* (1958); *A Semente* (1961); *O Filho do Cão* (1964); *Arena Conta Zumbi* (1965, con Augusto Boal). [M.L.M.]

GUDIÑO KIEFFER, Eduardo (1935-   ).—Narrador y ensayista argentino. Su obra sintetiza técnicas de vanguardia con experimentos del lenguaje. Tono humorístico e irónico. La realidad cotidiana es vista a través de un prisma burlón, desenfadado. OBRA PRINCIPAL: **Narrativa:** *Para comerte mejor* (1969); *Fabulario* (1969); *Guía de pecadores* (1972); *Medias negras, peluca rubia* (1978). **Ensayo:** *Carta al Buenos Aires violento* (1971) [H.S.]

GUERRA, José Eduardo (1893-1943).—Escritor boliviano. Poeta, narrador, ensayista y diplomático. Esencialmente poeta, su lírica de filiación ontológica, sostenida por lecturas filosóficas y psicoanalíticas, se caracteriza por su lenguaje concentrado. La muerte y la noción del ser preocupan a este poeta cuya efusión sentimental estuvo, siempre, regida por su vocación intelectual. Prosista impecable, escribió un libro de ensayos titulado *Itinerario espiritual de Bolivia*. Residió en España. Su novela *El alto de las ánimas* es un hito en las letras bolivianas, porque inaugura la corriente introspectiva. OBRA PRINCIPAL: **Poesía.** *Del fondo del silencio* (1915); *Estancias* (1924). **Novela.** *El alto de las ánimas* (1919). **Ensayo.** *Itinerario espiritual de Bolivia* (1936). **Antología.** *Poetas contemporáneos de Bolivia* (1919). [P.S.]

GUERRA GARRIDO, Raúl (1935-   ).—Seudónimo de Raúl Fernández Garrido. Novelista español. Doctor en Farmacia. Premio Ciudad de Oviedo 1972. Premio Eulalio Ferrer 1976. Premio Nadal 1976. Ha escrito novelas de tipo experimental con gran despliegue de recursos estilísticos, pero sus novelas más importantes son de tendencia testimonial. La política, el problema vasco y el terrorismo son temas abordados por este narrador.

OBRA PRINCIPAL: *Ni héroe ni nada* (1969); *Cacereño* (1969); *¡Ay!* (1972); *La fuga de un cerebro* (1973); *Hipótesis* (1975); *Pluma de pavo real, tambor de piel de perro* (1977); *Lectura insólita de "El Capital"* (1976); *Copenhague no existe* (1979); *La costumbre de morir* (1981). [P.S.]

GUERRA TRIGUEROS, Alberto (1898-1950).—Poeta salvadoreño. Nació en Rivas, Nicaragua. Su padre era nicaragüense, su madre salvadoreña. Se educó en Europa. Hombre de sólida cultura, animador de peñas literarias, hizo periodismo literario, dirigió periódicos y revistas. Toda su actividad cultural e intelectual la hizo en San Salvador, ciudad donde murió.

OBRA PRINCIPAL: *Silencio* (1920); *El surtidor de estrellas* (1929); *Minuto de silencio* (1951); *Poema póstumo* (1961). [C.T.]

GUEVARA, Pablo (1930-   ).—Poeta peruano. Realizó estudios de literatura en el Perú. Estudió dirección cinematográfica en Madrid (1955). Poesía de agudeza crítica respecto al lenguaje, la sociedad y la historia. *Hotel del Cuzco y otras provincias del Perú* hunde sus raíces en el Perú profundo y es, justamente, su obra más celebrada.

OBRA PRINCIPAL: **Poesía.** *Retorno a la creatura* (1957); *Los habitantes* (1965); *Crónica contra los bribones* (1967); *Hotel del Cuzco y otras provincias del Perú* (1972). [P.S.]

GUIDO, Beatriz (1925-   ).—Narradora argentina. Su primera novela, *La casa del ángel,* de 1954, prefiguró toda su obra. En ella se pueden encontrar problemas de adolescencia, una crítica a la burguesía decadente, en especial en el manejo hipócrita de las convenciones, y una búsqueda de ahondamiento de los problemas psicológicos de los personajes. Su matrimonio con el director cinematográfico Leopoldo Torre Nilsson motivó su incursión en el cine, así como su frecuente colaboración en la elaboración de guiones. El aspecto político de su narrativa se acentúa en *Fin de fiesta*, de 1958, y se advierte también en *El incendio y las vísperas* (1964).

OBRA PRINCIPAL: *La casa del ángel* (1954); *La caída* (1956); *Fin de fiesta* (1958); *La mano en la trampa* (1961); *El incendio y las vísperas* (1964); *Escándalos y soledades* (1967); *La invitación* (1979). [H.S.]

GUILLÉN, Alberto (1899-1936).—Escritor y diplomático peruano. Admirador de Alberto Hidalgo, Rodó, Unamuno y Nietzsche, dio rienda suelta a su imaginación, propensa siempre al escándalo y a la extravagancia. Rebelde,ególatra, iconoclasta, Guillén escribió *La linterna de Diógenes,* libro en el que "hace hablar a unos escritores en contra de otros y deja escapar sus dardos envenenados contra la mayoría". Como diplomático residió en España y Chile.

OBRA PRINCIPAL: **Poesía.** *Prometeo* (1918); *Deucalión* (1921); *El libro de las parábolas* (1921); *Laureles* (1925); *Leyenda patria* (1933); *Cancionero* (1934). **Prosa.** *La linterna de Diógenes* (1922); *Nuestro Señor Yo* (1935). [P.S.]

GUILLÉN, Jorge (1893-   ).—Poeta y ensayista español. Pertenece a la generación del 27. Premio Miguel de Cervantes 1976. Licenciado en Filosofía y Letras. Lector de español en la Sorbona (1917-1923). Profesor en universidades españolas, francesas, inglesas y norteamericanas. En 1938 emigró con su familia y se estableció en Norteamérica.

Espíritu afín a Paul Valèry, Guillén está, sin embargo, más cerca de Garcilaso, San Juan de la Cruz, Antonio Machado y J. R. Jiménez. En la poesía de Guillén hay visión y temblor, no intelección de la realidad. La poesía —para Guillén— "es una manera de ser, una manera de vivir"; nunca una forma de pensar.

Influenciado, quizás inconscientemente, por el Machado de las *Poesías completas* y por el Jiménez de las *Antologías poéticas,* concibe su obra como un conjunto unitario, como un organismo vivo en desarrollo. Poeta de un único tema, todo le viene del anhelo de luz y de aire. En Guillén todo es apolíneo, luminoso. Todo está dicho sin estridencias, inclusive cuando el poeta sale a la calle y habla de temas

guillén

humanos y políticos, de personas y cosas, con deliberado prosaísmo. Su obra —inicialmente de gran concentración lírica— amplifica su voz y le da una dimensión inusitada: es la alegría del pensamiento, el entusiasmo de la razón, el triunfo de la palabra, la feliz presencia del Ser.

Como ensayista, es autor de una extraordinaria interpretación del poema *Llanto por Ignacio Sánchez Mejías,* de García Lorca. Ha traducido *Le cimetière marin,* de Valèry, y varios poemas de Supervielle, Claudel, Cassou, Montale y Wallace Stevens.

OBRA PRINCIPAL: **Aire nuestro I** (1977. *Cántico. Fe de vida* [1950]); **Aire nuestro II** (1977. *Clamor. Tiempo de historia.* Compuesto por la trilogía: *Maremágnum,* [1957] / ...*Que van a dar en la mar,* [1960] / *A la altura de las circunstancias,* [1963]); **Aire nuestro III** (1977. *Homenaje. Reunión de vidas,* [1967]); **Aire nuestro IV** (1980. *Y otros poemas); Historia muy natural* (1980); *El poeta ante su obra* (1980); *Final* (1981). **Ensayo.** *Lenguaje y poesía* (1961). [P.S.]

GUILLÉN, Nicolás (1902-   ).—Poeta cubano. Residió en México y en España, durante su primer exilio. Director de la revista "Mediodía". De nuevo desterrado, recorre Sudamérica. Al caer Batista regresa a Cuba. Presidente de la Unión Nacional de Escritores y Artistas (UNEAC). Se le ha considerado como el más destacado representante de la "poesía negra" que él prefiere calificar de "mulata". Su poesía es una inteligente utilización del romance octosilábico. Guillén adapta esta forma tradicional y le imprime un carácter social con la incorporación de elementos afrocubanos (el lenguaje, la expresión, el ritmo) y elementos folclóricos ligados a la cultura popular. De esta manera ha recreado la tradición oral en la poesía culta. Su principal aportación técnica —dice José Olivio Jiménez— es el poema-son, inspirado en la música popular cubana.

La obra poética de Guillén ha sido utilizada por varios compositores de música, entre ellos, los cubanos Amadeo Roldán y Alejandro García Caturla, así como el mexicano Silvestre Revueltas a quien inspiró su famosa obra sinfónica *Sensemayá.* Otros poemas suyos —*Canción de cuna para despertar a un negrito, Soldadito boliviano, La muralla*— han sido musicalizados y convertidos en canciones populares.

OBRA PRINCIPAL: **Poesía.** *Motivos de son* (1930); *Sóngoro cosongo* (1931); *West Indies Ltd.* (1934); *España. Poema en cuatro angustias y una esperanza* (1937); *Cantos para soldados y sones para turistas* (1937); *El son entero* (1947); *La paloma de vuelo popular.*

gutiérrez

Elegías (1958); *¿Puedes?* (1959); *Poemas de amor* (1964); *Tengo* (1964); *Antología mayor* (1964); *El gran zoo* (1968); *El Diario que a diario* (1972); *Poesías completas* (1973). **Crónica.** *Claudio José Domingo Brindis de Salas, el rey de las octavas* (1935); *Estampas de Dino Don* (1944); *Prosa de prisa* (1962). [J.P.]

GULLAR, Ferreira (1930-   ).—Poeta, ensayista y dramaturgo brasileño. Se asocia al movimiento *Concretista*, a partir de su poema *A Luta Corporal* (1954). En 1962, encabeza el grupo disidente que se oponía a los experimentos formales de la palabra. Se sitúa en la corriente del compromiso social, y la base de sus poemas pasa a ser el concepto y no la palabra.

OBRA PRINCIPAL: *João Boa-Morte, Cabra Marcado pra Morrer* (1962); *Queem Matou Aparecida* (1962); *A Luta Corporal* (1954); *A Luta Corporal* (ampliada en 1962); *Um Pouco Acima do Chão, Poemas* (1958); *Teoria do Não-Objeto* (1959); *Na Vertigem do Dia* (1980); *Toda Poesia: 1950-1980* (1980). [M.L.M.]

GULLÓN, Ricardo (1908-   ).—Ensayista, narrador, biógrafo, crítico literario y crítico de arte español vinculado a la generación del 36. Profundo conocedor de la obra juanramoniana. Seguidor de las ideas estéticas de Juan Ramón, pone en entredicho la existencia de la generación del 98. Sus estudios críticos sobre Jorge Guillén, Antonio Machado y Galdós abren nuevas perspectivas para una relectura de estos autores.

OBRA PRINCIPAL: **Narración.** *Fin de semana* (1935); *El destello* (1950). **Biografía.** *Vida de Pereda* (1943); *Cisne sin lago. Biografía de Gil y Carrasco* (1951). **Ensayo.** *La poesía de Jorge Guillén* (1949, en col. con Blecua); *Galdós, novelista moderno* (1957); *Las secretas galerías de Antonio Machado* (1958); *Conversaciones con Juan Ramón* (1958); *Estudios sobre Juan Ramón Jiménez* (1960); *Relaciones entre Antonio Machado y Juan Ramón Jiménez* (1964); *Pitagorismo y modernismo* (1967); *El último Juan Ramón* (1968); *La invención del 98 y otros ensayos* (1969); *Direcciones del modernismo* (1971); *El modernismo visto por los modernistas* (1980). **Crítica de arte.** *De Goya al arte abstracto* (1952); *La pintura de Eduardo Vicente* (1956). [P.S.]

GUTIÉRREZ, Ernesto (1929-   ).—Poeta nicaragüense de la Generación del 50. Ingeniero especializado en hidrología. Director de la Editorial Universitaria de la Universidad Nacional Autónoma de

207

gutiérrez

Nicaragua. Profesor de Historia del Arte y de Literatura Hispanoamericana en la Facultad de Ciencias y Letras. Premios Nacionales de Poesía y Ensayo. Finalista del Premio Leopoldo Panero 1971. Miembro de la Academia Nicaragüense de la Lengua. OBRA PRINCIPAL: **Poesía.** *Yo conocí algo hace tiempo* (1953); *Años bajo el sol* (1963); *Terrestre y celeste* (1969); *Poemas políticos* (1970); *Temas de la Hélade* (1972). **Antología.** *Poesía nicaragüense postdariana* (1967). **Ensayo.** *El tema del cisne en Rubén Darío* (1967). [C.T.]

GUTIÉRREZ, Joaquín (1918-   ).—Poeta y novelista costarricense. Desde su juventud reside en Chile, en donde se ha incorporado a actividades culturales y literarias que le han valido varios premios. Premio Rapa Nui 1947, de novela infantil. Fue director de la editorial chilena Quimantú. OBRA PRINCIPAL: **Poesía.** *Poesía* (1937); *Jicaral* (1938). **Novela.** *Manglar* (1947); *Cocorí* (1948); *Puerto Limón* (1950); *La hoja de aire* (1968); *Te conozco, mascarita* (1973); *Murámonos, Federico* (1973). **Crónica.** *Del Mapocho al Vístula* (1951); *La URSS tal cual* (1967). **Antología.** *Antología de poetas americanos* (1961). [C.T.]

GUTIÉRREZ, Moisés (1901-1965).—Véase **Valle, Rosamel del.**

GUTIÉRREZ VEGA, Hugo (1934-   ).—Escritor mexicano. Poeta, ensayista, actor de teatro, profesor universitario, diplomático. Director de la Casa del Lago y de Difusión Cultural de la UNAM. Premio Nacional de Poesía 1976. Su poesía de corte neorromántico es un compendio de sus lecturas de poetas ingleses, norteamericanos e italianos. Hay en ella una síntesis de realidad y ensueño, experiencias y lecturas, sentimiento y pasión. OBRA: **Poesía.** *Buscado amor* (1965); *Desde Inglaterra* (1971); *Samarcanda y otros poemas* (1972); *Resistencia de particulares* (1973); *Cuando el placer termine* (1977); *Cantos de Plasencia* (1978); *Poemas para el perro de la carnicería* (1979); *Tarot de Valverde de la Vera* (1980). **Ensayo.** *Efectos de la comunicación de masas* (1974); *Ciencias de la comunicación* (1977); *Información y sociedad* (1979). [C.T.]

guzmán

GUZMÁN, Augusto (1903-   ).—Novelista, cuentista, crítico e
historiador boliviano. Pertenece a la generación del Chaco. Su vasta
obra constituye uno de los aportes más valiosos a la cultura
boliviana. Su prosa se inscribe ęn la corriente naturalista. En sus
estudios biográficos, Guzmán intenta realizar una conjunción eclécti-
ca de su método de análisis introspectivo con la visión estructural de
las relaciones políticas, sociales y económicas de la época. Su novela
más célebre: *Prisionero de guerra*. Es, además, autor del volumen
Bolivia, de la serie *Diccionario de la Literatura Latinoamericana*,
editada por la Unión Panamericana, en 1958.

Profesor de literatura, derecho minero e historia del arte en las
Universidades de La Paz y Cochabamba. Miembro de la Academia
Boliviana de la Lengua y de la Academia Boliviana de la Historia.
Premio Nacional de Literatura 1961.

OBRA PRINCIPAL: **Novela**. *La sima fecunda* (1933); *Prisionero
de guerra. La novela de un soldado del Chaco* (1938); *Sima fecunda.
Novela regional de Machuyunga cocalero* (1939); *Bellacos y pala-
dines* (1964). **Cuento**. *Cuentos de Pueblo Chico. Nueve relatos de la
vida provinciana* (1954); *Pequeño mundo* (1960); *Cuentos* (1975).
Prosa. *El Cristo viviente* (1946); *En la ruta del indiano. Relato de un
viaje a Europa* (1957). **Estudios**. *Historia de la novela boliviana*
(1938); *Gesta valluna. Siete siglos de la historia de Cochabamba*
(1953); *La novela en Bolivia. Proceso 1947-1954* (1955); *Historia
social del arte* (1957); *Breve historia de Bolivia* (1969); *Cochabamba*
(1972); *Panorama de la novela en Bolivia* (1973); *Poetas y escritores
de Bolivia* (1975). **Biografía**. *Túpaj Katari* (1943); *Baptista. Biografía de un orador político* (1949); *El kolla mitrado. Biografía de un
obispo colonial: Fray Bernardino de Cárdenas* (1952); *Adela
Zamudio* (1955). [P.S.]

H

HABICH, Edgardo de (1930-   ).—Narrador, dramaturgo y diplomático peruano. Pertenece a la generación del 50. Dominio del lenguaje, elevada tonalidad lírica, temática erótica, caracterizan su obra. De Habich describe los vicios y defectos de la oligarquía peruana.
OBRA PRINCIPAL: Narración. *Lima al rojo* (1964); *El monstruo sagrado* (1964). Teatro. *Antes de partir* (1953); *Sombras y máscaras* (1950); *Los colmillos del cerebro* (1952); *La señora* (1958); *Eróstrato* (1961); *Menos grande que la luna* (1963). [P.S.]

HALCÓN, Manuel (1903-   ).—Narrador, dramaturgo y biógrafo español. Prosa de estilo directo, rehúye la prolijidad descriptiva. Su obra ha sabido captar la psique femenina y expresa los problemas del campo andaluz y los comportamientos de la clase señorial andaluza. Varias novelas suyas han sido llevadas al cine, a la radio y a la televisión.
Premio Ateneo de Sevilla 1922. Premio Mariano de Cavia 1939. Premio Miguel de Cervantes 1961. Miembro de la Real Academia Española.
OBRA PRINCIPAL: Novela. *El hombre que espera* (1922); *Aventuras de Juan Lucas* (1944); *La gran borrachera* (1953); *Los Dueñas* (1956); *Monólogo de una mujer fría* (1960); *Desnudo pudor* (1964); *Ir a más* (1967); *Manuela* (1970); Cuento. *Fin de raza* (1927); *Cuentos* (1948); *Cuentos del buen ánimo* (1979). Biografía. *Recuerdos de Fernando Villalón* (1941). Teatro. *La vuelta al barrio de Salamanca.* [P.S.]

HATHERLY, Ana (1929-   ).—Poeta portuguesa. Estudió música en Portugal, Francia y Alemania. Desarrolló una intensa actividad en el campo de las artes visuales ligadas a la Poesía Experimental. Ha

heiremans

hecho crítica musical y se dedica al estudio del cine. Colaboradora de numerosas publicaciones.
OBRA PRINCIPAL: **Poesía.** *Ritmo perdido* (1958); *As Aparrências* (1959); *A Dama e o Cavalheiro* (1960); *Sigma* (1965); *Estructuras Poética-Operação 2* (1967); *Eros Frenético* (1968); *39 Tisanas* (1969); *Anagramático* (1963); *63 Tisanas* (1973); *O Escritor* (1975). **Ficción.** *O Mestre,* novela (1963). [M.V.]

HEIREMANS, Luis Alberto (1928-1954).—Dramaturgo, actor, narrador y médico chileno. Renunció al ejercicio de la medicina para dedicarse a su vocación literaria. Estudió teatro en París, Londres y New York. Escribió catorce piezas originales y realizó traducciones de autores europeos. Su teatro simbolista se ajusta a la ideología católica de Heiremans, quien pone de manifiesto la acción de lo sobrenatural en la experiencia cotidiana de sus personajes.
OBRA PRINCIPAL: **Teatro.** *Noche de equinoccio* (1951); *La hora robada* (1952); *Moscas sobre el mármol* (1958); *Versos de ciego* (1961); *El abanderado* (1962); *El tony chico* (1964). **Novela.** *Puerta de salida* (1964). **Relato.** *Los niños extraños* (1950); *Los demás* (1952); *La jaula en el árbol. Cuentos para teatro* (1957); *Seres de un día* (1965); *Los mejores cuentos* (1966). [P.S.]

HELDER, Herberto (1930-   ).—Poeta portugués. Asistió a la Facultad de Letras de Lisboa y trabajó como bibliotecario, periodista, realizador de programas de radio, etc. Sus colaboraciones están dispersas en numerosas publicaciones: "Graal", "Cuadernos do Meio Dia". "Pirâmide", "Exodo", etc. Procede como poeta de la corriente neorrealista habiendo obtenido gran popularidad estos últimos años, sobre todo entre los más jóvenes.
OBRA PRINCIPAL: **Poesía.** *O Amor em Visita* (1958); *A Colher na Boca* (1961); *Lugar* (1962); *Electronicolírica* (1964); *Húmus* (1967); *Retrato em Movimento* (1967); *Ofício Errante* (1967); *Ofício Cantante* (1967); *Vocação Animal* (1971); *Cobra* (1977); *O Corpo, O Luxo, Obra* (1978). **Ficción.** *Os Passos em Volta,* cuentos (1963). [M.V.]

HENESTROSA, Andrés (1906-   ).—Narrador, crítico literario y ensayista mexicano. Miembro de la Academia Mexicana de la Lengua. Beca Guggenheim 1936-1938. Director de las revistas "El Libro y el Pueblo" y "Letras Patrias". Enseñó literatura mexicana e hispanoamericana en la Escuela Normal Superior. Fue jefe del

hernández

Departamento de Literatura del Instituto Nacional de Bellas Artes (1952-1958), diputado al Congreso, jefe de prensa del Senado de la República, etc.

Importante autor indigenista. En su libro más célebre, *Los hombres que dispersó la danza*, "aporta una teoría sobre el posible sentido de las teogonías de los indios de Oaxaca. También son conocidos sus estudios sobre Benito Juárez y Manuel González Prada.

OBRA PRINCIPAL: **Relatos.** *Los hombres que dispersó la danza* (1929); *Retrato de mi madre* (1940). **Ensayo.** *Los hispanismos en el idioma zapoteco* (1965. Discurso de ingreso en la Academia). [C.T.]

HERNÁNDEZ, Efrén (1904-1958).—Poeta, narrador, dramaturgo y ensayista mexicano. Cuentista por excelencia, supo combinar misterio y humorismo, profundidad y fantasía. Abrió nuevas posibilidades a la novela de ficción pura.

La raíz de su poesía es clásica. Sus *Obras completas* se publicaron en 1965 con prólogo de Alí Chumacero.

OBRA PRINCIPAL: **Poesía.** *Horas de horas* (1936); *Entre apagados muros* (1943). **Cuento.** *Tachas* (1928); *El señor de palo* (1932); **Cuentos** (1941); *Cerrazón sobre Nicómaco. Ficción harto doliente* (1946); *La paloma, el sótano y la torre* (1949). **Teatro.** *Dichas y desdichas de Nicocles Méndez* (1951). [P. S.]

HERNÁNDEZ, Felisberto (1902-1964).—Narrador uruguayo. Introdujo una nueva dimensión en la literatura fantástica hispanoamericana, perceptible, por ejemplo, en la obra de Julio Cortázar. Sus cuentos se estructuran a través de dos fuerzas principales: la captación del misterio de los seres y objetos en su realidad cotidiana y la memoria afectiva que recobra lo trascendente del pasado. En textos más bien breves y escritos con cierto descuido formal, quedan patentes las extrañas relaciones que existen en lo común y espontáneo del mundo sensible. Sus dotes musicales y el extraño oficio de su juventud (acompañante al piano de películas mudas) aparecen entre los temas de sus cuentos, junto con la niñez, los problemas del escritor, etc. Hasta su muerte su obra pasó inadvertida, a pesar del fervor de algunos grupos de fieles admiradores suyos. Hoy en día la valoración de su obra es creciente.

OBRA PRINCIPAL: *Fulano de tal* (1925); *Libro sin tapas* (1929); *La cara de Ana* (1930); *La envenenada* (1931); *Por los tiempos de Clemente Coling* (1942); *El caballo perdido* (1943);

213

hernández

Nadie encendía las lámparas (1947); *Las hortensias* (1949); *La casa inundada* (1962); *Tierras de la memoria* (1965); *Diario del sinvergüenza y últimas invenciones* (1974). [H.C.]

HERNÁNDEZ, Luisa Josefina (1928-   ).—Autora teatral y novelista mexicana. Licenciada en Letras por la Universidad Nacional Autónoma de México. Beca Rockefeller. Realiza estudios teatrales en Europa y los Estados Unidos. Profesora de arte dramático en la UNAM y en el INBA (Instituto Nacional de Bellas Artes). Su vasta obra dramática supera los veinte títulos. Talento reflexivo, en *Los huéspedes reales* alcanza la belleza, la esencialidad y la desnudez de la tragedia clásica.

OBRA PRINCIPAL: **Teatro.** *Aguardiente de caña* (1951); *Botica modelo* (1954); *Los frutos caídos* (1957); *Los huéspedes reales* (1958); *Arpas blancas... conejos dorados* (1959); *Historia de un anillo* (1961); *La calle de la gran ocasión* (1962); *La noche exquisita* (1965). **Novela.** *El lugar donde crece la hierba* (1959); *La plaza de Puerto Santo* (1961); *Los palacios desiertos* (1963); *La cólera secreta* (1964); *El valle que elegimos* (1965); *La memoria de Amadís* (1967); *Nostalgia de Troya* (1970); *Los trovadores* (1973). [C.T.]

HERNÁNDEZ, Miguel (1910-1942).—Poeta y dramaturgo español. Pertenece a la generación del 36. Hijo de un contratante de ganado (cosa muy distinta a ser pastor de cabras), a los quince años ya había leído a Cervantes, Rubén Darío y Gabriel Miró. Su obra se divide en dos etapas: una, barroca y católica, y otra, superrealista y socialista. Al estallar la guerra civil, Hernández se enrola en las filas republicanas; se incorpora al 5º Regimiento, como voluntario, y pelea en las primeras líneas.

Abandonada su ideología conservadora, Hernández cree en la voluntad transformadora del hombre y considera que la poesía es un instrumento de lucha social. Sustentada por una visión primitiva, su poesía se caracteriza por un lenguaje metafórico ligado a sus recuerdos provincianos: limones, toros, palomas, barro, amapolas, nardos, jazmín, gavilán, sapos, juncos, racimos, etc. El toro se convierte en el símbolo de su poesía, una poesía erótica que canta la soledad y el amor trágico, el amor en toda su espléndida y contundente realidad: como relación de cuerpos que se funden en el deseo carnal.

Prisionero en la posguerra, Hernández muere en la cárcel, vencido por los hombres y aniquilado por la tuberculosis.

214

hernández franco

OBRA PRINCIPAL: **Poesía.** *Perito en lunas* (1933); *El rayo que no cesa* (1936); *Viento del pueblo* (1937); *Cancionero y romancero de ausencias* (1958); *Obras completas* (1960); *Seis poemas inéditos y nueve más* (1951). **Teatro.** *Quien te ha visto y quien te ve y sombra de lo que eras* (1934); *El labrador de más aire* (1937); *Los hijos de la piedra* (1959). [P.S.]

HERNÁNDEZ AQUINO. Luis (1907-   ).–Poeta puertorriqueño. Cofundador del movimiento poético denominado "atalayismo" y del movimiento integralista de afirmación puertorriqueña reunido en torno de la revista "Insula", de San Juan de Puerto Rico. Se licenció en Letras en la Universidad de Puerto Rico y se doctoró en la Universidad Complutense de Madrid. Miembro de la Academia Puertorriqueña de la Lengua.
OBRA PRINCIPAL: **Poesía.** *Niebla lírica* (1931); *Agua de remanso* (1933); *Poemas de la vida breve* (1939); *Isla para la angustia* (1943); *Voz en el tiempo. Antología poética 1925-1952* (1952); *Del tiempo cótidiano* (1961). [J.P.]

HERNÁNDEZ ARREGUI, Juan José (1914-1974).–Ensayista argentino. Comenzó su obra con trabajos puramente filosóficos, para evolucionar, a partir de *Imperialismo y cultura* (donde intentó analizar las constantes extranjerizantes de la literatura argentina) hacia ensayos de tipo socio-político que denotan una fuerte influencia del marxismo mezclado con las tesis del nacionalismo popular latinoamericano.
OBRA PRINCIPAL: *Imperialismo y cultura* (1957); *La formación de la conciencia nacional* (1960); *¿Qué es el ser nacional?* (1962); *Nacionalismo y liberación* (1970). [H.S.]

HERNÁNDEZ FRANCO, Tomás (1904-1952).–Poeta y narrador dominicano. Imaginación prodigiosa, lenguaje depurado, metáforas insólitas. Su libro *Yelidá* –poema de tipo expresionista entre narrativo y alegórico– constituye junto con *Compadre Mon*, de Manuel del Cabral, y *Muerte en el Edén*, de Incháustegui Cabral, uno de los tres poemas de intencionalidad épica escritos en República Dominicana.
OBRA: **Poesía.** *Rezos bohemios* (1921); *De amor, inquietud, cansancio* (1923); *Canciones del litoral alegre* (1936); *Yelidá* (1942). **Cuento.** *Cibao*. [P.S.]

215

hernández rueda

HERNÁNDEZ RUEDA, Lupo (1931-   ).—Poeta dominicano perteneciente a la Generación del 48, llamada también Generación Integradora. Su obra toca diversos temas: el amor, la muerte, lo social y lo religioso. Ha publicado el poemario *Trío* (1957), en colaboración con Máximo Avilés Blonda y Rafael Valera Benítez. Premio Nacional de Poesía Gastón F. Deligne 1960 y 1963.

OBRA: *Como naciendo aún* (1953); *Santo Domingo vertical* (1962); *Muerte y memoria* (1963); *Crónica del sur* (1964); *Dentro de mí Conmigo* (1967); *El tiempo que espero* (1972); *Por ahora* (1975). [P.S.]

HERRERA, Flavio (1895-1968).—Poeta guatemalteco. Novelista, cuentista, ensayista. Ejerció su profesión de abogado y notario. Escribió una obra de Derecho Romano, asignatura de la que fue catedrático.

OBRA: **Poesía.** *El ala de la montaña* (1921); *Trópico* (1931); *Sinfonía del trópico* (1932); *Bulbuxyá* (1933); *Cosmos indio* (1938); *Palo verde* (1946); *Oros de otoño* (1962); *Rescate* (1963); *Patio y nube* (1964); *Solera* (1962). **Novela.** El tigre *(1934); La tempestad* (1935); *Siete pájaros del iris* (1936); *Mujeres* (1936); *Poniente de sirenas* (1937); *20 fábulas en flux* (1946); *Caos* (1949). **Cuento.** *La lente opaca. El Hilo del sol* (1921); *Cenizas* (1923); *Siete mujeres y un niño.* **Ensayo.** *Hacia el milagro hispanoamericano* (1934). [C.T.]

HERRERA LUQUE, Francisco (1928-   ).—Narrador venezolano. Médico siquiatra. Sobre el marco histórico, proyecta el retrato de la oligarquía venezolana en diferentes épocas, pero siempre debatiéndose en la vorágine de insatisfacción, violencia y sensualidad.

OBRA PRINCIPAL: **Novela.** *Boves el Urogallo* (1972); *En casa del pez que escupe el agua* (1975); *Los amos del valle* (1979, 2 vols). **Estudios.** *Los viajeros de Indias* (1961); *Las personalidades psicopáticas* (1968); *La huella perenne* (1969). [P.S.]

HERRERA SEVILLANO, Demetrio (1902-1950).—Poeta panameño. Autodidacto. Iniciado en el modernismo, derivó hacia el ultraísmo y la expresión popular. Trabajó de encuadernador. Vivió pobremente y se consumió en una bohemia que le condujo a la dipsomanía. "Su obra —dice Ismael García— es el testimonio de un cantor popular, el mensaje de uno que vio todo a través de su dolor". Su poesía pudiera definirse como el canto de los marginados.

hidalgo

OBRA: *Mis primeros trinos* (1924); *Mensaje en verso* (1934); *Kodak* (1937); *La fiesta de San Cristóbal* (1937); *Los poemas del pueblo* (1938); *Antología poética* (1945); *La canción del esclavo* (1947); *Ventana* (1950). [J.P.]

HIDALGO, Alberto (1897-1967).—Poeta y prosista peruano. Encarnó la vanguardia estridentista en el Perú. Conjugó en su obra el futurismo de Marinetti, el nihilismo de Nietzsche y un cierto anarquismo con etiqueta socialista. Residió en Buenos Aires desde 1920. Desde la capital argentina lanzó el manifiesto de un movimiento que él denominó "Simplismo", en el cual abogaba por la aplicación continua de la metáfora. "La poesía es necesaria, pero es inútil", decía.

La obra poética de Hidalgo es precursora de la nueva poesía hispanoamericana en todos los sentidos. Sin Hidalgo, por ejemplo, no es posible entender el fenómeno César Vallejo: la reactivación de la vertiente romántica en la poesía, el lenguaje coloquial, la referencia a las cosas domésticas, la alusión política y, sobre todo, la exaltación del yo a través de una imaginería próxima a la experiencia superrealista, entonces inédita en Hispanoamérica.

Como prosista, Hidalgo es un maestro. Su *Diario de mi sentimiento* es un libro apasionado y fuera de lo común, tanto por las ideas que en él se expresan como por las calidades que adquiere el idioma español. En su delirio de grandeza, Alberto Hidalgo embate contra todo y España también es blanco de sus iras desatadas.

Sus libros más conocidos: *Diario de mi sentimiento, Carta al Perú, Dimensión del hombre* y *Persona adentro.* Su obra supera los treinta títulos.

OBRA PRINCIPAL: **Poesía.** *Arenga lírica al Emperador de Alemania* (1916); *Panoplia lírica* (1917); *Las voces de colores* (1918); *Descripción del cielo* (1928); *El ahogado en el tiempo (Superpoema)* (1941); *Oda a Stalin* (1945); *Poesía de cámara* (1948); *Anivegral* (1952); *Carta al Perú* (1953); *Espaciotiempo* (1956); *Odas en contra* (1958); *Patria completa* (1960); *Poesía inexpugnable* (1962); *Persona adentro* (1965); *Volcándida* (1967); *Antología personal* (1967); *Fuego por todas partes* (1968). **Prosa.** *España no existe* (1921); *Diario de mi sentimiento* (1937); *Dimensión del hombre* (1938); *Aquí está el Anticristo* (1957); *Biografía de Yomismo* (1959); *Historia peruana verdadera* (1961); *Su Excelencia el Buey* (1965). [P.S.]

hierro

HIERRO, José (1922-   ).—Poeta, pintor y crítico de arte español. Fundó con José Luis Hidalgo, las revistas "Corcel", de Valencia, y "Proel", de Santander, una de las más importantes publicaciones poéticas de posguerra. Poeta testimonial (reportajes) y barroco (alucinaciones), enraizado en la mejor tradición lírica española, José Hierro evoluciona —a partir de su tercer libro— hacia una expresión épica caracterizada por una manera narrativa (no exenta de color y musicalidad) y un lenguaje sencillo, coloquial, desnudo de artificio retórico.
Premio Adonais 1974. Premio Nacional de Literatura 1953. Premio de la Crítica 1957. Premio Príncipe de Asturias 1981.

OBRA PRINCIPAL: *Tierra sin nosotros* (1946); *Alegría* (1947); *Con las piedras, con el viento* (1950); *Quinta del 42* (1953); *Estatuas yacentes* (1954); *Cuanto sé de mí* (1958); *Libro de las alucinaciones* (1964). **Recopilación.** *Poesías completas. 1944-1962* (1962); *Cuanto sé de mí* (1974). [P.S.]

HINOJOSA-SMITH, Rolando R. (1929-   ).—Narrador chicano, nacido en Mercedes, Texas (USA). Algunas veces ha usado el seudónimo P. Galindo. Pertenece al grupo "El Movimiento", promoción de escritores surgidos alrededor de 1960.
La obra de Hinojosa —escrita en español— se sitúa al margen del compromiso social que, en mayor o menor medida, es común a toda la literatura chicana actual. En sus cuentos retrata a la sociedad mexicano-americana de los pequeños pueblos de Texas, con estilo directo, humorístico e irónico.
Profesor de español en la Universidad de Kingsville, Texas, ha publicado ensayos sobre la obra de Benito Pérez Galdós. Premio Casa de las Américas 1976.

OBRA PRINCIPAL: **Cuento.** *Estampas del valle y otras obras* (1974); *Brechas nuevas y viejas* (1975); *Klail City y sus alrededores* (1976); *Generaciones y semblanzas* (1977). [P.S.]

HOLANDA, Sergio Buarque de (1902-   ).—Crítico literario, historiador y ensayista brasileño. Figura destacada del Movimiento Modernista de 1922. Junto con Prudente de Moraes Neto funda la revista *"Estética"* que tuvo gran influencia en la renovación de los estilos literarios y artísticos en Brasil. Colaboró en varias revistas y periódicos importantes de la época. Formó parte del grupo de historiadores y sociólogos, que revelaron una nueva manera de enfrentar la realidad y una nueva actitud brasileña en las artes, letras, en la vida y la cultura. En 1936 publica su primer libro, *Raízes do Brasil,* que es considerado un clásico del pensamiento brasileño. Libro que aglutinó a una generación de intelectuales unidos por su sentido vanguardista de la sociedad y de la etnología.

OBRA PRINCIPAL: *Raízes do Brasil* (1933); *Cobra de Vidro* (1944); *Monchões* (1945); *A expansão Paulista do Século XVI e Começo do Século XVII* (1948); *Indios e Mamelucos na Expansão Paulista* (1949); *Antología de Poetas Brasileiros da Fase Colonial* (1952); *Le Brésil dans la Vie Américaine* (1955); *Caminhos e Fronteiras* (1957); *Visão do Paraiso-Os Motivos Edênicos no Descobrimento e Colonização do Brasil* (1958); *Historia Geral da Civilização Brasileira* (dirección) (7 vols. 1960-1972); *Brasil-Império* (1963); *História do Brasil* (1972-1974, 2 vols., y otros); *História da Civilización* (1975). [M.L.M.]

HORTA, María Teresa (1937-   ).—Poeta portuguesa. Periodista, coordenó el suplemento Literatura y Arte del periódico "A Capital" y es actualmente redactora de una revista femenina. Perteneció al grupo Poesia 61, y tiene una colaboración dispersa por muchas publicaciones.

OBRA PRINCIPAL: **Poesía.** *Espelho Inicial* (1960); *Tatuagem* (1961); *Cidadelas Submersas* (1961); *Verão Coincidente* (1962); *Amor Habitado* (1963); *Candelabro* (1964); *Jardim de Inverno* (1966); *Cronista ñao é Recado* (1967); *Minha Senhora de Mim* (1971). **Ficción.** *Ambas as Mãos sobre o Corpo,* novela (1970). *Novas Cartas Portuguesas* (con María Isabel Barreno e María Velho da Costa), 1971. [M.V.]

HUERTA, Efraín (1914-1982).—Escritor mexicano. Poeta, periodista, crítico cinematográfico y literario. Premio Nacional de Poesía (1976). Miembro de la generación de "Taller" (1938-1942), influyente revista que reunió a Octavio Paz, Carlos Pellicer y José Gorostiza. Sus temas principales fueron el amor y la soledad. "El amor visto con ternura, lleno de muerte y de vida alternativamente unidos al tema de la rebeldía contra la injusticia fueron patentes en toda su obra literaria". (Thelma Nava).

OBRA: *Absoluto amor* (1935); *Línea de alba* (1936); *Poemas de guerra y esperanza* (1943); *Los nombres del alba* (1944); *La rosa primitiva* (1950); *Poesía* (1951); *Poemas de viaje* (1956); *Estrella en alto* (1956); *Para gozar tu paz* (1957); *¡Mi país, oh mi país!* (1959); *Elegía de la policía montada* (1959); *Farsa trágica del presidente que quería una isla* (1961); *La raíz amarga* (1962); *El Tajín* (1963); *Poesía* (1935-1968); *Poemas prohibidos y de amor* (1973); *Los*

huidobro

eróticos y otros poemas (1974); *Circuito interior* (1977); *Poemínimos* (1979); *Transa poética* (1980). **Prosa.** *Textos profanos* (1979) [C.T.]

HUIDOBRO, Vicente (1893-1948).—Nombre literario de Vicente García Huidobro Fernández. Poeta, novelista, dramaturgo y ensayista chileno. Cronológicamente fue el primer poeta hispánico cuya obra vanguardista alcanzó resonancia universal. Le disputa al poeta francés Pierre Reverdy la paternidad del *Creacionismo,* movimiento estético que postula la autonomía del hecho artístico, en oposición a la naturaleza, y considera al poeta como "un pequeño Dios". En una conferencia pronunciada en 1916, en Buenos Aires, Huidobro sostuvo que "la primera condición de un poeta es crear, la segunda crear y la tercera crear", por lo cual fue bautizado con el nombre de poeta *creacionista.* Siguió las enseñanzas de Apollinaire en su defensa del arte como creación absoluta, independiente de cualquier otra realidad. "Hacer un poema como la Naturaleza hace un árbol", era su divisa.

Muy joven viajó a Buenos Aires y de allí se dirigió a Francia donde vivió y se vinculó a la vanguardia europea. Conoció a Apollinaire, Picasso, Hans Arp, Tzara, entre otros. En España entró en contacto con Juan Larrea y Gerardo Diego, vinculándose con el grupo *ultraísta.* Pasada la Segunda Guerra Mundial volvió a Chile y se recluyó en su hacienda de Cartagena, donde falleció.

Escritor bilingüe (español-francés), Huidobro escribió numerosos libros en francés. En colaboración con Hans Arps escribió *Tres inmensas novelas* (1935).

"Vicente antipoeta y mago" también fue novelista. Su obra narrativa es precursora de la nueva narrativa hispanoamericana. Su novela *Sátiro o El poder de las palabras* utilizó el monólogo interior, experiencia paralela a la de James Joyce. En su novela *La próxima,* vaticinó la Segunda Guerra Mundial al describir una hipotética guerra devastadora.

Su mejor libro de poesía es *Altazor o El viaje en paracaídas.* Su mejor novela, *Sátiro o El poder de las palabras.*

OBRA PRINCIPAL: **Poesía en francés.** *Horizon carré* (1917); *Tour Eiffel* (1918); *Hallali, poème de guerre* (1918); *Saisons choisies* (1921); *Automne régulier* (1925); *Tout à coup* (1925). **Poesía en español.** *Ecos del alma* (1911); *Canciones en la noche* (1913); *La gruta del silencio* (1913); *Las pagodas ocultas* (1914); *Adán* (1916); *El espejo de agua* (1916); *Ecuatorial* (1918); *Poemas árticos* (1918);

220

huidobro

Altazor o el viaje en paracaídas (1931); *Ver y palpar* (1939); *Caglios-tro* (1934);*La próxima* (1934); *Papá o El diario de Alicia Mir* (1934); *Sátiro o El poder de las palabras* (1939). **Teatro.** *En la luna* (1934). **Ensayo.** *Nom serviam* (1914);*Manifiesto* (1917). [P.S.]

I

IBÁÑEZ, Jaime (1919-   ).—Escritor colombiano. Poeta y novelista. Como novelista está contaminado por la novelística inglesa, sobre todo por Virginia Woolf. Con estilo poético describe la violencia política y el sufrimiento humano. OBRA PRINCIPAL: **Poesía**. *Tácita doncella* (1919). **Novela**. *No volverá la aurora* (1943); *Cada voz lleva su angustia* (1944); *Donde moran los sueños* (1947). [J.P.]

IBÁÑEZ, Roberto (1907-   ).—Poeta uruguayo. Junto con Fernando Pereda y Esther de Cáceres, Ibáñez representa el ultraísmo en Uruguay. Depuró su acento inicial en busca del exacto sentido de las cosas. Su dominio del idioma le hizo captar la música y el contenido del silencio. Su obra, breve, cobra cada día más significación e importancia. OBRA PRINCIPAL: *Olas* (1925); *La danza de los horizontes* (1927); *Mitología de la sangre* (1939); *La frontera* (1961). [P.S.]

IBÁÑEZ, Sara de (1909-1971).—Poeta uruguaya. La poesía parnasiana y la poesía clásica española (los místicos, Góngora y Quevedo) conformaron su voz lírica. Vinculada a las exploraciones verbales de los años treinta, no abandonó jamás la tradición métrica. Por sus oscuros símbolos y su rigor lingüístico, Sara de Ibáñez fue, ante todo, poeta para poetas. OBRA PRINCIPAL: *Canto* (1940); *Hora ciega* (1943); *Pastoral* (1948); *Artigas* (1952); *Las estaciones y otros poemas* (1957); *La batalla* (1967); *Apocalipsis XX* (1970); *Canto póstumo* (1973); *Poemas escogidos* (1974). [P.S.]

IBARBOUROU, Juana de (1895-1979).—Seudónimo de Juanita Fernández Morales. Poeta uruguaya. Su voz alcanzó una repercu-

ibargoyen islas

sión enorme en todos los ámbitos de la lengua castellana. Su jovencísima aparición con voz propia, en 1919, la colocó de inmediato entre las grandes figuras del lirismo femenino americano —Delmira Agustini, María Eugenia Vaz Ferreira, Alfonsina Storni, Gabriela Mistral— y la convirtió en mito: Juana de América. La audacia y frescura iniciales se fueron convirtiendo con el paso de los años, en melancolía y soledad, pero en toda su obra perduró la profunda intuición del mundo y la sensibilidad de las imágenes que la expresaban.

OBRA PRINCIPAL: *Las lenguas de diamante* (1919); *El cántaro fresco* (1920); *Raíz salvaje* (1922); *La rosa de los vientos* (1930); *Chico Carlo* (1944); *Perdida* (1950); *Romances del destino* (1955); *Canto rodado* (1956); *Tiempo* (1962); *Elegía* (1966); *La pasajera* (1967). [H.C.]

IBARGOYEN ISLAS, Saúl (1930-   ).—Poeta, narrador y ensayista uruguayo. Jefe de redacción de la revista mexicana "Plural". Reside exiliado, en México. Con Jorge Alejandro Boccanera publicó, en 1978, la antología *Poesía rebelde en Latinoamérica.*

OBRA PRINCIPAL: **Poesía.** *Palabra por palabra* (1979. Antología); *Poemas con amor* (1979); *Nuevo octubre* (1980). **Cuento.** *Fronteras de Joaquín Coluna* (1975); *El dueño de las flores* (1977). [P.S.]

IBARGÜENGOITIA, Jorge (1928-   ).—Escritor mexicano. Beca Rockefeller 1955. Premio Casa de las Américas 1963, por su farsa histórica *El atentado.* Premio Casa de las Américas 1964, por su novela *Los relámpagos de agosto.* Premio Ciudad de México 1974, por su novela *Estas ruinas que ves.* Novelista, ensayista, dramaturgo de agudo sentido del humor. Reescribe la historia hispanoamericana, satirizándola. Notable fabulador.

OBRA PRINCIPAL: **Cuento.** *La ley de Herodes y otros cuentos* (1967). **Crónica.** *Viajes en la América ignota* (1972). **Novela.** *Los relámpagos de agosto* (1964); *Maten al león* (1969); *Estas ruinas que ves* (1974); *Las muertas* (197); *Dos crímenes* (1979); *Los conspiradores* (1981). **Crítica.** *Clotilde, El viaje y El pájaro* (1964). **Teatro.** *Susana y los jóvenes* (1954); *La lucha con el ángel* (1955); *La conspiración vendida* (1960); *El atentado* (1963). [P.S.]

ICAZA, Jorge (1906-1978).—Novelista, cuentista, dramaturgo y diplomático ecuatoriano. Escritor indigenista de renombre universal.

incháustegui cabral

Profundizó la experiencia iniciada por Fernando Chaves con su novela *Plata y bronce.*

Huasipungo, novela de extraordinaria crudeza, realismo y dramática descripción de las condiciones de vida infrahumana de los indígenas, situó a Jorge Icaza entre los más destacados escritores del continente.

"Su obra constituye la más completa exploración del complejísimo mundo ecuatoriano, el universo de la hacienda, el gamonal, el militar, el cura, el gringo, el indio, el cholo, el montuvio (hombre de la costa), el chulla. Ese universo de contextura feudal que se transforma lentamente a pesar del latifundista y del incipiente industrial vinculado al extranjero" (Renán Flores Jaramillo).

Icaza comenzó su actividad artística como actor y autor teatral. Escribió numerosas piezas cuyo mérito fue el de haber calado hondo en la realidad ecuatoriana.

OBRA PRINCIPAL: **Novela.** *Huasipungo* (1934); *En las calles* (1935); *Cholos* (1938); *Media vida deslumbrados* (1942); *Huairapamushcas* (1948); *El chulla Romero y Flores* (1958); *Atrapados* (1972). **Cuento.** *Barro de la sierra* (1933); *Seis relatos* (1952); *Viejos cuentos* (1960). **Teatro.** *El intruso* (1929); *La comedia sin nombre* (1930); *Por el viejo* (1931); *Como ellos quieren* (1931); *¿cuál es?* (1931); *Sin sentido* (1932); *Flagelo* (1936). [P.S.]

INCHÁUSTEGUI CABRAL, Héctor (1912-1979).—Poeta dominicano de profundo acento nacional. Elevó la poesía social a un rango distinguido. En su obra se aprecian la vertiente ética y la metafísica. En cierto momento, la poesía de Incháustegui Cabral se emparenta con la de Eliot, por su lenguaje depurado, por el tono coloquial, por la visión intensa del mundo y la orquestación de imágenes novedosas. En Incháustegui Cabral se hace más sensible y dolorosa la gran tragedia dominicana. Sus poemas más difundidos son: *Canto triste a la Patria bienamada"* e *"Invitación a los de arriba".* Su libro *Muerte en el Edén* es, junto con *Yelidá,* de Tomás Hernández Franco, y *Compadre Mon,* de Manuel de Cabral, uno de los tres poemas de intencionalidad épica escritos en la República Dominicana.

Su obra teatral la conforman tres piezas: *Prometeo, Filoctetes e Hipólito,* contenidas en un tomo titulado *Miedo en un puñado de polvo* (1964), actualizaciones en verso libre de temas de Esquilo, Sófocles y Eurípides.

OBRA PRINCIPAL: **Poesía.** *Poemas de una sola angustia* (1940); *Rumbo a la otra vigilia* (1942); *En soledad de amor herido* (1943); *De vida temporal* (1944); *Canciones para matar un recuerdo*

(1944); *Soplo que se va y no vuelve* (1946); *Memorias del olvido* (1950); *Versos.* *1940-1950* (1950); *Muerte en el Edén* (1951); *Casi de ayer* (1952); *Las ínsulas extrañas* (1952); *Rebelión vegetal* (1956); *El pozo muerto* (1960); *Por Copacabana buscando* (1964); *Diario de la guerra y los dioses ametrallados* (1967). **Teatro.** *Miedo en un puñado de polvo* (1964). **Ensayo.** *De literatura dominicana siglo veinte* (1973, 2.ª ed.). [P.S.]

IVO, Ledo (1924-   ).—Poeta, narrador, periodista, historiador de la literatura y crítico brasileño. Perteneció a la generación del 45, llamada Neomodernista. Su poesía es de sentido universalista y de preocupación social y política. Se destaca por un cierto exceso de rigor formal. Premio Olavo Bilac, de la Academia Brasileña de Letras, 1945.

OBRA PRINCIPAL: **Poesía.** *As Imaginações* (1945); *Ode e Elegia* (1945); *Ode ao Crepúsculo* (1948); *Acontecimiento do Sonêto* (1948); *Cântico* (1949); *Ode à Noite* (1950); *Ode Equatorial e Linguagem* (1951); *Um Brasileiro em Paris* (1955); *O Rei da Europa* (1955); *Magias* (1960); *Estação Central* (1964). [M.L.M.]

IZAGUIRRE, Carlos (1894-1956).—Escritor hondureño. Poeta, ensayista, novelista. Ha ocupado cargos oficiales. Cultivó varios géneros literarios.

OBRA PRINCIPAL: *Credo* (1942); *Desiertos y campiñas* (1950); *Lo que tal vez soñó; Nieblas* (1941); *La voz de las sombras* (1948); *Inquietudes* (estudios de Filosofía y Literatura); *Honduras y sus problemas de educación; Alturas y abismos* (ensayos sobre arte y religión); *Bajo el chubasco; Historia luminosa sobre Francisco Morazán; Introducción a la moral; El resurrecto; Cartas a Margarita; Reflexiones y pensamientos; Los buscadores de oro; Los salineros.* [C.T.]

J

JÁCOME, Gustavo Alfredo (1912-   ).—Poeta, novelista y ensayista ecuatoriano. Doctor en Ciencias de la Educación. Profesor de la Universidad Central del Ecuador. Miembro de la Academia Ecuatoriana de la Lengua. Su poesía es sencilla y popular. Su prosa es pulcra y trabajada. Su aporte a la educación ha sido reconocido por instituciones nacionales y extranjeras.

OBRA PRINCIPAL: **Poesía.** *Luz y cristal* (1946); *Romancero otavaleño* (1969). **Cuento.** *Barro adolorido* (1961). **Biografía.** *Luis Felipe Borja* (1947). **Novela.** *Porqué se fueron las garzas* (1979). [P.S.,]

JAMÍS, Fayad (1930-   ).—Poeta cubano, nacido en Zacatecas, México. Reside en Cuba desde niño. Estudió dibujo y pintura en la Academia de San Alejandro de La Habana. Fue secretario de la Unión Nacional de Escritores y Artistas de Cuba (UNEAC) y formó parte de la redacción de la revista "Unión". También es conocido como periodista, pintor y traductor. Su poesía empezó por ser influida por el Grupo "Orígenes"; de sus inicios superrealistas, Jamís conserva su devoción por Eluard. En 1962 obtuvo el Premio Casa de las Américas por su libro *Por esta libertad*. Son célebres sus traducciones de Eluard y Attila Jozsef.

OBRA PRINCIPAL: **Poesía.** *Los párpados y el polvo* (1954); *Vagabundo del alba* (1959); *Los puentes* (1962); *La pedrada* (1962); *Por esta libertad* (1962); *Cuerpos* (1966); *Abrí la verja de hierro* (1973). [J.P.]

JARAMILLO ARANGO, Rafael (1896-   ).—Narrador colombiano. Autor de cuentos de evasión a mundos irreales y de "novelas proletarias" de acentuado estilo realista.

OBRA PRINCIPAL: **Novela.** *Barrancabermeja. Novela de ru-*

jaramillo escobar

fianes, proxenetas, obreros y petroleros (1934); *Cuaderno de notas de Gabriel Sandoval. Relato de una vida. Historia de un hombre que triunfó en su empleo* (1946). [J.P.]

JARAMILLO ESCOBAR, Jaime (1933-197).—Poeta colombiano. Sus poemas iniciales los firmó con el seudónimo **X-504.** Poeta del desencanto y la soledad. Su poema *"Aviso a los moribundos"* —flor pura del nadaísmo poético— esboza, sin pretenderlo, una estética del desarraigo, de la negación y del absurdo existencial. Fue el más ortodoxo de los nadaístas. Vivió entre la tentación revolucionaria y la tentación religiosa, sin ofrecer "cosa alguna distinta a la desesperación y la poesía". Antes de su suicidio, Jaramillo Escobar se preguntaba si el nadaísmo no era, en realidad, una escuela de místicos.

Jaramillo Escobar es, además, autor de cuentos breves de extraordinaria calidad. "En ellos la visión de la violencia colombiana es sometida a un tratamiento de humor negro nada común" (J.G. Cobo Borda). OBRA: **Poesía.** *Los poemas de la ofensa* (1968). **Ensayo.** *50 años de atraso en poesía* (1960). [P.S.]

JARDIEL PONCELA, Enrique (1901-1952).—Dramaturgo y novelista español. Su obra renovó y dio notable impulso a la literatura de humor en España. Más importante como autor teatral, Jardiel Poncela "significa una ruptura desesperada con todo lo que sea aceptación de la realidad. La finalidad de su producción sería, a nivel formal, hacer arte puro, decisión estética que nos parece responder a la necesidad ideológica de romper con un presente y un futuro problemáticos". (Angel Berenguer). Su obra teatral más representativa es *Cuatro corazones con freno y marcha atrás,* también conocida por su título comercial *Morirse es un error.*

OBRA PRINCIPAL: **Teatro.** *Una noche de primavera sin sueño* (1927); *El cadáver del señor García* (1930); *Margarita, Armando y su padre* (1931); *Usted tiene ojos de mujer fatal* (1932); *Angelina, o el honor de un brigadier* (1934); *Un adulterio decente* (1935); *Las cinco advertencias de Satanás* (1935); *Cuatro corazones con freno y marcha atrás* [*Morirse es un error*] (1936); *Los ladrones somos gente honrada* (1941); *Blanca por fuera y Rosa por dentro* (1943); *El sexo débil ha hecho gimnasia* (1946). **Novela.** *Amor se escribe sin hache* (1929); *¡Espérame en Siberia, vida mía!* (1930); *Pero... ¿hubo alguna vez once mil vírgenes?* (1931); *La tournée de Dios* (1932). [P.S.]

228

jiménez

JÁUREGUI, Luis de (1896-1971).—Véase Jautarkol.

JAURETCHE, Arturo (1901-1974).—Ensayista argentino. Se inició en la literatura con un libro de poemas prologado por Jorge Luis Borges, *El paso de los libres* (1933), en el que narra las alternativas de una frustrada revolución en la que participó y a causa de la cual fue a parar a la cárcel. A partir de entonces se dedicó de manera exclusiva a la actividad periodístico-ideológica y al ensayo socio-político, producto de su actividad militante cercana a los postulados del peronismo.

A partir de la tesis de que la cultura argentina es colonizada y extranjerizante, Jauretche propone una nueva visión de la Argentina desde su propia realidad y arremete contra los mitos y prejuicios de la clase media con una prosa coloquial, socarrona y por momentos pintoresca que no le impide una gran agudeza y perspicacia analítica.

OBRA PRINCIPAL: *Los profetas del odio* (1957); *Prosas de hacha y tiza* (1960); *El medio pelo en la sociedad argentina* (1968); *Manual de zonceras argentinas* (1968); *De memoria. Pantalones cortos* (1972). [H.S.]

JAUTARKOL (1896-1971).—Seudónimo de Luis de Jáuregui. Poeta, narrador y sacerdote español de expresión vascuence (euskera). Miembro de Euskaltzaindia (Academia de la Lengua Vascuence). Tanto en prosa como en verso, Jautarkol empleó un lenguaje muy popular. Su poesía tiene raíces románticas. En 1967, publicó una versión al vascuence de la novela *La familia de Pascual Duarte* (Paskual Duarte-ren sendia), de Camilo José Cela. También realizó una edición crítica del poeta vasco Xenpelar.

OBRA PRINCIPAL: **Poesía.** *Biozkadak* (1929). **Narración.** *Egisko edertasuna* (1923); *Ipuiak* (1924). [P.S.]

JIMÉNEZ, Max (1900-1947).—Poeta, prosista, escultor, pintor y diplomático costarricense. Vivió en París. Se suicidó en Buenos Aires. Ramón J. Sender lo incluye entre los suicidas célebres en su libro *Nocturno de los 14.* Personalidad ruidosa y llamativa, dejó una obra caracterizada por un realismo estilizado. Sus ensayos son fruto de un espíritu inquieto, rebelado contra las limitaciones de su medio ambiente. El libro que le dio renombre continental —*El domador de pulgas*— fue elogiado por Gabriela Mistral. Como escultor, Max Jiménez fue discípulo de Gargallo, Mateo Hernández y Antoine Bourdelle.

jiménez grullón

OBRA PRINCIPAL: **Prosa.** *Ensayos* (1926); *Unos fantoches* (1928); *El domador de pulgas* (1936); *El jaúl* (1937). **Poesía.** *Gleba* (1929); *Sonaja* (1930); *Quijongo* (1933); *Revenar* (1936); *Poesía* (1943). [P.S.]

JIMÉNEZ GRULLÓN, Juan Isidro (1903-   ).—Ensayista dominicano. Médico, político, polemista y sociólogo de la historia. Sufrió persecución y exilio por sus ideales y opiniones. OBRA PRINCIPAL: **Ensayo.** *Al margen de Ortega y Gasset* (1957); *La filosofía de José Martí* (1959); *La República Dominicana: una ficción* (1965); *El mito de los Padres de la Patria* (1971); *Sociología dominicana* (1975, 3 vols.). [J.P.]

JIMÉNEZ MARTOS, Luis (1926-   ).—Poeta y crítico español. Licenciado en Derecho por la Universidad de Granada. Funda y dirige las revistas "Veleta" (Granada) y "Arcángel" (Córdoba). Colaboró en "La Estafeta Literaria" y dirigió el Aula de Cultura del Ateneo de Madrid. Autor de importantes antologías de poesía y poetas españoles contemporáneos. Miembro de la Real Academia de Ciencias y Bellas Letras de Córdoba. Desde 1963 es director de la Colección Adonais de Poesía.
Premio Nacional de Literatura 1969. Hucha de Plata/Cuentos (1972). Premio Juan Valera 1976.
OBRA PRINCIPAL: **Poesía.** *Por distinta luz* (1963); *Encuentro con Ulises* (1969); *Con los ojos distantes* (1970); *Los pasos litorales* (1976); *Las raíces y el mar* (1978). **Textos.** *Leyendas andaluzas* (1964); *Tientos* (1969); *Tientos de la pluma y el plumero* (1976). **Ensayo.** *A nova poesia espanhola* (1964); *Veintiocho años de poesía española* (1964); *Informe sobre poesía española* (1976); *Villaespesa* (1978). [P.S.]

JIMÉNEZ RUEDA, Julio (1896-1960).—Narrador, dramaturgo y ensayista mexicano. Doctor en letras y abogado. Miembro de la Academia Mexicana de la Lengua y de la Academia de la Historia.
Desempeñó numerosas funciones, entre ellas las de Director de la Facultad de Filosofía y Letras de la Universidad Nacional Autónoma de México, Director del Archivo General de la Nación, Director del Centro de Estudios Literarios de la UNAM y Decano de la Facultad de Filosofía y Letras.
OBRA PRINCIPAL: **Cuento.** *Cuentos y diálogos* (1918); *Bajo la cruz del sur* (1922); *Moisén* (1923). *Novelas coloniales.* (1947).

Teatro. *Balada de Navidad* (1918); *Como en la vida* (1918); *La caída de las flores* (1923); *Cándido Cordero, empleado público* (1925); *La silueta del humo* (1927). **Ensayo.** *Resúmenes de literatura mexicana* (1918); *Lope de Vega* (1936); *Juan Ruiz de Alarcón y su tiempo* (1939); *Letras mexicanas en el siglo XX* (1944); *Herejías y supersticiones en la Nueva España* (1946); *Historia de la cultura en México* (1950); *Sor Juana Inés de la Cruz en su época* (1951). [P.S.]

JITRIK, Noé (1928-   ).—Ensayista y poeta argentino. En su obra crítica confluyen lo sociológico, lo estructuralista, lo psicoanalítico con los últimos avances lingüísticos y gramaticales, en permanente relación con la realidad sociopolítica de los escritores o las obras tratadas. Como poeta pertenece a la línea coloquialista, destacándose en este sentido su libro *Addío a la mamma*.

OBRA PRINCIPAL: **Poesía.** *Feriados* (1956); *El año que se nos viene* (1959); *Addío a la mamma. Fiesta en casa y otros poemas* (1965). **Ensayo.** *Horacio Quiroga, una obra de experiencia y riesgo* (1959); *Leopoldo Lugones, mito nacional* (1960); *Procedimiento y mensaje en la novela* (1962); *El escritor argentino, dependencia o libertad* (1967); *Muerte y resurrección de Facundo* (1968); *El ochenta y su mundo* (1968); *Ensayos y estudios de literatura argentina* (1970); *La revolución del 90* (1970). [H.S.]

JOTAMARIO (1939-   ).—Seudónimo de J. Mario Arbeláez. Poeta colombiano. Integró el grupo "nadaísta", junto con Gonzalo Arango, X-504 (Jaime Jaramillo Escobar), Eduardo Escobar y Elmo Valencia, entre otros. Su poesía fue un revulsivo contra la retórica academicista y contra el conservatismo de la sociedad colombiana. Su obra, aunque breve, es imprescindible para comprender la evolución de la poesía en Colombia. Premio Nacional de Literatura 1980.

OBRA PRINCIPAL: **Poesía.** *El profeta en su casa* (1965); *Mi reino por este mundo* (1980). [P.S.]

JUARROZ, Roberto (1925-   ).—Poeta argentino. Dirigió la revista "Poesía-Poesía" entre 1958 y 1965. Todos sus libros han sido titulados *Poesía vertical*. De su obra ha dicho Octavio Paz: "Cada poema de Roberto Juarroz es una sorprendente cristalización verbal: el lenguaje reducido a una gota de luz. Un gran poeta de instantes absolutos". Y Julio Cortázar aseguró: "Sus poemas me parecen de lo

jurado

más alto y más hondo (lo uno por lo otro, claro) que se ha escrito en español en estos años".

OBRA PRINCIPAL: *Poesía vertical* (1958); *Segunda Poesía vertical* (1963); *Tercera Poesía vertical* (1965); *Cuarta Poesía vertical* (1969); *Quinta Poesía vertical* (1974); *Sexta Poesía vertical* (1975); *Nueva Poesía vertical* (1977). [H.S.]

JURADO, Ramón H. (1922-).—Narrador panameño. Periodista y novelista. Ha participado activamente en la política nacional. El tema social domina en su obra. Ejerció funciones en el Ministerio de Educación, en el Instituto de Vivienda y Urbanismo, y desempeñó el cargo de gerente del Banco Popular.
OBRA: **Novela**. *San Cristóbal* (1947); *Desertores* (1952); *En la cima mueren los suicidas* (1952). **Relato**. *El desván* (19); *Un tiempo y todos los tiempos* (19). **Teatro**. *Con la muerte en la mano* (1960). [J.P.]

K

KORDON, Bernardo (1915-   ).—Narrador argentino. Desde que publicó su primer libro *La vuelta de Rocha* ha cultivado una doble vertiente, la de los relatos de tipo tradicional que van del cuento realista hasta el fantástico, y la de una línea autobiográfica que intenta indagar lo esencial de la vida a través de la propia actividad. Sin exageración, se le puede considerar —como lo ha hecho buena parte de la crítica de su país— como uno de los mayores narradores argentinos, dueño de un lenguaje directo, coloquial, que traduce minuciosamente la vida de personajes que son reflejos directos de la realidad.

OBRA PRINCIPAL: *La vuelta de Rocha* (1936); *Horizontes de cemento* (1940); *Vagabundo en Tombuctú* (1956); *De ahora en adelante* (1952); *La reina del Plata* (   ); *Domingo en el río* (1960); *Un día menos* (1966); *Hacele bien a la gente* (1968); *Adiós Pampa mía* (1978); *Manía ambulatoria* (1978). [H.S.]

KORSI, Demetrio (1899-1957).—Poeta panameño, de ascendencia griega. Iniciado como admirador de José Santos Chocano, cultivó después la veta humorística, el tema afroindígena y aspectos diversos de la vida urbana panameña. Su obra ignorada hasta su muerte ha sido objeto de una revalorización creciente.

OBRA: **Poesía.** *Los poemas extraños* (1920); *Tierras vírgenes* (1923); *Los pájaros en la montaña* (1924); *Bajo el sol de California* (1924); *El viento en la montaña* (1926); *El palacio del sol* (1927); *Block* (1934); *Cumbial* (1935); *El grillo que cantó sobre el canal* (1937); *Cumbia y otros poemas panameñistas* (1941); *El grillo que cantó bajo las hélices* (1942); *Yo cantaba a la falda del Ancón* (1943); *Pequeña antología* (1947); *Canciones efímeras* (1950); *Nocturno en gris* (1952); *Los gringos llegan y la cumbia se va* (1953); *El tiempo se perdía y todo era lo mismo* (1955). [J.P.]

kurtz

KURTZ, Carmen (1911-   ).—Seudónimo de Carmen de Rafael Marés. Narradora y periodista española. Célebre autora de cuentos para niños. En sus novelas, aborda el tema de la adolescencia y el derrumbamiento de los ideales burgueses. El recuerdo, la tristeza y el sentimiento del fracaso caracterizan su mundo novelístico. Premio Ciudad de Barcelona 1954. Premio Planeta 1956. Premio Ciudad de Barbastro 1975.

OBRA PRINCIPAL: **Novela**. *El desconocido* (1956); *La vieja ley* (1956); *Detrás de la piedra* (1958); *Al lado del hombre* (1961); *El becerro de oro* (1964); *En la oscuridad* (1966); *Las algas* (1966); *En la punta de los dedos* (1968); *Cándidas palomas* (1976); *Duermen bajo las aguas* (1976). **Relato**. *Siete tiempos* (1964); *El último camino* (1976). [P.S.]

L

LABASTIDA, Jaime (1939-   ).—Poeta y ensayista mexicano. Doctor en Filosofía. Profesor universitario. Pertenece al grupo "La Espiga Amotinada". Director de la revista "Plural". Poeta testimonial. "Aún dentro de la cólera, la violencia, la apenas contenida ternura que expresa su poesía, Labastida sabe aliar el lenguaje lírico con el alegato social".

OBRA PRINCIPAL: **Poesía.** *El descenso* (en *La Espiga Amotinada*, 1960); *La feroz alegría* (en *Ocupación de la palabra*, 1965). [C.T.]

LABRADOR RUIZ, Enrique (1902-   ).—Escritor cubano. Novelista y cuentista. Sus innovaciones literarias apuntan hacia la liquidación del realismo. Cultiva lo que él llama "novelas gaseiformes".

OBRA PRINCIPAL: **Novela.** *El laberinto de sí mismo* (1933); *Cresival* (1936); *Anteo* (1940). **Relato.** *Maneras de vivir (Pequeño expediente literario)* (1941); *Carne de quimera* (1947); *Trailer de sueños* (1949); *La sangre hambrienta* (1950); *El gallo en el espejo* (1953); *El pan de los muertos* (196); *Cuentos* (antología de 1970). [J.P.]

LAFORET, Carmen (1921-   ).—Narradora española. Su novela *Nada* constituye, junto con *La familia de Pascual Duarte*, de Camilo J. Cela, un hito en la narrativa española de posguerra. "En *Nada* no pasa nada; pero uno, al leerla, se empapa de su atmósfera turbia, acongojante, de su clima de soledad y malos sueños, del temor a un sentido monstruoso oculto en las vulgaridades cotidianas" (A. Iglesias Laguna). Premio Nadal 1944. Premio Menorca 1955. Premio Nacional de Literatura 1955.

OBRA PRINCIPAL: **Novela.** *Nada* (1944); *La isla y sus*

lafourcade

demonios (1952); *La mujer nueva* (1955); *La insolación* (1963); *Paralelo 35* (1967). **Relato.** *La llamada* (1954, novelas cortas); *La niña y otros relatos* (1970). [P.S.]

LAFOURCADE, Enrique (1927-   ).—Narrador chileno. Pertenece a la generación del 50, la cual "asume con hondura los síntomas de angustia que señalan las corrientes existencialistas propagadas desde Europa y pone en entredicho el concepto de realidad". Iniciado en el neorrealismo, desarrolla sus dotes líricas y elabora una prosa de sombría belleza. "Agil en el manejo de la técnica narrativa, Lafourcade demuestra haber adquirido del existencialismo francés e italiano una predilección marcada por la parábola de índole social y filosófica" (Fernando Alegría).

Su novela *La fiesta del rey Acab* es la historia novelada de la dictadura de Leónidas Trujillo. Premio Gabriela Mistral 1961.

OBRA PRINCIPAL: **Novela.** *Pena de muerte* (1953); *Para subir al cielo* (1958); *La fiesta del rey Acab* (1959); *El príncipe y las ovejas* (1961); *Invención a dos voces* (1963); *Pronombres personales* (1967); *Frecuencia modulada* (1968); *En el fondo,* (1973); *Variaciones sobre el tema de Nastasia Filippovna y el Príncipe Mishkin* (1975). **Crónica.** *Animales literarios de Chile* (1981). [P.S.]

LAGO, Sylvia (1932-   ).—Periodista y narradora uruguaya. Su evolución ha ido de la crítica social de acento feminista a un tono marcadamente político, en lo que coincide con la mayoría de los escritores de su generación.

OBRA PRINCIPAL: *Trajano* (1962); *Tan solos en el balneario* (1962); *Detrás del rojo* (1967); *La última razón* (1968); *Las flores conjuradas* (1972). [H.C.]

LAGUERRE, Enrique (1906-   ).—Novelista puertorriqueño. Pertenece a la generación del 30. Dentro del realismo crítico, Laguerre describe los problemas colectivos de su tierra, relacionándolos con los conflictos de clase en un marco ambiental dominado por las influencias telúricas. Su novela *La llamarada* ha sido comparada con *La vorágine, Don Segundo Sombra y Doña Bárbara.* Su novela más célebre: *La ceiba en el tiesto.* Laguerre es miembro de la Academia Puertorriqueña de la Lengua.

OBRA PRINCIPAL: **Novela.** *La llamarada* (1935); *Solar Montoya* (1941); *30 de febrero* (1943); *La resaca* (1949); *Los dedos de la mano* (1951); *La ceiba en el tiesto* (1956); *El laberinto* (1959);

laín entralgo

Cauce sin río. Diario de mi generación (1962); *El fuego y su aire* (1970); *Los amos benévolos* (1977); *Obras completas* (2 vols.). [J.P.]

LAIGLESIA, Alvaro de (1922-1981).—Narrador, autor teatral y periodista español. A los dieciséis años fue redactor-jefe del semanario "La ametralladora". Director de "La Codorniz" (1944-1977), principal revista de humor de la posguerra, sancionada con el cierre en varias ocasiones. Con Mihura y Tono, cultivó y dio impulso al humorismo en España.

Autor de más de cuarenta novelas de enorme popularidad, Alvaro de Laiglesia escribió también guiones de cine y televisión. Con Miguel Mihura escribió la pieza teatral *El caso de la mujer asesinadita.*

OBRA PRINCIPAL: **Narración.** *Un naúfrago en la sopa; Se prohíbe llorar; El baúl de los cadáveres; Sólo se mueren los tontos; La gallina de los huevos de plomo; Todos los ombligos son redondos; ¡Qué bien huelen las señoras! ; Los que se fueron a la porra; En el cielo no hay almejas; Una pierna de repuesto; Los pecados provinciales; Yo soy fulana de tal; Fulanita y sus menganos; Cuatro patas para un sueño.* **Teatro.** *El drama de la familia invisible; Amor sin pasaporte; Más allá de tus narices.* [P..S.]

LAÍN ENTRALGO, Pedro (1908-   ).—Ensayista y dramaturgo español. Doctor en Medicina. Pensador vinculado a la generación del 36. Profesor de Psicología experimental e Historia de la Medicina. Rector de la Universidad de Madrid (1952). Miembro de la Real Academia de Medicina y de la Real Academia Española. Son célebres sus estudios sobre Cajal y Marañón, y sus tratados *Historia Universal de la Medicina, El médico y el enfermo* y *Teoría y realidad del otro* (2 vols.). Colabora en "Gaceta Ilustrada". Es autor de una excelente versión de *El círculo de tiza caucasiano,* de Brecht.

OBRA PRINCIPAL: **Ensayo.** *De la cultura española* (1942); *La generación del 98* (1945); *España como problema* (1949); *Viaje a Suramérica* (1950); *Palabras menores* (1952); *Ensayos de comprensión* (1956); *La aventura de leer* (1956); *Ocio y trabajo* (1960); *La espera y la esperanza* (1962); *El problema de la Universidad* (1967); *Una y diversa España* (1968); *A qué llamamos España* (1971); *Sobre la amistad* (1972); *Descargo de conciencia* (1976); *Antropología de la esperanza* (1978). **Testimonio.** *Más de cien españoles* (1981). **Teatro.** *Entre nosotros* (1966); *Cuando se espera* (1967). [P.S.]

laínez

LAÍNEZ, Daniel (1914-1959).—Poeta hondureño. Realizó estudios primarios en Tegucigalpa. Desde joven trabajó en un taller tipográfico. Colaboró en la revista "Tegucigalpa", "Surco" y en los principales diarios nacionales. Premio Nacional de Literatura 1956. OBRA: Poesía. *Voces íntimas* (1935); *Cristales de Bohemia* (1937); *A los pies de Afrodita* (1939); *Isla de pájaros* (1941); *Rimas de humo y viento* (1945); *Misas rojas* (1946); *La gloria* (1946); *Al calor del fogón* (1955); *Antología* (1955); *Poemas regionales* (1955); *Poemario* (1956); *Sendas de sol* (1956). [C.T.]

LAIR, Clara (1895-   ).—Seudónimo de Mercedes Negrón Muñoz. Poetisa puertorriqueña. Poesía sensorial y sensual de poderosa vitalidad. OBRA PRINCIPAL: Poesía. *Arras de cristal* (1937); *Trópico amargo* (19   ); *Más allá del poniente* (1950). [J.P.]

LANGSNER, Jacobo (1927-   ).—Dramaturgo uruguayo, nacido en Rumania y afincado en Buenos Aires. Su obra, pese a su universalidad, ofrece aspectos identificables como montevideanos. Junto a un aguzado sentido del diálogo, destaca en sus piezas la creación de alegorías de clave social. Su obra goza del fervor popular. *Esperando la carroza* continúa en cartel desde hace siete años en Montevideo. OBRA PRINCIPAL: *El hombre incompleto* (1950); *Los artistas* (1954); *Los elegidos* (1957); *Esperando la carroza* (1959); *La gotera* (1971); *El tobogán* (1971); *El agujero en la pared* (1973); *Paternoster* (1980). [H. C.]

LARA, Jesús (1898-1980).—Escritor boliviano. Novelista, cuentista, poeta, historiador. Inserta en el realismo crítico, su obra es vocacionalmente indigenista. Profundo conocedor de la civilización quechua, dedicó toda su vida a rescatar, conservar y divulgar los valores culturales de la comunidad aborigen del valle de Cochabamba (Bolivia). Escritor bilingüe —como el peruano José María Arguedas—, su obra denuncia la explotación y las "injusticias cometidas contra el indio por el criollo blancoide o cholo y por las fuerzas de la oligarquía y sus aliados. La acción guerrillera de Ñancahuazú aparece fabulada en sus últimos relatos". Es autor, además, de un *Diccionario Qheshwa-Castellano. Castellano-Qheshwa*. OBRA PRINCIPAL: Novela. *Repete. Diario de un hombre que fue a la Guerra del Chaco* (1937); *Surumi* (1943); *Yanakuna* (1952);

larrea

Yawarninchij (1959); *Sinchikay* (1962); *Sujnapura* (1971); **Relato.**
Ñancahuazú. Sueños (1969). **Memorias.** *Paqarín* (1974); *Sasañán*
(1975); *Wichay-Uray* (1977). **Ensayo.** *La poesía quechua* (1944); *La
literatura de los quechuas* (1961); *Leyendas quechuas* (1963); *La
cultura de los inkas* (1966, 1967. 2 vols.); *El Tawantinsuyu* (1974);
Chajma (Obra dispersa) (1978). **Biografía.** *Guerrillero Inti* (1971).
[P.S.]

LARA REZENDE, Otto (1922-   ).—Narrador y periodista brasileño. Graduado en Ciencias Jurídicas y Sociales. Fue director de la
revista "Manchette". Se inició en la corriente costumbrista, pero
luego se interesó por el realismo crítico. Agudo observador, "su
prosa cargada de tensión no desdeña los elementos poéticos".
OBRA PRINCIPAL: *O lado humano* (1952); *Bôca de inferno*
(1957); *O braço direito* (1957); *O retrato na gaveta* (1957). [P.S.]

LARREA, Juan (1895-1980).—Poeta y ensayista español. Licenciado
en Filosofía y Letras en la Universidad de Deusto. En 1926 se
trasladó a París y fundó y dirigió, con César Vallejo, la revista
"Favorables París Poema", de vida efímera (sólo publicaron dos
números). Emigró al Perú (1930). Vuelve a París (1936) y apoya
diversas iniciativas en favor de la causa republicana. Exiliado en
México (1939), dirige la revista "España Peregrina" y ejerce el cargo
de secretario de la revista "Cuadernos Americanos". Reside en
Estados Unidos (1949). En 1956 se marcha a Córdoba (Argentina),
en cuya Universidad crea el "Aula Vallejo", destinada a divulgar y
analizar la vida y la obra del poeta peruano. En 1978 realizó una
edición crítica de la *Poesía completa* de César Vallejo, con puntos de
vista controvertidos por otros comentadores de Vallejo, tales como
Georgette de Vallejo y André Coyné.
Su obra poética permaneció ignorada durante mucho tiempo.
Inicialmente creacionista —bajo la influencia del chileno Vicente
Huidobro— su poesía deriva hacia el superrealismo. Es considerado
precursor del nuevo rumbo que siguió la poesía española a partir de
1927. Parte de su producción poética fue escrita en francés.
OBRA PRINCIPAL: **Poesía.** *Versión celeste* (1969). **Ensayo.**
Arte peruano (1935); *Rendición del espíritu* (1943); *El surrealismo
entre Viejo y Nuevo Mundo* (1944); *The vision of the Guernica*
(1947); *La religión del lenguaje español* (1952); *La espada de la
paloma* (1956); *Razón de ser* (1956); *César Vallejo o Hispanoamérica en la cruz de la Razón* (1958); *Corona incaica* (1960);

larreta

Pintura actual (1964); *Teleología de la cultura* (1965); *Del surrealismo al Machupicchu* (1967); *Cara y cruz de la República. 1931-1936* (1980). [P.S.]

LARRETA, Antonio (1922-   ).—Escritor uruguayo. Dramaturgo, guionista de cine y televisión, actor y director de teatro. En 1971 obtuvo el Premio Casa de las Américas con su drama *Juan Palmieri*. En 1980 ganó el Premio Planeta con su novela *Volaverunt*. Reside en Madrid.
OBRA PRINCIPAL: **Teatro.** *Juan Palmieri* (1972). **Novela.** *Volaverunt* (1980). [P.S.]

LARS, Claudia (1899-1974).—Seudónimo de Carmen Brannon Vega. Poeta salvadoreña. Cantó el amor, el paisaje, la infancia y los recuerdos. Una de las figuras sobresalientes de la poesía salvadoreña contemporánea.
OBRA PRINCIPAL: **Poesía.** *Estrellas en el pozo* (1934); *Canción redonda* (1937); *La casa de vidrio* (1942); *Romances de norte y sur* (1946); *Sonetos* (1946); *Donde llegan los pasos* (1953); *Canciones* (1960); *Sobre el ángel y hombre* (1962); *Girasol, antología de la poesía infantil* (1962); *Tierra de infancia* (1958); *Escuela de pájaros* (1955); *Presencia en el tiempo* (1962); *Fábula de una verdad* (1959); *Del fino amanecer* (1965); *Estancias de una nueva edad* (1969); *Ciudad bajo mi voz* (19   ); *Nuestro pulsante mundo* (1969). [C.T.]

LASO, Jaime (1926-   ).—Narrador chileno. Su breve obra anticipó, en Chile, la novela existencialista, antiépica y del absurdo. Lenguaje sobrio. Hay, en su novela *El cepo,* "una diabólica percepción de lo siniestro en lo aparentemente inofensivo". En sus cuentos, "Laso opera alucinado con la sospecha de que en todo hombre normal se ocultan una locura tranquila y una violencia apagada" (Fernando Alegría).
OBRA PRINCIPAL: **Novela.** *El cepo* (1958). **Cuento.** *La desaparición de John di Cassi* (1961). [P.S.]

LATCHAM, Ricardo (1903-1965).—Ensayista, crítico literario, diplomático y periodista chileno. Colaboró en "La Nación", de Santiago de Chile, "El Diario Ilustrado", "Indice" y "Atenea". Espíritu crítico, agudo observador, elegante prosista, viajero impenitente, animador cultural. Sus ensayos, de estilo impresionista están diseminados en forma de artículos periodísticos, conferencias y prólogos de antologías. Miembro de la Academia Chilena de la Lengua.

OBRA PRINCIPAL: **Ensayo.** *Escalpelo* (1926); *Itinerario de la inquietud* (1940); *Estampas del nuevo extremo* (1943); *Doce ensayos* (1944). **Crítica.** *El ensayo en Chile en el siglo XX* (1952); *Blest Gana y la novela realista* (1959); *Perspectivas de la literatura hispanoamericana. La novela* (1959). **Antologías.** *Antología de la poesía norteamericana* (1945); *Antología del cuento hispanoamericano contemporáneo* (1958). [P.S.]

LAUAXETA (1905-1937).—Seudónimo de Esteban de Urquiaga. Poeta español de expresión vascuence (euskera). Estudió con los jesuitas. Su obra canta el amor, el dolor, las ilusiones y los desengaños, la vida y la muerte. En la guerra civil peleó en defensa de la República. Murió fusilado. Poco antes de morir, Lauaxeta escribió una serie de cartas que, en 1977, fueron publicadas por la revista "Anaitasuna".

OBRA PRINCIPAL: *Bide barrijak* (1931); *Arrats-Beran* (1935). [P.S.]

LAURENZA, Roque Javier (1910-   ).—Escritor panameño. Poeta, cuentista, ensayista y diplomático. De formación autodidacta, su obra —vasta e influyente— se halla diseminada en periódicos y revistas. Su ensayo *Los poetas de la generación republicana* "inició la revalorización de los poetas de la primera promoción republicana y provocó una honda conmoción en los círculos intelectuales panameños" (Ismael García).

OBRA: **Poesía.** *Campo de juegos* (1973); **Ensayo.** *Los poetas de la generación republicana* (1933). [J.P.]

LAVÍN CERDA, Hernán (1939-   ).—Poeta y narrador chileno. Lenguaje e historia se funden en la obra de Lavín Cerda para expresar la crítica de los valores tradicionales. Sus textos proponen un contrapunto entre signo y significado, entre autor y lector, entre moral y política, entre razón y fantasía. Emplea el humor, la sátira, el sarcasmo, como arma demoledora en contra del error y del engaño.

OBRA PRINCIPAL: **Poesía.** *Neuro-Poemas* (1966); *Cambiar de religión* (1967); *Ka enloquece en una tumba de oro y el toqui está envuelto en llamas* (1968); *La conspiración* (1971); *Ciegamente los*

leante

ojos (1977); *Ceremonias de Afaf* (1979). **Narrativa.** *La crujidera de la viuda* (1971); *El que a hierro mata* (1974); *Los tormentos del hijo* (1977). [P.S.]

LEANTE, César (1928-   ).–Narrador, ensayista y periodista cubano. Redactor del diario "Revolución" y jefe de servicios especiales de la agencia de noticias "Prensa Latina". Agregado Cultura de la Embajada de Cuba en Francia, secretario de Relaciones Públicas de la Unión de Escritores y Artistas de Cuba. Rompió con el Gobierno de su país y solicitó asilo en España. Su obra narrativa se inserta en la corriente del realismo crítico.
OBRA PRINCIPAL: **Novela.** *El perseguido* (1964); *Padres e hijos* (1967); *Muelle de caballería* (1973); *Los guerrilleros negros* (1977). **Cuento.** *La rueda y la serpiente* (1969); *Tres historias* (1977); *Propiedad horizontal* (1979). **Ensayo.** *El espacio real* (1975). **Reportaje.** *Con las milicias* (1962). [P.S.]

LECETA, Juan de (1911-   ).–Véase **Celaya, Gabriel.**

LEDESMA VÁSQUEZ, David (1934-1961).–Poeta ecuatoriano. Neorromántico. Al suicidarse dejó una obra breve, desperdigada en revistas y antologías. La soledad y la angustia vital socavaron su existencia desvalida, triste y atormentada.
OBRA PRINCIPAL: *Cristal* (1953); *Gris* (1958); *Antología general* (1962); *Cuaderno de Orfeo* (1962). [P.S.]

LEDUC, Renato (1898-   ).–Poeta y periodista mexicano. "De López Velarde y del colombiano Luis Carlos López, principalmente, Renato Leduc hizo derivar en un principio el léxico y las intenciones de sus versos". Su poesía erótica, epigramática y satírica" se aparta de las corrientes naturales de los últimos lustros y buena porción de ella, por ciertas razones, se aviene con la persistencia que otorga la tradición oral".
OBRA PRINCIPAL: **Poesía.** *El aula, etc...* (1929); *Unos cuantos sonetos* (1932); *Sonetos* (1933); *Poema del Mar Caribe* (1933); *Prometeo* (1934); *Breve glosa al Libro del Buen Amor* (1939); *Odiseo* (1940); *Versos y poemas* (1940); *XV fabulillas de animales, niños y espantos* (1957); *Catorce poemas burocráticos y un corrido reaccionario* (1963); *Fábulas y poemas* (1966). [P.S.]

LEITÃO, Luís Veiga (1915-   ).—Poeta portugués. Realizó estudios secundarios y fue empleado de comercio. Se exilió al Brasil en 1967, de donde sólo regresó en 1976. Fue codirector de "Noticias do Bloqueio" y estuvo ligado al movimiento poético neorrealista. OBRA PRINCIPAL: **Poesía.** *Latitude* (1950); *Noite de Pedra* (1955); *Linhas do Trópico* (1977), etc. [M.V.]

LEITÓN, Roberto (1903-   ).—Narrador y ensayista boliviano. Perdido en su reducto potosino, Leitón publicó, en 1928, un relato titulado *Aguafuertes.* En él, incorpora la técnica impresionista (sucesión rápida de escenas cortas) a un relato que llama la atención por el montaje de secuencias casi cinematográficas. A través de frases entrecortadas, nerviosas, breves que recuerdan a Azorín, Leitón deforma la realidad aparente en busca de la realidad significante. Su obra narrativa se caracteriza por una actitud militante en favor de la justicia social. Como maestro ha escrito varios ensayos sobre temas educativos.
OBRA PRINCIPAL: **Novela.** *Los eternos vagabundos* (1939); *La punta de los cuatro degollados* (1946). **Relato.** *Aguafuertes* (1928); *El escarabajo gris* (1969). **Crónica.** *La bella y soñadora Trinidad* (1965). **Ensayo.** *La educación campesina en Bolivia* (1948); *El kollasuyeño. Sociología rural* (1972). [P.S.]

LEIVA, Raúl (1916-1974).—Escritor guatemalteco. Poeta y crítico. Cofundador de "Revista de Guatemala". Colaboró en la revista "Nivel" y en los diarios "Excelsior" y "Novedades". Publicó la mayor parte de su obra en México. Primer Premio de Poesía Centroamericana 1941. Primer Premio en el Concurso Internacional de Crítica Literaria del Fondo de Cultura Económica 1963.
OBRA PRINCIPAL: **Poesía.** *Angustia* (1942); *En el pecado* (1943); *Sonetos de amor y muerte* (1944); *Batres Montúfar y la poesía* (1944); *Norah o el ángel* (1946); *El deseo* (1947); *Mundo indígena* (1949); *Sueño de la muerte* (1950); *Oda a Guatemala y otros poemas* (1953); *Danza para Cuauhtémoc* (1955); *La serpiente emplumada* (1965). **Ensayo.** *Los sentidos y el mundo* (1952); *Imagen de la poesía mexicana contemporánea* (1959). [C.T.]

LELLIS, Mario Jorge De (1922-1966).—Poeta argentino. Su obra descriptiva de personajes y paisajes de los barrios de Buenos Aires se inscribe en el coloquialismo; crea su propio lenguaje, al inventar una

león sánchez

sintaxis peculiar. Su acercamiento a los personajes populares y su manera de entender la poesía tuvo numerosos continuadores.

OBRA PRINCIPAL: *Flores de silencio* (1942); *Cantos a la tecla negra* (1942); *Siglo rojo* (1943); *Tiempo aparte* (1946); *Calles de marzo* (1947); *Litoral de angustia* (1949); *Mediodía por dentro* (1951); *Ciudad sin tregua* (1953); *Cantos humanos* (1956); *Hombres del vino, del álbum y del corazón* (1962); *Hortigueral de Almagro* (1965). [H.S.]

LEÓN SÁNCHEZ, José (1930-   ).—Escritor costarricense. Su infancia transcurrió en un hospicio. A los veinte años cometió un delito. Fue condenado a cuarenta y cinco años de prisión. Encarcelado en la Isla San Lucas ganó el premio de los Juegos Florales, 1963. Premio Nacional de Literatura, 1967. Mención de Honor en los Juegos Florales Costarricenses-Centroamericanos, 1969. Miembro directivo de la Asociación de Escritores y Artistas de Costa Rica. Miembro de la Comunidad Latinoamericana de Escritores.

OBRA: **Cuento.** *Cuando canta el caracol* (1967); *La Cattleya negra* (1967); *A la izquierda del sol* (1972). **Novela.** *La isla de los hombres solos* (1970); *De qué color es el mundo* (1971); *La colina del buey* (1972). [C.T.]

LEÑERO, Vicente (1933-   ).—Escritor mexicano. Ingeniero y periodista. Premio Nacional de Cuento Universitario 1958. Premio Biblioteca Breve, Seix Barral 1963, por su novela *Los albañiles*. Beca del Instituto de Cultura Hispánica de Madrid, 1956. Inserto en la corriente del realismo crítico, describe con maestría el mundo interior de sus personajes.

OBRA PRINCIPAL: **Cuento.** *La polvareda y otros cuentos* (1959). **Novela.** *La voz adolorida* (1961); *Los albañiles* (1964); *Estudio Q* (1965); *El garabato* (1967); *Redil de ovejas* (1973); *A fuerza de palabras* (1977); *Los periodistas* (1978); *El Evangelio de Lucas Gavilán* (1979). **Teatro.** *Pueblo rechazado* (1969); *Los albañiles* (1970, versión teatral de la novela homónima); *El juicio* (1972); *La mudanza* (1978); *La visita del ángel* (1980). [C.T.]

LERA, Angel María de (1912-   ).—Novelista y periodista español. Inserta en el realismo tradicional, su obra se caracteriza por su estilo vivaz y una notable capacidad narrativa con acentuada tendencia al dramatismo y la emotividad. Ha tocado aspectos de la vida social

244

española como la emigración de trabajadores españoles a Alemania *(Hemos perdido el sol)* y el retorno de esos mismos trabajadores a su patria *(Tierra para morir)*. De varias novelas suyas se han realizado versiones cinematográficas. Su mejor novela: *Los clarines del miedo*, que expresa el mundo del toreo a través de la historia de dos novilleros. Premio Alvarez Quintero 1964. Premio Pérez Galdós 1964. Premio Planeta 1967.

OBRA PRINCIPAL: **Novela**. *Los olvidados* (1957); *Los clarines del miedo* (1958); *La boda* (1959); *Bochorno* (1960); *Trampa* (1962); *Hemos perdido el sol* (1963); *Tierra para morir* (1964); *Las últimas banderas* (1967); *Se vende un hombre* (1970); *Los que perdimos* (1974); *La noche sin riberas* (1976). **Testimonio**. *Con la maleta al hombro* (1965); *Por los caminos de la medicina rural* (1966); *Los fanáticos* (19   ); *Mi viaje alrededor de la locura* (197); *Diálogos sobre la violencia* (197). **Biografía**. *Angel Pestaña, retrato de un anarquista* (1977). [P.S.]

LESSA, Orígenes (1903-   ).—Narrador, autor teatral, poeta y periodista brasileño. Cursó estudios en la Escuela Dramática de São Paulo. Con gran economía de estilo, Lessa transforma los temas más triviales de la existencia en bellas piezas literarias. Irónico, sarcástico, testimonial. Después de trabajar como redactor en una empresa de publicidad, prepara sus memorias que se titularán *Nao coma, nao beba, nao use*. Su obra ha sido galardonada en numerosas ocasiones.

OBRA PRINCIPAL: *Nao ha de ser nada* (1932); *Ilha grande* (1933); *Passa três* (1935); *O joguête* (1937); *O feijao e o sonho* (1938); *OK América* (entrevistas y reportajes, 1945); *Omelete em Bombaim* (1946); *A desintegração da morte* (1948); *Rua do sol* (1955); *João Simões continua* (1959); *Balbino, homem do mar* (1960); *Zona Sul* (1963); *Nove mulheres* (1968); *A noite sem homem* (1968); *O beco da fome* (1970). [P.S.]

LEVINSON, Luisa Mercedes (1914-   ).—Narradora argentina. Especializada en cuentos de tema fantástico, logra especiales aciertos en la pintura de personajes de psicología elemental, y su manejo del misterio también ha resultado destacable. Ha escrito notas de viaje y varias obras teatrales.

OBRA PRINCIPAL: **Narrativa**. *La casa de los Felipes* (1951); *La hermana de Eloísa* (en colaboración con Jorge Luis Borges) (1955); *Concierto en mí* (1956); *La pálida rosa de Soho* (1959); *La isla de los organilleros* (1964); *Las tejedoras sin hombres* (1967).

lezama lima

Teatro. *Tiempo de Federica* (   ); *Julio Riestra ha muerto* (   ); *La visita de pésame* (   ). [H.S.]

LEZAMA LIMA, José (1910-1976).—Poeta, novelista y ensayista cubano. Poseedor de una pasmosa erudición, supo crear una literatura atravesada por relámpagos e iluminaciones de hondo calado humano. Conocedor profundo de Góngora, Platón, los poetas órficos y los filósofos gnósticos, Lezama compendió su vida en el amor a los libros. Su obra culterana está saturada de claves, enigmas, alusiones, parábolas y alegorías que aluden a una realidad secreta, íntima y, al mismo tiempo, ambigua. Desarrolló una erótica de la escritura, anticipándose, de esta manera, a las corrientes europeas de la estilística estructuralista. Sus ensayos son imaginativos, poéticos, abiertos y constituyen una recreación de textos y visiones. Promotor de revistas y cenáculos, supo congregar en torno suyo a poetas de la talla de Gastón Baquero, Cintio Vitier, Eliseo Diego, Virgilio Piñera y Octavio Smith, entre otros. Su amistad con el poeta y sacerdote español Angel Gaztelú (1914), contribuyó a la formación de su mundo espiritual. La novela *Paradiso* es su obra más célebre.

Abogado. Investigador en el Instituto de Literatura y Lingüística de la Academia de Ciencias de Cuba. Vicepresidente de la Unión Nacional de Escritores y Artistas de Cuba (UNEAC). Fundó las revistas "Verbum" (1937); "Espuela de plata" (1939-1941); "Nadie parecía" (1942-1944) y "Orígenes" (1944-1956), de gran influencia en las letras hispanoamericanas.

OBRA PRINCIPAL: **Poesía**. *Muerte de Narciso* (1937); *Enemigo rumor* (1941); *Aventuras sigilosas* (1945); *La fijeza* (1949); *Dador* (1960); **Novela**. *Paradiso* (1966); *Fragmentos a su imán* (1977); *Oppiano Licario* (1978). **Ensayo**. *Analecta del reloj* (1953); *Tratados en La Habana* (1958); *La expresión americana* (1957); *La cantidad hechizada* (1970). **Testimonio**. *Cartas* (1979). [P.S.]

LIBERMAN, Arnoldo (1934-   ).—Poeta argentino. La mayoría de su obra ha sido realizada dentro de los moldes del soneto endecasílabo. Fundó y dirigió las revistas *El Grillo de papel* y *El escarabajo de oro,* alrededor de las cuales se nucleó buena parte de la llamada generación del sesenta. Su temática gira en torno a la amistad, el amor y algunos mitos cinematográficos como Charles Chaplin y Marilyn Monroe.

OBRA PRINCIPAL: *Poemas con bastón* (1959); *Sonetos con caracol* (1963); *Credo poético* (1963); *El motín de la luz* (1964); *Poemas con los míos* (1966) [H.S.]

LIHN, Enrique (1929-   ).—Poeta y narrador chileno. Pertenece a la generación del 50, la cual se caracteriza por su escepticismo respecto a los valores tradicionales de la sociedad occidental. Empezó escribiendo una poesía grave y solemne, pero poco a poco fue depurando su lenguaje hasta alcanzar la expresión coloquial. Su obra poética no desecha la presencia constante de la anécdota, apela a la realidad, proclama la desesperanza próxima al nihilismo y, mediante la ironía, tiende a desmitificar la naturaleza de la propia poesía.

Profesor en el Departamento de Estudios Humanísticos de la Facultad de Ciencias Físicas y Matemáticas de la Universidad de Chile. Premio Casa de las Américas/Poesía, 1966. Beca Guggenheim 1978.

OBRA PRINCIPAL: **Poesía.** *Nada se escurre* (1949); *Poemas de este tiempo y de otro* (1955); *La pieza oscura* (1963); *Poesía de paso* (1966); *Escrito en Cuba* (1969); *La musiquilla de las pobres esferas* (1969); *Por fuerza mayor* (1975); *París, situación irregular* (1977); *Algunos poemas* (1975); *A partir de Manhattan* (1979). **Narración.** *Batman en Chile* (1973); *El arte de la palabra* (1980). [P.S.]

LIMA, Alceu Amoroso (1893-   ).—Véase **Athayde, Tristão de.**

LIMA, Jorge de (1895-1953).—Nombre literario de Jorge Mateus de Lima. Poeta, novelista, cuentista, periodista, ensayista y político brasileño. Se adhiere al *Movimiento Modernista.* Siguió la corriente de la poesía regional, negra y bíblica. Sus poemas retratan la realidad afro-nordestina brasileña desde un punto de vista bíblico-cristiano. Su obra más importante *A Túnica Inconsútil* (1938) es considerada el momento alto de la poesía mística brasileña.

OBRA PRINCIPAL: **Poesía.** *XIV Alexandrinos* (1914); *Poemas* (1927); *Novos Poemas* (1929); *Poemas Escolhidos* (1932); *Tempo e Eternidade* (1935); *Quatro Poemas Negros* (1937); *A Túnica Inconsútil* (1938); *Poemas Negros* (1937); *Livro de Sonêtos* (1949); *Obra Poética* (1950); *Invenção de Orfeu* (1952); *Castro Alves - Vidinha* (1952). **Novela.** *Salomão e as Mulheres* (1927); *O Anjo* (1934); *Calunga* (1935); *A Mulher Oscura* (1939); *Guerra dentro do Beco* (1950). **Ensayo.** *A Comédia dos Erros* (1923); *Dois Ensaios* (1929); *Anchieta* (1934). [M.L.M.] ·

LIMA, Manuel de (1918-1976).—Novelista portugués. Empezó dedicándose al estudio y a la teoría de la música, habiendo colaborado en

lindo

numerosos periódicos con artículos y críticas. Acompañó el movimiento surrealista desde su principio, y toda su obra está profundamente marcada por esa corriente. OBRA PRINCIPAL: **Ficción.** *Um Homem de Barbas* (1944); *Malaquias ou a História de um Homem Barbaramente Agredido* (1953), etc. *Teatro Sucubrina ou a Teoria do Chapéu,* pieza escrita en colaboración con Natalia Correia (1953). [M.V.]

LINDO, Hugo (1917-).—Escritor salvadoreño. Poeta, cuentista, novelista, ensayista, dramaturgo y periodista. Abogado, profesor de Derecho y Literatura en las Universidades de El Salvador y Colombia. Diplomático. Director de Asuntos Culturales de la Organización de Estados Centroamericanos. Ministro de Educación. Fue director de la Academia Salvadoreña de la Lengua. Renovador del género cuentístico, superó el costumbrismo mediante la instrospección sicológica de sus personajes y la riqueza verbal de sus descripciones de ambientes y paisajes.
OBRA PRINCIPAL: **Cuento.** *Guaro y champaña* (1947); *Aquí se cuentan cuentos* (1959); *Tres cuentos* (1962). **Novela.** *El anzuelo de Dios* (1956); *¡Justicia, Señor Gobernador!* (1960); *Cada día tiene su afán* (1965). **Poesía.** *Varia poesía* (1961); *Navegante río* (1963); *Sólo la voz* (1968); *Maneras de llover* (1969); *Este pequeño siempre* (1971). **Ensayo.** *Presentación de poetas salvadoreños* (1954); *Recuento* (1969). [C.T.]

LINS, Osman (1924-1978).—Cuentista, dramaturgo y novelista brasileño. Figura destacada de la literatura brasileña contemporánea por su papel de renovador temático y estructural. Su obra revela una exhaustiva investigación del texto novelesco.
OBRA PRINCIPAL. **Cuentos.** *Os Gestos* (1957). **Novela.** *O visitante* (1955); *O Fiel e a Pedra* (1961); *Nove Novena* (1966); *Avalovara* (1973); *A Rainha dos Cárceres da Grécia* (inconclusa) (1979). **Teatro.** *Lisbela e o Prisioneiro* (1961); *A Idades dos Homens* (1963); *Marinheiro de Primeira Viagém* (1963); *Guerra do "Cansa-Cavalo"* (1967); *"Capa-Verde"* (infantil) (1967); *Natal* (infantil) (1967). [M.L.M.]

LIRA, Miguel N. (1905-1961).—Narrador, poeta, biógrafo y dramaturgo mexicano. Abogado, profesor de literatura, tipógrafo. Promotor cultural, su labor en las artes gráficas ha dejado honda huella en el campo de la tipografía. Fue jefe del departamento editorial de la

lisboa

Universidad Nacional Autónoma y de la Secretaría de Educación Pública. Fue juez de distrito de Chiapas. Fundó y dirigió la revista literaria "Huytlale". Como poeta, su lírica "propende a lo popular y autóctono". Su teatro y sus novelas revelan habilidad para los diálogos y sensibilidad para expresar lo popular.

Su obra más célebre: *Donde crecen los tepozanes,* es una de las mejores novelas indigenistas que se han escrito en México.

OBRA PRINCIPAL: **Poesía.** *Tú* (1925); *La guayaba* (1927); *Corrido de Domingo Arenas* (1932); *Segunda soledad* (1933); *Corrido-són* (1937); *Romance de la noche maya* (1944). **Novela.** *Donde crecen los tepozanes* (1947); *La escondida* (1948); *Una mujer en soledad* (1956);*Mientras la muerte llega* (1958). [P.S.]

LISBOA, Antonio Maria (1928-1953).—Poeta portugués, colaboró juntamente con Mário Cesariny, iniciador del movimiento surrealista, en la "Primeira Manifestação Pública de Movimento Surrealista" y en la "Primeira Exposição Surrealista Portuguesa". Vivió en París, relacionado con varios artistas portugueses, sobre todo con la pintora Vieira da Silva. Se dedica al ocultismo. Colaboró en varias revistas, publicando en el número 1 de "Pirâmide" el manifiesto "Aviso aTempo por Causa do Tempo" (1953).

OBRA PRINCIPAL: **Poesía.** *Ossóptico* (1952); *A Afixação Proibida,* en colaboración con Mário Cesariny (1953); *A verticalidade e a Chave* (1956); *Exercício sobre o Sonho e a Vigília de Alfredo Jarry* (1958); *O Senhor Cágado e o Menino* (1958), etc. [M.V.]

LISBOA, Irene (1892-1958).—Poeta y novelista portuguesa, profesora de primera enseñanza, cursó estudios en Suiza, Bélgica y Francia, donde se especializó en cuestiones pedagógicas. Colaboró en "Presença", "Vértice", etc., utilizando con frecuencia el seudónimo de João Falcó. La percepción de lo cotidiano y de la intimidad de los seres vulgares caracteriza la mayor parte de su obra.

OBRA PRINCIPAL: **Poesía.** *Um Dia e Outro Dia...* (1936); *Outono, Havias de Vir* (1937); *Folhas Volantes* (1940). **Ficción.** *Solidão* (1939); *Começa uma Vida* (1940); *Lisboa e quem cá Vive* (1940); *Esta Cidade* (1942); *Uma Mão Cheia de Nada, Outra de Coisa Nenhuma* (1955); *Voltar Atrás Para Quê?* (1956); *Título Qualquer Serve* (1958); *Queres Ouvir? Eu Conto* (1958), etc. [M.V.]

LISCANO, Juan (1915-   ).—Poeta y ensayista venezolano. Miembro de la generación del 42. Poeta de amplio registro, "preocupado por el sentido de la vida y el destino humano". Ha incorporado el sentimiento mágico del aborigen venezolano al caudal de su lírica superrealista. Como ensayista se ha preocupado de analizar la obra de Rómulo Gallegos y los problemas ecológicos y demográficos que preocupan al hombre contemporáneo. Director de Monte Avila Editores. Director de la revista "Zona Franca". Premio Nacional de Poesía 1950.

OBRA PRINCIPAL: **Poesía.** *Contienda* (1942); *Humano destino* (1950); *Tierra muerta de sed* (1954); *Nuevo Mundo Orinoco* (1959); *Rito de sombra* (1961); *Cármenes* (1966); *Nombrar contra el tiempo* (1968); *Teclado obscuro* (1969); *Los nuevos días* (1971); *Fundaciones* (1981). **Ensayo.** *Folklore y cultu.a* (1950); *Cielo y constantes galleguianos* (1954); *La poesía hispanoamericana en los últimos 15 años* (1959); *Tiempo desandado* (1964); *El aumento de la población* (1967); *Rómulo Gallegos y su tiempo* (1969); *La geografía venezolana en la obra de Rómulo Gallegos* (1970); *Panorama de la literatura venezolana actual* (1973); *Espiritualidad y literatura: una relación tormentosa* (1976); *El horror por la historia* (1980). [J.P.]

LISPECTOR, Clarice (1917-1977).—Novelista, cuentista y cronista brasileña. Su obra se inscribe en la corriente introspectiva. A los diecisiete años escribe *Perto do coração selvagem* (1944), considerada como la primera novela brasileña que prosigue la experiencia narrativa de James Joyce y Virginia Woolf.

La obra de Clarice Lispector significa una ruptura en la novelística brasileña, siendo la primera en aplicar el tiempo discontinuo y el libre fluir de la conciencia. La recuperación de la memoria también juega un papel importante en su obra.

Renovó la prosa literaria brasileña mediante la exhaustiva investigación del lenguaje, el cual tiende a erigirse en protagonista fundamental de su obra. Premio Brasilia 1976.

OBRA PRINCIPAL: **Novela.** *Perto do coração selvagem* (1944); *O lustre* (1946); *A cidade sitiada* (1949); *A maçã no escuro* (1961); *A paixao segundo G.H.* (1946); *A aprendizagem ou a linguagem dos prazeres* (1969); *Agua viva* (1973). **Cuento.** *Alguns contos* (1952); *Laços de família* (1960); *A Legião Estrangeira* (1964). **Novela corta.** *Felicidade clandestina* (1971); *A Via Crucis do Corpo* (1974); *Onde estivestes de noite* (1974). [M.L.M.]

LIZALDE, Eduardo (1929-   ).—Poeta, narrador y ensayista mexicano. Su obra inicial es barroca, pero después derivó hacia una poesía crítica y escéptica, próxima al epigrama. Ha dirigido, en colaboración con Julio Pliego, varios documentales, entre ellos un film sobre *El Principito*, de Saint-Exupéry. Crítico cinematográfico y guionista. OBRA PRINCIPAL: **Poesía.** *La furia blanca* (1956); *La mala hora* (1956); *La tierra de Caín* (1956); *Odesa y Cananea* (1956); *La sangre en general* (1959); *Cada cosa es Babel* (1966); *El tigre en la casa* (1970); *La zorra enferma* (1975); *Caza mayor* (1979). **Cuento.** *La cámara* (1960). **Ensayo.** *Luis Buñuel* (1962). [P.S.]

LIZARDI, Xabier de (1896-1933).—Seudónimo de José María de Aguirre. Poeta y comediógrafo español de expresión vascuence (euskera). Poeta romántico, cantó a la naturaleza y exaltó el paisaje vasco y la vida de los campesinos.

En pleno Congreso de la Segunda República, Unamuno calificó a la lengua vascuence de "instrumento inepto e incapaz para los menesteres y exigencias de la cultura y civilización modernas". Lizardi le replicó líricamente con la publicación del poema *Eusko Bidaztiarena*. La importancia de Lizardi reside en haber modernizado el vascuence "hasta hacerle servir de cauce apropiado al pensamiento culto", y en haber creado "un tipo de poesía nuevo, muy intelectual, casi conceptista". En prosa, "Lizardi tiene su estilo inconfundible: cortado, breve, conciso, airoso, grácil... En suma, es un auténtico artista de la palabra" (Luis Villasante).

Licenciado en Derecho en la Universidad Central (Madrid, 1917), llegó a ser gerente de una fábrica de telas metálicas. Murió en Tolosa. OBRA PRINCIPAL: **Poesía.** *Biotz-Begietan* (1932. Antología); *Umezurtz-Olerkiak* (1934). **Prosa.** *Itz-lauz* (1934). **Comedia.** *Ezkondu ezin ziteken mutilla* (1953). [P.S.]

LOAYZA, Luis (1934-   ).—Narrador y ensayista peruano. Pertenece a la generación del 50. Ha contribuido a la superación del tema indigenista en la novelística peruana. Admirador de Borges, incursionó en la literatura fantástica, sin abandonar sus referentes sociológicos. Su breve obra postula una narrativa urbana centrada en el conflicto psicológico y social de unos adolescentes que buscan su propia identidad. Loayza trabaja como traductor en un organismo internacional. OBRA PRINCIPAL: **Novela.** *Una piel de serpiente* (1964). **Relato.** *El avaro* (1955). **Ensayo.** *El sol de Lima* (1974). [P.S.]

lópez gómez

LÓPEZ GÓMEZ, Adel (1901-   ).–Narrador colombiano. Periodista, poeta, novelista, pero sobre todo, cuentista. Su estilo es de un
realismo vigoroso. Miembro de la Academia Colombiana de la
Lengua. OBRA PRINCIPAL: **Cuento.** *Por los caminos de la tierra*
(1928); *El fugitivo* (1931); *El hombre, la mujer y la noche* (1938);
Cuento del lugar y la manigua (1941); *La noche de Satanás* (1941).
Novela. *El niño que vivió su vida* (1942, con cuentos); *El diablo anda
por la aldea* (1963, con cuentos). **Poemas en prosa.** *Las ventanas del
día* (1934). **Crónica.** *Claraboya* (1950); *Ellos eran así. Anecdotario
de la literatura y la vida* (1966). **Ensayo.** *El costumbrismo* (1959).
Cuentos completos. *Tres vidas y un momento* (1971. Edición del
Instituto de Cultura Hispánica). [P.S.]

LÓPEZ MERINO, Francisco (1904-1928).–Poeta argentino. A pesar
de haber comenzado y desarrollado su breve obra paralelamente con
los experimentos vanguardistas de la década del veinte en la
Argentina, su poesía se mantuvo fiel a los cánones clásicos donde el
tono tenue signaba una visión elegíaca basada en detalles, instantes
en el paisaje. Se suicidó apenas cumplidos los veinticuatro años. Su
muerte inspiró una conocida elegía de Jorge Luis Borges.
OBRA PRINCIPAL: *Canciones interiores y otros poemas*
(1920); *Tono menor* (1923); *Las tardes* (1925). [H.S.]

LÓPEZ PÁEZ, Jorge (1922–   ).–Narrador y dramaturgo mexicano. Su experiencia vital, vinculada al mundo costeño, ilumina su
obra signada por el realismo y la magia. Los recuerdos de la infancia,
el descubrimiento del amor y el paso de la adolescencia a la madurez,
son los temas recurrentes en este autor de hondos acentos poéticos.
OBRA PRINCIPAL: **Novela.** *El solitario atlántico* (1958); *Hacia
el amargo mar* (1965); *Mi hermano Carlos* (1965); *In memorian Tía
Lupe* (1974); *Pepe Prida* (1965); *La costa* (1980). **Cuento.** *Los
mástiles* (1955); *Los invitados de piedra* (1962). **Teatro.** *La última
visita* (1951). [P.S.]

LÓPEZ SURIA, Violeta (1926-   ).–Poeta puertorriqueña. El
tema constante de su poesía es la muerte, pero también le
obsesionan la desolación, la nostalgia, el recuerdo, el amor y Dios.
OBRA: **Poesía.** *Gotas en mayo* (1953); *Elegía* (1953); *En un
trigal de ausencia* (1954); *Riverside* (1955); *Poema de la yerma virgen*
(1956); *Unas cuantas estrellas en mi cuarto* (1957); *Diluvio* (1958);

lorenzo

Amorosamente (1961); *Hubo unos pinos claros* (1961); *La piel pegada al alma* (1962); *Resurrección de Eurídice* (1963); *Me va la vida* (1965); *Las nubes dejan sombras* (1965); *Antología poética* (1970). **Ensayo.** *Obsesión de heliotropo* (1969). [J.P.]

LÓPEZ VALDIZÓN, José María (1929-1975).—Escritor y cuentista guatemalteco. Se graduó de maestro en la Escuela Normal Central. Fundó el periódico *Surco nuevo* (1949) y la revista *Ulev* (1950), del semanario *Saker-ti* (1953) y la revista *Presencia* (1958). Premio Casa de las Américas (La Habana, 1960). Vivió exiliado durante muchos años. Murió asesinado.
OBRA: **Cuento.** *Sudor y protesta* (1953); *La carta* (1958); *La vida rota* (1960). Premio Casa de las Américas 1960. **Novela.** *La sangre del maíz* (1966). [C.T.]

LÓPEZ Y FUENTES, Gregorio (1897-1966).—Novelista mexicano. Poeta, cuentista, periodista, profesor. Premio Nacional de Literatura 1935. Pertenece al grupo de novelistas de la revolución mexicana. Participó en la defensa de Veracruz contra la invasión norteamericana. Sus novelas se distinguen por su tendencia a la estilización y la alegoría. Su estilo es una síntesis de realismo y simbolismo. *El indio* es su libro más conocido.
OBRA PRINCIPAL: **Poesía.** *La siringa de cristal* (1914); *Claros de selva* (1922). **Cuento.** *Cuentos campesinos* (1940). **Novela.** *El vagabundo* (1922); *El alma del poblacho* (1924); *Campamento* (1931); *El indio* (1935); *Arrieros* (1937); *Huasteca* (1939); *Los peregrinos inmóviles* (1944); *Entresuelo* (1948); *Milpa, potrero y monte* (1951). [C.T.]

LORENZO, Pedro de (1917-   ).—Novelista, ensayista y periodista español. Vinculado al grupo de la revista "Garcilaso". Estilista, orfebre del idioma. Ha escrito bellas páginas sobre la vocación literaria y el paisaje de Extremadura. Las obras completas de Pedro de Lorenzo constan de cuatro volúmenes publicados entre 1974 y 1977.
Premio Azorín 1947. Premio Luca de Tena 1957. Premio Alvarez Quintero, de la Real Academia Española, 1957. Premio Fastenrath, de la Real Academia Española, 1964. Premio Nacional de Literaratura 1968. Premio Nacional de Periodismo 1972.
OBRA PRINCIPAL: **Novela.** *La quinta soledad* (1943); *La sal perdida* (1947); *Una conciencia de alquiler* (1952); *Cuatro de familia* (1956); *Gran café* (1974); *El hombre de La Quintana* (1979); *La*

loynaz

soledad en armas (1980). **Poesía.** *Tu dulce cuerpo pensado* (1947); *Angélica* (1955). **Ensayo.** ... *Y al Oeste, Portugal* (1946); *Fantasía en la plazuela* (1953); *Elogio de la retórica* (1969); *La medalla de papel* (1970); *Los cuadernos de un joven creador* (1971); *El libro del político* (1972); *Capítulos de la insistencia* (1975); *Letra para un Pasionario* (1977). **Crónicas.** *Tierras de España* (1953); *Extremadura, la fantasía heroica* (1961); *Viaje de los ríos de España* (1968). **Estudio.** *Fray Luis de León* (1964). [P.S.]

LOYNAZ, Dulce María (1903-   ).—Poeta cubana. Representante de la poesía pura. Es autora de una "novela lírica", cuyo esquema argumental es mínimo. Esta obra narrativa se sostiene por una serie de descripciones de paisajes, pensamientos y recuerdos, hechas con una prosa trabajada y pulcra.

OBRA PRINCIPAL: **Poesía.** *Versos* (1938); *Juegos de agua* (1947); *Poemas sin nombre* (1952). **Novela.** *Jardín* (1951). [J.P.]

LUCA DE TENA, Juan Ignacio (1897-1975).—Dramaturgo y periodista español. Licenciado en Derecho. Fue director de "Blanco y Negro" y de "ABC". Embajador de España en Chile (1940-1944) y en Grecia (1962). Miembro de la Real Academia Española. Premio Piquer de la Real Academia Española 1935. Premio Nacional del Teatro 1949. Premio Agustín Pujol 1951. Premio María Rolland 1959. Obtuvo un singular éxito con sus comedias. *¿Quién soy yo?* y *¿Dónde vas, Alfonso XII?*, llevadas posteriormente al cine.

OBRA PRINCIPAL. *¿Quién soy yo?* (1935); *Yo soy Brandel* (1936); *El cóndor sin alas* (1951); *El vampiro de la calle Claudio Coello* (1952, en col. con Luis Escobar); *Don José, Pepe y Pepito* (1952); *¿Dónde vas Alfonso XII?* (1959); *¿Dónde vas, triste de ti?* (1959). [P.S.]

LUCA DE TENA Y BRUNET, Torcuato (1923-   ).—Poeta, narrador, ensayista, dramaturgo y periodista. Por dos veces fue director de "ABC". Corresponsal en Londres, Israel, Washington y México. Algunas novelas suyas son fruto de sus experiencias como corresponsal de prensa. Poeta neorromántico de expresión regional, próximo al neopopularismo que puso en boga García Lorca. Miembro de la Real Academia Española.

Premio de la Sociedad Cervantina 1958. Premio Planeta 1961. Premio Ateneo de Sevilla 1970. Su mejor novela: *Edad Prohibida*. Su mejor drama: *Hay una luz sobre la cama*. Su mejor libro de ensayo: *La fábrica de sueños*.

OBRA PRINCIPAL: **Poesía.** *Albor; Espuma, nubes, viento* (1945); *Thompson, su mundo y yo; Embajador en el infierno* (en col. con el capitán Palacios); *La otra vida del Capitán Contreras; Edad prohibida* (1958); *La mujer de otro* (1961); *La brújula loca* (1965); *Pepa Niebla* (1970). **Ensayo.** *La prensa ante las masas* (1948); *Crónicas parlamentarias* (1967); *Carta del Más Allá* (1978); *La fábrica de sueños* (1978); *Señor Ex Ministro* (1976). **Teatro.** *Hay una luz sobre la cama* (1970); *El triunfador* (1971). **Testimonio.** *Los renglones torcidos de Dios* (1979). [P.S.]

LUIS, Agustina Bessa (1922-   ).—Novelista portuguesa. Autodidacta. Viviendo en un aislamiento familiar, se reveló con la novela *A Sibila,* que, al decir de un crítico, "concilia regionalismo, metafísica e invención del lenguaje". Considerada integrada en el post-simbolismo de Raul Brandão con influencias de Proust se convirtió en una figura literaria controvertida, si bien estos últimos años está aumentando el número de los que la sitúan en un plano de gran creación literaria. Es uno de los pocos escritores que, en su obra, ya abordó el proceso posterior al 25 de abril de 1974, concretamente en el libro *Crónica do Cruzado Osb:* "El gusto de la libertad es más ardiente de lo que se aprecian sus ventajas. Esto ocurre muy especialmente con los portugueses".

OBRA PRINCIPAL: **Ficción.** *Mundo Fechado* (1948); *Os Super-Homens* (1950); *Contos Impopulares* (1953); *A Sibila* (1954); *Os Incuráveis* (1956); *A Muralha* (1957); *Ternos Guerreiros* (1960); *O Sermão de Fogo* (1963); *los ciclos* As Relaçoes Humanas (1965-66) y *A Bíblia dos Pobres* (1967-70); *Crónica do Cruzado Osb* (1976), etc. **Teatro.** *Os Inseparáveis* (1958). [M.V.]

LUIS, Leopoldo de (1918-   ).—Nombre literario de Leopoldo Urrutia de Luis. Poeta español "que ha puesto su noble y grave inspiración al servicio de sus convicciones éticas". Su *Antología de la poesía social española contemporánea,* publicada en 1965, contribuyó al desarrollo de una lírica preocupada por el tiempo y los problemas humanos. Con posterioridad, en 1969, De Luis publicó otra *Antología de la poesía religiosa española contemporánea.*

Fueron decisivos, en su día, sus estudios sobre Antonio Machado, Aleixandre y Miguel Hernández. Premio Pedro Salinas, México 1952. Premio Indice 1953. Premio Ausias March 1968. Premio Alamo 1976. Una recopilación de su obra poética se publicó bajo el título de *Poesía* (1968).

luquín

OBRA PRINCIPAL: **Poesía.** *Alba del hijo* (1946); *Huésped de un tiempo sombrío* (1948); *Los imposibles pájaros* (1949); *Los horizontes* (1951); *Elegía en otoño* (1951); *El árbol y otros poemas* (1954); *El padre* (1954); *El extraño* (1955); *Juego limpio* (1961); *La luz a nuestro lado* (1964); *Con los cinco sentidos* (1970). **Estudios.** *Vicente Aleixandre* (1970); *Antonio Machado, ejemplo y lección* (1975); *Vida y obra de Vicente Aleixandre* (1977). [P.S.]

LUQUÍN, Eduardo (1896–   ).—Narrador y ensayista mexicano. Fue oficial del Ejército constitucionalista con Venustiano Carranza, y en 1925 ingresó en la diplomacia. Participó en la Guerra Civil Española y obtuvo la Cruz del Mérito concedida por el Gobierno de México. Miembro de la Academia Mexicana de la Lengua. OBRA PRINCIPAL: **Cuentos, novelas, memorias.** *El indio* (1923); *Agosto y otros cuentos* (1924); *La mecanógrafa* (1925); *Figuras de papel* (1932); *Triángulo* (1936); *Agua de sombra* (1937); *Espejismo* (1938); *Los perros fantasmas* (1943); *Extranjeros en la tierra* (1944); *Aguila de oro* (1950); *Serpiente de dos cabezas* (1963). **Ensayo.** *Diagrama* (1930); *Verde y azul* (1939); *Ondas cortas,* 3 vols. (1940, 1943, 1954); *El escritor y la crítica* (1963). [P.S.]

LYNCH, Marta (1934–   ).—Narradora argentina. El éxito de su primer libro, *La alfombra roja,* publicado en 1962, le permitió ocupar, desde el comienzo de su carrera literaria, un lugar destacado en las letras argentinas. Su obra se caracteriza por una prosa realista que se adentra en los problemas del contexto sociopolítico de su país. La angustia ante el paso del tiempo, la frustración sentimental, la monotonía de la vida cotidiana y el clima de violencia vivido por Latinoamérica en las últimas dos décadas, se reflejan en su obra, donde —sin embargo— siempre hay un espacio para la salvación a través del amor. OBRA PRINCIPAL: *La alfombra roja* (1962); *Al vencedor* (1965); *Cuentos tristes* (1967); *La señora Ordóñez* (1968); *Cuentos de colores* (   ); *Un árbol lleno de manzanas* (   ); *Los dedos de la mano* (1976); *La colorada Villanueva* (   ); *Los años de fuego* (   ); [H.S.]

LYRA, Carmen (1890-1949).—Seudónimo de María Isabel Carvajal. Cuentista costarricense. Aunque cultivó especialmente el cuento, también escribió teatro. Dedicó su vida al magisterio y a la militancia

en el Partido Comunista de Costa Rica, motivo por el cual fue
perseguida y finalmente, exiliada. Vivió en México hasta su muerte.
OBRA: **Cuento.** *Las fantasías de Juan Silvestre* (1917); *En una silla de ruedas* (1918); *Los cuentos de mi tía Pachita* (1920). [C.T.]

M

MACHADO, Alcántara (1901-1935).—Nombre literario de Antônio Castilho de Alcântara Machado D'Oliveira. Cuentista, novelista y periodista brasileño. Pertenece al grupo surgido del "Movimiento modernista" de São Paulo. Su obra renovó el cuento brasileño. Machado cultivó la literatura de ambiente urbano y utilizó el lenguaje coloquial. Incorporó un personaje nuevo en la narrativa brasileña: el emigrante, surgido en la sociedad brasileña de la época.

OBRA PRINCIPAL: **Cuento.** *Brás, Bexiga e Barra Funda* (1927); *Laranja da China* (1928). **Miscelánea.** *Pathé baby* (1926); *Mana Maria* (1936); *Cavaquinho e saxofone* (1940). [M.L.M.]

MACHADO, María Clara (1921-   ).—Ensayista, actriz, autora y directora teatral brasileña. Propone una nueva concepción del teatro infantil. Supo crear la adecuación del contenido y del lenguaje escénico al universo de los niños. Fundó el Teatro Tablado (1952), en Río de Janeiro, importante centro de formación de actores en Brasil. La autora ejerce una intensa labor de promoción de grupos experimentales de teatro. Su obra más célebre es *Pluft, o fantasminha*. Fundó, en 1956, los "Cadernos de Teatro".

OBRA PRINCIPAL: **Teatro.** *O rapto das cebolinhas* (1954); *A bruxinha que era boa* (1955); *Pluft, o fantasminha* (1955); *O chapeuzinho vermelho* (1956); *Cavalinho azul* (1965). **Ensayo.** *Como fazer teatrinho de bonecos.* [M.L.M.]

MADARIAGA, Francisco (1927-   ).—Poeta argentino. Próxima a las experiencias de la vanguardia y dentro de un tono surrealista, su breve obra está fuertemente influida por el paisaje agreste de su provincia natal, Corrientes.

OBRA PRINCIPAL: *El pequeño patíbulo* (1954); *Las jaulas del sol* (1960); *El delito natal* (1963). [H.S.]

madeira

MADEIRA, Antonio(1905-1974).—Véase Fonseca, Branquinho da.

MAFUD, Julio (1925-   ).—Ensayista argentino. Desde una base sociológica en la que se mezclan influencias de Max Weber, Erich Fromm y Ezequiel Martínez Estrada, en un contexto formal casi periodístico, se ha caracterizado por abordar —a veces simplificando en exceso— los problemas más complejos de la realidad de su país.

OBRA PRINCIPAL: *El desarraigo argentino* (1959); *Contenido social del Martín Fierro* (1967); *Psicología de la viveza criolla* (1967); *Sociología del tango* (1966); *La revolución sexual en la Argentina* (1968); *Los argentinos y el status* (1969). [H.S.]

MAGAÑA, Sergio (1924-   ).—Escritor y dramaturgo mexicano. Crítico de teatro, cuentista y novelista. Escribió dramas, tragedias, comedias. *Los signos del zodíaco* (1951) es considerada como una de las mejores obras del teatro mexicano contemporáneo.

OBRA PRINCIPAL: Teatro. *La noche transfigurada* (1947); *El suplicante* (1950); *Los signos del zodíaco* (1951); *El reloj y la cuna* (1952); *Moctezuma II* (1953); *Meneando el bote* (1954); *El pequeño caso de Jorge Lívido* (1958); *Los motivos del lobo* (1965); *Medea* (1965); *Los argonautas* (1965); *Ensayando a Molière* (1966). [C.T.]

MAGAÑA ESQUIVEL, Antonio (1909-   ).—Novelista, dramaturgo, crítico y ensayista mexicano. Profesor de literatura española y mexicana. Fundador de la Agrupación de Críticos de Teatro en México, miembro de la Academia de Artes y Ciencias Cinematográficas y Jefe de Teatro Foráneo del Instituto Nacional de Bellas Artes. Premio Nacional de Literatura 1951. Su libro *Imagen del teatro* es fuente de consulta indispensable.

OBRA PRINCIPAL: Novela. *El ventrílocuo* (1944); *La tierra enrojecida* (1951). Teatro. *Semilla del aire* (1956); *El sitio y la hora* (1961). Ensayo. *Imagen del teatro* (1940); *Arte y literatura de la Revolución* (1948); *Sueño y realidad del teatro* (1949); *Teatro mexicano del siglo XX* (1956). [P.S.]

MAGNO, Pascoal Carlos (1906-   ).—Diplomático, actor, crítico teatral y dramaturgo brasileño. Fundador de uno de los grupos que renovaron la dramaturgia brasileña, el *Teatro del Estudiante,* de 1938. Es considerado una de las personalidades primordiales del teatro brasileño.

malavé mata

OBRA PRINCIPAL: *Pierrot* (1931); *Amanha será Diferente* (1945). [M.L.M..]

MAGDALENO, Mauricio (1906-   ).—Escritor mexicano. Novelista, ensayista, dramaturgo, periodista y político. Pertenece al grupo de novelistas de la revolución mexicana. Estudió letras en la Universidad de Madrid. Colaborador de "El Sol", periódico editado por Martín Luis Guzmán. Varios libros suyos fueron impresos en España. Su mejor novela: *El resplandor*, considerada una de las mejores novelas indigenistas. Escribió argumentos para el cine como *Flor silvestre, Maria Candelaria, Bugambilia, Río escondido, Maclovia* y *Pueblerina*. Miembro de la Academia Mexicana de la Lengua. OBRA PRINCIPAL: **Cuento.** *El ardiente verano* (1954) **Novela.** *Mapimí 37* (1927); *El resplandor* (1937); *Sonata* (1941); *Tierra grande* (1949). **Ensayo.** *Vida y poesía* (1936); *Fulgor de Martí* (1940); *Rango* (1941); *Tierra y viento* (1948). **Teatro.** *Pánico 137/ Emiliano Zapata/Trópico* (1933); *Teatro revolucionario mexicano* (1933). [P.S.]

MAGGI, Carlos (1922-   ).—Ensayista, dramaturgo, humorista uruguayo. A principio de la década de los sesenta su abundante obra teatral, satírica y al mismo tiempo intelectual conectó fácilmente con el público, del mismo modo que sus ensayos humorísticos, pues interpretaban con agudeza el sentimiento de desilusión y ruptura que se iba incrementando en el país. El ámbito donde su sátira se desarrolla más libremente es el de la clase media montevideana.
OBRA PRINCIPAL: *Mascarada (El apuntador, Un cuervo en la madrugada)* (1961); *La biblioteca* (1961); *El Uruguay y su gente* (1963); *Gardel, Onetti y algo más* (1964); *Cuentos de humoramor* (1967); *Esperando a Rodó* (1967); *Las llamadas y otras obras* (1968); *Invención de Montevideo* (1970). [H.C.]

MALAVÉ MATA, Héctor (1930-   ).—Narrador venezolano. Doctor en Ciencias Económicas y Sociales. Miembro del Instituto de Investigaciones de la Universidad Central, Caracas. Colabora en la publicación mexicana "El trimestre económico".
OBRA: **Cuento.** *Los sonámbulos* (1964). **Ensayo.** *Petróleo y desarrollo económico de Venezuela* (1962). [J.P.]

261

mallea

MALLEA, Eduardo (1903-   ).–Narrador y ensayista argentino, autor de una vasta obra iniciada en 1926 con su libro *Cuentos para una inglesa desesperada* (1926). La característica principal de su obra radica en la búsqueda de la contraposición entre una Argentina visible (materialista y arrogante) y una "Argentina invisible" (seria y nostálgica) y en una constante indagación del ser nacional. Para ello recurre a un texto de tipo psicológico. El narrador actúa como un ser omnisciente, cuya visión de la realidad se deforma a través de una peculiar óptica en donde los personajes resultan muchas veces más una suma de esencias que de seres de carne y hueso. La crítica internacional ha considerado que sus libros más característicos y donde su particular y moroso estilo se muestra con mayor plenitud, son: *La ciudad junto al río inmóvil, Historia de una pasión argentina, La bahía de silencio, Todo verdor perecerá, Chaves, Simbad* y *La barca de hielo.*

OBRA PRINCIPAL: **Narrativa.** *Cuentos para una inglesa desesperada* (1926); *Nocturno europeo* (1935); *La ciudad junto al río inmóvil* (1936); *Fiesta en noviembre* (1938); *La bahía de silencio* (1940); *Todo verdor perecerá* (1941); *Las águilas* (1943); *Rodeada está de sueño* (1944); *El retorno* (1946); *Los enemigos del alma* (1950); *La torre* (1951); *Chaves* (1953); *La sala de espera* (1953); *Simbad* (1957); *Posesión* (1958); *Las travesías* (1961); *La guerra interior* (1963); *El resentimiento* (1966); *La barca de hielo* (1967); *La red* (1968); *La penúltima puerta* (1969); *Gabriel Andaral* (1971); *Triste piel del universo* (1971); *En la creciente oscuridad* (1973). **Ensayo.** *Historia de una pasión argentina* (1937); *Meditación en la costa* (1937); *El sayal y la púrpura* (1941); *El poderío de la novela* (1965). [H.S.]

MANCISIDOR, José (1894-1956).–Escritor mexicano. Novelista, ensayista, periodista. Pertenece al grupo de narradores de la revolución mexicana. Combatió contra la invasión norteamericana de 1914. Su obra se inserta en la literatura de contenido social.

OBRA PRINCIPAL: **Novela.** *La asonada* (1931); *La ciudad roja* (1932); *Frontera junto al mar* (1953); *El alba en las simas* (1953); *Se llamaba Catalina* (1958). [C.T.]

MAÑACH, Jorge (1899-1961).–Ensayista, educador y político cubano. Miembro del Grupo Minorista y de la "Revista de Avance". Senador de la república y ministro de Educación. Enseñó filosofía en la Universidad de La Habana. Su ensayo *Martí, el apóstol,* suele ser su trabajo más celebrado.

OBRA PRINCIPAL: **Artículos.** *Glosario* (1924); *Estampas de San Cristóbal* (1925). **Ensayo.** *La pintura en Cuba desde sus orígenes hasta 1900* (1924); *Indagación del choteo* (1928); *La crisis de la alta cultura en Cuba* (19   ); *Martí, el apóstol* (1933); *Pasado vigente* (1939); *Historia y estilo* (1944); *Hacia una filosofía de la vida* (1951); *Imagen de José Ortega y Gasset* (1956); *Paisaje y pintura en Cuba* (1957). [J.P.]

MAPLES ARCE, Manuel (1898-1981).—Poeta mexicano. Estudió Historia del Arte en París. Fue secretario general de Gobierno en Veracruz y diputado federal. Precursor de la vanguardia en México y fundador del *estridentismo.*
OBRA: **Poesía.** *Rag. Tintas de abanico* (1920); *Andamios interiores* (1922); *Urbe* (1924); *Poemas interdictos* (1927); *Metrópolis* (1929); *Memorial de la sangre* (1947). **Autobiografía.** *A la orilla de este río* (1964); *Soberana juventud* (1967). **Antología.** *Antología de la poesía mexicana moderna* (1940). **Ensayo.** *El paisaje en la literatura mexicana* (1944); *El arte mexicano moderno* (1945); *Peregrinación por el arte de México* (1952); *Incitaciones y valoraciones* (1956); *Ensayos japoneses* (1959). [C.T.]

MARCOS, Plinio (1935-   ).—Actor, cuentista, dramaturgo, director de teatro, guionista de cine y televisión y periodista brasileño. Su teatro es considerado uno de los más importantes dentro de la corriente realista en Brasil. Trata, en sus piezas, del submundo de las grandes ciudades, utilizando un lenguaje directo y provocador.
OBRA PRINCIPAL: *Barrela; Os Fantoches; Jornada de un Imbecil até o Entendimento; Dois Perdidos numa Noite Suja* (1967); *Navalha na Carne* (1968); *Quando as Máquinas Param* (1968). [M.L.M.]

MARCHENA, Julián (1897-   ).— Poeta costarricense. Funcionario en puestos de coordinación educativa y cultural. Director de la Biblioteca Nacional. Miembro de la Academia Costarricense de la Lengua. Premio Nacional de Literatura 1963.
OBRA PRINCIPAL: **Poesía.** *Alas en fuga* (1941) (reeditado en 1965 con poemas nuevos). [C.T.]

MARECHAL, Leopoldo (1900-1970).—Poeta, narrador, dramaturgo y ensayista argentino. Se inició en el grupo ultraísta, colaboró en las

margarido

revistas *Martín Fierro* y *Proa* y, en 1922, publicó *Los aguiluchos,* ortodoxamente encuadrado en esa escuela. Al volumen inicial le seguirán *Días como flechas,* donde afirma su personalidad y *Odas para el hombre y la mujer.* Un nuevo período de gran rigor formal se abre a partir de *Sonetos australes* en 1937, cuya culminación será *El Centauro,* Premio Nacional de 1940. En *Heptamerón,* de 1966, reunió trabajos publicados anteriormente y significa el volumen que para muchos críticos resume toda su poesía, de profunda raíz nacional y provista de una notable erudición en temas metafísicos. La poesía de Marechal es también una indagación, una búsqueda del conocimiento a través de la palabra y en el marco de la fe católica.

Su obra narrativa se centra en tres novelas: *Adán Buenosayres, El banquete de Severo Arcángelo* y *Megafón.* A través de ellas traza un código de símbolos y claves para la comprensión de una ciudad que, para poder entenderla, es necesario una suerte de viaje iniciático, un descenso a los infiernos que se reitera, bajo distintos aspectos, en *Adán* y en *Megafón.* El crítico Pedro Orgambide ha dicho que "su riqueza verbal, que por momentos parecería una exageración, responde al enorme caudal de imágenes, símbolos, personajes, descripciones, estados de ánimo, percepción a nivel consciente o sensorial, que son, al fin, los elementos mismos del poeta, los que dan fuerza a su relato, los que justifican, al fin, la existencia de *Adán Buenosayres.*" Julio Cortázar saludó la aparición de esa novela diciendo que se trataba de un acontecimiento absolutamente extraordinario en las letras argentinas, y buena parte de la crítica considera al libro como el mayor monumento narrativo que produjeron las letras de su país.

OBRA PRINCIPAL: **Poesía.** *Odas para el hombre y la mujer* (1929); *Cinco poemas australes* (1938); *El Centauro* (1940); *Sonetos a Sophia* (1940); *El poema de Robot* (1966); *Heptamerón* (1966). **Narrativa.** *Adán Buenosayres* (1948); *El banquete de Severo Arcángelo* (1965); *Megatón* (1970). **Teatro.** *Antígona Vélez* (1951). **Ensayo.** *Historia de la calle Corrientes* (1937); *Autopsia de Creso* (1965); *Cuaderno de navegación* (1966).[H.S.]

MARGARIDO, Alfredo (1928-).—Novelista y poeta portugués. Ejerció el periodismo e hizo crítica literaria, y dirigió el suplemento literario del "Diário Ilustrado". Se formó en la Escuela de Hautes Etudes, en París, donde vive y se dedica a la enseñanza, así como en la Universidad de Vincennes. Se dedicó a las cuestiones de sociología de la literatura y a los problemas africanos. Es considerado como uno de los introductores del "nouveau roman" en Portugal.

OBRA PRINCIPAL: **Ficción.** *No Fundo deste Canal,* novela (1960); *A centopeia,* novela (1961); *As portas Ausentes,* novela (1963);. **Poesía.** *Poemas com Rosas* (1953); *Poemas para uma Bailarina Negra* (1958). **Ensayo.** *O Novo Romance* (1962); *Marânus: uma Linguagem Poética quase Niilista* (1976), etc. [M.V.]

MARIANI, Roberto (1892-1946).—Narrador argentino. Integrante del grupo de Boedo, su obra inscrita en la línea del realismo se ocupa esencialmente del tema de las oficinas, su tedio, su monotonía, su chatura gris y sin horizontes. Dentro de esta temática se encuentra su libro más notorio: *Cuentos de la oficina* (1925). Depurado estilo y lenguaje exacto y riguroso.

OBRA PRINCIPAL: **Narrativa.** *Cuentos de la oficina* (1925); *El amor agresivo* (1926); *En la penumbra* (1932); *La frecuentación de la muerte* (1930); *La cruz nuestra de cada día* (1955). **Teatro.** *Un niño juega con la muerte* (1938); *Regreso a Dios* (1938) [H.S.]

MARÍAS, Julián (1914-   ).—Ensayista español. Doctor en Filosofía. Discípulo de Ortega y Gasset, cuya obra ha comentado, sistematizado y desarrollado a través de estudios, conferencias y artículos. Entre sus tratados estrictamente filosóficos sobresalen *Introducción a la filosofía, Idea de la metafísica, La imagen de la vida humana* y *Antropología metafísica.*

Autor prolífico, ha publicado más de cuarenta títulos ampliamente divulgados, como la archiconocida *Historia de la Filosofía.* Otros libros suyos: *El método histórico de las generaciones; Miguel de Unamuno; Ortega. Circunstancia y vocación; Acerca de Ortega; La filosofía del Padre Gratry y La estructura social.*

Colaboró con Ortega y Gasset en la fundación del Instituto de Humanidades de Madrid (1948). Profesor en varias universidades norteamericanas. Colabora en "Revista de Occidente" y "Gaceta Ilustrada". Presidente del Consejo de la revista "Cuenta y Razón". Crítico de cine. Premio Fastenrath de la Real Academia 1947. Miembro de la Real Academia Española. Miembro del Consejo Superior del Instituto de Cooperación Iberoamericana.

OBRA PRINCIPAL: **Ensayo.** *Ensayos de teoría* (1954); *Ensayos de convivencia* (1963); *Aquí y ahora* (1963); *Los Estados Unidos en escorzo* (1963); *Nuestra Andalucía* (1966); *Nuestra Andalucía y Consideración de Cataluña* (1972); *Innovación y arcaísmo* (1973); *Sobre Hispanoamérica* (1973); *La España real* (1976); *La devolución de España* (1977); *España en nuestras manos* (1978); *La mujer en el siglo XX* (1980). [P.S.]

mariátegui

MARIÁTEGUI, José Carlos (1894-1930).—Ensayista y periodista peruano. Pensador marxista, aplicó el marxismo de manera creadora y original al análisis de los problemas hispanoamericanos. Lisiado de la pierna izquierda, realizó diversos oficios antes de ser redactor de revistas y periódicos. Auxiliar de linotipista en "La Prensa" de Lima, y corrector de pruebas. Premio Municipalidad de Lima, 1917. Fue uno de los organizadores del Partido Socialista del Perú que, posteriormente, se convertiría en Partido Comunista. Fundador de varias publicaciones, entre ellas "Amauta", influyente revista en el ámbito de las ideas, el arte y la política. *Siete ensayos de interpretación de la realidad peruana* es, sin duda, su obra más importante.

OBRA PRINCIPAL: *Obras completas* (1959. Contiene: *La escena contemporánea/Siete ensayos de interpretación de la realidad peruana/Alma matinal y otras estaciones del hombre de hoy/La novela y la vida/La defensa del marxismo, polémica revolucionaria/El artista y la época/Signos y obras/Historias de las crisis mundiales*). [P.S.]

MARÍN CAÑAS, José (1904-1980).—Escritor costarricense. Novelista, cuentista, dramaturgo, periodista, maestro. Abandonó sus estudios de Marina en España, porque su padre se arruinó. Tuvo que ganarse la vida trabajando como mozo de cordel y violinista en cines de películas mudas, cafés y orquestas. Siendo director del vespertino "La Hora", escribió por entregas su novela *El infierno verde,* sobre la guerra entre Bolivia y Paraguay, sin haber pisado nunca aquellos parajes. Supera la literatura costumbrista de su época y escribe *Pedro Arnáez,* considerada como su obra cimera y una de las novelas que inicia la corriente del "realismo mágico". Premio Nacional de Literatura. Profesor en la Escuela de Periodismo de San José. Presidente del Instituto Costarricense de Cultura Hispánica. Miembro de la Academia Costarricense de la Lengua.

OBRA PRINCIPAL: **Cuento.** *Los bigardos del ron* (1929). **Novela.** *Lágrimas de acero* (1928); *Tú, la imposible. Memorias de un hombre triste* (1931); *El infierno verde* (1935); *Pueblo macho* (1937); *Pedro Arnáez* (1942); *Tierra de conejos* (1971). [P.S.]

MARINELLO, Juan (1898-1977).—Ensayista y político cubano. Periodista, conferenciante y profesor universitario. Se ha destacado como estudioso de la obra de José Martí, sobre el cual ha publicado una bibliografía de consulta obligada.

OBRA PRINCIPAL: **Poesía.** *Liberación* (1927). **Ensayo.** *Juventud y vejez* (1928); *Americanismo y cubanismo literario* (1932); *Momento español* (1937); *Sobre la inquietud cubana* (19); *Picasso sin tiempo* (1942). [J.P.]

MARISCAL, Julio (1925-1978).—Poeta español. Pertenece a la generación del 50. Poesía de amplio registro, se caracteriza por su preocupación social y por abordar los temas amoroso y religioso. En su obra se advierte la huella dejada por las lecturas de Unamuno, Antonio Machado y Blas de Otero. OBRA PRINCIPAL: **Poesía.** *Corral de muertos* (1953); *Pasan hombres oscuros* (1955); *Poemas de ausencia* (1956); *Quinta palabra* (1958); *Tierra de secanos* (1962); *Tierra* (1965); *Ultimo día* (1971); *Poemas a Soledad* (1975); *Trébol de cuatro hojas* (1976). [P.S.]

MAROF, Tristán (1898-1979).—Seudónimo de Gustavo Navarro. Escritor boliviano. Novelista, ensayista, abogado y político. Fue uno de los introductores del pensamiento marxista en Bolivia. Exiliado y desterrado, vagó por América. Moralista ante todo, Marof describió con patético realismo la sociedad pechoña y provinciana de su tiempo. Con humor vitriólico, este apasionado escritor dedicó toda su vida a romper lanzas contra los poderosos. Polemista ingenioso, crítico atrabiliario, Marof será recordado por su obra testimonial y por su actitud rebelde. OBRA PRINCIPAL: **Novela.** *El juramento* (1918); *Los cívicos* (1918); *Suetonio Pimienta. Memorias de un diplomático de la República de Zanahoria* (1924); *Wall Street y Hambre* (1931); *La ilustre ciudad. Historia de badulaques* (1950). **Ensayo.** *Poetas idealistas e idealismos de la América Hispana* (1919); *El ingenuo continente americano* (1922); *La justicia del inca* (1926); *Opresión y falsa democracia* (1928); *México de frente y de perfil* (1934); *La tragedia del altiplano* (1934); *Ensayos y crítica* (1961). **Teatro.** *El jefe* (1965). **Memorias.** *La novela de un hombre* (1967); *Relatos prohibidos* (1976). [P.S.]

MARQUÉS, René (1919-1979).—Escritor puertorriqueño. Dramaturgo, ensayista, narrador. Graduado en agronomía por la Universidad de Puerto Rico, estudió literatura en la Universidad Complutense de Madrid (1946) y técnica dramática en la Universidad de Columbia, Nueva York (1949). La obra de Marqués refleja los problemas nacionales, especialmente los determinados por la situación política de la isla. Su dramaturgia plantea la búsqueda de identidad nacional y explora las múltiples posibilidades del realismo en el ámbito escénico. Su obra maestra es *La carreta,* pieza que para muchos críticos constituye el mayor logro del teatro puertorriqueño. Miembro de la Academia Puertorriqueña de la Lengua.

OBRA PRINCIPAL: **Teatro.** *El hombre y sus sueños* (1948); *El sol y los MacDonald* (1950); *La carreta* (1952); *Juan Bobo y la dama de Occidente* (1956); *Palm Sunday* (1956); *Los soles truncos* (1958); *La muerte no entrará en palacio* (1959); *Un niño azul para esa sombra* (1959); *El apartamento* (1963); *Mariana o el alba* (1965); *Sacrificio en el Monte Moriah* (1969); *Carnaval afuera, carnaval adentro* (1971). **Cuento.** *Otro día nuestro* (1955); *En una ciudad llamada San Juan* (1960); **Novela.** *La víspera del hombre* (1959); *La mirada* (1974). **Ensayo.** *Ensayos 1952-1966* (1966); *Vía crucis del hombre puertorriqueño* (1917). [P.S.]

MÁRQUEZ-SALAS, Antonio (1919-   ).–Narrador venezolano. Integró el grupo "Contrapunto". Uno de los renovadores del género cuentístico en Venezuela. Sus narraciones están provistas de una densidad lírica y de una desbordante fantasía. Uno de los escritores más influyentes en el panorama de la nueva narrativa venezolana.

OBRA PRINCIPAL: **Cuento.** *El hombre y su verde caballo* (1947); *Las hormigas viajan de noche* (1956); *Cuentos* (1956); *El día implacable* (1970. Antología). [J.P.]

MARRERO ARISTI, Ramón (1913-1959).–Narrador dominicano. Escritor naturalista de origen campesino. Publicó poco. Su talento literario se perdió en los laberintos de la política.

OBRA: **Cuento.** *Balsié* (1938). **Novela.** *Over* (1939). [J.P.]

MARSÉ, Juan (1933-   ).–Novelista y periodista español. Aprendiz en un taller de mecánica, abandonó este oficio para dedicarse a escribir. Afín a ciertos escritores ingleses –Alan Sillitoe, con preferencia–, la obra de Marsé inyecta una nueva savia al realismo crítico, mediante innovaciones formales desarrolladas a partir de la obra de Martín Santos. Su prosa se enriquece con la asimilación del habla de los marginados.

Premio Sésamo 1959. Premio Biblioteca Breve 1965. Premio Internacional de Novela México 1973. Premio Planeta 1978. Secretario de la revista "Por Favor". Dos novelas suyas (*La oscura*

martín gaite

historia de la prima Montse y *La muchacha de las bragas de oro*) han sido vertidas al cine.

OBRA PRINCIPAL: **Novela.** *Encerrados en un solo juguete* (1960); *Esta cara de la luna* (1962); *Ultimas tardes con Teresa* (1966); *La oscura historia de la prima Montse* (1970); *Si te dicen que caí* (1973); *La muchacha de las bragas de oro* (1978). **Artículos.** *Señoras y señores* (1967); *Confidencias de un chorizo* (1978). [P.S.]

MARTÍN DESCALZO, José Luis (1930-).—Novelista, poeta, dramaturgo y ensayista español. Sacerdote católico. Fue director de "Blanco y Negro". Colabora en "ABC". Premio Insula 1952. Premio Nadal 1956. Actor y testigo del proceso de remozamiento de la Iglesia Católica, Martín Descalzo vuelca en su poesía y en su prosa un mundo de temas y preocupaciones afines al Concilio Vaticano II. Su novela más célebre: *La frontera de Dios.*

OBRA PRINCIPAL: **Poesía.** *Fábulas con Dios al fondo* (1957); *Camino de la cruz* (1959); *Querido mundo terrible* (1970); *Apócrifo* (1975). **Novela.** *Diálogo de cuatro muertos* (1953); *La frontera de Dios* (1956); *El hombre que no sabía pecar* (1961); *Lobos, perros y corderos* (1978). **Teatro.** *La hoguera feliz* (1962); *A dos barajas* (1972). **Ensayo.** *Un cura se confiesa* (1955); *Por un mundo menos malo* (1958); *Un periodista en el Concilio* (1962-1965. 4 vols.); *Siempre es Viernes Santo* (1966); *Dios es alegre* (1971). [P.S.]

MARTÍN GAITE, Carmen (1925-).—Narradora, poeta, ensayista e historiadora española. Pertenece a la generación del 50. Licenciada en Filosofía y Letras. Su obra narrativa se alinea en el realismo crítico, aunque sus últimas novelas revelan preocupaciones de tipo existencialista. Su novela más importante: *Retahílas.* Admiradora de Kafka, Pavese y Svevo. Sus estudios sobre las costumbres del siglo XVIII, Macanaz y el conde Guadalhorce constituyen una importante contribución a la historiografía española. Premio Café Gijón 1954. Premio Nadal 1957. Premio Nacional de Literatura 1978. Ha escrito varios guiones cinematográficos.

OBRA PRINCIPAL: **Novela.** *El balneario* (1954); *Entre visillos* (1957); *Ritmo lento* (1963); *Retahílas* (1974); *Fragmentos de interior* (1976); *El cuarto de atrás* (1978). **Relato.** *Las ataduras* (1960); *Cuentos completos* (1978). **Poesía.** *A rachas* (1976). **Ensayo.** *La búsqueda de interlocutor y otras búsquedas* (1973). **Historia.** *Usos amorosos en la España del siglos XVIII* (1972); *Macanaz, otro paciente de la Inquisición* (1975); *Conde Guadalhorce, su época y su labor* (1977). [P.S.]

martín santos

MARTÍN SANTOS, Luis (1924-1964).—Narrador español. Médico siquiatra, autor de dos tratados: *Dilthey, Jaspers y la comprensión del enfermo mental* (1955) y *Libertad, temporalidad y transferencia en el psicoanálisis existencial* (1964). En el ámbito literario, Martín Santos es autor de *Tiempo de silencio*, novela clave en la narrativa española contemporánea. *Tiempo de silencio* clausura la narrativa realista e inaugura —con gran riqueza de recursos estilísticos— un nuevo modo de expresar la realidad, tanto en su dimensión social como cultural y moral. La brevísima obra de Martín Santos renueva el lenguaje narrativo mediante una riqueza léxica y una prosa llena de complejidad sintáctica.

OBRA PRINCIPAL: **Novela.** *Tiempo de silencio* (1962); *Tiempo de destrucción* (1975). **Relato.** *Apólogos* (1970). [P.S.]

MARTÍNEZ, José de Jesús (1929-   ).—Escritor panameño nacido en Nicaragua. Estudió en Chile, México, España y Alemania. Doctor en Filosofía por la Universidad Complutense de Madrid. Profesor de Lógica Matemática e Historia en la Universidad de Panamá. Ensayista, dramaturgo, poeta y aviador. Su poesía conceptual expresa las preocupaciones y los sentimientos del hombre ante la muerte, el amor, la justicia y la libertad. Unamuno, Quevedo, Salinas, Rilke, Vallejo, informan esta poesía de tono sencillo, casi familiar. El teatro de Martínez es lo más novedoso que se ha producido en Panamá; pertenece a la corriente del antiteatro. Su primera obra, *La mentira*, fue estrenada en el Instituto de Cultura Hispánica de Madrid, en 1954.

OBRA: **Poesía.** *La estrella de la tarde* (1950); *Tres lecciones en verso* (1951); *Poemas a ella* (1963); *Aquí, ahora* (1963); *Amor no a ti, contigo* (1965); *Poemas a mí* (1966); *Invitación al coito* (1967); *One way* (1967); *0 y van 3* (1970). **Teatro.** *La mentira* (1954); *La perrera* (1955); *La venganza* (1963); *Caifás* (1961); *Enemigos* (1962); *Juicio final* (1963); *Santos en espera de un milagro* (1963); *La retreta* (1964); *Aurora y el mestizo* (1964); *El mendigo y el avaro* (1965); *Amanecer de Ulises* (1966); *Segundo asalto* (1968). [P.S.]

MARTÍNEZ, José Luis (1918-   ).—Escritor y ensayista mexicano. Estudió medicina y letras. Investigador y crítico literario. Codirector de "Tierra Nueva" (1940-1942). Profesor de Literatura en la Escuela Nacional Preparatoria, en la Normal Superior y en la Facultad de Filosofía y Letras en la UNAM y en universidades de Centroamérica.

martínez estrada

Miembro de la Academia Mexicana de la Lengua. Diputado Federal. Director del Instituto Nacional de Bellas Artes. OBRA: *El concepto de la muerte en la poesía española del siglo XV* (1942); *La técnica en la literatura* (1943); *Situación de la literatura mexicana contemporánea* (1948); *Literatura mexicana siglo XX* (T. I, 1949, y T. II, 1950); *Historiografía de la literatura mexicana* (1951); *La emancipación literaria de México* (1955); *Problemas literarios* (1955); *La expresión nacional. Letras mexicanas del siglo XIX* (1955); *El ensayo mexicano moderno* (1958). [C.T.]

MARTÍNEZ ESTRADA, Ezequiel (1895-1964).—Poeta, narrador, dramaturgo y ensayista argentino. Se inició en poesía bajo la influencia modernista y el magisterio de Leopoldo Lugones, tal como se advierte en sus primeros libros *Oro y piedra, Nefelibal* y *Motivos del cielo*. En 1929 publicó su obra teatral en verso: *Títeres de pies ligeros,* y recibió la definitiva consagración cuando su maestro Lugones publicó en *La Nación* un poema en su homenaje. En 1933 dio a conocer su primer ensayo, *Radiografía de la Pampa,* para muchos críticos su libro fundamental, iniciador además del trabajo de interpretación antológica en la literatura de su país. Allí Martínez Estrada trata de explicar que las circunstancias que signan el desarrollo de la sociedad argentina y que —según su profecía— determina su condena a vivir perpetuamente al margen del progreso, se deben por partes iguales a la herencia indígena y a la conquista hispánica. Esa misma actitud pesimista, desalentadora y en muchos aspectos arbitraria, se advierte en su obra dedicada a la ciudad de Buenos Aires: *La cabeza de Goliat* (1940) y en *Muerte y transfiguración de Martín Fierro,* la cual insiste en una visión negativa de la realidad de su país y de sus habitantes. La suma de influencias: Spengler, Simmel, Brinton y en especial Nietzsche, lo conducen a un nihilismo del que sólo se evade cuando escribe sobre Guillermo Enrique Hudson, José Martí u Honorato de Balzac, con quienes se muestra más condescendiente. El crítico Enrique Anderson Imbert ha juzgado sus libros de poesía como "lo mejor que dio su generación" y en la *Antología de la Poesía Argentina* de Borges, Bioy Casares y Silvina Ocampo (1940) se lo define "nuestro mejor poeta contemporáneo".

OBRA PRINCIPAL: **Poesía.** *Oro y piedra* (1918); *Nefelibal* (1922); *Motivos del cielo* (1924); *Argentina* (1927); *Humoresca* (1929); *Coplas de ciego* (1960). **Narrativa.** *Tres cuentos sin amor* (1956); *Sábado de gloria* (1956); *Marta Riquelme; examen sin conciencia* (1956); *La tos y otros entretenimientos* (1957). **Ensayo.** *Radiografía de la Pampa* (9133); *La cabeza de Goliat* (1940); *Sar-*

martínez galindo

miento (1946); *Nietzsche* (1947); *Muerte y transfiguración de Martín Fierro* (1948); *El mundo maravilloso de Guillermo Enrique Hudson* (1951); *Cuadrante del pampero* (1956); *¿Qué es esto?* (1956); *Análisis Funcional de la Cultura* (1960); *Martí: el héroe y su acción revolucionaria* (1966); *Realidad y fantasía de Balzac* (1965). **Teatro.** *Títeres de pies ligeros* (1929). [H.S.]

MARTÍNEZ GALINDO, Arturo (1904-1940).—Poeta y cuentista hondureño. Nació en Tegucigalpa. Murió trágicamente en Trujillo (Honduras). Su obra poética quedó dispersa en varias publicaciones. Ejerció el periodismo en Honduras y en Estados Unidos. Estudió la carrera de Derecho. Para sus publicaciones en el diario "El Cronista" utilizó los seudónimos "Armando Imperio" y "Julio Sol".
OBRA PUBLICADA: **Cuentos.** *Sombra* (1940). [C.T.]

MARTÍNEZ MORENO, Carlos (1917-   ).—Narrador uruguayo. Periodista y abogado, su narrativa se desarrolla paralela a la crisis política y social del Uruguay. La técnica que utiliza es siempre analítica y frecuentemente verbalista. Sus últimos cuentos tienden hacia una economía de lenguaje sin tensiones. La novela *El paredón* resultó finalista del Premio Biblioteca Breve, 1962. El relato *Los aborígenes* obtuvo el Premio Life, 1960. La novela *Coca* —escrita en 1969— relata la historia de unos improvisados traficantes de coca en territorio sudamericano.
OBRA PRINCIPAL: *Los días por vivir* (1960); *Cordelia* (1960); *El paredón* (1963); *Con las primeras luces* (1966); *La otra mitad* (1966); *Los aborígenes* (1967); *Los prados de la conciencia* (1968); *Coca* (1970); *De vida o muerte* (1971); *Tierra en la boca* (1974). [H.C.]

MARTÍNEZ QUEIROLO, José (1931-   ).—Dramaturgo ecuatoriano. Su obra de denuncia y de protesta social ha renovado el teatro ecuatoriano y le ha convertido en el autor más significativo. En reportajes y prólogos a sus farsas y comedias, Martínez Queirolo ha rechazado el teatro del absurdo y ha defendido un teatro fiel a la realidad ecuatoriana, claro, didáctico y crítico.
Ha adaptado con buen éxito el entremés atribuido a Cervantes, "Los habladores"; el drama "En alta mar", de Slawomir Mrosek, y "La balada de la cárcel de Reading", de Oscar Wilde. Premio Nacional de Teatro 1962.
OBRA PRINCIPAL: *Réquiem por la lluvia* (1960); *La casa del*

qué dirán (1962); *El baratillo de la sinceridad* (1963); *Montesco y su señora* (1965); *Goteras* (1965); *Las faltas justificadas* (1966); *Q.E.P.D.* (1969); *Cuestión de vida o muerte* (1970); **Teatro 1** (1974, recopilación). [P.S.]

MARTÍNEZ RIVAS, Carlos (1924-   ).–Poeta nicaragüense. Abogado, diplomático, periodista. Pertenece a la promoción de Ernesto Mejía Sánchez y Ernesto Cardenal. Estudió Filosofía y Letras en la Universidad Complutense de Madrid. Se especializó en crítica de arte. Vivió largas temporada en París y Madrid. Poeta órfico, de carácter erótico, Martínez Rivas ha forjado poemas antológicos. Su libro *La insurrección solitaria* contiene "los más herméticos, originales y hermosos poemas de amor que se hayan escrito en Nicaragua" (M.T. Sánchez).
OBRA PRINCIPAL: **Poesía**. *El paraíso recobrado* (1944); *Canto fúnebre a la muerte de Joaquín Pasos* (1948); *La insurrección solitaria* (1953). [P.S.]

MARTÍNEZ VILLENA, Rubén (1899-1934).–Poeta cubano. Militante político, organizó y participó en huelgas y manifestaciones. Contribuyó al derrocamiento del dictador Machado. Murió tuberculoso. Modernista en sus comienzos, pasa a la "ironía sentimental", basada en la experiencia de lo cotidiano.
OBRA: *La pupila insomne* (1936). [J.P.]

MARTINHO DO ROSARIO, António (1924-1980).–Véase **Santareno, Bernardo.**

MASSÍS, Mahfud (1916-   ).–Poeta, ensayista y narrador chileno. Director del Sindicato de Escritores de Chile (1945-1948). Director de la revista "Polémica" y del Instituto Chileno-Arabe de Cultura. Premio de la Sociedad de Escritores de Chile 1952. Premio Municipal de Ensayo 1953. Desempeñó funciones diplomáticas durante el régimen de Salvador Allende.
Poesía versicular de aliento profético. La Biblia, Walt Whitman, Nietzsche y Pablo de Rokha troquelaron su acento unas veces airado y otras, sentencioso. Su poesía se publicó originalmente en cuadernos, plaquetas, pliegos, hojas y fascículos.
OBRA PRINCIPAL: **Poesía**. *Las bestias del duelo* (1949); *Elegía bajo la tierra* (1955); *Leyendas del Cristo Negro* (1963); *El libro de*

mastronardi

los astros apagados (1956); *Antología poética* (1971); *Sonatas del gallo negro* (1972). **Ensayo.** *Los tres* (1944); *Walt Whitman, el visionario de Long Island* (1953). **Cuento.** *Los sueños de Caín* (1953); *Un traje nuevo para Barrabás* (1970). [P.S.]

MASTRONARDI, Carlos (1901-   ).—Poeta y ensayista argentino. Colaboró en la revista *Martín Fierro*, pero contrariamente a la mayoría de los poetas del grupo, sus primeros trabajos se referían no a las experiencias vanguardistas sino a un regusto nostálgico por su comarca natal en el pueblo de Gualeguay, provincia de Entre Ríos. De esa primera época es su libro *Tierra amanecida* (1926). El resto de su obra ha seguido fiel a una lírica ceñida al tema telúrico, utilizando para ello muy cuidadas metáforas, como lo prueba su más famoso poema: *Luz de provincia,* un clásico de la literatura argentina. Como ensayista se ha destacado en el estudio de la obra de otros poetas, desde Valèry hasta Lugones y desde Almafuerte a Vicente Barbieri.

OBRA PRINCIPAL: **Poesía.** *Tierra amanecida* (1926); *Conocimiento de la noche* (1937); *Siete poemas* (1963). **Ensayo.** *Valèry o la infinitud del método* (1955); *Formas de la realidad nacional* (1961) [H.S.]

MATOS PAOLI, Francisco (1915-   ).—Poeta y ensayista puertorriqueño. Identificado con la causa de la independencia política de Puerto Rico ha padecido persecución y encarcelamiento. Enseñó literatura en el Departamento de Estudios Hispánicos de la Universidad de Puerto Rico. Premio de Poesía del Ateneo Puertorriqueño 1950. Miembro de la Academia Puertorriqueña de la Lengua.

OBRA PRINCIPAL: **Poesía.** *Signario de lágrimas* (1931); *Cardo labriego y otros poemas* (1937); *Habitante del eco* (1944); *Teoría del olvido* (1944); *Luz de los héroes* (1954); *Criatura del rocío* (1958); *Canto de la locura* (1962); *El viento y la paloma* (1969); *Cancionero I* (1970); *La marea sube* (1971); *La semilla encendida* (1971); *Cancionero II* (1972); *Antología poética* (1972); *Rostro en la estela* (1973); *Variaciones del mar* (1973); *La orilla sitiada* (1974); *Testigo de la esperanza* (1974); *El engaño a los ojos* (1974); *Cancionero III* (1975); *Rielo del instante* (1975); **Memoria.** *Diario de un poeta* (1973). **Ensayo.** *Notas sobre la poesía* (1957); *El poeta y la palabra* (1958). [P.S.]

maya

MATUTE, Ana María (1926-   ).—Narradora española. Perteneciente a la generación del 50. Prosista de gran capacidad de fabulación ha creado "un orbe novelístico con una temática centrada en unos cuantos núcleos (el mundo de los niños, el cainismo, la incomunicación humana, el paraíso imposible) que proporcionan a su producción una coherencia de pensamiento" (Santos Sanz Villanueva). Su trilogía *Los Mercaderes* está integrada por *Primera memoria, Los soldados lloran de noche* y *La trampa.* Miembro de la Hispanic Society of America. Profesora invitada en universidades norteamericanas. Premio Café Gijón 1952. Premio de la Crítica 1958. Premio Miguel de Cervantes 1959. Premio Nada 1959. Premio Lazarillo 1965. Premio Fastenrath 1969.

OBRA PRINCIPAL: **Novela.** *Los Abel* (1948); *Fiesta al noroeste* (1952); *Pequeño teatro* (1954); *En esta tierra* (1955); *Los hijos muertos* (1958); *Primera memoria* (1960); *A la mitad del camino* (1961); *El arrepentido* (1961); *Tres y un sueño* (1961); *Historia de la Artámila* (1961); *El río* (1963); *Los soldados lloran de noche* (1964); *La trampa* (1969); *La torre vigía* (1971). **Relatos.** *Los niños tontos* (1956); *El tiempo* (1956); *Algunos muchachos* (1968). [P.S.]

MAYA, Rafael (1898-1980).—Poeta, cuentista y ensayista colombiano. Pertenece al grupo de la revista "Los Nuevos", editada por Jorge Zalamea y Alberto Lleras Camargo. Junto con León de Greiff y Germán Pardo García contribuyó a la renovación de la poesía colombiana. Su obra fluctúa entre el expresionismo y el suprarrealismo, escrita al calor de sus lecturas de los clásicos castellanos. Profundo conocedor de la literatura francesa, Maya ha compuesto poemas antológicos como "La mujer sobre el ébano" y "Rosa mecánica". Miembro de la Academia Colombiana de la Lengua.

OBRA PRINCIPAL: **Poesía.** *La vida en la sombra* (1925); *Coros del mediodía* (1928); *Después del silencio. Poemas dialogados* (1935); *Poesía* (1944, 2.ª ed.); *Tiempo de luz* (19); *Navegación nocturna* (1959); *La tierra poseída* (19); *El tiempo recobrado* (19). **Cuento.** *El rincón de las imágenes. Cuentos y poemas en prosa* (1927). **Ensayo.** *Alabanzas del hombre y de la tierra* (2 vols., 1941); *Consideraciones críticas sobre la literatura colombiana* (1944); *Los tres mundos de Don Quijote y otros ensayos* (1952); *Escritos literarios* (1968); *Letras y letrados* (1975); *De perfil y de frente* (1975). [P.S.]

medina

MEDINA, José Ramón (1921-   ).—Poeta y ensayista venezolano. Miembro del grupo "Contrapunto". Poeta elegíaco de acento metafísico. Los recuerdos de la niñez y la visión "rusticana y familiar de las cosas pequeñas que se sienten aún en las proximidades de Dios, de la muerte y de sus inquietudes filosóficas hondas" (Paz Castillo). Miembro de la Academia Venezolana de la Lengua.

OBRA PRINCIPAL: **Poesía.** *Edad de la esperanza* (1947). *Vísperas de la aldea* (1949); *Rumor sobre diciembre* (1949); *Elegía* (1950); *Parva luz de la estancia familiar* (1952); *Texto sobre el tiempo* (1953); *A la sombra de los días* (1953); *Como la vida* (1954); *La voz profunda* (1954); *En la reciente orilla* (1957); *Como la vida* (1958); *Las colinas y el viento* (1959); *Poesía* (1961); *Bajo los altos árboles* (1968); *Testigos de verano* (1969); *Sobre la tierra yerma* (1971). **Ensayo.** *Exámenes de la poesía venezolana contemporánea* (1956); *Un hombre al servicio de una vocación* (1960); *Balance de letras* (1961); *Tres discursos universitarios* (1967); *Cincuenta años de literatura venezolana. 1918-1968.* (1969). **Antología.** *Antología venezolana* (1962, 2 vols.). [P.S.]

MEDINACELI, Carlos (1899-1949).—Narrador y crítico boliviano. Poeta, periodista y maestro. En Potosí fundó la influyente revista "Gesta Bárbara" (1918-1925), la cual dio origen a un movimiento literario inspirado en la generación española del 98. Sin salir del país, autodidacto, logró adquirir una sólida cultura literaria. En la actualidad se le considera como el fundador de la crítica moderna en Bolivia. Su única novela, *La Chaskañawi*, es una novela costumbrista cuya singularidad estriba en que expresa la irrupción mestiza en la conformación del carácter nacional boliviano. Medinaceli no comparte las tesis anti-indigenistas ni las pro-indigenistas; él considera que la bolivianidad se expresa a través del mestizo (el cholo), en el cual "aparecen sintetizados la frustración, el resentimiento y el espíritu vindicativo de esta casta contra la oligarquía blancoide".

Originalmente poeta, abandonó la lírica para dedicarse a la crítica literaria. Espíritu erudito, refinado, agudo, sensitivo, sarcástico, su crítica impresionista estuvo matizada por su ideología nacionalista y reformadora. Su vasta obra crítica no ha sido aún recopilada ni sistematizada. Medinaceli declaró su admiración por Dostoiewski, Azorín y Sainte-Beuve.

OBRA PUBLICADA: **Novela.** *La Chaskañawi* (1947). **Cuento.** *Adela* (1955); *Diálogos y cuentos de mi paisaje* (1964). **Ensayo.** *Estudios críticos* (1938); *La educación del gusto estético* (1942); *Páginas de vida* (1955); *Apuntes sobre el arte de la biografía* (1968); *El huayralevismo o la enseñanza universitaria en Bolivia* (1972); *La* *inactualidad de Alcides Arguedas y otros estudios biográficos* (1972); *La reivindicación de la cultura americana* (1975). **Antología.** *Medinaceli escoge. La prosa novecentista en Bolivia* (1967). [P.S.]

MEDIO, Dolores (1912-   ).—Narradora española. Novelista situada en la corriente del realismo crítico, retrata ambientes y personajes de la clase media española. En su novela *El fabuloso imperio de Juan Sin Tierra* incursiona en el realismo mítico, caracterizado por una compleja estructuración del relato y una desbordante imaginación. Célebre por su novela *Nosotros, los Rivero,* consolidó su fama con la trilogía *Los que vamos a pie,* integrada por las novelas *Bibiana, El señor García* y *La otra circunstancia.*
Premio Concha Espina 1945. Premio Nadal 1952. Premio Sésamo de Cuentos, 1963.
OBRA PRINCIPAL: **Novela.** *Nina* (1945); *Nosotros, los Rivero* (1952); *Mañana* (1954); *Funcionarios públicos* (1956); *El pez sigue flotando* (1959); *Diario de una maestra* (1961); *Bibiana* (1963); *El señor García* (1966); *La otra circunstancia* (1972); *Farsa de verano* (1974); *El fabuloso imperio de Juan Sin Tierra* (1981). **Memorias.** *Atrapados en la ratonera* (1980);. **Relato.** *Compás de espera* (1954); *Andrés* (1963); *El bachancho* (1974). **Biografía.** *Isabel II de España* (1966); *Selma Lagerlof* (1971). [P.S.]

MEIRELES, Cecília (1901-1964).—Poeta, dramaturgo, biógrafo, ensayista y traductora brasileña. Perteneció a la corriente "espiritualista" del segundo momento del *Modernismo,* y al grupo de la revista *Festa* (1927). Se inició en la poesía a través del parnasianismo, alcanza la vertiente intimista y llega a ser una de las más importantes poetas contemporáneas. Su poema más importante es *Romanceiro da Inconfidencia* (1953). Escribió también poemas y piezas de teatro para niños, así como recopilaciones folclóricas. Premio Olavo Bilac, de la Academia Brasileña de Letras, 1938. El crítico portugués João Gaspar Simões, la considera "como de los mayores poetas de lengua portuguesa de todos los tiempos".
OBRA PRINCIPAL: **Poesía.** *Espectros* (1919); *Nunca Mais e Poemas dos Poemas* (1923); *Baladas para el-Rei* (1925); *Viagem* (1939); *Retrato Natural* (1949); *Romanceiro da Inconfidencia* (1953); *Cançoes* (1956); *Ou Isto ou Aquilo* (1965). **Ensayo.** *Noticias da Poesia Brasileña* (1935); *Problemas de Literatura Infantil* (1951). Sus poesías completas están reunidas en *Obras Poéticas,* Ed. Aguilar, 1958. [M.L.M.]

mejía nieto

MEJÍA NIETO, Arturo (1901-   ).—Escritor hondureño. Cuentista, novelista y ensayista. Realizó estudios en su país y en Estados Unidos. Diplomático en Argentina, Paraguay y Perú. Colaborador del diario "La Nación" de Buenos Aires, ciudad en donde reside.

OBRA PRINCIPAL: *Relatos nativos* (1929); *Zapatos viejos* (1930); *El solterón* (1931); *El Chele Anaya y otros cuentos* (1936); *El pecador* (1956). **Novela.** *El Tunco* (1933); *El prófugo de sí mismo* (1934); *Liberación* (1940). **Ensayo.** *El perfil americano* (1938); *Tres ensayos, teatro, novela, cuento* (1959). [C.T.]

MEJÍA SÁNCHEZ, Ernesto (1923-   ).—Escritor nicaragüense. Poeta, ensayista, crítico literario. Pertenece a la promoción de Ernesto Cardenal y Carlos Martínez Rivas. Profesor de Literatura iberoamericana en la UNAM. Becario del Instituto de Cultura Hispánica de 1951 a 1954. Doctor en Letras por la Universidad Complutense de Madrid. Miembro de la Academia Nicaragüense de la Lengua. Premio Rubén Darío 1950. Premio Alfonso Reyes 1980. Bajo su dirección se han editado las obras completas de Alfonso Reyes. También ha publicado importantes ensayos sobre Montalvo, Unamuno, Martí, Gutiérrez Nájera y Rubén Darío.

OBRA PRINCIPAL: **Poesía.** *Ensalmos y conjuros* (1947); *La carne contigua* (1948); *El retorno* (1950); *La impureza* (1951); *Contemplaciones europeas* (1957); *Vela de espada* (1960); *Poemas* (1963); *Disposición de viaje* (1972); *Poemas familiares* (1973); *Poemas temporales* (1973); *Historia natural* (1975); *Poemas dialectales* (1980). **Ensayo.** *La mujer nicaragüense en los cronistas y viajeros* (1942, en colaboración con José Coronel Urtecho); *Hércules y Onfalia* (1964); *Rubén Darío en Oxford* (1966); *Cuestiones rubendarianas* (1970); *Vida y ficción de Alfonso Reyes* (1970); *Estelas y homenajes* (1971); *Recolección* (1972). [C.T.]

MEJÍA VALLEJO, Manuel (1923-   ).—Narrador colombiano. Novelista, cuentista, poeta, periodista y profesor de literatura en la Universidad de Antioquia. El realismo de su obra inicial ha ido derivando hacia una visión entre mágica, onírica y fantasmal de la realidad. Premio Nadal 1963.

OBRA PRINCIPAL: **Cuento.** *Tiempo de sequía* (1956); *Cielo cerrado* (1962); *Cuentos de zona tórrida* (1966); *Las noches de la vigilia* (1975). **Novela.** *La tierra éramos nosotros* (1945); *Al pie de la ciudad* (1957); *El día señalado* (1964); *Aire de tango* (1973); *Las muertes ajenas* (1979); *La tarde de verano* (1979). **Poesía.** *Prácticas para el olvido.* Coplas. (1977). [P.S.]

MELÉNDEZ, Concha (1895-   ).—Ensayista puertorriqueña. Pertenece a la generación del 30. Realizó estudios en Puerto Rico, Estados Unidos, España y México. Directora del Departamento de Estudios Hispánicos de la Universidad de Puerto Rico. Con ella se inician, en Puerto Rico, los estudios sistemáticos sobre literatura hispanoamericana. Ha escrito ensayos sobre Neruda, Ribera Chevremont, Hostos y Martí, entre otros. Miembro de la Academia Puertorriqueña de la Lengua.

OBRA PRINCIPAL: Ensayo. *Amado Nervo* (1926); *La novela indianista en Hispanoamérica* (1934); *Signos de Iberoamérica* (1936); *Literatura hispanoamericana* (1967); *Poetas hispanoamericanos diversos* (1971); *Literatura de ficción en Puerto Rico. Cuento y novela.* (1971). [P.S.]

MELO, Pedro Homem de (1904-   ).—Novelista portugués. Hizo sus estudios preparatorios en Oporto y en Lisboa y cursó Derecho en la Universidad de Coimbra. Fue delegado del Procurador de la República en Agueda, hasta 1927, y después se decidió por la enseñanza habiendo sido director de la Escuela Comercial Mousinho da Silveira. Perteneció al movimiento de "Presença".

OBRA PRINCIPAL: Poesía. *Caravela ao Mar* (1934); *Jardims Suspensos* (1937); *Segredo* (1939); *Estrela Morta* (1940); *Bodas Vermelhas* (1947); *Poemas Escolhidos* (1957); *Há uma Rosa na Manhã Agreste* (1964); *Eu Hei-de Voltar um Dia* (1966); *Nós Portugueses Somos Castos* (1967); *Desterrado* (1970). [M.V.]

MELO, Thiago de (1928-   ).—Poeta brasileño. De la generación del 45. Poesía de acentuado compromiso social.

OBRA PRINCIPAL: *Silêncio e Palavra* (1951); *Narciso Cego* (1952); *A Lenda da Rosa* (1955); *Vento Geral* (1960); *Faz Escuro mais Eu Canto* (1965); *Declaração dos Direitos do Homen* (1970). [M.L.M.]

MELO NETO, João Cabral de (1920-   ).—Poeta, crítico de arte y diplomático brasileño. Pertenece a la generación del 45. Considerado el gran renovador de la poesía contemporánea, su arte poética, denominada "nova objetividade", se caracteriza por el rigor semántico, llegando algunas veces al metalenguaje. Su poesía expresa una crítica social, cuyo ejemplo más significativo es *Morte e vida Severina,* extenso poema que fue llevado al teatro con música de Chico Buarque de Holanda. Premio Internacional de Teatro de Nancy 1965. La estructura del citado texto está basado en los romanceros ibéricos. Cabral de Melo Neto residió en España de 1947 a 1950, realizando una extraordinaria labor cultural. Como crítico de arte es autor de un penetrante estudio sobre Joan Miró. Pertenece a la Academia Brasileña de Letras.

OBRA PRINCIPAL: *Pedra do sono* (1942);*O engenheiro* (1945); *Psicologia da composição* (1947); *Fabula de Anfion e Antioide* (1947); *O cão sem plumas* (1950);*Morte e vida Severina* (1956);*Paisagens com figuras* (1956); *Uma faca só lamina* (1956); *Dois parlamentos* (1961); *Terceira feira* (1961);*A educação pela pedra* (1966); *Poesias completas. 1940-1965* (1968) *Museu de tudo* (1975);*A escola das facas* (1980). [M.L.M.]

MÉNDEZ, Miguel (1930-   ).—Poeta y narrador chicano, nacido en Bisbee, Arizona (USA). Pasó su infancia en Sonora, México. Después regresó a los Estados Unidos en busca de trabajo como albañil. Profesor de enseñanza general en Tucson, Arizona.

Méndez utiliza un estilo barroco, muy elaborado, en el que se distingue la influencia de la novela mexicana de la Revolución. Escribe en español, aunque incorpora el habla chicana a través de expresiones, giros y modismos. Pertenece a la corriente indigenista de la literatura mexicano-americana, la cual se identifica con las antiguas tradiciones nahuatl, azteca y yaqui.

Su obra más importante, *Peregrinos de Aztlan,* narra la vida de un viejo mexicano, ex-combatiente de la Revolución, que trabaja en los Estados Unidos como lavacoches y guardacoches, con la esperanza de volver a México a morir. La novela se desarrolla en un ambiente de soledad y desesperación, rodeado de problemas de alcoholismo, indiferencia de las autoridades, miseria y pérdida de los valores sociales. Son conocidos sus cuentos *Tata Casehua* y *Steelio.*

OBRA PRINCIPAL: **Novela.** *Peregrinos de Aztlan* (1974); *El hombre víbora* (1976). **Cuento.** *Cuento para niños precoces* (1980). **Poesía.** *Los criaderos humanos. Epica de los desamparados* (1975); *Pasen, lectores, pasen, aquí se hacen imágenes* (1976). [P.S.]

MÉNDEZ BALLESTER, Manuel (1909-   ).—Escritor puertorriqueño. Dramaturgo y narrador de estilo realista; se ha interesado por describir las distintas etapas de la crisis de su país a través de la evolución económica y social de las últimas décadas. También plantea el problema de una sociedad de raíces hispánicas enfrentada al problema de su pérdida de identidad cultural. Miembro de la Academia Puertorriqueña de la Lengua.

OBRA PRINCIPAL: **Novela.** *Isla cerrera* (1937). **Cuento.** *Tierra* (1940). **Teatro.** *El clamor de los surcos* (1938); *Tiempo muerto* (1940); *Hilarión* (1943); *Un fantasma decentito* (1950); *Es de vidrio la mujer* (1953); *Encrucijada* (1958); *Bienvenido, don Goyito* (1965); *El milagro* (1960). [J.P.]

MÉNDEZ FERRÍN, Xosé Luis (1938-   ).—Narrador, poeta y político español de expresión gallega. Su obra oscila entre un simbolismo de tono lírico y un realismo crítico. Uno de los fundadores de la *Unión do Pobo Galego* (UPG), agrupación política a la cual ya no pertenece. OBRA PRINCIPAL: **Poesía.** *Voce na néboa* (1957); *Con pólvora e magnolias* (1976). **Narración.** *Percival e outras historias* (1958); *O crepúsculo e as formigas* (1961); *Arrabaldo do norte* (1964); *Retorno a Tagén-Atá* (1971); *Elipsis* (1974); *Antón e os inocentes* (1976). [P.S.]

MÉNDEZ PLANCARTE, Alfonso (1909-1955).—Crítico y ensayista mexicano. Doctor en filosofía y teología. En 1932 se ordenó de sacerdote. Dirigió la revista "Abside". Fue miembro de la Academia Mexicana de la Lengua.

"Humanista de excepción, fue en la crítica literaria un descubridor de minas vírgenes, un erudito voraz que se nutría en las fuentes, un juzgador penetrante y personal" (Alfonso Junco).

Son relevantes sus estudios sobre Sor Juana Inés de la Cruz y Amado Nervo. Tradujo a los clásicos latinos. Con Francisco González Guerrero dirigió la edición crítica de las *Obras completas* de Amado Nervo. OBRA PARCIAL. *El grano de mostaza* (1938); *Primor y primavera del hai-kai* (1951); *Díaz Mirón, gran poeta y sumo pontífice* (1956); *San Juan de la Cruz en México* (1959). [P.S.]

MENDOZA, Plinio Apuleyo (1928-   ).—Escritor colombiano. Narrador, periodista, diplomático. Formó parte del consejo de dirección de la revista "Libre", de París. Premio Nacional de Literatura 1979. OBRA: **Relato.** *El desertor* (1975). **Novela.** *Años de fuga* (1979). [J.P.]

MENÉN DESLEAL, Alvaro (1931-   ).—Nombre literario de Alvaro Menéndez Leal. Escritor salvadoreño. Poeta, narrador, dramaturgo. Ha conducido a la ficción literaria centroamericana a su expresión más original. Con estilo sobrio, agudo sentido del humor, próximo al sarcasmo, y provisto de un lenguaje decantado de la tecnología actual, ha compuesto una obra lúcida en su desesperación y desesperanza.

OBRA: **Narrativa.** *Cuentos breves y maravillosos* (1963); *Una cuerda de nylón y de oro, y otros cuentos maravillosos* (1969); *Revolución en el país que edificó un castillo de hadas y otros cuentos maravillosos* (1971); *Hacer el amor en el refugio atómico* (1972); *La ilustre familia androide* (1972). **Teatro.** *Luz negra* (1967). **Poesía.** *El extraño habitante* (1955); *Los júbilos sencillos; Banderola de señales; Silva de varia música.* **Ensayo.** *Ciudad, casa de todos...* (1970). [P.S.]

MENÉNDEZ, Miguel Angel (1905-   ).—Narrador, poeta y ensayista mexicano. Saltó a la fama con su libro de entrevistas *Hollywood sin pijamas,* pero fue su novela *Nayar* la que le dio justo prestigio literario. Premio Nacional de Literatura 1960.

Por sus descripciones y su tono poético, *Nayar* es una novela representativa dentro de la corriente indigenista. La acción narrativa transcurre en el estado mexicano de Nayarit e intenta interpretar el mundo mágico de los indios cora.

OBRA PRINCIPAL. **Novela.** *Nayar* (1940). **Poesía.** *Otro libro* (1932); *Canto a la Revolución* (1933); *El rumbo de los versos* (1936). **Ensayo.** *Ideas y direcciones políticas* (1940); *Vida y muerte de Kennedy* (1964); *Malintzin* (1965); *Yucatán, problema de patria* (1965); **Entrevista.** *Hollywood sin pijamas* (1928). [P.S.]

MENÉNDEZ FRANCO, Alvaro (1933-   ).—Escritor panameño. Cuentista, poeta y crítico de literatura. Autodidacto, promotor de empresas literarias, fundó los grupos Demetrio Korsi (1958), César Vallejo (1963), entre otros. Dirigió "Diorama Cultural" (1957-1959), página literaria de "La Nación", y estuvo vinculado a la dirección de "Letras de Panamá".

OBRA: **Poesía.** *La nueva voz de los antiguos ríos* (1957). **Cuento.** *La marcha de los descalzos* (1956); *Cuentos y anticuentos* (1973). [J.P.]

MENÉNDEZ LEAL, Alvaro (1931-   ).—Véase **Menén Desleal, Alvaro.**

mieses burgos

MENESES, Guillermo (1911-   ).—Narrador venezolano. Una de las figuras más representativas de la nueva narrativa venezolana. Pertenece a la Generación de "Elite", nombre de una revista de la cual fue redactor-jefe. Doctor en Ciencias Políticas y Sociales ha desempeñado cargos judiciales y misiones diplomáticas. Fue jefe de redacción del diario "Ahora", director del suplemento literario de "El Nacional" y fundador y director de la revista "Cal". Premio Nacional de Literatura 1967.

OBRA PRINCIPAL: **Cuento.** *La balandra Isabel llegó esta tarde* (1934); *Tres cuentos venezolanos* (1938); *La mujer, el as de oro y la luna* (1948); *La mano junto al muro* (1952); *Diez cuentos* (1968). **Relato.** *Cable cifrado. Ejercicio narrativo* (1961). **Novela.** *Canción de negros* (1934); *Campeones* (1939); *El mestizo José Vargas* (1942); *El falso cuaderno de Narciso Espejo* (1953); *La misa de Arlequín* (1962). [J.P.]

MEYER, Augusto (1902-1970).—Poeta, ensayista y memorialista brasileño. De la segunda generación Modernista, después de 1930. Principal representante del grupo de Río Grande do Sul. Su poesía refleja el entorno y la cultura gaucha. Miembro de la Academia Brasileña de Letras. Director del Instituto Nacional del Libro Brasileño.

OBRA PRINCIPAL: **Poesía.** *A Ilusão Querida* (1920); *Coraçao Verde* (1926); *Giraluz* (1928); *Poemas de Bilu* (1929); *Poesias* (1957). **Crítica y ensayo.** *Machado de Assis* (1935); *Prosa dos Pagos* (1943); *A Sombra da Estante* (1947); *Cancionero Gaúcho* (1952); *Guia do Folclore Gaúcho* (1952); *Preto e Branco* (1956). [M.L.M.]

MICHELENA, Margarita (1917-   ).—Poeta mexicana. Su poesía se caracteriza por el constante sentimiento de angustia vital que la aproxima al pensamiento existencialista. La desolación, la nostalgia del paraíso y una dolorosa aceptación de lo cotidiano conforman su poética.

OBRA PRINCIPAL: **Poesía.** *Paraíso y nostalgia* (1945); *Laurel del ángel* (1948); *La tristeza terrestre* (1954); *El país más allá de la niebla* (1966). [P.S.]

MIESES BURGOS, Franklin (1907-1976).—Poeta dominicano, de actitud neorromántica y tono elegíaco. Según Anderson Imbert, "sea con versos libres o con las formas rigurosas del soneto, nos seduce con una música insinuante que se desenvuelve en metáforas.

migueis

Su mundo poético es tan límpido como un sueño feliz con muchachas, rosas, fulgores de luna, cristales, ángeles y misterio".

OBRA: **Poesía** *Sin mundo ya y herido por el cielo* (1944); *Clima de eternidad* (1947); *Presencia de los días* (1948); *Seis cantos para una sola muerte* (1948); *El héroe* (1954). **Antología.** *Franklin Mieses Burgos. Antología* (1952). [J.P.]

MIGUEIS, José Rodrigues (1901-1979).—Novelista portugués. Licenciado en Derecho. Estudió Pedagogía en Bélgica licenciándose por la Universidad de Bruselas. Descontento con la situación política portuguesa, emigró en 1935 a los Estados Unidos donde fue redactor de las "Selecções do Reader's Digest" y más tarde profesor universitario. Fue fundador, con Raul Brandão y otros, del movimiento que dio origen a la creación de la revista "Seara Nova". Influido por la literatura eslava, su obra, muy vasta, tiene un sello de remembranza con relación a la Patria de la que vivió distanciado durante casi tres décadas.

OBRA PRINCIPAL: *Páscoa Feliz*, novela (1932); *Onde a Noite se Acaba*, novela (1964); *Saudades para Dona Genciana*, novela (1956); *Léah*, novela (1959); *A escola do Paraiso*, novela (1960); *Gente de Terceira Clase*, novela (1962); *E proibido Apontar* (1964); *O milagre segundo Salomé*, novela (1975), etc. [M.V.]

MIGUEL, María Esther de (1926-   ).—Narradora argentina. Dirigió la revista *Señales* de crítica bibliográfica entre 1958 y 1963. Con un amplio espectro técnico, su temática abarca desde la búsqueda de Dios hasta el rescate del paisaje provinciano, y desde la incursión en la historia, hasta el tema de amor o la crítica social a la situación de injusticia imperante en Latinoamérica. Su alineación en el realismo no le impide incursiones en la literatura fantástica, como se advierte en algunos cuentos de *En el campo las espinas*. También ejerció la crítica literaria.

OBRA PRINCIPAL: *La hora undécima* (1961); *Los que comimos a Solís* (1965); *Calamares en su tinta* (1968); *En el otro tablero* (1972); *Pueblo América* (1974); *Espejos y daguerrotipos* (1978); *En el campo las espinas* (1980). [H.S.]

MIHURA, Miguel (1905-1977).—Comediógrafo, dibujante y periodista. Renovó con Antonio Lara (Tono) y Manuel Gila el dibujo humorístico en España. Durante la Guerra Civil dirigió en San Sebastián la revista "La Ametralladora". Propietario, fundador y director de la revista "La Codorniz" desde su aparición en 1942 hasta 1947.

Su primera comedia, *Tres sombreros de copa*, escrita en 1932 y estrenada en 1952, es precursora del teatro del absurdo; constituye un hito en la historia del teatro español. Escribió varias comedias en colaboración: *¡Viva lo imposible!* o *El contable de estrellas*, con Joaquín Calvo Sotelo; *Ni pobre ni rico, sino todo lo contrario*, con Antonio Lara (Tono); *El caso de la mujer asesinadita*, con Alvaro de Laiglesia. Autor de guiones cinematográficos, escribió, con Luis Berlanga, el guión de la película *Bienvenido, Mr. Marshall.*

Premio Nacional de Teatro, 1952, 1956, 1964. Premio Nacional de Literatura 1964. Premio Leopoldo Cano 1966.

OBRA PRINCIPAL: *Tres sombreros de copa* (1952); *El caso de la señora estupenda* (1953); *Una mujer cualquiera* (1953); *A media luz los tres* (1953); *El caso del señor vestido de violeta* (1954); *Sublime decisión* (1955); *La canasta* (1955); *Mi adorado Juan* (1956); *Carlota* (1957); *Melocotón en almíbar* (1958); *Maribel y la extraña familia* (1959); *El chalé de Madame Renard* (1961); *Las entretenidas* (1962); *La bella Dorotea* (1963); *Ninette y un señor de Murcia* (1964). [P.S.]

MILLÁN, María del Carmen (1914-   ).—Ensayista mexicana. Doctora en letras. Miembro de la Academia Mexicana de la Lengua. Directora General de la Corporación Mexicana de Radio y Televisión, S.A., Canal 13. Es autora del estudio preliminar del *Diccionario de Escritores Mexicanos*, editado en 1967 por el Centro de Estudios de la Universidad Nacional Autónoma de México. Responsable de las secciones de Literatura Mexicana del *Diccionario de la Literatura Latinoamericana*, Washington D.C., y del *Diccionario Porrúa de Historia, Biografía y Geografía de México*, 1964 y 1965. Su obra crítica se halla diseminada en diarios y revistas especializadas.

OBRA PRINCIPAL: **Ensayo.** *El paisaje sinfónico* (1951); *El paisaje en la poesía mexicana* (1952); *Ideas de la Reforma en las letras patrias* (1956); *Poesía romántica mexicana* (1957. Prólogo y selección); *El modernismo de Othon* (1959); *Literatura mexicana* (1972). [P.S.]

MIR, Pedro (1913-   ).—Poeta, novelista y ensayista dominicano. Ha ejercido como abogado, profesor y periodista. Fue perseguido por la tiranía de Trujillo y vivió exiliado. En su poesía versicular el sentido del ritmo es muy acusado, el uso del adjetivo es deslumbrante y los temas políticos "están inyectados de un bello lirismo".

miró

OBRA PRINCIPAL: **Poesía.** *Hay un país en el mundo* (1949); *Contracanto a Walt Whitman (Canto a nosotros mismos)* (1953); *Poema de buen amor* (1958); *Seis momentos de esperanza* (1959); *Amén de mariposas* (1969); *Viaje a la muchedumbre* (1971). **Novela.** *Cuando amaban las tierras comuneras* (1978). **Ensayo.** *El gran incendio* (1970); *Apertura hacia la estética* (1974). [J.P.]

MIRÓ, César (1907-   ).–Poeta, narrador, biógrafo y periodista peruano. Colaboró en la revista "Amauta". Perseguido por el Gobierno de Leguía, vivió exiliado en Buenos Aires, Santiago de Chile y Los Angeles, donde publicó *Hollywood, la ciudad imaginaria,* primera historia del cine escrita en español. Asesor técnico de la Paramount, traductor de la Columbia Pictures y corresponsal de diversas publicaciones hispanoamericanas. Residió una larga temporada en España, en las provincias vascongadas. Fruto de estas vivencias es la novela *Fedra entre los vascos,* en la cual entrelaza el hecho histórico a la ficción, dando pruebas de su preocupación por la suerte de España.
OBRA PRINCIPAL: **Poesía.** *Canto del arado y de las hélices* (1929); *Teoría para la mitad de una vida* (1935); *Nuevas voces para el viento* (1940); *Alto sueño* (1951). **Crónica.** *La ciudad del río hablador* (1944); *Hollywood, la ciudad imaginaria* (195?). **Biografía.** *Cielo y tierra de Santa Rosa* (1945); *Don Ricardo Palma* (1953). **Novela.** *Fedra entre los vascos* (1962). [P.S.]

MIRÓ, Rodrigo (1912-   ).–Crítico y ensayista panameño. Historiador y crítico literario. Graduado en el Instituto Nacional de Panamá y en la Universidad Nacional. Profesor de Literatura panameña e hispanoamericana. Miembro de varias organizaciones literarias e históricas: Academia Panameña de la Historia, Academia Panameña de la Lengua, Instituto Panameño de Geografía e Historia. Su bibliografía es abundante y fundamental para cualquier investigación que desee hacerse sobre la historia y la cultura panameñas.
OBRA PRINCIPAL: *La educación colonial panameña* (1941); *De la vida intelectual de la colonia panameña* (1944); *La literatura panameña, breve recuento histórico* (1946); *Teoría de la patria* (1947); *El romanticismo en Panamá* (1948); *La cultura colonial en Panamá* (1950); *El cuento en Panamá* (1950); *Cien años de poesía en Panamá* (1953); *Significación histórica y filosófica de Justo Arosemena* (1958), en colaboración con Ricaurte Soler; *La literatura panameña de la república* (1960); *La imprenta y el periodismo en Panamá durante el período de la Gran Colombia* (1963);

molinari

Aspectos de la literatura novelesca en Panamá (1968); *La literatura panameña* (1970). [J.P.]

MIROLA (1912-1980).—Véase **Rodrigues, Nelson.**

MITXELENA, Salbatore (1919-1965).—Nombre vascuence de Salvador Michelena Lazcano. Poeta, ensayista e historiador español de expresión vascuence (euskera). Sacerdote. Colaboró en la revista "Euzko Gogoa", editada en Guatemala. Miembro de Euskaltzaindia (Academia de la Lengua Vascuence). Su obra inaugura un nuevo ciclo en la literatura de expresión vascuence, producida en la España de posguerra. Mitxelena inicia el género ensayístico en vascuence, con un estudio sobre el pensamiento de Unamuno. Durante la guerra civil peleó en el frente de batalla en el bando nacionalista. De 1954 a 1962 fue destinado a Montevideo, Asunción del Paraguay y, finalmente, a La Habana. Salió de Cuba y se marchó a Suiza, donde murió, a consecuencias de una operación. En La-Chaux-de-Fonds (Suiza) prestaba servicios como capellán de los obreros españoles emigrados. En 1977 se publicó el primer tomo de las obras completas de Mitxelena. OBRA PRINCIPAL: **Poesía.** *Arantzazu euskal sinismenaren poema* (1949); *Arraun ta Amets* (1956). **Ensayo.** *Unamuno ta Abendats. Bilbotar filosofuaren eta Euskal Animaren jokerei antzemate batzuk* (1958). [P.S.]

MOJARRO, Tomás (1932-   ).—Escritor mexicano. Novelista y cuentista. Discípulo de Rulfo, describe con prosa lírica y economía de estilo la vida de provincias. OBRA PRINCIPAL: **Cuento.** *Cañón de Juchipila* (1960). **Novela.** *Bramadero* (1963); *Malafortuna* (1966). [P.S.]

MOLINARI, Ricardo (1898-   ).—Poeta argentino. Considerado por el crítico inglés J. M. Cohen como uno de los cuatro grandes de la lírica hispanoamericana de este siglo, junto con Vallejo, Neruda y Octavio Paz. Integrante de la generación de Martín Fierro fue influido por el ultraísmo de moda en Buenos Aires, pero al publicar su primer libro *El imaginero* ya había logrado una voz personal. Devoto de las formas tradicionales, Molinari ha practicado con éxito el soneto, las canciones simples, las casidas, las liras, las grandes odas y los romances. Elogiado por Cansinos-Asséns, en España intimó con

mondragón

Federico García Lorca, con Manuel Altolaguirre, con Rafael Alberti y con Pablo Neruda, quien lo consideraba uno de los grandes poetas de América.

El crítico Horacio Jorge Becco ha dicho que Molinari "es quien posiblemente ha logrado enfocar mejor la infinitud de nuestro territorio, esa geografía característica americana de sus ríos y llanuras, esa desmesurada dimensión de la "tierra, patria solitaria del hombre".

Además de sus temas más reiterados: el paisaje, la melancolía, la ausencia, el amor, la muerte, también se ha ocupado con fortuna del tema histórico, dedicándole poemas memorables a Facundo Quiroga y a Lavalle, próceres de la Argentina.

OBRA PRINCIPAL: *El imaginario* (1927); *El pez y la manzana* (1929); *Panegírico de Nuestra Señora de Luján* (1930); *Delta* (1932); *Hostería de la rosa y el clavel* (1933); *Elegía de las altas torres* (1937); *La muerte en la llanura* (1937); *Elegía a Garcilaso* (1939); *Odas a orillas de un viejo río* (1939); *Esta rosa obscura del aire* (1949); *Días donde la tarde es un pájaro* (1954); *Unida noche* (1957); *El cielo de las alondras y las gaviotas* (1963); *Un día, el tiempo, las nubes* (1964); *Una sombra antigua canta* (1966). [H.S.]

MONDRAGÓN, Sergio (1935-   ).−Poeta mexicano. Fundó y dirigió, con la escritora norteamericana Margaret Randall, "El Corno Emplumado", revista bilingüe publicada en inglés y español. Su obra "expresa un mayor interés experimental".

OBRA PRINCIPAL: **Poesía.** *Yo soy el otro* (1965). [P.S.]

MONEGAL, José (1892-1968).−Narrador uruguayo. Cuentista fabulador y satírico de una prodigiosa capacidad de inventiva. Publicó sus cuentos en el suplemento dominical del periódico "El Día", de Montevideo. Inmersos en una atmósfera real, sus personajes son sencillos, espontáneos, primitivos; ellos, sin embargo, suscitan situaciones absurdas que aumentan la amenidad de los relatos.

OBRA PRINCIPAL: *Memorias de Juan Pedro Camargo* (1958); *12 cuentos* (1963); *Cuentos* (1966); *Nuevos cuentos* (1967); *Cuentos escogidos* (1967); *Cuentos de bichos* (1973); *El tropero macabro y otros cuentos* (1978). [H.C.]

MONSIVÁIS, Carlos (1938-   ).−Ensayista mexicano. Profesor invitado en la Universidad de Harvard. Renuncia al discurso tradicional y abre nuevos cauces al género ensayístico. Su vasta cultura, su heterodoxia, su visión sarcástica de los fenómenos

288

sociales y políticos, unidos a un lenguaje cáustico, iconoclasta, le vinculan a la corriente del *new journalism*.

OBRA PRINCIPAL: *La poesía mexicana del siglo XX* (1966); *Días de guardar* (1970); *Amor perdido* (1978); *Sabor a PRI* (1979); *A ustedes les consta* (1980). [P.S.]

MONTAÑA, Antonio (1932-   ).—Escritor colombiano. Dramaturgo, cuentista, crítico de arte, profesor universitario. Colabora en el diario "El Tiempo", de Bogotá, y es profesor de Estética en la Universidad de los Andes. Tradujo al español *La mandrágora*, de Maquiavelo. Cursó estudios de filosofía en Italia.
OBRA: **Cuento.** *Cuando termine la lluvia* (1963). **Teatro.** *Trotalotodo* (1958); *Orestes* (1965); *Tobías y el ángel* (1967). **Ensayo.** *¿Qué es arte?* (1972). [P.S.]

MONTEFORTE TOLEDO, Mario (1911-   ).—Escritor guatemalteco. Poeta, novelista, cuentista, ensayista, político. Vicepresidente de la República de Guatemala. Vive exiliado en México. Profesor e investigador en la UNAM. Sus novelas expresan "la lucha encarnizada entre el hombre y la naturaleza, y denuncian los males sociales y la explotación del campesino". Su novela *Entre la piedra y la cruz* es una de sus novelas más representativas.
OBRA PRINCIPAL: **Poesía.** *Cabagüil* (1946); *Barro* (1932). **Cuento.** *La cueva sin quietud* (1950); *Cuentos de derrota y esperanza* (1962); *Casi todos los cuentos* (1974). **Novela.** *Biography of a fish* (1943); *Amaité* (1948); *Entre la piedra y la cruz* (1948); *Donde acaban los caminos* (1953); *Una manera de morir* (1957); *Llegaron del mar* (1966); *Los desencontrados* (1976). **Ensayo.** *El control de cambios* (1938); *Los ferrocarriles norteamericanos en Centroamérica* (1957); *Guatemala, monografía sociológica* (1960); *Partidos políticos de Iberoamérica* (1961); *Tres ensayos al servicio del mundo que nace* (1962); *La reforma agraria en Italia* (1963); *Las piedras vivas* (1966); *Izquierdas y derechas en Latinoamérica* (1968); *Mirada sobre Latinoamérica* (1971); *Centroamérica, modelo de desarrollo deforme y dependencia* (1973); *Centroamérica, subdesarrollo y dependencia* (1973); *La solución militar peruana (1968-1970)* (1973). [C.T.]

MONTEIRO, Adolfo Casais (1908-1972).—Poeta y ensayista portugués. Se licenció en Historia y Filosofía por la Facultad de Letras de

monteiro

Oporto. Perteneció al grupo de "Presença" durante una permanencia en Coimbra y en 1933 regresó a Oporto, donde se dedicó a la enseñanza. En 1954 se exilió al Brasil, donde fue profesor universitario hasta la fecha de su muerte. OBRA PRINCIPAL: **Poesía.** *Confusão* (1929); *Poemas do Tempo Incerto* (1934); *Sempre e Sem Fim* (1937); *Canto da Nossa Agonia* (1942); *Voo Sem Pássaro Dentro* (1954), etc. **Ensayo.** *A Poesia de Jules Supervielle* (1938); *De Pés Fincados na Terra* (1941); *Manuel Bandeira* (1944); *O Romance e os seus Problemas* (1950); *Fernando Pessoa e a Crítica* (1964); *A Palavra Essencial* (1965); *A Poesia Portuguesa Contemporanea* (1977), etc...**Ficción.** *Adolescentes,* novela (1945). [M.V.]

MONTEIRO. Domingos (1903-1979).—Novelista y cuentista portugués. Licenciado en Derecho. En 1948 fundó la editora Sociedad de Expansão Cultural, que tuvo gran influencia en la revelación de alguno de los modernos autores de ficción portugueses. Fue director de las Bibliotecas Itinerantes de la Fundación Gulbenkian. Inició su carrera literaria a los 17 años con un libro de poesías, *Oração ao Crepúsculo,* prologado por Teixeira de Pascoaes. Fue un renovador de la tradición camiliana y se aproximó a los Presencistas.

OBRA PRINCIPAL: **Ficción.** *Enfermeria, Prisão e Casa Mortuária* (1943); *O Mal e o Bem* (1945); *O Caminho para Lá* (1947); *Contos do Dia e da Noite* (1952); *Histórias Deste Mundo e do Outro* (1961); *O Primeiro Crime de Simão Bolandas* (1965); *Histórias das Horas Vagas* (1966).

MONTEIRO, Luis de Sttau (1926-   ).—Dramaturgo portugués. Fue educado en Inglaterra —donde su padre era embajador de Portugal— regresando a Lisboa para hacer estudios de Derecho. Ejerció la abogacía sólo dos años, dedicándose después a recorrer Europa. Más tarde hizo periodismo y actualmente trabaja en publicidad. Es uno de los dramaturgos más importantes de su generación, consiguiendo la popularidad con una pieza que constituye ya un clásico del teatro portugués: *Felizmente hà luar.*

OBRA PRINCIPAL: **Teatro.** *Felizmente há luar* (1961); *Todos os anos pela Primavera* (1963); *O Barão* (1964); *Auto da Barca do Motor Fora de Borda* (1966); *A Guerra Santa* (1966); *A Estatua* (1966), etc. **Ficción.** *Um Homem ñao Chora,* novela (1960); *Angustia para o Jantar,* novela (1961). [M.V.]

MONTELO, Josué (1917-   ).—Ensayista, biógrafo, dramaturgo, novelista y crítico brasileño. Su obra se sitúa en la corriente psicológica, subjetivista, introspectiva y de costumbres. Sus historias tratan predominantemente de temática "maranhense" (de Maranhao, su ciudad natal). Pertenece a la Academia Brasileña de Letras.

OBRA PRINCIPAL: *Janelas Fechadas* (1940); *A Luz da Estrêla Morta* (1948); *O Labirinto de Espelhos* (1952); *A Décima Noite* (1959); *Os Degraus do Paraíso* (1965); *Cais da Sagraçao* (1971). [M.L.M.]

MONTERDE, Francisco (1894-   ).—Escritor mexicano. Doctor en letras, conferenciante en México y en Europa. Director de la Academia Mexicana de la Lengua. Su extensa obra abarca todos los géneros literarios.

OBRA PRINCIPAL: **Ensayo.** *Los virreyes de la Nueva España* (1922); *Antología de poetas y prosistas hispanoamericanos modernos* (1931); *Bibliografía del teatro de México* (1933); *Novelistas hispano-americanos* (1943); *Cultura mexicana. Aspectos literarios* (1946); *Goethe y Fausto* (1949); *Historia de la literatura mexicana, historia de la literatura española* (En colaboración con Guillermo Díaz Plaja) (1955); *Teatro indígena prehispánico* (Rabinal Achí) (1955); *Teatro mexicano del siglo XX* (1956); *La literatura mexicana en la obra de Menéndez y Pelayo* (1958). **Teatro.** *Fuera de concurso* (1923); *La que volvió a la vida* (1923); *En el remolino* (1924); *Viviré para ti* (1925); *En la esquina* (1925); *Oro negro* (1930); *Proteo* (1931); *La careta de cristal* (1932). **Novela.** *El madrigal de Centina y el Secreto de la Escala* (1918). **Poesía.** *Itinerario contemplativo* (1923). [C.T.]

MONTERROSO, Augusto [Tito Monterroso] (1921-   ).—Escritor guatemalteco. Profesor y diplomático. A su prodigiosa capacidad de fabular, une la maestría de un estilo dotado de un lenguaje que aspira a la síntesis y la claridad. Humor refinado y aguda visión crítica de la cultura, la historia y la sociedad. Ha escrito ensayos no recogidos en libro, entre los cuales sobresalen aquellos dedicados a Jorge Luis Borges y al *Ulysses*, de Joyce. Tradujo *Poesía de nuestro tiempo*, de J.M. Cohen. Reside en México. Premio Villaurrutia 1975.

OBRA PRINCIPAL: *El concierto y el eclipse* (1952); *Uno de cada tres y el centenario* (1954); *Obras completas y otros cuentos* (1966); *La oveja negra y demás fábulas* (1969); *Movimiento perpetuo* (1972); *Lo demás es silencio* (1978). [P.S.]

montes brunet

MONTES BRUNET, Hugo (1926-   ).—Poeta, ensayista, abogado y profesor chileno. Estudió en Alemania y Brasil. Profesor de Literatura Española e Hispanoamericana. Profesor invitado en universidades de Friburgo y San José de Costa Rica. Autor de antologías sobre poesía chilena y española, Montes Brunet aspira, en su obra poética, a "una visión integrada y positiva de lo real". Escritor católico, ha estudiado la obra de Gracián, Ercilla, Azorín, Gabriela Mistral, Vicente Huidobro y Pablo Neruda. Miembro de la Academia Chilena de la Lengua.

OBRA PRINCIPAL: **Poesía.** *Plenitud del límite* (1958); *Delgada lumbre* (1959); *Alto sosiego* (1964); *A manos llenas* (s.a.); *Oficios y homenajes* (1976). **Ensayo.** *Poesía actual de Chile y España* (1963); *Estudios sobre la Araucana* (1966); *El mundo está bien hecho* (1979). **Crítica.** *Historia de la literatura chilena* (1955, en colab. con Julio Orlandi). [P.S.]

MONTES DE OCA, Marco Antonio (1932-   ).—Poeta mexicano. Dotado de un lenguaje matafórico, apasionado por la imagen plástica y sensual, Montes de Oca es poeta afín a los superrealistas. Beca Guggenheim. Premio Xavier Villaurrutia 1959. Diplomático.

OBRA PRINCIPAL: **Poesía.** *Ruina de la infame Babilonia* (1953); *Pliego de testimonios* (1956); *Delante de la luz cantan los pájaros* (1959); *Fundación del entusiasmo* (1963); *Vendimia del juglar* (1965); *Poesía reunida* (1953-1970) *(1971)*; *El surco y la brasa* (1974); *Las constelaciones secretas* (1978); *En honor de las palabras* (1979); *Comparecencias (1968-1980)* (1980). [C.T.]

MONTESINOS, Rafael (1920-   ).—Poeta y ensayista español. Colaboró en la revista "Garcilaso". Fundador y director de la Tertulia Literaria Hispanoamericana. Miembro de la Hispanic Society. Premio Nacional de Literatura 1958, 1977. Premio Ateneo de Madrid 1953. Premio Ciudad de Sevilla 1957.

OBRA PRINCIPAL: **Poesía.** *Balada del amor primero* (1944); *Canciones perversas para una niña tonta* (1946); *Cuaderno de las últimas nostalgias* (1948); *País de la esperanza* (1955); *La verdad y otras dudas* (1967); *Poesía 1944-1979* (1979). **Ensayo.** *Antonio Zarco, monografía sobre su vida y su obra* (1977); *Bécquer, biografía e imagen* (1977). **Prosa.** *Los años irreparables* (1952); *Príncipes, brujas y todo lo demás* (1972). [P.S.]

MONTOYA, José (1932-   ).–Poeta chicano, nacido en California (USA). Su obra está escrita en inglés, aunque con gran profusión de palabras en español y expresiones y modismos chicanos. En su obra confluyen las corrientes de realismo y protesta social, común a todos los escritores surgidos de "El Movimiento", y la poesía *beatnik* norteamericana.
OBRA PRINCIPAL: **Poesía.** *Lazy skin* (1969); *La jefita* (1969); *In a pink bubble-gum world* (1969); *El Louie* (1972) y *El sol y los de abajo* (1972). [P.S.]

MOOCK, Armando (1894-1942).–Dramaturgo, narrador y diplomático chileno. Autor de siete novelas y cincuenta y tres obras teatrales, representadas tanto en Chile como en la Argentina. Desempeñó las funciones de cónsul de Chile en Vigo, Madrid y Barcelona (1930-1934). El escritor chileno Raúl Silva-Cáceres le ha dedicado un extenso estudio crítico-biográfico. "Bajo la dura apariencia del iconoclasta ocultaba al moralista; tenía la actitud externa del ogro y en el fondo era un sentimental". Su gran pasión fue el teatro.
Los perros y *La serpiente* son sus piezas más representativas. La primera es una obra de técnica naturalista y de intencionalidad social.
OBRA PRINCIPAL: **Relato.** *¡Pobrecitas! Memorias de un gato romántico* (1917). **Novela.** *Sol de amor* (1924); *Vida y milagros de un primer actor* (1926). **Teatro.** *Crisis económica* (1914); *Isabel Sandoval: Modas* (1915); *El querer vivir* (1917); *Los demonios* (1918); *Pueblecito* (1918); *Un negocio* (1918); *Los perros* (1918); *Los siúticos* (1919); *Cuando venga el amor* (1920); *La serpiente* (1920); *Era un muchacho alegre* (1922); *Primer amor* (1922); *Un loco escribió este drama* (1923); *La odisea de Melitón Lamprocles* (1923); *Los hijos de Q.Q.* (1923); *El castigo de amar* (1924); *La fiesta del corazón* (1925); *Natacha* (1925); *La viuda de Zumárraga* (1937),; *No dejan surgir al criollo* (1938); *Del brazo y por la calle* (1939); *Julia Sandoval, candidata a concejal* (1939); *Algo triste que llaman amor* (1941). [P.S.]

MORAES, Vinicius de (1913-1980).–Nombre literario de Marcos Vinicius de Melo Moraes. Poeta, crítico de cine, periodista, dramaturgo, cronista y diplomático brasileño. Perteneció a la segunda generación modernista. Poeta lírico por excelencia, escribió sus primeros libros bajo la influencia de la religiosidad neosimbolista. Sus poesías posteriores revelan un constante fondo erótico. Hizo también poesía de

morales

compromiso social. A fines de la década de 50, con el surgimiento de la "bossa-nova", Vinicius compuso letras de canciones populares. Es considerado una figura de relieve en el desarrollo de la música popular brasileña de los últimos tiempos. OBRA PRINCIPAL: **Poesía.** *O caminho para a Distância* (1933); *Forma e Exegese* (1935); *Ariana, a Mulher* (1936); *Novos Poemas* (1938); *Cinco Elegias* (1943); *Poemas, Sonetos e Baladas* (1946); *Antología Poética* (1955); *Para Viver um Grande Amor* (poemas e crónicas). (1962); *Cordélia e o Peregrino* (1965). **Teatro.** *Orfeu de Conceição* (1956, llevada al cine con el nombre de *Orfeu Negro*). **Prosa.** *Para uma Menina com una flor* (1966). *A Arca de Noé* (1978, Poemas infantiles). [M.L.M.]

MORALES, Jorge Luis (1930-   ).—Poeta, ensayista y profesor puertorriqueño. Morales está identificado con el "grupo trascendentalista". Su poesía refleja aspectos de la vida de Puerto Rico y las angustias y frustraciones del hombre contemporáneo. Cultiva el verso libre y las formas métricas tradicionales. OBRA: **Poesía.** *Metal y piedra* (1952); *Decir del propio ser* (1954); *La ventana y yo* (1960); *Jornada precisa* (1963); *Discurso a los pájaros* (1965); *El cántico a la soledad* (1967). [J.P.]

MORALES, Rafael (1919-   ).—Poeta, narrador y ensayista español. Licenciado en Filología Románica por la Universidad de Madrid. Profesor de Literatura española en la Universidad Complutense de Madrid. Premio Adonais 1943. Premio Nacional de Literatura 1954. Premio Alamo de Poesía 1970. Miembro de la Hispanic Society of America, de Nueva York.

Sonetista impecable, su poesía de corte clásico aborda temas cotidianos, aparentemente baladíes. Ha sido llamado "cantor de las pequeñas cosas". Profundo conocedor del mundo taurino, le ha dedicado dos libros antológicos: *Poemas del toro* y *Granadeño, toro bravo.* Su libro más memorable quizás sea *Canción sobre el asfalto.* OBRA PRINCIPAL: **Poesía.** *Poemas del toro* (1943); *El corazón y la tierra* (1946); *Los desterrados* (1947); *Canción sobre el asfalto* (1954); *Antología y pequeña historia de mis versos* (1958); *La máscara y los dientes* (1962). **Novela.** *Dardo, el caballo del bosque* (1960); *Granadeño, toro bravo* (1964). [P.S.]

MORALES NADLER, Antonio (1918-   ).—Poeta guatemalteco. Periodista, diplomático en Estados Unidos e Hispanoamérica. Su

poesía se encuentra entre el mundo superrealista de Cardoza y Aragón y Miguel Angel Asturias.
OBRA PUBLICADA: **Poesía.** *Dionisio y el mar* (1954). [C.T.]

MORENO JIMÉNEZ, Domingo (1894-   ).—Poeta dominicano.
Creador del Postumismo, y su máxima figura. Rompió con la tradición clásica y cantó con acento propio los sentimientos, los paisajes y las cosas de su tierra natal. Moreno "enriquece el verso en lo que éste tiene de vida interior. Su verso tiene profundos interrogantes acerca de la existencia" (Antonio Fernández Spencer). Con Alberto Baeza Flores y Mariano Lebrón Saviñón escribió *Triálogos* (1943).

OBRA PRINCIPAL: *Promesas* (1916); *Vuelos y duelos* (1916); *Psalmos* (1921); *Del anodismo al postumismo* (1924); *El diario de la aldea* (1925); *Palabras sin tiempo* (1932); *Moderno apocalipsis* (1934); *El cancionero sin camino* (1935); *El embiste de razas* (1936); *América-Mundo* (1937); *Sentir es la norma* (1939); *Fogatas sobre el signo* (1940); *Canto al Atlántico* (1941); *Evangelio americano* (1942); *Palabras en el agua* (1943); *Su Majestad la Muerte* (1944); *Burbujas en el vaso de una vida breve* (1946). **Antología.** *Antología mínima* (1943); *Antología* (1949). [P.S.]

MORENO JIMENO, Manuel (1913-   ,).—Poeta peruano. Sus primeros libros desarrollaron una poesía de tendencia social, pero su poesía de estirpe superrealista se ha ido depurando hacia expresiones esenciales, casi ontológicas. Moreno Jimeno es traductor de una antología de poemas de la poetisa británica Edith Siwell, publicada bajo el título de *Cánticos del sol, de la vida y de la muerte.* Reside en México.

OBRA PRINCIPAL: *Así bajaron los perros* (1934); *Los malditos* (1937); *La noche ciega* (1947); *Hermoso fuego* (1954); *El corazón ardiendo* (1960); *Las citas* (1962); *Negro & Rojo* (1962); *Delirio de los días* (1967). [P.S.]

MORO, César (1903-1956).—Seudónimo de Alfredo Quíspez Asín. Poeta y pintor peruano de expresión francesa. Residió en Europa de 1925 a 1933. En París se adhiere al movimiento superrealista y colabora en la revista "Le Surréalisme au service de la Révolution". Expone sus pinturas en Bruselas y París.
En 1935 retorna al Perú. En Lima polemiza con el poeta chileno Vicente Huidobro. Un año después publica con Emilio Adolfo

morosoli

Westphalen y Rafael Méndez Dórich el célebre panfleto *Vicente Huidobro o el Obispo embotellado*.
Viaja a México en 1938. Allí realiza, en colaboración con André Bretón y Wolfgang Paalen, la Exposición Internacional del Superrealismo. En 1944 se aparta del superrealismo ortodoxo. Vuelve a Lima, en 1948, donde muere.
OBRA PRINCIPAL: **Poesía.** *Le château de grisou* (1943. El castillo de grisú/Trad. de Ricardo Silva-Santisteban); *Lettre d'amour* (1944. Carta de amor/Trad. de Emilio Adolfo Westphalen); *Trafalgar Square* (1954. Trafalgar Square/Trad. de Eleonora Falco); *Amour a mort* (1957. Amor a muerte/Américo Ferrari); *La tortuga ecuestre* (1957); *Obra poética. Vol. I* (1980. Edición, prólogo y notas de Ricardo Silva-Santisteban). [P.S.]

MOROSOLI, Juan José (1899-1957).—Poeta y narrador uruguayo. Aunque muy pronto se dedicó a la narrativa un lirismo intenso se trasluce en sus personajes, humildes, límpidos. El desamparo social de estos seres lleva a que toda su obra sea una denuncia de la injusticia implícita, nunca gritada. La soledad y el silencio son dos elementos que promueven el desarrollo de la interioridad de sus personajes a la vez que encierran la concentración de esencias de un cuentista breve tan excelente como Morosoli.
OBRA PRINCIPAL: *Balbuceos* (1925); *Los juegos* (1928); *Hombres* (1932); *Los albañiles de "Los Tapes"* (1936); *Hombres y mujeres* (1944); *Perico Muchachos* (1950); *Vivientes* (1953); *Tierra y tiempo* (1959); *El viaje hacia el mar y otros cuentos* (1962); *La soledad y la creación literaria* (1971). [H.C.]

MORRIS, Andrés (1928-   ).—Dramaturgo hondureño, nacido en Valencia, España. Licenciado en Leyes por la Universidad de Valencia. Premio Valencia de Literatura 1955. Residió en Madrid, Estocolmo y Londres como redactor de emisiones de radio en español. Vive en Tegucigalpa, donde ejerce el profesorado y la crítica literaria. Es famosa su "trilogía ístmica", integrada por *El Guarizama, Oficio de hombres* y *La miel del abejorro*.
OBRA PRINCIPAL: *La tormenta* (1955); *Ras de las gentes* (1957); *Los ecos dormidos* (1957); *La ascensión del busito* (1965); *El Guarizama* (1966); *Oficio de hombres* (1967); *La miel del abejorro* (1969). [P.S.]

MOYA MORTON, Nelly (1909-   ).—Véase **Campobello, Nellie.**

mujica lainez

MOYA POSAS, David (1929-1970).— Poeta y periodista hondureño. Jefe de redacción de la revista "Tegucigalpa", del semanario hondureño "La Nación", redactor del diario "La Prensa Gráfica" de San Salvador y de "El Nacional" de México. Primer Premio en el Concurso Nacional de Cuentos en El Salvador.
OBRA PRINCIPAL: **Poesía.** *Imanáforas* (1952); *Metáfora del ángel* (1955). [C.T.]

MOYANO, Daniel (1928-   ).—Narrador argentino. Su realismo a veces trasciende la realidad para internarse en el terreno de una fantasía de corte onírico. Toda su obra se caracteriza por un manejo exacto de la palabra. Su lenguaje narrativo es una síntesis de lo coloquial y lo poético. El crítico francés Paul Verdevoye ha sostenido que la obra de Moyano "parece ser un continuo recordar cosas penosas, a veces como en una pesadilla obsesiva". Moyano también ha sido profesor de música y ejecutante de viola, lo cual ha hecho suponer a algunos críticos que el ritmo de su literatura posee una cadencia musical. Su novela *El oscuro* obtuvo el Premio Editorial Sudamericana 1968.
OBRA PRINCIPAL: *Artistas de variedades* (1960); *La lombriz* (1964); *Una luz muy lejana* (1966); *El monstruo y otros relatos* (1967); *El fuego interrumpido* (1967); *El oscuro* (1968); *Mi música es para esta gente* (1970); *El trino del diablo* (1974); *El estuche del cocodrilo* (1974). [H.S.]

MÚGICA CELAYA, Rafael (1911-   ).—Véase, **Celaya, Gabriel.**

MUJICA LAINEZ, Manuel (1910-   ).—Narrador argentino. También ha escrito ensayos, desempeñó la crítica de arte y es autor de un largo poema a su ciudad natal: *Canto a Buenos Aires.* Fundamentalmente narrador, sobresale en el manejo del cuento, con dos libros unánimemente elogiados por la crítica: *Aquí vivieron y Misteriosa Buenos Aires,* y en el de la novela de largo aliento. En *La casa, Los viajeros* e *Invitados en el Paraíso,* se convierte en cronista de la aristocracia argentina y describe su apogeo y decadencia con rigor y lucidez. A partir de *Bomarzo* su narrativa se refirió a temas universales, como puede advertirse en *El Unicornio* o en *Crónicas reales.* El crítico francés Paul Verdevoye ha dicho de Mujica Lainez: "Marqués de Bradomín criollo, con algo de la exquisitez de Proust y la crueldad de Barbey, el aristócrata porteño reanima con nostálgica fruición y cierta refinada perversidad a los personajes de lienzos, medallones, grabados, vitrinas, donde se ha detenido el pasado. Ajeno a

muñiz

los experimentos literarios actuales, cuenta linealmente en una prosa algo arcaizante. Le gusta ante todo fantasear a partir de leyendas, tradiciones o crónicas real o aparentemente históricas, cuyo escenario es Buenos Aires o Europa".

El músico argentino Alberto Ginastera compuso una ópera –*Bomarzo*– basada en la novela homónima de Mujica Lainez.

OBRA PRINCIPAL: **Narrativa**. *Don Galaz de Buenos Aires* (1938); *Estampas de Buenos Aires* (1946); *Aquí vivieron* (1949); *Misteriosa Buenos Aires* (1950); *Los ídolos* (1952); *La casa* (1954); *Los viajeros* (1955); *Invitados en el Paraíso* (1957); *Bomarzo* (1963); *El Unicornio* (1967); *Crónicas reales* (1967); *De milagros y melancolías* (1968); *Cecil* (1972); *Cuentos de Buenos Aires* (1972); *El viaje de los demonios* (1974); *El laberinto* (1974); *El gran teatro* (1979). **Poesía**. *Canto a Buenos Aires* (1943). **Ensayo**. *Glosas castellanas* (1936); *Miguel Cané (padre) un romántico porteño* (1942); *Vida de Aniceto el Gallo (Hilario Ascasubi)* (1943); *Vida de Aniceto el Pollo (Estanislao del Campo)* (1948). [H.S.]

MUÑIZ, Carlos (1927-   ).–Dramaturgo español. Licenciado en Derecho. Ha escrito guiones y ha realizado películas para la televisión. Se inició en el teatro de tendencia realista, pero a partir de *El tintero* se orientó hacia un teatro de corte neoexpresionista. Premio Nacional de Teatro de Cámara y Ensayo 1955. Premio Arniches 1958.

OBRA PRINCIPAL: *Telarañas* (1955); *El grillo* (1957); *El guiñol de Don Julio* (1959); *El tintero* (1961); *Un solo de saxofón* (1962); *Las viejas difíciles* (1964). [P.S.]

MUÑOZ, Rafael F[elipe] (1899-1971).–Escritor y periodista mexicano. Pertenece al grupo de novelistas de la revolución mexicana. Conoció personalmente a Pancho Villa, personaje persistente en su obra literaria. Secretario del presidente Obregón. Muñoz publicó gran parte de su obra en editoriales españolas. Aunque su novela *¡Vámonos con Pancho Villa!* le dio renombre, sus cuentos constituyen la parte más importante de su obra.

OBRA PRINCIPAL: **Cuento**. *El hombre malo* (1913); *El feroz cabecilla; Cuentos de la revolución en el norte* (1928); *Si me han de matar mañana...* (1934); *Fuego en el norte* (1960, recopilación). **Novela**. *¡Vámonos con Pancho Villa!* (19   ); *Se llevaron el cañón para Bachimba* (1941). [P.S.]

mutis

MURENA, Héctor A. (1923-1975).—Ensayista, poeta y narrador argentino. Su primer libro, *El pecado original de América,* sostiene la tesis de que los americanos arrastran desde sus orígenes una culpa geográfica y cultural, fruto del desarraigo que implicó el trasplante de Europa en el nuevo continente. Esta problemática de origen sería el motivo de las características socio-psicológicas del hombre americano. La teoría desemboca en un absoluto nihilismo acerca del futuro del continente. Esta teoría —con algunas variantes— se reitera en su obra *Homo atomicus* (1961).

Como narrador publicó un ciclo de tres novelas. Sus personajes se mueven en un mundo desolado donde la comunicación es imposible. En *Epitalámica* (1969) viró hacia un marcado sentido del humor. En su poesía practica un ejercicio cuidadoso de la palabra desnuda, ajena a la metáfora y cauto en la adjetivación.

OBRA PRINCIPAL: **Ensayo.** *El pecado original de América* (1954); *Homo atomicus* (1961); *Ensayos sobre subversión* (1959). **Novela.** *La fatalidad de los cuerpos* (1955); *Las leyes de la noche* (1958); *Los herederos de la promesa* (1965); *Epitalámica* (1969). **Cuentos.** *El centro del infierno* (1956). **Poesía.** *La vida nueva* (1951); *El círculo de los paraísos* (1958); *El escándalo y el fuego* (1959); *Relámpago de la duración* (1962). [H.S.]

MUSTO, Jorge (1927-   ).—Novelista uruguayo. Una intensa actividad teatral retrasó el inicio de su producción narrativa hasta 1965. A pesar de la visible influencia de Juan Carlos Onetti ha logrado un personal manejo de la técnica y el lenguaje.

OBRA PRINCIPAL: *Un largo silencio* (1965); *Noche de circo* (1966); *La decisión* (1967); *Los juegos Pánicos* (1969); *Nosotros, otros* (1970); *Aproximación al ángel* (1971). [H.C.]

MUTIS, Alvaro (1923-   ).—Poeta y narrador colombiano. Vinculado al grupo de la revista "Mixto". Su dominio del lenguaje poético conseguido a través de una obra considerada como una de las más estimables de la lírica hispanoamericana, le permite manejar con maestría un lenguaje narrativo que ahonda en las vetas del realismo mágico.

OBRA PRINCIPAL: **Poesía.** *Los elementos del desastre* (1953); *Reseña de los hospitales de ultramar* (1959); *Summa de Maqroll el Gaviero. Poesía 1947-1970* (1973). **Narrativa.** *Los trabajos perdidos* (1960); *Diario de Lecumberri* (1970); *La mansión de Araucaína. Relato de tierra caliente* (1973). [P.S.]

N

NALÉ ROXLO, Conrado (1898-1971).—Poeta, dramaturgo, humorista y narrador argentino. Su poesía se caracteriza por un tono posmodernista encuadrado en un absoluto rigor formal del que no se apartó a lo largo de toda su obra. Su libro inicial: *El grillo* (1923), saludado por Leopoldo Lugones, le valió un lugar de primera línea en la literatura argentina.

Autor de pocos poemas, Nalé Roxlo limitó sus trabajos en este campo a sólo tres títulos reunidos en un tomo. Como humorista, con el seudónimo de *Chamico*, desarrolló una extensa labor en diarios y revistas que luego recogió en libros que se inscriben entre lo mejor del humorismo argentino. Su narrativa se alinea en la alegoría fantástica y su tarea de dramaturgo se caracteriza por la creación de climas poéticos que le permiten expresar de paso sus preocupaciones religiosas que son una constante en su obra.

OBRA PRINCIPAL: **Poesía**. *El grillo* (1923); *Claro desvelo* (1937); *De otro cielo* (1952). **Humor.** *Cuentos de Chamico* (1941); *Cuentos de cabecera* (1946); *Libro de quejas* (1953); *Sumarios policiales* (1955). **Teatro.** *La cola de la sirena* (1941); *Una viuda difícil* (1944); *El pacto de Cristina* (1945) y *Judith y las rosas* (1956). **Narrativa.** *Las puertas del Purgatorio* (1956). [H.S.]

NAMORA, Fernando (1919-   ).—Novelista y poeta portugués. Se graduó en Medicina por la Universidad de Coimbra y después se dedicó a su ejercicio en diversas regiones del país y más tarde en el Instituto de Oncología en Lisboa donde reside. Perteneció a la fase inicial del neorrealismo, y su tercer libro de poemas, en 1941, fue el primero de la colección "Novo Cancionero", lanzada por los neorrealistas. Es actualmente el escritor portugués cuyas obras gozan de mayor difusión en todo el mundo.

OBRA PRINCIPAL: **Ficción.** *As Sete Partidas do Mundo*, novela (1938); *Fogo na Noite Escura*, novela (1943); *Casa de Malta*,

nandino

novela (1945); *Minas de São Francisco,* novela (1946); *Retalhos de Vida de um Médico* (1949 y 1963); *A noite e a Madrugada,* novela (1950); *O Trigo e o Joio,* novela (1954); *O Homem Disfraçado,* novela (1957); *Cidade Solitária,* cuentos (1959); *Domingo à Tarde* novela (1961); *Os Clandestinos,* novela (1972); *Resposta a Matilde,* cuentos (1979); **Memorias y narrativa.** *Diálogo em Setembro* (1966); *Um Sino na Montanha* (1968); *Os Adoradores do Sol* (1971); *Estamos no Vento* (1975); *A Nave de Pedra* (1975); *Cavalgada Cinzenta* (1977). **Poesía.** *Relevos* (1938); *Mar de Sargaço* (1940); *Terra* (1941); *As Frias Madrugadas* (1959); *Marketing* (1969). [M.V.]

NANDINO, Elías (1903-   ).—Poeta mexicano. Médico cirujano; además de ejercer su profesión ha sido director de la colección "México Nuevo" y "Cuadernos de Bellas Artes". Premio Nacional de Poesía 1979.

OBRA PRINCIPAL: **Poesía:** *Espiral* (1928); *Color de ausencia* (1932); *Eco* (1934); *Río de sombra* (1935); *Sonetos* (1937); *Nuevos sonetos* (1939); *Suicidio lento* (1937); *Poemas árboles* (1938); *Espejo de mi muerte* (1945); *Nudo de sombras* (1947); *Naufragio de la duda* (1950); *Triángulo de silencios* (1953); *Nocturna suma* (1955); *Nocturno amor* (1958); *Nocturno día* (1959); *Nocturna palabra* (1960); *Eternidad del polvo* (1970); *Cerca de lo lejos* (1979). [C.T.]

NAVA, Thelma (1931-   ).—Poeta mexicana. Directora de la influyente revista "Pájaro Cascabel". Animó, en la década de los años sesenta, el desarrollo de la poesía hispanoamericana. Premio Ramón López Velarde 1962. "Thelma Nava predica su esperanza mediante símbolos y referencias que dan intensidad lírica a sus reflexiones. Contempla el mundo como un gran desierto en que sólo el amor puede provisionalmente ampararnos".

OBRA PRINCIPAL: **Poesía.** *Aquí te guardo yo* (1957); *La orfandad del sueño* (1964); *Colibrí 50* (1966). [P.S.]

NAVARRO, Gustavo (1898-1979).—Véase **Marof, Tristán.**

NAVARRO LUNA, Manuel (1894-1966).—Poeta cubano. Periodista y crítico literario. Participó activamente en los grupos vanguardistas de los años treinta. Siguiendo las tendencias ultraístas, hilvanó metáforas en diminutas alegorías y dibujó caligramas. Su obra en prosa ha sido reunida en varios volúmenes.

OBRA PRINCIPAL: **Poesía.** *Ritmos dolientes; Corazón adentro; Refugio; Surco* (1928); *Pulso y onda; La tierra herida; Obra poética.* [J.P.]

NAZOA, Aquiles (1920-1976)).—Escritor venezolano. Poeta, humorista, periodista y animador de múltiples empresas culturales. Miembro de la generación del 42. Su obra abarca todos los géneros. Es "un preciosista con dejes modernistas y un humorista demoledor". Murió en accidente automovilístico.
OBRA PRINCIPAL: **Poesía.** *El transeúnte sonreído* (1945); *El silbador de iguanas* (1955); *Poesía para colorear* (1958); *El burro flautista* (1959); *Poesías costumbristas, humorísticas y festivas* (1962); *Humor y amor de Aquiles Nazoa* (1970); *Vida privada de las muñecas de trapo* (1975). **Prosa.** *Método práctico para aprender a leer* (1943); *El ruiseñor de Catuche* (1958); *Caballo de manteca* (1960); *Historia de la música contada por un oyente* (1970); *Las cosas más sencillas* (1972). **Antología.** *10 poetas bolivianos contemporáneos* (1957); *Cuentos contemporáneos hispanoamericanos* (1957); *Los humoristas de Caracas* (1966). [P.S.]

NEGRÓN MUÑOZ, Mercedes (1895-   ).—Véase **Lair, Clara.**

NEMESIO, Vitorino (1901-1978).—Poeta, novelista, ensayista portugués. Natural de las Azores, realizó sus estudios de segunda enseñanza en el archipiélago, interrumpiéndolos para alistarse como voluntario en el Ejército. Los reanudó en Coimbra, en 1922, licenciándose en Letras. Se doctoró en 1934 por la Universidad de Lisboa. Fue "chargé de cours" de portugués en la Universidad de Montpelier, en 1935, y a partir de 1939 impartió clases en la Universidad de Bruselas. Fue nombrado profesor catedrático en 1940. Colaboró intensamente en la prensa y fue autor de una serie de *charlas* muy populares en la televisión.
OBRA PRINCIPAL: **Poesía.** *Eu, Comovido a Oeste* (1940); *Festa Redonda* (1950); *Nem Toda a Noite a Vida* (1953); *O Pao e a Culpa* (1955); *O Verbo e a Morte* (1959); *O Cavalo encantado* (1963); *Andamento Holandês e Poemas Graves* (1964); *Canto de Véspera* (1966); *Limite de Idade* (1972); *Poemas Brasileiros* (1972), etcétera. **Ficción.** *Paço de Milhafre,* cuentos (1924); *Varanda de Pilatos,* novela (1926); *A Casa Fechada,* narraciones (1937); *Mau Tempo no Canal,* novela (1944), etc. **Crónicas y viajes:** *Corsário das Ilhas* (1956); *O Retrato do Semeador* (1958); *Viagens ao Pé da Porta*

neruda

(1965); *Caatinga e Terra Caída* (1968), etc. **Ensayos**. *Relaçoes Francesas do Romantismo Português* (1936); *Conhecimiento de Poesía* (1958); *Romance, Existência e Visão do Mundo* (1964), etc. [M.V.]

NERUDA, Pablo (1904-1973).–Seudónimo de Neftalí Ricardo Reyes Basoalto. Poeta chileno. Premio Nobel 1971. Miembro de la Academia Chilena de la Lengua. A los veinte años publica su libro más leído *Veinte poemas de amor y una canción desesperada*. A los veintitrés es designado cónsul en Rangún, Birmania. De 1927 a 1936 desempeña cargos consulares en Ceilán, Java, Singapur, Buenos Aires, Barcelona y Madrid. En Madrid dirigió la revista "Caballo Verde para la poesía" (4 números), desde la cual se atacaron los idearios juanramonianos y se abogó por "una poesía sin pureza".

En 1936 es destituido de su cargo. Viaja a París y, desde allí prosigue su defensa de la causa republicana. Escribe *España en el corazón*. En 1939, el gobierno progresista de Aguirre Cerda le nombra Cónsul para la inmigración española, con sede en París. Cónsul general en México (1940). En 1949 se refugia en la Argentina, perseguido por el gobierno de González Videla. En 1971, Salvador Allende le nombra embajador de Chile en Francia. En 1973 regresa enfermo a Chile y muere en Santiago.

Premio Nacional de Literatura 1945. Premio Internacional de la Paz 1950. Premio Stalin 1954. Escribió al alimón con Miguel Angel Asturias el libro *Comiendo en Hungría*. Tradujo a Marcel Schwob, Rilke, William Blake, Shakespeare, James Joyce y Evtushenko, entre otros. La cuarta edición de sus *Obras completas* consta de 3 volúmenes y data de 1973.

La poesía de Neruda registra varias etapas. Al estilo posmodernista de acentuado tono romántico *(Veinte poemas de amor...)* le seguirá el superrealismo de *Residencia en la tierra* hasta desembocar en *Canto general*, poesía de aliento épico, fruto de su conversión política y su adhesión al partido comunista. Después ensayará una poesía de tono coloquial *(Estravagario)* para terminar consolidando su voz definitiva *(Cantos ceremoniales, Memorial de Isla Negra, La barcarola)*, caracterizada por una síntesis de soledad y solidaridad, magia y realismo, biografía sentimental y crónica histórica.

OBRA PRINCIPAL: **Poesía**. *Crepusculario* (1923); *Veinte poemas de amor y una canción desperada* (1924); *Residencia en la tierra I* (1935); *Residencia en la tierra II* (1935, 2 vols.); *Tercera residencia* (1947); *Canto general* (1950); *Las uvas y el viento* (1954); *Odas elementales* (1954); *Estravagario* (1958); *Cantos ceremoniales*

(1961); *Memorial de Isla Negra* (1964); *La barcarola* (1967); *La espada encendida* (1970); *El mar y las campanas* (1973); *Libro de las preguntas* (1974). **Prosa.** *El habitante y su esperanza* (1926); *Tentativa del hombre infinito* (1926); *Anillos* (1926); *El hondero entusiasta* (1933); *Una casa en la arena* (1966). **Teatro.** *Fulgor y muerte de Joaquín Murieta* (1967). **Memorias.** *Confieso que he vivido* (1974); **Artículos.** *Para nacer he nacido* (1978). [P.S.]

NIETO, Luis (1910-   ).—Poeta peruano. Junto con Mario Florián y Luis Rodrigo, representa la corriente nativista en la poesía peruana. Preocupado por la reivindicación social del indígena, Nieto escribe poemas, estéticamente afines a García Lorca y Nicolás Guillén.

OBRA PRINCIPAL: **Poesía.** *Charango; Canto al Cuzco y sus piedras sagradas; Libro del corazón y sus caídas; Viento de puna; Los cantos elementales.* [P.S.]

NIEVA, Francisco (1929-   ).—Dramaturgo y escenógrafo español Vinculado al movimiento "postista" de Carlos Edmundo de Ory y Eduardo Chicharro. Autor de un teatro que él ha denominado "teatro furioso", desarrolla un estilo barroco, alegórico, simbolista, superrealista, de innegable originalidad. Su obra como escenógrafo ha renovado el concepto de la especialidad.

OBRA PRINCIPAL: *El combate de Opalos y Tasia; La pascua negra; El fandango asombroso; El aquelarre del Pitiflauti; Pelo de tormenta; Es bueno no tener cabeza; La carroza de plomo candente; Malditas sean Coronada y sus hijas; El rayo colgado; Tórtolas, crepúsculo... y telón; El corazón acelerado; El maravilloso catarro de Lord Bashville; La señora Tártara; Funeral y pasacalle.* [P.S.]

NOBOA CAAMAÑO, Ernesto (1891-1927).—Poeta ecuatoriano. Pertenece a la generación modernista. Residió en España y Francia. Al regresar al Ecuador, se sintió incomprendido por una sociedad hostil a toda expresión artística. Hastiado y herido en su sensibilidad, vivió recluido en la nostalgia de una ciudad y una época distantes. " ¡Mi Verlaine! ", gritaba Noboa, aturdido y embriagado en los laberintos de sus paraísos artificiales.

Es conocido su soneto *Emoción vesperal,* especie de arte poética. El poeta, acosado por la melancolía, sólo anhela evadirse hacia "piélagos ignotos". Escribió numerosas crónicas, comentarios y críticas impresionistas que aún no han sido recopiladas en libro.

OBRA PRINCIPAL: *Romanza de las horas* (1922). [P.S.]

NORA, Eugenio de (1924-   ).—Nombre literario de Eugenio García González de Nora. Poeta y ensayista español. Doctor en Letras por la Universidad de Madrid. Cofundador de la revista "Espadaña" (León, 1944-1951), junto con Victoriano Crémer y Antonio de Lama. Su obra contribuyó al desarrollo de la llamada "poesía social" de posguerra. Profesor de Literatura española en la Universidad de Berna. Premio Boscán 1953. Premio de la Crítica 1958. Su extenso ensayo crítico *La novela española contemporánea* le ha consagrado en el ámbito de la investigación académica.

OBRA PRINCIPAL: **Poesía.** *Amor prometido* (1946); *Cantos al destino* (1945); *Contemplación del tiempo* (1948); *Siempre* (1953); *España, pasión de vida* (1953); *Poesía. 1939-1964* (1975). **Ensayo.** *La novela española contemporánea* (1958-1962, 3 vols.). [P.S.]

NOVÁS CALVO, Lino (1905-   ).—Novelista y ensayista cubano nacido en Galicia, España. Llegó a Cuba a los siete años. Periodista, maestro y traductor. Es célebre su traducción de *El viejo y el mar*, de Hemingway. Reside en Estados Unidos, donde ha sido subdirector de la revista "Bohemia libre". Profesor de literatura hispanoamericana en la Universidad de Syracuse. Se jubiló en 1975.

OBRA PRINCIPAL: **Cuento.** *La luna nona y otros cuentos* (1942); *No sé quién soy* (1945); *Cayo Canas* (1946); *En los traspatios* (1946); *Maneras de contar* (1970). **Novela.** *El negrero* (1933); [J.P.]

NOVO, Salvador (1904-1974).—Escritor mexicano. Poeta, dramaturgo, historiador, periodista, traductor, crítico de literatura y arte, actor y director de teatro. Fue, ante todo, un hombre de teatro. Miembro del grupo "Contemporáneos". Funcionario de la Secretaría de Educación Pública. Miembro de la Academia Mexicana de la Lengua. Premio Nacional de Literatura. Cronista de la Ciudad de México. Como poeta cantó con acento expresionista, irónico y elegíaco, el amor, la soledad, el recuerdo, la desolación. Tradujo a poetas franceses y norteamericanos y también a O'Neill, Synge, Lord Dunsany, entre otros autores contemporáneos. Son notables sus reconstrucciones de la vida cotidiana durante los gobiernos de Lázaro Cárdenas, Manuel Avila Camacho y Miguel Alemán.

OBRA PRINCIPAL: **Poesía.** *XX poemas* (1925); *Espejo* (1933); *Nuevo amor* (1933); *Poemas proletarios* (1934); *Frida Kahlo* (1934); *Florido laude* (1945); *Sátira* (1955); *Poesía* (1961, recopilación).

núñez alonso

Ensayo. *Ensayos* (1925); *Continente vacío* (1935); *En defensa de lo usado* (1938); *Nueva grandeza mexicana* (1946); *Toda la prosa* (1964); *Las locas, el sexo y los burdeles* (1972). **Teatro.** *El tercer Fausto* (1934); *la culta dama* (1951); *Diálogos* (1966); *Yocasta o casi* (1961); *La guerra de las gordas* (1963) [C.T.]

NÚÑEZ ALONSO, Alejandro (1905-   ).—Novelista, ensayista y periodista español. Colaboró en la página literaria de "La Libertad", dirigida por Cansinos Asséns. A fines de 1929 emigró a Hispanoamérica. Incorporado al periodismo mexicano escribió en "Excelsior", "Gráfico", "El Universal", "El Nacional", etc. Secretario de redacción de "Ilustrado". Director de los semanarios gráficos "Imagen" y "Metrópoli". Corresponsal en Roma y París (1949-1953). Vuelve a España en 1953. Actualmente reside en Canadá. Premio Miguel de Cervantes 1957. Premio de la Crítica 1965. Premio Fundación Dolores Medio 1981.

Escritor de novelas-río, ha publicado la pentalogía *Benasur de Judea*, reconstrucción de la antigüedad romana, y la tetralogía *Semíramis*, dedicada a la civilización asirio babilónica.

OBRA PRINCIPAL: **Ensayo.** *Páginas* (1924). **Novela.** Konco (1943); *La gota de mercurio* (1954); *Segunda agonía* (1955); *Gloria en subasta* (1964); *Víspera sin mañana* (1971). *Benasur de Judea* (1956. El lazo de púrpura/ El hombre de Damasco/ El denario de plata/ La piedra y el César/ Las columnas de fuego); *Semíramis* (Semíramis, 1965/ Sol de Babilonia, 1967/ Estrella solitaria, 1973/ La reina desnuda, 1974); *Al filo de la sospecha* (1971). [P.S.] .

O

OCAMPO, Silvina (1903-   ).—Narradora y poeta argentina. Su poesía se encuadra dentro de las formas tradicionales; sus cuentos, atravesados por un fino humor, pertenecen, por lo general, al género fantástico. En opinión de Enrique Anderson Imbert, las situaciones creadas son casi siempre crueles, "parece haberlas arrancado de una realidad observada o vivida. Las vemos, sin embargo, deformadas, estilizadas, a través de espesos vidrios".

OBRA PRINCIPAL: **Poesía.** *Enumeración de la patria* (1942); *Espacios métricos* (1945); *Poemas de amor desesperado* (1949); *Lo amargo por lo dulce* (1962). **Narrativa.** *Viaje olvidado* (1937); *Autobiografía de Irene* (1948); *La furia* (1959); *Las invitadas* (1961). En colaboración con Adolfo Bioy-Casares escribió una novela policial: *Los que aman odian* (1962). [H.S.]

OCAMPO, Victoria (1890-1979).—Ensayista argentina. Durante más de cuarenta años dirigió la revista *Sur,* fundada en 1931. En sus páginas dio a conocer, en muy cuidadas traducciones, las últimas novedades de la literatura europea en Latinoamérica.

Su obra literaria ensayística es, en esencia, la de una memorialista, tal como puede observarse en los diez tomos de sus *Testimonios* y en los volúmenes aparecidos hasta ahora de sus memorias póstumas. Sus recuerdos no sólo rescatan figuran literarias y artísticas, sino que sirven para brindar una imagen íntima de la clase alta argentina de fin del siglo diecinueve y principios del veinte.

Se destacan también sus ensayos sobre autores como T. E. Lawrence, Virginia Woolf, Rabindranath Tagore, Mahatma Gandhi, Juan Sebastián Bach. Ha traducido obras de Albert Camus, Colette, William Faulkner, Graham Greene, Lanza del Vasto, T. E. Lawrence, John Osborne y Dylan Thomas.

OBRA PRINCIPAL: *De Francesca a Beatrice* (1924); *Testimo-*

ochoa

nios (1924); *San Isidro,* (1936); *Testimonios 2.ª serie* (1941); *338.171 T. E.* (1942); *Testimonios 3.ª serie* (1950); *Lawrence de Arabia y otros ensayos* (1951); *Soledad sonora (nuevos testimonios)* (1951); *Testimonios 5.ª serie* (1957); *Tagore en las barrancas de San Isidro* (1961); *Testimonios 6.ª serie* (1964); *Testimonios 7.ª serie* (1967); *Testimonios 8.ª serie* (1970); *Testimonio 9.ª serie* (1972). [H.S.]

OCHOA, Lucas (1895-1964).—Véase **González, Fernando.**

ODIO, Eunice (1912-1972).—Poeta costarricense. Ejerció el periodismo en Centroamérica y México. Residió en México, cuya ciudadanía adquirió poco antes de morir. Premio Centroamericano de Poesía 1947.
OBRA PRINCIPAL: **Poesía.** *Los elementos terrestres* (1947); *Zona en territorio del alba* (1953); *El tránsito del fuego* (1957). **Cuento.** *El rastro de la mariposa.* [C.T.]

OLIVARI, Nicolás (1900-1966).—Poeta y narrador argentino. Integrante de la generación de *Martín Fierro,* también colaboró en las revistas del grupo de Boedo. Su poesía discurre por dos caminos perfectamente delimitados: una nostálgica evocación de la ciudad de su niñez, con marcado fervor por los temas de Buenos Aires, como el tango y sus personajes, y por otro lado un culto notorio del feísmo, del malditismo poético, destinado a mostrar la imposibilidad de cambio de la vida humana. Con ironía corrosiva, sus primeros libros trataban de mostrar que el hombre no tenía salida ni siquiera en el amor.
OBRA PRINCIPAL: **Poesía.** *La amada infiel* (1924); *La musa de la mala pata* (1926); *El gato escaldado* (1929); *Diez poemas sin poesía* (1938); *Poemas rezagados* (1946) y *Pas des quatre* (1964). **Narrativa.** *La mosca verde* (1933); *El hombre de la baraja y la puñalada* (1933); *Carne de sol* (1952); *Mi Buenos Aires querido* (1966). [H.S.]

OLIVEIRA, Carlos de (1921-1981).—Poeta y novelista portugués. Uno de los grandes creadores literarios salidos de la corriente neorrealista que depuró y que abrió nuevos horizontes. Licenciado en Letras por la Universidad de Coimbra, fue colaborador de numerosas publicaciones, tales como "Vértice", "Sera Nova" y

"Altitude". Es uno de los autores más estudiados por la crítica literaria, sobre todo en Portugal y Brasil. Muy preocupado con la forma, dejó una obra relativamente pequeña pero de gran impacto en varias generaciones de poetas y escritores.

OBRA PRINCIPAL: **Poesía.** *Turismo* (1942); *Mae Pobre* (1945); *Colheita Perdida* (1948); *Descida aos Infernos* (1949); *Sobre o Lado Esquerdo* (1968); *Micropaisagem* (1969); *Entre Duas Memórias* (1971), etc. **Ficción.** *Casa na Duna*, novela (1943); *Alcateia*, novela (1944); *Pequenos Burgueses*, novela (1948); *Uma Abelha na Chuva*, novela (1953); *Finisterra*, novela (1979). **Crónicas.** *O Aprendiz de Feiticeiro* (1971). [M.V.]

OLIVER, Joan (1899-).—Véase **Quart, Pere.**

OLMO, Lauro (1922-).—Dramaturgo, poeta y narrador español. Escribió teatro testimonial cuya máxima expresión sigue siendo *La camisa*. Ha realizado adaptaciones de Brecht, Chéjov y Anouilh. Premio Leopoldo Alas 1955. Premio Elisenda de Montcada 1963. Premio Valle Inclán 1961. Premio Larra 1962. Premio Nacional de Teatro 1962. Premio Alvarez Quintero 1963, de la Real Academia Española.

OBRA PRINCIPAL: **Poesía.** *Del aire* (1954). **Relato.** *12 cuentos y uno más* (1955); *La peseta del hermano mayor* (1958); *Kantichandra el hindú* (1962); *Golfos de bien* (1980). **Novela.** *Ayer, 27 de octubre* (1958); *El gran sapo* (1963); *Golfos de bien* (1968). **Teatro.** *El perchero* (1953); *El milagro* (1955); *La camisa* (1961); *La pechuga de la sardina* (1963); *La condecoración* (1965); *El cuerpo* (1966); *El raterillo* (1967); *English spoken* (1968); *El cuarto poder* (1969). [P.S.]

O'NEILL, Alexandre (1924-).—Poeta portugués. Autodidacta, trabaja en publicidad. Fue colaborador de "Litoral", "Mundo Literário", "Seara Nova", "Cuadernos de Poesia", etc. Perteneció al movimiento surrealista del que fue uno de los iniciadores en Portugal.

OBRA PRINCIPAL: **Poesía.** *Tempo de Fantasmas* (1951); *No Reino da Dinamarca* (1958); *Abandono Vigiado* (1960); *Poema com Endereço* (1962); *Feira Cabisbaixa* (1965); *De Ombro na Ombreira* (1969); *Entre a Cortina e a Vidraça* (1972), etc. **Ficción.** *A Ampola Miraculosa*, novela (1949). **Crónica.** *As Andorinhas não tem Restaurante* (1970). [M.V.]

onetti

ONETTI, Juan Carlos (1909-   ).—Narrador uruguayo. Abandonó sus estudios secundarios y trabajó como portero, camarero, vendedor de entradas en el estadio Centenario y periodista. De 1939 a 1941 fue secretario de redacción del semanario "Marcha", de Montevideo. Firmaba sus columnas con los seudónimos de Periquito el Aguador y Groucho Marx. En 1957 ejerció el cargo de director de Bibliotecas Municipales de Montevideo.

Innovador en el tratamiento de los temas urbanos, su primera novela *El pozo* es reconocida como una obra maestra. Con *La vida breve* se inicia la saga de Santa María, mítica ciudad en la cual sus habitantes viven cercados por la frustración, el desamor y la obsesiva conciencia de la muerte. La preocupación existencial del escritor está siempre presente en su obra con un tono de pesimismo e insatisfacción. En definitiva, el arte y el amor parecen ser —en la obra de Onetti— los únicos e imperfectos modos de salvación para el hombre. Si bien su influencia siempre ha sido grande entre quienes lo conocían, éstos no eran numerosos fuera de su país. A partir de 1973, fecha en que fija su residencia en Madrid, la difusión de sus libros ha aumentado notablemente.

Premio del Instituto Italo Latinoamericano 1976, por su novela *El astillero*. Premio de la Crítica 1980, por su novela *Dejemos hablar al viento*, y Premio Cervantes de Literatura 1980, por el conjunto de su obra.

OBRA PRINCIPAL: **Novela.** *El pozo* (1939); *Tierra de nadie* (1941); *La vida breve* (1950); *Los adioses* (1954); *Una tumba sin nombre* (1959) [En la 2.ª ed.: *Para una tumba sin nombre,* 1968]; *La cara de la desgracia* (1960); *El astillero* (1961); *Tan triste como ella* (1963); *Juntacadáveres* (1964); *La muerte y la niña* (1973); *Tiempo de abrazar* (1974); *Dejemos hablar al viento* (1978). **Cuento.** *Cuentos completos* (1967, 1968, 1974). [H.C.]

OQUENDO DE AMAT, Carlos (1905-1936).—Poeta peruano. Autor de un solo libro, su leyenda se funda en su muerte romántica ocurrida en España durante la Guerra Civil. Curiosamente, su poesía es una negación del romanticismo y constituye un síntoma de renovación formal e ideológica en las letras peruanas.

OBRA: *Cinco metros de poemas* (1927). [P.S.]

OREAMUNO, Yolanda (1916-1956).—Escritora costarricense. Novelista. periodista. Residió en Guatemala, Chile y México. Premio Centroamericano de Novela 1948. Revela un mundo "intrincado, oscuro, difícil, amargo". Sus novelas fueron escritas bajo el estímulo de profundas lecturas de Proust y Joyce. Aplicó elementos del psicoanálisis y rehuyó el folclorismo por estimar que "en Costa Rica no hay material suficiente para tratar esos temas".

OBRA: **Novela.** *Por tierra firme* (1946); *La ruta de su evasión* (1949). **Antología de textos.** *A lo largo del corto camino* (1961). [P.S.]

ORGAMBIDE, Pedro (1929-   ).—Narrador y ensayista argentino. Fundó y dirigió la revista *Gaceta Literaria* y se inició con un libro de poemas, *Mitología de la adolecencia* (1954), al que le siguió un estudio crítico-biográfico sobre Horacio Quiroga, pero el grueso de su obra lo ha realizado en el campo narrativo, donde practica un tipo de realismo que con frecuencia se hunde en lo fantástico. En *Memorias de un hombre de bien* retrata a un típico exponente de la clase alta argentina y obtiene una imagen muy fiel de una época y un determinado estrato social. En *El páramo* (para algunos críticos su novela más importante) aborda el tema de la incomunicación y el desencuentro amoroso. En México, donde reside desde 1975, dirigió la revista *Cambio.*

OBRA PRINCIPAL: **Ensayo.** *Horacio Quiroga, el hombre y su obra* (1954); *Borges político* (1977); **Narrativa.** *El encuentro* (1957); *Las Hermanas* (1959); *Memorias de un hombre de bien* (1964); *Historias cotidianas y fantásticas* (1965); *El páramo* (1965); *Los inquisidores* (1967); *Yo, argentino* (1968); *Historias con tangos y corridos* (1976). [H.S.]

ORIBE, Emilio (1893-1975).—Poeta y ensayista uruguayo. Médico de profesión. Su obra está impregnada de lecturas filosóficas propias del universo lógico e irreductible de la poesía idealista. La preponderancia de la idea sobre la realidad contingente, le acerca a Parménides y demás filósofos eleáticos. Su lenguaje torturado por los rigores del concepto decae, al rehusar la retórica modernista, en un forzado prosaísmo. Poesía aristocrática, Oribe se convierte en un profundo indagador del tiempo en la palabra.

OBRA PRINCIPAL: *El nardo del ánfora* (1915); *El castillo interior* (1917); *El halconero astral y otros cantos* (1922); *El nunca usado mar* (1922); *La colina del pájaro rojo* (1925); *La transfiguración de lo corpóreo* (1930); *El canto del cuadrante* (1938); *La lámpara que anda* (1944); *La esfera del canto* (1948); *Ars Magna* (1959); *Antología póética* (1965). [P.S.]

OROZCO, Olga (1920-   ).—Poeta argentina. Inicialmente identificada por la crítica con la denominada generación del 40, su poesía se distinguió, desde su primer libro, por un aire elegíaco en el que se acentuaban los tonos de una angustia melancólica cercada por la destrucción y la muerte. Posteriormente evolucionó hacia una poética en la que predominan los elementos cabalísticos y donde la poesía cumple la función de un conjuro. "Yo elegí los delirios, las magias y el amor", escribe en una suerte de autodefinición. En su hasta ahora único libro narrativo, *La oscuridad es otro sol*, intensifica estas características en un clima en el que se mezclan recuerdos y presagios enmarcados por un lenguaje cuidadoso y brillante.

OBRA PRINCIPAL: *Desde lejos* (1946); *Las muertes* (1952); *Los juegos peligrosos* (1962); *Museo salvaje* (1964); *Cantos a Berenice* (1977). **Narrativa.** *La oscuridad es otro sol* (1968). [H.S.]

ORPHÉE, Elvira (1930-   ).—Narradora argentina. En un clima dominado por la magia, los conjuros y presencias fantasmales, se mueven personajes regidos por el resentimiento y la culpa. Pero a lo largo de toda esta compleja obra, el misterio, lo sobrenatural, es una manera de mostrar; en flashes sucesivos heredados del collage cinematográfico, la otra cara de la realidad.

OBRA PRINCIPAL: *Dos veranos* (1965); *Uno* (1961); *Aire tan dulce* (1966); *En el fondo* (1967). [H.S.]

OTERO, Blas de (1916-1979).—Poeta español. Licenciado en Derecho. Su poesía, profundamente original, va de la soledad a la solidaridad, del desgarro existencial a la lucha social y de la agónica religiosidad del individuo a la afirmación política de "la inmensa mayoría". Blas de Otero fue uno de los poetas que supo conjugar la síntesis de ética y estética. Su obra —formalmente impecable— expresó el problema de Dios, el problema de España, y la lucha por la fraternidad humana, la justicia, la paz y la libertad. Para Blas de Otero escribir fue "golpear, anunciar, abrir caminos, señalar horizontes, pedir, denunciar, esperar, crear vida frente a la muerte circundante y acechante" (E. Miró). *Que trata de España* es su libro fundamental.

OBRA PRINCIPAL: *Angel fieramente humano* (1950); *Redoble de conciencia* (1951); *Pido la paz y la palabra* (1955); *En castellano* (1960); *Hacia la inmensa mayoría* (1962); *Esto no es un libro* (1967); *Que trata de España* (1964); *Mientras* (1970); *Historias fingidas y verdaderas* (1970); *Poesía con nombres* (1977). **Antologías.** *Ancia*

otero silva

(1962. Reúne *Angel fieramente humano* y *Redoble de conciencia);* *Expresión y reunión. 1941-1969* (1969); *País. 1955-1970* (1971). [P.S.]

OTERO, Lisandro (1932-   ).—Narrador cubano. Residió en París como corresponsal de prensa y ha viajado por Africa y América. Premio de periodismo Juan Gualberto Gómez 1955, por una serie de crónicas sobre la guerra en Argelia. Fue vicepresidente del Consejo Nacional de Cultura y director de las revistas "Cuba" y "RC". En 1963 obtuvo el Premio Casa de las Américas por su novela *La situación.*
OBRA: **Novela.** *La situación* (1963); *Pasión de Urbino* (1966). **Cuento.** *Tabaço para un Jueves Santo* (1955). **Reportaje.** *Cuba, zona de desarrollo agrario* (1960). **Ensayo.** *Trazado* (1976). [J.P.]

OTERO REICHE, Raúl (1905-1976).—Poeta boliviano. También escribió novela y teatro. Irrumpió en la escena literaria con poemas escritos en plena guerra del Chaco, sostenida entre Bolivia y Paraguay (1932-1935). Su poesía no expresaba sólo el drama bélico, sino que incorporaba los hallazgos lingüísticos de las vanguardias de la época. Premio Nacional de Literatura 1961, *ex-aequeo* con Octavio Campero Echazú. Miembro de la Academia Boliviana de la Lengua.
OBRA PRINCIPAL: **Poesía.** *Alba* (1925); *Flores para deshojar* (1937); *Poemas de sangre y lejanía* (1934); *Rastro de estrellas* (1962); *El poeta y la mujer del río* (1963); *Fundación en la llanura* (1967); *Adiós, amable ciudad vieja* (1973); *América y otros poemas* (1977). **Novela.** *Carne de política* (s.d.). **Teatro.** *Gua-Jo-Jó* (1946); *La pascana del camino y el juguete cómico* (1963); *Paso de comedia* (1963). **Biografía.** *Semblanza y biografía de Gabriel René Moreno* (1939). [P.S.]

OTERO SILVA, Miguel (1908-   ).—Escritor venezolano. Poeta, novelista, ensayista, periodista. Inició estudios de ingeniería, pero los abandonó al ser perseguido por la dictadura de Juan Vicente Gómez, a quien combatió. Pertenece a la Generación del 28. Fundador del semanario humorístico "El morrocoy azul". En 1942 funda, junto con Antonio Arráiz, el diario "El Nacional". Premio Nacional de Literatura 1955. Premio Nacional de Periodismo 1960. Miembro de la Academia Venezolana de la Lengua.

ortiz

OBRA PRINCIPAL: **Novela.** *Fiebre* (1939); *Casas muertas* (1955); *Oficina N.* ^{O} *1* (1960); *La muerte de Honorio* (1963); *Cuando quiero llorar no lloro* (1970); *Lope de Aguirre, Príncipe de la Libertad* (197?); **Ensayo.** *El cercado ajeno. Opiniones sobre arte y política* (1961); *Prosa completa* (1976). **Crónica** *Obra humorística completa* (1976). **Poesía** *Agua y cauce* (1937); *25 poemas* (1942); *Elegía coral a Andrés Eloy Blanco* (1958); *Sinfonías tontas* (1962); *La mar que es el morir* (1965); *Umbral* (1966); *Obra poética* (1976). [J.P.]

ORTIZ, Adalberto (1914-   ).—Novelista, poeta, profesor y diplomático ecuatoriano. Secretario de la Casa de la Cultura Ecuatoriana. Delegado del Ecuador al Consejo Mundial de la Paz (Estocolmo, 1953). Premio Nacional de Novela, 1942. Sus personajes son los negros y mulatos del Ecuador. Como poeta elabora el romance y lo adapta al ritmo de su creación negrista. Poeta ante todo, su prosa narrativa es rica en imágenes.

Juyungo —su novela más conocida— describe los sufrimientos de negros, indios, mulatos y zambos, causados por la guerra y la injusticia social. En su última novela —*El espejo y la ventana*— Ortiz utiliza el género autobiográfico, profundiza en el mundo interior de su personaje, un negro culto y sensible, e invoca el retorno a sus orígenes ancestrales.

OBRA PRINCIPAL: **Novela.** *Juyungo. Historia de un negro, una isla y otros negros* (1943); *Los contrabandistas* (1945); *El espejo y la ventana* (1967. La segunda edición, de 1970, fue revisada y corregida por su autor). **Relato.** *La mala espalda* (1952); *La entundada* (1971). **Poesía.** *Tierra, son y tambor* (1945); *Camino y puerto de la angustia* (1946); *El vigilante insepulto* (1954); *El animal herido* (1961. Obra poética). **Teatro.** *El retrato de la otra* (1971). [P.S.]

ORTIZ, Juan L[aurentino] (1895-1978).—Poeta argentino. Su obra, afín a la de su admirado Juan Ramón Jiménez, es vasta y compleja. Ortiz rehúye los grandes gestos y la grandilocuencia. Sólo a veces aparece el tono mayor de acento sinfónico. Sus poemas son —como diría Jung— "desprendimientos de conciencia". La poesía de Ortiz, análoga a las poesías china y japonesa, usa de la elipsis para expresar la comunión entre hombre y paisaje. Mediante el silencio, la insinuación, "la ilusión de las formas y los sonidos", Ortiz trasciende la realidad de las cosas y elabora una poesía tenue, sutil, sugerente y llena de finura.

OBRA PRINCIPAL: *El agua y la noche* (1933); *El alba sube* (1937); *El ángel inclinado* (1938); *La rama hacia el Este* (1940);*El álamo y el viento* (1947); *El aire conmovido* (1949); *La mano infinita* (1951); *La brisa profunda* (19   ); *Gualeguay* (19   ). [P.S.]

ORTIZ ARELLANO, Carlos (1936-   ).—Cuentista, lingüista e historiador ecuatoriano. Doctor en Filosofía y Letras por la Universidad de Cuenca. Estudios de lingüística en la Universidad de París. Premio Nacional de Biografía 1965. Estudios de especialización en Madrid.
OBRA PRINCIPAL: **Biografía.** *Miguel Angel León* (1965); *Enrique Gil Gilbert o el destino trágico del realismo socialista ecuatoriano* (1972). **Ensayo.** *Ecuador, sociedad y lenguaje* (1975). **Cuento.** *Bombarria* (1976). [P.S.]

ORTIZ DE MONTELLANO, Bernardo (1899-1948).—Poeta y escritor mexicano. Profesor universitario, periodista. Director de la revista "Contemporáneos" y "Letras en México". Cultivó la poesía y el ensayo e hizo incursiones en el cuento y el teatro. Superrealista sin proponérselo, concilió lo onírico con el pasado prehispánico. En su poema *Primero sueño* predijo la muerte de Federico García Lorca, poeta a quien admiraba sin conocerlo personalmente. Divulgó y revalorizó la poesía indígena de México.
OBRA: **Poesía.** *Avidez* (1921); *El trompo de los siete colores* (1925); *Red* (1928); *Primero sueño* (1931); *Sueños* (1933); *Muerte de cielo azul* (1937); *Sueño y poesía* (1952). **Ensayo.** *Esquema de la literatura mexicana moderna* (1931); *La poesía índigena de México* (1935); *Figura, amor y muerte de Amado Nervo* (1943); *Literatura indígena y colonial mexicana* (1946). [C.T.]

ORTIZ GUERRERO, Manuel (1899-1933).—Poeta modernista paraguayo. Se inició en la revista del Colegio Nacional de Asunción. Su obra poética se ha popularizado a través de canciones. Autor de las letras de las primeras guaranias de José Asunción Flores ("India.., por ejemplo). Poeta y autor teatral de expresión española y guaraní. Sus posibilidades como poeta se vieron disminuidas por su autodidactismo y la enfermedad (lepra) que lo llevó a la tumba. Recibió influencias de Darío, José Asunción Silva y Antonio Machado, entre otras.
OBRA PRINCIPAL: **Poesía.** *Surgente* (1922); *Nubes del este* (1928); *Pepitas* (1930); *Obras completas* (1969). **Teatro.** *Eireté* (1920); *La conquista* (1926); *El crimen de Tintalila* (1929). [L.F.]

ORY, Carlos Edmundo de (1923-   ).—Poeta, narrador y ensayista español. En 1945 fundó —con Eduardo Chicharro y Silvano Serne-si— el *postismo,* movimiento literario que intentó recuperar y poner al día la herencia superrealista. En su poesía hay una exaltación del Yo romántico y una erótica de los cuerpos sumidos en el dolor de existir. Poeta maldito, a su manera, Ory es un solitario que invoca las fuerzas irracionales del lenguaje para captar la realidad a través de las apariencias. La poesía, según Ory, no existe sin locura. En 1955 emigró a Francia. Reside en Amiens.

OBRA PRINCIPAL: **Poesía.** *Versos de pronto* (1945); *Los sonetos* (1963); *Poemas* (1969); *Música de lobo* (1970); *Técnica y llanto* (1971); *Lee sin temor* (1976); *La flauta prohibida* (1979); *Miserable ternura. Cabaña* (1981). **Recopilación.** *Poesía. 1945-1969* (1970); *Poesía abierta. 1945-1973* (1974); *Metanoia. 1944-1977* (1978); *Energeia. 1944-1977* (1978). **Relato.** *El bosque* (1952); *Kikiriquí-Mangó* (1954); *Una exhibición peligrosa* (1964); *El alfabeto griego* (1970); *Basuras* (1975). **Novela.** *Mephiboseth en Onou* (1973). **Ensayo.** *Lorca* (1967). [P.S.]

OSORIO LIZARAZO, José Antonio (1900-1964).—Escritor colombiano. Su obra se enmarca en el realismo crítico. Proficuo, desbordante, preocupado por describir el mundo de los marginados y desheredados de la tierra, su propósito es sociológico, didáctico y moralizante. Su novela más célebre: *El hombre bajo la tierra.*

OBRA PRINCIPAL: **Novela.** *La cara de la miseria* (1927); *La casa de vecindad* (1930); *Barranquilla 2.132* (1932); *La cosecha* (1935); *El criminal* (1935); *Hombres sin presente. Novela de empleados públicos* (1938); *Garabato* (1939); *Fuera de la ley. Historias de bandidos* (s.a.); *El hombre bajo la tierra* (1944); *El día del odio* (1952); *El pantano* (1952); *La isla iluminada* (1953); *El camino en la sombra* (1965). **Otras prosas.** *Colombia, donde los Andes se disuelven* (1956); *Así es Trujillo* (1958); *El bacilo de Marx* (1959). [P.S.]

OVIEDO, José Miguel (1934-   ).—Ensayista, dramaturgo y narrador peruano. Doctor en Literatura por la Universidad Católica de Lima. Profesor de Literatura Hispanoamericana en la Universidad de San Marcos. Colabora en el suplemento de "El Comercio", de Lima. Profesor visitante en la Universidad de Essex (1968-1969). Director de la Casa de la Cultura del Perú. Ha publicado importantes estudios (aún no reunidos en volumen) sobre Sebastián Salazar Bondy, Ernesto Cardenal y Gabriel García Márquez.

OBRA PRINCIPAL: **Teatro.** *Pruvonena* (1958). **Ensayo.** *El vocabulario romántico de Carlos A.* Salaverry (1961); *César Vallejo* (1964); *Genio y figura de Ricardo Palma* (1965); *Mario Vargas Llosa, la invención de una realidad* (1970). [P.S.]

OVIERO, Ramón (1938-   ).—Poeta panameño. Seudónimo de José Iván Romero Jaén. Por razones políticas se exilió en México. Allí reside, vinculado al periodismo literario.
OBRA: **Poesía.** *Los golpes y las horas* (1963); *Tres cantos para la paz* (en colaboración, 1965); *Oda más que elegía* (1974); *Aquí sobre esta tierra* (1974). [J.P.]

OWEN, Gilberto (1905-1952).—Poeta mexicano. Perteneció a la generación de "Contemporáneos". Como diplomático, residió en Estados Unidos, Ecuador, Perú y Colombia. Poesía desolada; rehuyó la elocuencia. "Guardó el tono menor indispensable para no traspasar la frase musitada en la confesión".
OBRA PRINCIPAL: **Poesía.** *Desvelo* (1925); *Línea* (1930); *Libro de Ruth* (1944); *Perseo vencido* (1949); *Poesía y prosa* (1953); *Primeros versos* (1957). **Novela.** *La llama fría* (1925); *Novela como nube* (1928); *Obras completas* (1979). [C.T.]

OZORES, Renato (1910-   ).—Escritor panameño, nacido en Oviedo, España. Llegó a Panamá como exiliado político. Novelista, cuentista, dramaturgo, periodista, abogado, profesor jubilado de la Universidad de Panamá, editorialista del periódico "La Estrella de Panamá" y miembro de la Academia Panameña de la Lengua. Con estilo naturalista describe el ambiente rural y urbano de Panamá.
OBRA: **Cuento.** *El dedo ajeno* (1954). **Novela.** *Playa honda* (1950); *Puente del mundo* (1951); *La calle oscura* (1955); *La fuga* (1959). **Teatro.** *Un ángel – una mujer desconocida* (1954). [P.S.]

P

PACO D'ARCOS, Joaquim (1908-1980).—Novelista portugués. Pasó su infancia en Angola y luego vivió en Macao y Mozambique, donde ejerció funciones de secretario en jefe del gabinete del gobernador, su padre. Pasó dos años en el Brasil, como comerciante y periodista. Durante muchos años fue jefe de los Servicios de Prensa del Ministerio de Negocios Extranjeros y administrador de la Trans-Zambézia Railway.

OBRA PRINCIPAL: *Ana Paula* (1938); *O Navio dos Mortos e Outras Novelas* (1952); *Carnaval e outros Contos* (1959), etc... **Ensayo.** *O Romance e o Romancista* (1943); *Eça de Queirós e o Século XIX* (1948). [M.V.]

PACHECO, José Emilio (1939-   ).—Escritor mexicano. Poeta, narrador, traductor. Catedrático en diversas universidades de Estados Unidos, Inglaterra y Canadá. Colabora en la revista "Proceso". Trabaja en el Instituto Nacional de Antropología e Historia. Premio Nacional de Poesía 1969. Ha traducido al español a Oscar Wilde, Samuel Beckett, Harold Pinter e Italo Calvino. Su versión de *Cómo es*, de Beckett, ha sido calificada de excepcional.

OBRA PRINCIPAL: **Poesía.** *Los elementos de la noche* (1963); *El reposo del fuego* (1966); *No me preguntes cómo pasa el tiempo* (1969); *Irás y no volverás (1973); Islas a la deriva* (1976); *Al margen* (1976); *Ayer es nunca jamás* (1978); *Aceleración de la historia* (197); *Desde entonces* (1980). **Narrativa.** *La sangre de Medusa* (1969); *El viento distante* (1963); *Morirás lejos* (1967); *El principio del placer* (1972). **Antología.** Realizó con Octavio Paz, Alí Chumacero y Homero Aridjis la conocida antología *Poesía en movimiento* (1965). [C.T.]

PADILLA, Heberto (1932-   ).—Poeta cubano. Periodista y diplomático. Su poesía está influida por Auden, Spender, Dylan Thomas,

palacio

Blok, Pasternak y Yesenin. Escritor polémico y testimonial, su obra suscitó controversias y discusiones. Padilla fue sometido a juicio. Ahora reside, exiliado, en los Estados Unidos. "Para Padilla la vida permanece como un sueño, como una pesadilla a menudo. Aunque mira la guerra y la revolución con gozo, incluso con entusiasmo, se queda de pie confundido al margen de la lucha" (J.M. Cohen). Traductor de Mayakowsky.

OBRA: **Poesía.** *Las rosas audaces* (1948); *El justo tiempo humano* (1962); *Fuera del juego* (1968. Primer Premio UNEAC); *Provocaciones* (1972); *El hombre junto al mar* (1981). **Novela.** *En mi jardín pastan los héroes* (1981). [J.P.]

PALACIO, Pablo (1904-1947).—Narrador ecuatoriano. Abogado y profesor universitario. Fue subsecretario del Ministerio de Educación y Decano de la Facultad de Filosofía y Letras de la Universidad Central. A los treinta y seis años perdió la razón y, recluido en las tinieblas de la locura, murió siete años después. Afín a Poe y Maupassant, la obra de Palacio es contemporánea a la de Kafka, a quien, por supuesto, nunca leyó.

"Pablo Palacio crea su extraña, singular, magnífica obra a solas consigo mismo... Su literatura surgió de sí mismo, de su infancia desolada, de un oculto temor al porvenir, de su inteligencia lúcida..." (Alejandro Carrión).

Su obra constituye una reacción contra la corriente del realismo indigenista. "La genialidad de Pablo está en haber descubierto el lado cómico de lo inaudito, de lo metafísico" (Francisco Tobar García).

Débora es precursora de la nueva narrativa hispanoamericana, por su tratamiento fragmentado del tiempo y por la creación de un lenguaje corrosivo, cargado de humor.

OBRA PRINCIPAL: **Cuento.** *Un hombre muerto a puntapiés* (1927). **Novela.** *Débora* (1927); *Vida del ahorcado* (1932). *Obras completas* (1964). [P.S.]

PALÉS MATOS, Luis (1898-1959).—Poeta puertorriqueño. Inició en 1921, con José I. de Diego Padró, el "movimiento diepalista", cuyo objetivo era dar la impresión de lo objetivo sin recurrir a la descripción prolija, mediante los sonidos y las expresiones onomatopéyicas. Uno de los más conocidos cultores de la llamada poesía negra o negrista. La poesía de Palés Matos se mueve "entre el barroquismo y el prosaísmo, la emoción y la ironía, lo espiritual y lo físico, lo soñado y lo real, lo exótico y lo local, todo lo cual es en él uno y lo mismo" (Federico de Onís). Es célebre su poema "Danza negra".

OBRA PRINCIPAL: **Poesía.** *Azaleas* (1915); *El palacio en sombras* (1920); *Canciones de la vida media* (1925); *Tuntún de pasa y grifería* (1937); *Poesía 1915-1956* (1957). [J.P.]

PALMERIO, Mário (1916-   ).—Nombre literario de Mário de Assunção Palmério. Político y novelista brasileño. Escritor que sigue la corriente de los regionalistas de la década de los 30. Prosa de carácter neorrealista que tiene como escenario la región central del Brasil. Pertenece a la Academia Brasileña de Letras.

OBRA PRINCIPAL: *Vila dos Confins* (1956); *Chapadão do Bugre* (1965). [M.L.M.]

PANERO, Leopoldo (1909-1962).—Poeta español. Pertenece a la generación del 36. Estudios en Cambridge, Tours y Poitiers. Licenciado en Derecho. Colaboró en las revistas "Escorial" y "La Estafeta Literaria". Primero superrealista, más tarde creacionista, terminó escribiendo una poesía sencilla, de lenguaje coloquial y honda espiritualidad. La búsqueda inútil de Dios, la exaltación del paisaje, de la patria y de los recuerdos familiares, caracterizan la obra de Panero, quien escribió el libro *Canto personal,* como réplica al *Canto general* de Pablo Neruda.

OBRA PRINCIPAL: *Estancia vacía* (1944); *Escrito a cada instante* (1949); *Canto personal* (1953); *Poesía* (1963); *Obras completas* (1973, 2 vols.). [P.S.]

PARAJÓN DÍAZ, Mario (1929-   ).—Ensayista y periodista cubano. Doctor en Filosofía y Letras por la Universidad de La Habana. Graduado de la Escuela Profesional de Periodismo de La Habana. Cursos superiores en La Sorbona y el Instituto Católico de París (1955-1958). Realizó estudios filosóficos y literarios con Gabriel Marcel, Jean Guitton, Jean Wahl y Jean Daniélou. Licenciado en Filosofía y Letras por la Universidad Complutense de Madrid. Colabora en "ABC de las Américas", "Ya", "Revista de Occidente", "Cuadernos Hispanoamericanos", "Insula", "Américas" y "La Torre". Premio Mesonero Romanos de la Villa de Madrid, 1979.

OBRA: **Ensayo.** *El teatro de O'Neill* (1952); *La técnica teatral de Ibsen* (1953); *Magia y realidad del teatro* (1954); *Eugenio Florit y su poesía* (1977); *Cinco escritores y su Madrid* (1979). [P.S.]

pardo garcía

PARDO GARCÍA, Germán (1902-   ).–Poeta colombiano. Pertenece al grupo de la revista "Los Nuevos", editada por Jorge Zalamea y Alberto Lleras Camargo. Junto con León de Greiff y Rafael Maya contribuyó a la renovación de la poesía colombiana. Residió en México, en donde publicó gran parte de su obra. Doctor Honoris Causa por la Universidad de Columbia.
OBRA PRINCIPAL: **Poesía.** *Voluntad* (1930); *Los cánticos* (1935); *Las voces naturales* (1945); *Poemas contemporáneos* (1949); *Lucero sin orillas* (1952); *U.Z. llama al espacio* (1954); *Eternidad del ruiseñor* (1956); *Hay piedras como lágrimas* (1957); *Poemas* (1958); *La cruz del sur* (1960); *Osiris preludial* (1960); *Los ángeles de vidrio* (1962); *El defensor* (1964); *Los relámpagos* (1965); *Mural de España* (1966); *Himnos del hierofante* (1969); *Apolo Thermidor* (1971); *Desnudez* (1973); *Iris pagano* (1973); *Himnos a la noche* (1975); *Apolo Pankrátor. 1915-1975* (1977). [J.P.]

PAREJA DIEZCANSECO, Alfredo (1908-   ).–Novelista, ensayista, historiador y periodista ecuatoriano. Pertenece al grupo de Guayaquil. De origen modesto, se dedicó a los negocios en Quito, México y Buenos Aires. Fundó con Benjamín Carrión el diario "El Sol", empresa que fracasó dejándole al borde de la ruina.
Pareja Diezcanseco es el novelista ecuatoriano más prolífico y más perseverante en su oficio, el de obra más vasta y mejor estructurada. Su novela más conocida: *El muelle.*
"De todos los miembros del grupo de Guayaquil, Pareja Diezcanseco ha sostenido la más grande evolución de su arte novelístico... su técnica artística está en perpetuo refinamiento" (Karl H. Heise).
Ha escrito una novela-río –*Los nuevos años*– integrada por la trilogía de novelas: 1. *La advertencia*/ 2. *El aire y los recuerdos,* y 3. *Los poderes omnímodos.*
OBRA PRINCIPAL: **Novela.** *La casa de los locos* (1929); *La señorita Ecuador* (1930); *Río arriba* (1931); *El muelle* (1933); *La Beldaca. Novela del trópico* (1935); *Baldomera. La tragedia del cholo americano* (1938); *Hechos y hazañas de don Balón de Baba y de su amigo Inocente Cruz* (1939); *Hombres sin tiempo* (1941); *Las tres ratas* (1944); *La advertencia* (1956); *El aire y los recuerdos* (1959); *Los poderes omnímodos* (1964); *Las pequeñas estaturas* (1970). **Ensayo.** *Thomas Mann y el nuevo humanismo* (1956). **Biografía.** *La hoguera bárbara. Vida de Eloy Alfaro* (1944); *Vida y leyenda de Miguel de Santiago* (1952). **Historia.** *Breve historia del Ecuador* (1946); *La lucha por la democracia en el Ecuador* (1956). [P.S.]

PARENTE CUNHA, Helena (1932-   ).—Poeta, narradora, ensayista y educadora brasileña. Licenciada en Letras Neolatinas en la antigua Facultad de Filosofía de la Universidad de Bahía. Doctorada en Letras por la Universidad Federal de Río de Janeiro. Realizó estudios de especialización en Italia. Traductora de Pirandello, Pasternak, Abraham Moles y Hans Magnus Enzensberger. Integra el Directorio de la revista "Letra", de la Facultad de Letras de la Universidad Federal de Río de Janeiro. Poesía "rica en inteligencia y emoción" dentro de una posición formalista y experimental. Parente Cunha —tanto en sus poemas como en sus cuentos— expresa una "nítida posición de vanguardia".

OBRA PRINCIPAL: **Poesía.** *Corpo no cerco* (1978); *Maramar* (1980); *O outro lado do dia* (1981). **Ensayos.** *Jeremias, a palavra poética. Uma leitura de Cassiano Ricardo* (1979); *O lírico e o trágico nos cantos de Leopardi* (1981). [P.S.]

PARRA, Nicanor (1914-   ).—Poeta y profesor chileno. La obra de Parra ha marcado nuevos rumbos en la poesía hispanoamericana. Postula el *antipoema:* "poema tradicional enriquecido con la savia surrealista, ligada a un lenguaje cotidiano y a una experiencia real del hombre en situación".

El humor negro, el erotismo, cierto proceso de "distanciamiento", la parodia poética, y una subversión total del lenguaje poético tradicional, tipifican la poesía de Parra. Ella "se inscribe, por anticipación, en el esfuerzo mundial de la última vanguardia poética, bajo las coordenadas de un neorromanticismo rebelde, hijo del existencialismo y de la revolución social, cuyas armas son la ironía y el prosaísmo, cuya grandeza es la rebelión, cuyo peligro es la desesperanza" (J. M. Ibáñez-Langlois).

Matemático, físico, estudió mecánica avanzada en la Universidad de Brown, Rhode Island, EE.UU. Actualmente es profesor de mecánica teórica en la Universidad de Chile. Miembro de la Academia Chilena de la Lengua.

OBRA PRINCIPAL: **Poesía.** *Cancionero sin nombre* (1937); *Poemas y antipoemas* (1954); *La cueca larga* (1958); *Versos de salón* (1962); *Canciones rusas* (1967); *La camisa de fuerza* (1968); *Obra gruesa* (1969); *Antipoemas* (1972. Antología); *Sermones y prédicas del Cristo de Elqui* (1977); *Nuevos sermones y prédicas del Cristo de Elqui* (1979). [P.S.]

PARRA, Teresa de la (1891-1936).—Nombre literario de Ana Teresa Sanojo Parra. Narradora venezolana, nacida en París. A los treinta y

paso

un años publicó, por entregas, la primera versión de su novela *Ifigenia*. Visitó Cuba y Colombia, en donde pronunció conferencias sobre la mujer americana. Murió en Madrid.

En su obra más lograda, *Memorias de Mamá Blanca*, narra el descenso de la clase aristocrática venezolana. Su novela es, sin embargo, acentuadamente introspectiva. "El tiempo es la sustancia de su literatura. Vida rezagada es la vieja sociedad que nos describe" a través de una prosa "estremecida de impresiones y metáforas... Proust fue uno de sus maestros en el arte de matizar la ondulante sucesión de recuerdos" (E. Anderson Imbert).

OBRA PRINCIPAL: *Diario de una señorita que se fastidia* (1922); *Ifigenia: Diario de una señorita que escribió porque se fastidiaba* (1924); *Memorias de Mamá Blanca* (1929); *Cartas* (1951); *Epistolario íntimo* (1953); *Tres conferencias* (1961); *Obras completas* (1965). [P.S.]

PASO, Alfonso (1926-1978).—Dramaturgo español. Cursó estudios de siquiatría. Activo y prolífico, Paso hizo periodismo, escribió guiones de cine, dirigió películas, actuó en teatro y pronunció conferencias. Licenciado en Filosofía y Letras. Su vasta obra sobrepasa los ciento veinte títulos. Estrenó su primera comedia en un acto, *Un tic-tac de reloj*, en 1946. Sus mejores obras: *La corbata, Vamos a contar mentiras, Enseñar a un sinvergüenza, Los pobrecitos* y *Las que tienen que servir*.

Premio Carlos Arniches 1956. Premio Nacional de Teatro 1957. Premio Alvarez Quintero de la Real Academia Española 1960. Premio Nacional de Teatro 1961. Premio María Rolland 1962. Premio de la Crítica de Barcelona 1965.

OBRA PRINCIPAL: *El canto de la cigarra; Cosas de papá y mamá; Querido profesor; Sueño de amor en la solapa (48 horas de felicidad); El cielo dentro de casa; Aquellos tiempos del cuplé; Aurelia y sus hombres; Sí, quiero; Veneno para mi marido; Usted puede ser un asesino; Una tal Dulcinea; Las buenas personas; De profesión, sospechoso; Buenísima sociedad; Educando a un idiota; Un matrimonio muy, muy feliz; No somos ni Romeo ni Julieta*, etc. [P.S.]

PASO, Fernando del (1935-   ).—Escritor mexicano. Poeta, dibujante, pintor y diseñador publicitario. Realizó estudios de biología y economía. Premio Xavier Villaurrutia 1966, por su novela *José Trigo*. Beca Guggenheim 1970. Colabora en los programas en español de la BBC de Londres. Sus novelas son un gran fresco de la historia contemporánea de México.

OBRA: **Poesía.** *Sonetos de lo diario* (1958). **Novela.** *José Trigo* (1966). *Palinuro de México* (1979). [P.S.]

PASOS, Joaquín (1915-1947).—Poeta nicaragüense. Abogado. Formó parte del Grupo de Vanguardia. Con Pablo Antonio Cuadra y Julio Ycaza Tigerino colaboró en el suplemento de los lunes de "La Prensa". Publicó eventualmente poemas en inglés, lengua que hablaba y escribía con absoluto dominio. Sin haber salido nunca de Nicaragua supo "escuchar primero el gran ruido misterioso del mundo (...) para luego volver y sumergirse en la tierra sin peligro de regionalismos o provincialismos" (P.A. Cuadra). Su obra ha dejado honda huella en la poesía escrita en español. Son famosos sus poemas "Elegía a la pájara" y "Canto de guerra de las cosas".

OBRA: **Poesía.** *Las bodas de un carpintero* (1935); *Misterio indio. Breve suma* (1946); *Poemas de un joven* (obra poética completa, 1962). [P.S.]

PAZ, Octavio (1914-   ).—Poeta y ensayista mexicano. Dramaturgo, cuentista y diplomático. Miembro del Colegio Nacional. Miembro del Consejo Superior del Instituto de Cooperación Iberoamericana. Profesor invitado en varias universidades de Norteamérica y Europa. Fue uno de los fundadores de la revista "Taller". Beca Guggenheim 1943-1945. Fundador y director de la revista "Plural". Actualmente dirige la revista "Vuelta". Gran Premio Internacional de Poesía 1963 (Bélgica). Premio Jerusalén de la Paz 1977 (Israel). Premio Aguila de Oro 1979 (Francia). Premio Ollin Yolitztli 1980 (México). Premio Cervantes 1981 (Madrid). Como traductor ha contribuido al conocimiento de poetas norteamericanos, japoneses, ingleses y suecos. Sus lecturas del *imagism* norteamericano, el simbolismo francés, el romanticismo alemán y la vanguardia hispánica configuraron su lírica inicial. Sus cuentos no han sido recopilados en libro y su única obra de teatro se titula *La hija de Rappacini,* estrenada en 1956.

Sus viajes, sus lecturas y sus relaciones literarias fueron conformando su obra. Su amistad con los superrealistas hizo que concibiera la actividad poética como operación mágica. *Piedra del sol* es considerado uno de los poemas clave de la lírica contemporánea. A partir de 1966, su poesía deriva hacia experiencias orientalistas. En 1971 se publica "Renga", poema colectivo escrito en colaboración con Edoardo Sanguinetti, Jacques Roubaud y Charles Tomlinson.

paz castillo

Los ensayos de Paz —prolongación de su poesía— se caracterizan por su lucidez, su antidogmatismo, su fulgor impresionista y su riqueza verbal. Ellos contribuyeron a que los mexicanos sean, "por primera vez en nuestra historia, contemporáneos de todos los hombres". El linaje de su pensamiento entronca con la tradición superrealista (Breton, Michaux); la especulación existencialista (Nietzsche, Heidegger); la crítica mitopoética (Northrop Frye); y el socialismo utópico (Fourier). OBRA PRINCIPAL: **Poesía.** La recopilación de sus poemas se ha publicado con los títulos de *Libertad bajo palabra* (1935-1957); *Salamandra* (1958-1961); *Ladera Este* (1962-1968); *Poemas* (1969-1978). **Ensayo.** *El laberinto de la soledad* (1950); *El arco y la lira* (1957); *Cuadrivio* (1964); *Puertas al campo* (1966); *Corriente alterna* (1967); *Posdata* (1970); *Los hijos del limo* (1974); *El ogro filantrópico* (1974); *In/Mediaciones* (1979). **Textos.** *El mono gramático* (1975). [P.S.]

PAZ CASTILLO, Fernando (1895-   ).—Poeta venezolano de la generación del 18. Ensayista, profesor, diplomático. Sitúa su obra frente a la de los modernistas. Depura su acento poético en las fuentes de la poesía española, especialmente a través de las obras de Juan Ramón Jiménez y Antonio Machado. "A Fernando Paz Castillo puede considerársele como el poeta de mayor significación dentro de las nuevas formas, dentro de las nuevas expresiones de la lírica venezolana" (Díaz Seijas). OBRA PRINCIPAL: **Poesía.** *La voz de los cuatro vientos* (1931); *Signo* (1937); *Entre sombras y luces* (1945); *Enigma del cuerpo y del espíritu (Dios y hombre)* (1956); *El muro* (1964); *El otro lado del tiempo* (1971); *Pautas* (1973). **Crónica.** *Reflexiones de atardecer* (1964, 3 vols.). [P.S.]

PEDREIRA, Antonio S. (1899-1939).—Escritor puertorriqueño. Ensayista, periodista, bibliógrafo y poeta. Profesor de Letras en la Universidad de Columbia, Nueva York. Sus crónicas satíricas las publicó con el seudónimo de "Assur Bani Pal" en el semanario "El Diluvio". Colaboró en la revista "Puerto Rico Ilustrado". Durante diez años ejerció la crítica literaria en la columna titulada "Aclaraciones y crítica", de la edición dominical de "El Mundo". Admirador de Ortega y Gasset; como estilista, la prosa de Pedreira es elegante, clara y precisa. Fue uno de los fundadores de la revista "Indice", de San Juan de Puerto Rico. Premio del Instituto de Literatura Puertorriqueña 1937.

OBRA PRINCIPAL: Biografía. *Hostos, ciudadano de América* (1932); *Un hombre del pueblo: José Cesso Barbosa* (1937). Ensayo. *Insularismo* (1934); *El año terrible del 87* (1935); *El periodismo en Puerto Rico* (1941). [J.P.]

PEDROLO, Manuel de (1918-).—Escritor español de expresión catalana. Junto con Josep Pla, uno de los más prolíficos autores catalanes. Ha escrito alrededor de cincuenta libros. Cultiva todos los géneros literarios. Ha escrito poesía, novela, cuentos, obras dramáticas, artículos y ensayos.
OBRA PRINCIPAL: *El premi literari i altres contes* (1953); *Es vessa una sang fàcil* (1954); *Mr. Chase, podeu sortir* (1955); *Estrictament personal* (1955); *Domicili provisional* (1956); *Un món per a tothom* (1956); *Violació de límits* (1957); *Credits humans* (1957); *Les finestres s'obren de nit* (1958); *L'inspector arriba tard* (1960); *Una selva com la teva* (1960); *La ma contra l'horitzó* (1961); *Balanç fins a la matinada* (1963); *Joc brut* (1965); *Cendra per Martina* (1965); *Avui es parla de mi* (1966); *Elena de segona mà* (1967); *Totes les bèsties de càrrega* (1967)); *M'enterro en els fonaments* (1967); *A cavall de dos cavalls* (1967); *Mossegar-se la cua* (1968); *Temps obert* (1968); *Solució de continuïtat* (1969); *Un amor fora ciutat* (1970); *Si són roses, floriran* (1971); *Contes i narracions. 1956-1974* (1975). [P.S.]

PEDRONI, José (1899-1967).—Poeta argentino. Desde su iniciación literaria con *La gota de agua,* que mereció el Premio Nacional de Poesía de 1923, se mantuvo ajeno a escuelas y tendencias, dentro de una poesía de tono intimista en la que se subrayan elementos que hacen a la cotidianeidad: el contorno familiar, la naturaleza, el amor, la sencillez del trabajo y la gesta de la colonización inmigrante de la segunda mitad del siglo XIX argentino.
OBRA PRINCIPAL: *La gota de agua* (1923); *Gracia plena* (1925); *Nueve cantos* (1944); *El pan nuestro* (1944); *Monsieur Jaquín* (1956); *Canto a Cuba* (1960); *El nivel de la lágrima* (1963). [H.S.]

PEDROSO, Regino (1897-).—Poeta cubano. Se inicia en el modernismo. Su poema *Salutación al taller mecánico,* de 1927, inicia la línea de la poesía social cubana. De padre chino y madre negra, empezó escribiendo "poemas fastuosos, preciosistas, hasta que

pellegrini

derivó hacia el verso negro y social, duro y enérgico" (Emilio Ballagas).
OBRA: **Poesía**. *La ruta de Bagdad y otros poemas* (1923); *Las canciones de ayer* (1926); *Nosotros* (1933); *Más allá canta el mar* (1939); *Traducciones de un poeta chino de hoy* (19   ). [J.P.]

PELLEGRINI, Aldo (1903-1972).—Poeta, ensayista y traductor argentino. Fue el primero y el más importante difusor de las tesis surrealistas en su país. En 1926 fundó el grupo *Qué* y desde entonces adhirió a los postulados de André Breton. Dirigió varias revistas y ejerció la crítica de arte. En su poesía, ortodoxamente surrealista, se advierte siempre una inteligencia que ordena la libertad de imágenes en las que el hombre es protagonista permanente.
OBRA PRINCIPAL: **Poesía**. *El muro secreto* (1949); *La valija de fuego* (1952); *Construcción de la destrucción* (1954). **Ensayo**. *Para contribuir a la confusión general* (1965); *Nuevas tendencias en la pintura* (1966); *Panorama de la pintura argentina contemporánea* (1967). También merece destacarse su *Antología de la poesía surrealista* (en lengua francesa), cuya selección, traducción y prólogo le pertenecen. [H.S.]

PELLICER, Carlos (1897-1977).—Poeta mexicano. Miembro del grupo "Contemporáneos". Miembro de la Academia Mexicana de la Lengua. Profesor de literatura, historia y poesía moderna. Destaca su labor como museólogo, dedicado a la recuperación de piezas prehispánicas. Fue senador de la República. Poeta sensorial, sensual y sensitivo, llamado "cazador de imágenes". Su tenaz americanidad "asume en él la forma de un luminoso y abierto tropicalismo" (José Olivio Jiménez).
OBRA PRINCIPAL: **Poesía**. *Colores en el mar y otros poemas* (1921); *Piedra de sacrificios* (1924); *Esquemas para una oda tropical* (1933); *Exágonos* (1941); *Discurso por las flores* (1946); *Material poético (1918-1961)* (1962); *Con palabras y fuego* (1963); *Teotihuacán y 13 de agosto: ruina de Tenochtitlán* (1965); *Cuerdas, percusión y aliento* (1976); *Reincidencias* (1979). [P.S.]

PEMÁN, José María (1897-1981).—Dramaturgo, poeta, narrador, ensayista, conferenciante, periodista y abogado español. Su producción literaria abarca todos los géneros. Contemporáneo de los poetas de la generación del 27, su obra, sin embargo, discurre por otros senderos. De ideología católica y de convicciones monárquicas,

Pemán ha cultivado la tradición barroca, tanto en su poesía regional de corte modernista como en su teatro simbolista. Aunque él consideró su obra poética como la más importante de su vasta producción, ha sido en el teatro en donde ha cosechado más éxitos. Su drama *El divino impaciente* —exaltación de la figura de San Francisco Javier— sobrepasó las mil representaciones y se divulgó por toda Hispanoamérica. Su labor periodística le ha deparado popularidad gracias a su prosa clara y sencilla, teñida de ironía.

Pocos escritores han recabado en vida tantos honores, distinciones, premios y condecoraciones como José María Pemán. Miembro de la Real Academia Española de la Lengua, de la cual fue director en dos períodos. Gran Collar del Toisón de Oro, 1981. Premio Cortina de Teatro 1933. Premio Mariano de Cavia 1935. Premio Juan March 1956. Premio Blasco Ibáñez 1970.

Sus *Obras completas,* en curso de publicación desde 1947, suman ya siete volúmenes. En ella se reúnen más de cien títulos. Pemán ha recreado el teatro de Sófocles y Shakespeare, y ha traducido a dramaturgos católicos de Italia, Francia y Brasil. Su versión de *Diálogos de carmelitas,* de Bernanos, ha sido muy celebrada.

OBRA PRINCIPAL: **Poesía.** *De la vida sencilla* (1923); *A la rueda, rueda* (1929); *El barrio de Santa Cruz* (1931); *Señorita del mar* (1931); *Elegía a la tradición de España* (1931); *Poema de la Bestia y el Angel* (1938); *Las flores del Bien* (1946). **Cuento.** *Cuentos sin importancia* (1927); *Volaterías* (1932). **Novela.** *El horizonte y su esperanza* (1970). **Ensayo.** *Cartas a un escéptico en materia de gobierno* (1935); *Meditación española* (1963); *El español ante el diluvio* (1969). **Crónica.** *Mis almuerzos con gente importante* (1970); *Mis conversaciones con el número 1* (1973); *Mis encuentros con Franco* (1976). **Teatro.** *El divino impaciente* (1933); *Cuando las Cortes de Cádiz* (1934); *Cisneros* (1935); *La santa virreina* (1939); *Metternich* (1942); *El testamento de la mariposa* (1942); *Yo no he venido a traer la paz* (1945); *La destrucción de Sagunto* (1954); *El viento sobre la tierra* (1957); *Los tres etcéteras de Don Simón* (1958). [P. S.]

PENA, Cornélio (1896-1958).—Nombre literario de Cornélio de Oliveira Pena. Periodista, pintor y novelista brasileño. Estuvo relacionado con los escritores espiritualistas y católicos surgidos en la segunda fase del Modernismo. Su obra se sitúa en las corrientes psicológica y costumbrista.

OBRA PRINCIPAL: **Novela.** *Fronteira* (1935); *Dois Romances*

peña

de Nico Horta (1939); *Repouso* (1948); *A Menina Morta* (1954).
[M.L.M.]

PEÑA, Horacio (1936-   ).—Poeta nicaragüense. Ha residido en Estados Unidos, Francia y España. Premio Internacional del Centenario de Rubén Darío (1967). Actualmente reside en Nicaragua. OBRA PRINCIPAL: **Poesía.** *La espiga en el desierto* (1961); *Poema de la soledad* (1963); *Ars moriendi y otros poemas* (1967); *La soledad y el desierto* (1970). **Prosa.** *Diario de un joven que se volvió loco.* [C.T.]

PEÑA BARRENECHEA, Enrique (1904-   ).—Poeta y diplomático peruano. Residió en Honduras, Venezuela, República Dominicana y Noruega. Poeta elegíaco de acento delicado. "Del impresionismo tardío, visible en su primer libro, salta el autor a la captura de un imaginismo multivalente, de estirpe onírica que le reconciliará con la tradición hispánica y el equilibrio plástico de sus últimas composiciones". (Alberto Escobar).
Traductor de Saint John-Perse, vive en París desde 1950. Miembro de la Academia Peruana de la Lengua.
OBRA PRINCIPAL: **Poesía.** *El aroma en la sombra y otros poemas* (1926); *Cinema de los sentidos puros* (1931?); *Elegía a Bécquer y retorno a la sombra* (1936); *Poesías completas* (1980). [P.S.]

PERALTA, Bertalicia (1939-   ).—Escritora panameña. Poeta, cuentista, maestra y crítica literaria. Licenciada en Ciencias de la Comunicación en la Universidad de Panamá. Co-directora de "El pez original", influyente revista literaria.
OBRA: **Poesía.** *Canto de esperanza filial* (1961); *Sendas fugitivas* (1963); *Dos poemas de Bertalicia Peralta* (1964); *Atrincherado amor* (1965); *Los retornos* (1966); *Himno a la alegría* (1973). [J.P.]

PERERA, Hilda (1926-   ).—Escritora cubana. Autora de cuentos para niños y de novelas cuya temática es la revolución cubana. *El sitio de nadie* fue finalista del Premio Planeta 1972.
OBRA: **Cuento.** *Cuentos de Apolo* (1947); *Cuentos para chicos y grandes* (1976); *Podría ser que una vez* (1979). **Novela.** *Mañana es 26* (1960); *El sitio de nadie* (1972); *¡Felices pascuas!* (1977). *Plantado* (1981). [J.P.]

pérez martínez

PEREYRA, Diómedes de (1897-1976).—Escritor boliviano. Novelista, cuentista, ensayista, periodista. Estudió en Norteamérica, en donde trabajó colaborando en revistas y periódicos. Escribió numerosos artículos sobre el arte, la literatura y la política hispanoamericanas. Incansable viajero, residió en España. Escritor bilingüe (inglés-español), publicó su obra narrativa en la revista literaria "The Golden Book Magazine", editada simultáneamente en Londres y Nueva York. De 1941 a 1943 colaboró con Nelson Rockefeller en la Oficina de Coordinación de Asuntos Interamericanos. Fundó y dirigió el "Boletín de las Naciones Unidas" y demás publicaciones en español editadas por la ONU. En 1952 volvió a su país. Su novela más famosa es *El valle del sol,* aunque *Caucho* haya sido la más apreciada por su autor. Escribió numerosos cuentos no reunidos aún en volumen.

OBRA PRINCIPAL: **Novela.** *The land of the golden scarabs* (1928); *El valle del sol* (1934); *Hojas al viento. Las dos caras de Norteamérica* (1935); *Caucho* (1938); *La trama del oro* (1938). [P.S.]

PÉREZ CADALSO, Eliseo (1920-   ).—Poeta y escritor hondureño. Abogado, diputado, consejero de Estado, funcionario de la OEA. Embajador de Honduras en El Salvador; delegado ante organizaciones internacionales. Miembro de la Academia Hondureña de la Lengua. Catedrático de Derecho en la Universidad de Honduras.

OBRA PRINCIPAL: **Poesía.** *Vendimia* (1943); *Jicaral* (1947). **Ensayo.** *Guillén Zelaya en el Neomodernismo de América* (1950); *Valle, apóstol de América* (1954). **Cuento.** *Ceniza* (1955); *Achiote de la comarca* (1959). [C.T.]

PÉREZ-MARICEVICH, Francisco (1937-   ).—Crítico, poeta y cuentista de la promoción del 60. Fundador del grupo cultural "Asedio". Editor y director de la Biblioteca Nacional del Paraguay. Colaboró en la redacción del Pequeño diccionario de la literatura paraguaya. Miembro de la Academia Paraguaya de Letras.

OBRA PRINCIPAL: **Poesía.** *Axil* (1960); *Paso de hombre* (1963). **Ensayos.** *La poesía y la narrativa en el Paraguay* (1969); *Antología del cuento paraguayo* (1969). [L.F.]

PÉREZ MARTÍNEZ, Francisco (1935-   ).—Véase **Umbral, Francisco.**

333

pérez perdomo

PÉREZ PERDOMO, Francisco (1930-   ).—Poeta venezolano. Perteneció a los grupos "Sardio" y "El techo de la ballena". Crítico literario. Es autor de un celebrado prólogo a la *Antología poética de J. A. Ramos Sucre*. Su obra lírica es una contraposición entre aspectos fantasmagóricos del sueño y la referencia histórica.

OBRA PRINCIPAL: **Poesía** *Fantasmas y enfermedades* (1961); *Los venenos fieles* (1963); *La depravación de los astros* (1966); *Huéspedes nocturnos* (1970, Recopilación). [J.P.]

PERUCHO, Joan (1920-   ).—Poeta, narrador, periodista y crítico de arte español de expresión bilingüe: catalán y castellano. Licenciado en Derecho por la Universidad de Barcelona. Es juez municipal. Como periodista ha colaborado en importantes diarios y revistas, especialmente "Destino" y "La Vanguardia". Cargada de ironía y lirismo, su prosa pone de manifiesto el lado insólito de la realidad. Como crítico de arte ha escrito importantes ensayos sobre Gaudí y Joan Miró. Precio Ciudad de Barcelona 1953. Premio Ramón Llull 1981.

OBRA PRINCIPAL. **Poesía.** *Sota la sang* (1947); *Aurora per vosaltres* (1951); *El Mèdium* (1953); *El país de les meravelles* (1956). **Narración.** *Diana i la Mar Morta* (1952); *Amb la tècnica de Lovecraft* (1956); *Llibre de Cavalleries* (1957); *Les Histories Naturals* (1960); *Galería de espejos sin fondo* (1963); *Roses, diables i somriures* (1965); *Nicéforas y el grifo* (1968); *Botánica oculta o el falso Paracelso* (1969); *Historias secretas de Balnearios* (1973); *Historietes aprocrifes* (1974); *Bestiario fantástico* (1976); *L'aventura* (1981). [P.S.]

PICCHIA, Menotti del (1892-   ).—Nombre literario de Paulo Menotti del Picchia. Poeta, novelista, dramaturgo, ensayista, escultor, pintor, compositor, periodista y político brasileño. Uno de los dirigentes del *Movimiento Modernista* y de la *Semana de Arte Moderno,* celebrada en febrero de 1922, en São Paulo. Poéticamente, pertenecía al grupo "verdeamarelo", de cuño nacionalista; como político encabezó movimientos de signo conservador. Miembro de la Academia Brasileña de Letras.

OBRA PRINCIPAL: **Poesía.** *Juca Mulato* (1917); *Moisés* (1917); *Máscaras* (1917); *Chuva de Pedras* (1925); *República dos Estados Unidos do Brasil* (1928). **Novela.** *O Homen e a Morte* (1922); *A Tormenta* (1931); *Salomé* (1922). Sus Obras Completas están reunidas en 14 volúmenes por la Editorial Martins, 1958. [M.L.M.]

PICÓN-SALAS, Mariano (1901-1965).—Escritor venezolano. Ensayista, novelista, crítico, periodista, diplomático y profesor universitario. Doctorado en Filosofía y Letras en la Universidad Nacional de Santiago de Chile. Fundador del grupo chileno "Indice". En Chile enseñó literatura, estética e historia del arte. A la caída del dictador Juan Vicente Gómez regresó a Venezuela y fue designado Director de Cultura del Ministerio de Educación. Dirigió la "Revista Nacional de Cultura". Durante la dictadura de Marcos Pérez Jiménez eligió el exilio y se fue a vivir a los Estados Unidos. Al ser derrocado Pérez Jiménez, volvió a su país y se dedicó a la enseñanza universitaria. Fue Decano de la Facultad de Humanidades de la Universidad Central de Caracas. Como ensayista, Picón-Salas meditó ampliamente sobre la naturaleza y los problemas de la cultura en Hispanoamérica. "Calma y autenticidad interior" fue la divisa de este humanista liberal. OBRA PRINCIPAL: **Novela.** *Buscando el camino* (1920); *Odisea en tierra firme. Vida, años y pasión del trópico* (1931); *Registro de huéspedes* (1934); *Los tratos de la noche* (1955); **Biografía.** *Para un retrato de Alberto Adriana* (1936); *Miranda* (1946); *Pedro Claver, el santo de los esclavos* (1950); **Ensayo.** *Hispanoamérica, posición crítica* (1931); *Imágenes de Chile y otros ensayos en busca de una conciencia histórica* (1935); *Formación y proceso de la literatura venezolana* (1940); *De la conquista a la independencia. Tres siglos de historia cultural hispanoamericana* (1944); *Europa-América, preguntas a la esfinge de la cultura* (1947); *Comprensión de Venezuela* (1949); *Regreso de tres mundos* (1959); *Los malos salvajes* (1962); *Suma de Venezuela* (1965). [J.P.]

PICHARDO MOYA, Felipe (1892-1957).—Poeta y dramaturgo cubano. Se le considera uno de los precursores de la poesía negrista con su poema *La comparsa,* publicado en la revista "Gráfico", en 1916, y con *Filosofía del bronce.* En el poema *Canto a la patria,* no recogido en volumen, están presentes sus inquietudes políticas y sociales. Su teatro es esencialmente poético. OBRA: **Poesía.** *La ciudad de los espejos* (1925); *Canto de isla* (1942). **Teatro.** *Agüeybaná* (1941); *Alas que nacen* (19   ); *Esteros del sur* (19   ). [J.P.]

PIGNATARI, Décio (1927-   ).—Poeta y ensayista brasileño. Fundador, junto con Haroldo y Augusto de Campos, del *Movimiento Concretista,* en 1956, a partir de la revista *Noigambres 3.* Con la escisión del movimiento, en 1962, se mantiene fiel a las posiciones ori-

pinilla

ginales. Está incluido en antologías internacionales y el *Concretismo* ha sido valorado por las más importantes vanguardias extranjeras. Autor, con Haroldo y Augusto de Campos, de *Teoría de Poesía Concreta* (1965), que, junto con *Situação Atual da Poesia no Brasil*, son considerados sus textos más importantes.

OBRA PRINCIPAL: *O Carrossel* (1950); Poemas y ensayos en *Noigandres* (1952/1956); y en *Invenção* (1962/1967); *Informação, Linguagem, Comunicação* (1968). [M.L.M.]

PINILLA, Ramiro (1923-   ).—Novelista español. Maquinista naval, desempeñó diversos oficios antes de dedicarse a escribir. En 1980 fundó, con J. J. Rapha Bilbao, la Editorial Libropueblo. Premio El Mensajero 1958. Premio Nadal 1961. Premio de la Crítica 1961.

OBRA PRINCIPAL: *El ídolo* (1960); *Las ciegas hormigas* (1961); *En el tiempo de los tallos verdes* (1969); *El salto* (1970); *Seno* (1971); *Recuerda, oh, recuerda* (1975); *Historias de la guerra interminable* (1976); *Antonio B... "El Rojo", ciudadano de tercera* (1978); *La gran guerra de doña Toda* (1979); *Andanzas de Txiki Baskardo* (1980). [P.S.]

PIÑERA, Virgilio (1912-1979).—Dramaturgo, narrador y poeta cubano. Colaborador de las revistas "Orígenes" y "Ciclón". Residió en Buenos Aires de 1946 a 1958. El mundo de Piñera, angustiado y pesimista, llega al espectador tamizado por un lenguaje cargado de ironía y alucinaciones. Estaba considerado como precursor de la literatura del absurdo en América y uno de los descubridores de la obra teatral del escritor polaco Witold Gombrowicz. Su obra principal es el drama *Aire frío,* pieza en tres actos, donde realiza un análisis severo de la pequeña burguesía hispanoamericana.

OBRA PRINCIPAL: **Novela.** *La carne de René* (1952); *Pequeñas maniobras* (1963); *Presiones y diamantes* (1966). **Cuento.** *Cuentos fríos* (1956); *Cuentos completos* (1964); *El que vino a salvarme* (1970). **Poesía.** *Las furias* (1941); *La isla en peso* (1943); *Poesía y prosa* (1944). **Teatro.** *Electra Garrigó* (1948); *Falsa alarma* (1948); *Jesús* (1948); *La boda* (1958); *El flaco y el gordo* (1959); *Aire frío* (1959); *El filántropo* (1960); *Teatro completo* (1960); *El no* (1965); *Dos viejos pánicos* (Premio Casa de las Américas, 1968). [J.P.]

PIÑÓN, Nélida (1935? -   ).—Narradora y periodista brasileña. Su obra se sitúa en la corriente introspectiva. Continuadora de la experiencia literaria de Clarice Lispector, Nélida Piñón desarrolla un estilo caracterizado por la descomposición sintáctica y la experimentación lingüística. Residió en España.

OBRA PRINCIPAL: *Mapa de Gabriel Arcanjo* (1961); *Madeira feita cruz* (1963); *Tempo das frutas* (1966); *Fundador* (1969); *A casa da paixão* (1973); *Sala de armas* (1973); *Tebas do meu coração* (1974). [M.L.M.]

PIRES, Jose Cardoso (1925-   ).—Novelista portugués. Estudió Matemáticas en la Facultad de Ciencias de Lisboa, curso que abandonó para trabajar en la Marina Mercante. Se dedica después a la edición y a la publicidad, entre otras ocupaciones, y se vincula con el grupo surrealista de Mário Cesariny y Alexandre O'Neill. Dirigió la revista "Almanaque", fue redactor de la "Revista Musical de todas as Artes", lector en el departamento luso-brasileño del King's College de Londres en 1969, y director adjunto del "Diário de Lisboa" en 1974-75. Partiendo de la corriente neorrealista, imprime así y todo en su novelística un espíritu satírico que caracteriza su originalidad.

OBRA PRINCIPAL: **Ficción.** *Os Caminheiros e Outros Contos* (1949); *O Anjo Ancorado,* novela (1958); *O Hóspede de Job,* novela (1963); *O Delfim,* novela (1968); *Dinossauro Excelentíssimo,* fábula (1972). **Teatro.** *O Render dos Heróis* (1960), etc. **Ensayo.** *Cartilha de Marialva* (1960). **Memorias.** *E Agora, Jose?* (1978). [M.V.]

PITA RODRÍGUEZ, Félix (1909-   ).—Poeta y narrador cubano. Residió en Francia, Italia y España. En 1939 retornó a Cuba y participó en forma activa en los principales movimientos literarios. Cofundador de la publicación vanguardista "Atuei". Periodista y guionista de radio. Miembro del consejo de redacción de la revista "Unión", de la Unión de Escritores y Artistas (UNEAC).

OBRA: **Poesía.** *Corcel de fuego; Las crónicas.* **Relato.** *Tobías* (1954), *Cuentos completos* (1963); *Las noches* (1965). **Antología.** *Poemas y cuentos* (1965). [J.P.]

PITOL, Sergio (1933-   ).—Escritor mexicano. Narrador, diplomático. Partiendo de hechos banales crea atmósferas donde la realidad y la fantasía se entrelazan. Sus personajes son seres desarraigados, amenazados por la melancolía, el dolor, el miedo, la soledad y la

pizarnik

locura. Ha traducido a Henry James, Witold Gombrowicz, Jerzy Andrzejewski y Kazimierz Brandys.

OBRA PRINCIPAL: **Novela**. *El tañido de una flauta* (1972); *Nocturno de Bujara* (1981). **Relato**. *Tiempo cercado* (1959); *Infierno de todos* (1965); *Del encuentro nupcial* (1970). **Cuento**. *Los climas* (1966); *No hay tal lugar* (1967). [P.S.]

PIZARNIK, Alejandra (1936-1972).—Poeta argentina vinculada a los experimentos de la vanguardia. Se inició en 1955 con *La tierra más ajena*. En 1962, con *Arbol de Diana,* su voz adquiere un tono personal en donde la búsqueda verbal se mezcla con elementos oníricos y mágicos, apenas insinuados. Su poesía busca una trascendencia en elementos metafísicos propios de la poesía francesa, en la cual se puede señalar fácilmente la influencia de algunas figuras del surrealismo o cercanas a él, como Henri Michaux y Antonin Artaud. En los dos últimos libros se percibe además una preocupación casi obsesiva por el tema de la muerte, problemática que parece coherente con su suicidio, ocurrido el 24 de septiembre de 1972.

OBRA PRINCIPAL: *La tierra más ajena* (1955); *La última inocencia* (1956); *Las aventuras perdidas* (1958); *Arbol de Diana* (1962); *Los trabajos y las noches* (1965); *Extracción de la piedra de locura* (1968); *El infierno musical* (1971). **Prosa**. *La condesa sangrienta* (1971). [H.S.]

PLA, Josefina (1909-   ).—Escritora paraguaya, nacida en Las Palmas de Gran Canarias. Reside en el Paraguay desde 1927. Periodista, ceramista, autora y directora teatral, poeta, cuentista, crítico literaria y profesora universitaria. Fundadora de la influyente revista "Proal". Secretaria y asesora de la Escuela Municipal de Arte Escénico de Asunción. Fundadora del Centro Arte Nuevo y del Museo Julián de la Herrería. Profesora de varias generaciones de escritores paraguayos, su contribución al desarrollo de la cultura paraguaya ha sido fundamental a través de su labor de investigadora e historiadora. Ha escrito sola y en colaboración con Roque Centurión Miranda varias piezas teatrales. Miembro de la Academia Paraguaya de Letras. Premio del Ateneo Paraguayo 1942 por *Aquí no ha pasado nada,* drama escrito en colaboración con Centurión Miranda. Premio de cuento de "La Tribuna", 1967, por *El espejo,* cuento donde los símbolos trascienden un lenguaje teñido de ensueño y realidad.

OBRA PRINCIPAL: **Poesía**. *El precio de los sueños* (1934); *La raíz y la aurora* (1965); *Invención de la muerte* (1965); *Satélites oscuros* (1966); **Cuento**. *La mano en la tierra* (1963). **Teatro**. *Vícti-*

ma propiciatoria (1927); *Aquí no ha pasado nada* (1942); *Una novia para José Vaí* (1955). **Ensayo**. *El barroco hispano guaraní* (1975). [L.F.]

PLA, Josep (1897-1981).—Narrador, periodista y ensayista español de expresión bilingüe: catalán y castellano. Está considerado como el más grande prosista catalán contemporáneo. Durante los últimos treinta años de su vida fue, por derecho propio, el patriarca de las letras catalanas. Independiente, opuesto a las grandes teorías, escéptico, huraño, solitario, fue un maestro de la ironía.

Autor de libros de viaje, crónicas, ensayos, novelas, biografías y narraciones, su obra sobrepasa los cincuenta títulos. Supo conjugar su vocación europea con un profundo amor por su terruño. Su vasta cultura, sus constantes viajes por Europa y Norteamérica, su profundo conocimiento de las gentes, su peculiar manera de entender la geografía, la historia y la sociología, le convirtieron en un autor originalísimo y multifacético.

Escribió en los diarios "Las Noticias" (1918-1919); "La Publicidad" y "El Sol" (1920-1931), y en la revista "Destino", entre otras. Es autor de una indispensable *Historia de la Segunda República Española,* en cuatro volúmenes. La *Obra Completa de Josep Pla* se compone de 29 volúmenes publicados. Los libros más divulgados de Josep Pla siguen siendo *Llanterna mágica, Viatge a Catalunya* y *El Quadern gris.*

OBRA PRINCIPAL: **En catalán**. *Coses vistes; Llanterna mágica; Rusia; Relacións; Madrid; Cartes de lluny; Cartes meridionals; Vida de Manolo; Cambó; Madrid, adveniment de la República; La Filosofía de F. Pujols; Cadaqués; L'escultor Josep Llimona; El Quadern gris; Viatge a Catalunya; Les Amériques; El carrer stret; Guia de Catalunya; Notes del Capvesprol; Notes per a Silvia; Prosperitat i rauxa de Catalunya; Articles amb cua; El pagés i el seu món; El passat imperfecte; Un senyor de Barcelona; Tres guies,* etc. **En castellano**. *Viaje en autobús; Humor honesto y vago; El pintor Joaquín Mir; Guía de la Costa Brava; La huida del tiempo; Las ciudades del mar; Santiago Rusiñol y su tiempo; Guía de Mallorca; Viaje a pie,* etc. [P.S.]

PONCE, Aníbal (1898-1938).—Ensayista argentino continuador de la línea de José Ingenieros con quien compartió la dirección de la *Revista de Filosofía.* Posteriormente se inclinó hacia el marxismo.

OBRA PRINCIPAL: *La vejez de Sarmiento* (1927); *Un cuaderno de croquis* (1927); *La gramática de los sentimientos* (1929);

poniatowska

Sarmiento, constructor de una nueva Argentina (1932); *El viento en el mundo* (1933); *Educación y lucha de clases* (1936); *De Erasmo a Romain Rolland* (1936). [H.S.]

PONIATOWSKA, Elena (1933-   ).—Narradora y periodista mexicana, nacida en Francia. Cursó estudios en Francia y Estados Unidos. Aplica, en su obra narrativa, las técnicas del "nuevo periodismo" norteamericano: *collage* de entrevistas, titulares de periódicos, declaraciones, noticias, palabras pronunciadas en el lugar de los hechos, "en un intento de trascender el simple reportaje" (John S. Brushwood). Su libro más célebre –*La noche de Tlatelolco*– es un testimonio desgarrador de la represión ejercida por fuerzas policiales en contra de una manifestación popular realizada en 1968.
OBRA PRINCIPAL: *Hasta no verte Jesús mío* (1969); *La noche de Tlatelolco* (1971); *Querido Diego, te abraza Quiela* (1978). [P.S.]

PORCEL, Baltasar (1937-   ).—Narrador, dramaturgo, ensayista y periodista español de expresión bilingüe: catalán y castellano. Premio Ciudad de Palma 1960. Premio de la Crítica 1968. Premio Josep Pla 1969. Premio de la crítica catalana 1967. Premio Joan Santamaría 1961. Su novela *Cavalls cap a la fosca* fue vertida al castellano por su propio autor.
OBRA PRINCIPAL: **Novela.** *Solnegre* (1961); *La lluna i el "Cala Llamp* (1963); *Els escorpins* (1965); *Els argonautes* (1968); *Cavalls cap a fosca* (1976). **Relato.** *Difunts sota els ametllers en flor* (1970); *Crónica d'atabalades navegacions* (1971). **Ensayo.** *Exercicis més o menys espirituals* (1969); *Els xuetes* (1969). **Teatro.** *Els condemnats* (1969); *La simbomba fosca* (1962); *Història d'una guerra* (1965). **Crónica.** *Arran de mar* (1967); *Viatge a les Balears menors* (1968); *Viatge literari a Mallorca* (1967); *Las manzanas de oro* (1980). [P.S.]

PORTAL, Marta (1930-   ).—Narradora, periodista y ensayista española. Profesora de Literatura en la Facultad de Ciencias de la Información, Madrid. Con estilo sobrio, Portal revitaliza el realismo mítico y el análisis psicológico de personajes y situaciones. Premio Planeta 1966. Premio Adelaida Ristori (Italia) 1975. Ha realizado una edición crítica de la novela *Los de abajo,* de Mariano Azuela, con una introducción erudita y profunda.
OBRA PRINCIPAL: **Novela.** *A tientas y a ciegas* (1966); *El malmuerto* [Dos novelas breves] (1967); *A ras de las sombras* (1968);

prada oropeza

Ladridos a la Luna (1970); *El buen camino* (1975). **Relato.** *La veintena* (1973). **Ensayo.** *El maíz: grano sagrado de América* (1970); *Proceso narrativo de la Revolución Mexicana* (1977); *Análisis semiológico de 'Pedro Páramo', de Juan Rulfo* (1981). [P.S.]

PORTUONDO, José Antonio (1911-   ).—Ensayista cubano. Estudió en México con Alfonso Reyes. Se ha dedicado con especial interés al estudio de la literatura cubana. Rector de la Universidad de Oriente y profesor de estética y teoría y crítica literarias en la Escuela de Letras de la Universidad de La Habana. Embajador de Cuba en México y la Santa Sede. Director del Instituto de Literatura y Lingüística de la Academia de Ciencias de la República de Cuba.

OBRA PRINCIPAL: *Proceso de la cultura cubana* (1939); *El contenido social en la literatura cubana* (1944); *La historia y las generaciones* (1958); *Bosquejo histórico de las letras cubanas* (1960); *Concepto de la poesía* (1960); *Crítica de la época y otros ensayos* (1965). [J.P.]

POZAS, Ricardo (1912-   ).—Escritor mexicano. Maestro, etnólogo. Profesor en la Escuela Nacional de Ciencias Políticas y Sociales de la UNAM. Su relato *Juan Pérez Jolote* refleja, de forma amena, el proceso de transculturación de un grupo indígena de Chiapas. Su obra, de valor testimonial, es un digno antecedente de cierta literatura donde la técnica novelesca se funde al informe socioantropológico.

OBRA PRINCIPAL: **Relato.** *Juan Pérez Jolote, biografía de un tzotzil* (1948). [P.S.]

PRADA OROPEZA, Renato (1937-   ).—Novelista, cuentista, ensayista y profesor boliviano. Fue catedrático de Filosofía en la Escuela Normal Católica de Cochabamba. Se doctoró en filosofía por la Universidad de Roma y en lingüística por la Universidad de Lovaina. En la actualidad trabaja en el Centro de Investigaciones Lingüístico-Literarias de la Universidad Veracruzana (México). Colabora en "Plural", de México, y "Nueva Sociedad", de Costa Rica. Premio Casa de las Américas/Novela, 1969. Premio de Novela Erich Guttentag/La Paz, 1969. Reside en México.

Prada Oropeza plantea, como cuentista, "problemas pertenecientes a la metafísica de la existencia y en particular a la angustia de la condición humana ante el vacío que el ser humano no puede o no sabe llenar" (José Ortega). Conmocionado por el estallido de la guerrilla, escribe *Los fundadores del alba,* novela que expresa el proceso de una conciencia sacudida por la historia. Su obra ha contribuido a la renovación del arte narrativo en las letras bolivianas. OBRA PRINCIPAL: **Novela.** *Los fundadores del alba* (1969); *El último filo* (1975); *Larga hora: la vigilia* (1979). **Cuento.** *Argal* (1967); *Ya nadie espera al hombre* (1969); *Al borde del silencio* (1969). **Ensayo.** *La autonomía literaria* (1977); *El lenguaje narrativo* (1979). [P.S.]

PRADOS, Emilio (1899-1962).—Poeta español. Perteneció a la generación del 27. En Málaga fundó, con Manuel Altolaguirre, la revista "Litoral". Durante la guerra civil dirigió la edición del *Romancero general de la guerra de España.* Su poesía —constante preocupación sobre el Tiempo— registra tres etapas: una centrada en el simbolismo del mar y la noche; otra, que el propio poeta llamó "poesía de circunstancias" (poesía social), y la tercera, abierta al misterio de la vida, de la divinidad y del Tiempo. La poesía de Prados estremece por su sobriedad desnuda, su densa sencillez, su raigambre tradicional y popular... Premio Nacional de Literatura 1937. Murió en México.

OBRA PRINCIPAL: *Tiempo* (1925); *Canciones del farero* (1926), *Vuelta* (1927); *El llanto subterráneo* (1936) *Llanto en la sangre* (1937); *Andando, andando por el mundo* (1932-1935); *Cancionero menor para los combatientes* (1936-1938); *Memoria del olvido* (1940); *Mínima muerte* (1944); *Jardín cerrado* (1946); *Río natural* (1957); *Circuncisión del sueño* (1957); *La sombra abierta* (1961); *La piedra escrita* (1961); *Signos del ser* (1962); *Ultimos poemas* (1965); *Obras completas* (1969); *Cuerpo perseguido* (1971); *Poesías completas* (1975); *Antología poética* (1978). [P.S.]

PRIETO, Antonio (1930-   ).—Novelista y ensayista español. Licenciado en Filosofía y Letras. Su obra postula una plena autonomía de la imaginación, rechaza referentes de tipo sociológico y supera la narración lineal del tiempo cronológico. Sus ensayos han contribuido al enriquecimiento de la crítica literaria en España. Premio Planeta 1955. Premio Novelas y Cuentos 1972.

OBRA PRINCIPAL: **Novela.** *Tres pisadas de hombre* (1955); *Buenas noches Argüelles* (1956); *Vuelve atrás, Lázaro* (1958); *Encuentro con Ilita* (1961); *Prólogo a una muerte* (1965); *Secretum* (1972); *Cartas sin tiempo* (1975). **Ensayo.** *Los caminos actuales de la crítica* (1969); *Ensayos semiológicos de sistemas literarios* (1972); *Garcilaso de la Vega* (1975); *Morfología de la novela* (1975). [P.S.]

puig

PUIG, Manuel (1933-   ).—Novelista argentino. Se inició en el campo de la cinematografía en Estados Unidos y Europa, donde vivió varios años. El éxito de su primer libro, *La traición de Rita Hayworth,* en 1968, decidió su cambio de rumbo. El libro fue saludado unánimemente por la crítica como una de las obras más audaces en lo referente al lenguaje. El rescate del habla coloquial de provincias en el seno de una familia regida por los mitos cinematográficos y la cursilería, habría de afirmarse en su segunda novela: *Boquitas pintadas* (1969). Esta obra cimentaría la notoriedad internacional de Puig. Su habilidad para echar mano de cartas, escritos justiciales, papeles administrativos o recortes del periodismo provinciano le permitieron elaborar un *collage* que revolucionó la narrativa. Los libros siguientes, basados en la misma tendencia al coloquialismo, han tratado de abarcar nuevas temáticas: lo policial en *The Buenos Aires affair;* lo político y la homosexualidad en *El beso de la mujer araña,* donde vuelve a su preocupación cinematográfica cimentada en una apabullante erudición; y el tema del exilio en *Pubis angelical.*

OBRA PRINCIPAL: *La traición de Rita Hayworth* (1968); *Boquitas pintadas* (1969); *The Buenos Aires affair* (1973); *El beso de la mujer araña* (1976); *Pubis angelical* (1979); *Maldición eterna a quien lea estas páginas* (1981). [H.S.]

Q

QUADROS, Antonio (1923-   ).—Poeta y ensayista portugués. Licenciado en Historia y Filosofía por la Facultad de Letras de Lisboa, ejerce funciones superiores en el Servicio de Bibliotecas Itinerantes de la Fundación Gulbenkian. Durante muchos años fue colaborador de varios periódicos y revistas con una actividad regular como crítico literario.

OBRA PRINCIPAL: *Além da Noite* (1949); *Viagem Desconhecida* (1952). **Ficción.** *Anjo Branco, Anjo Negro,* cuentos (1960); *Histórias do Tempo de Deus* (1965). **Ensayo.** *Modernos de Ontem o de Hoje* (1947); *Introdução a uma Estética Existencial* (1954); *A Cultura Portuguesa.* [M.V.]

QUART, Pere (1899-   ).—Seudónimo de Joan Oliver. Poeta, dramaturgo y narrador español de expresión catalana. Director del "Diari de Sabadell". Miembro de la "Institución de les Lletres Catalanes" y fundador de la editorial "La Mirada". Vivió exiliado en Chile. Actualmente reside en Barcelona. Ha vertido al catalán obras de Molière, Goldoni, Chéjov, Claudel, Brecht, Beckett, etc.

OBRA PRINCIPAL: **Poesía.** *Les decapitacions* (1934); *Oda a Barcelona* (1936); *Bestiari* (1937); *Saló de tardor* (1947); *Terra de naufragis* (1956); *Vacances pagades* (1960); *Circumstàncies* (1968). **Teatro.** *Gairebé un acte o Joan, Joana i Joanet* (1929); *Cataclisme* (1935); *Cambrera nova* (1937); *Allò que tal vegada s'esdevingué* (1936); *La fam* (1938); *Tercer en re* (1959); *Primera representació* (1960); *Ball robat* (1960); *Una drecera* (1960). **Narración.** *Una tragedia a Lil.liput* (1928); *Contraban* (1937); *Biografía de Lot i altres proses* (1963). [P.S.]

QUEIROZ, Rachel de (1910-   ).—Novelista, cronista y autora teatral brasileña. Miembro de la Academia Brasileña de Letras. Perte-

queremel

neció a la generación de los años treinta, momento áureo de la novela brasileña. Su obra comprende tres etapas bien definidas: 1. Sus primeras producciones marcadamente regionalistas *(O quinze, João Miguel);* 2. Su narrativa de carácter político, escrita en pleno período de efervescencia social, y 3. Su prosa última, de claro espíritu conservador. El estilo de sus dos primeras novelas marcará su producción teatral, de raíces regionales y folclóricas.

OBRA PRINCIPAL: **Novela.** *O quinze* (1930); *João Miguel* (1932); *Caminho de pedras* (1937); *As três Marias* (1939). **Teatro.** *Lampião* (1953); *A beata Maria do Egito* (1958). **Crónica.** *A donzela e a moura torta* (1948); *100 crônicas escolhidas* (1958); *O brasileiro perplexo* (1963); *O caçador de tatu* (1967). [M.L.M.]

QUEREMEL, Angel Miguel (1899-1939).—Poeta venezolano. Ensayista, cuentista, diplomático. Fundador y animador del grupo "Viernes". A través de la revista homónima —de la cual fue director— introdujo la estética de las vanguardias literarias. Con su obra y su magisterio contribuyó a la renovación de la poesía venezolana. Su poesía se situó entre el modernismo y las nuevas tendencias metafísicas y superrealista. Como diplomático residió en España. Trabó amistad con los poetas de la generación del 27 y colaboró en la revista "Litoral".

OBRA PRINCIPAL: **Poesía.** *El barro florido* (1924); *El trapecio de las imágenes* (1926); *Tabla y trayectoria* (1928); *Santo y seña* (1938); *Poesías* (1965. Antología). **Ensayo.** *Yo pecador* (1921). **Cuento.** *El hombre de otra parte* (1923). [P.S.]

QUIÑONES, Fernando (1931-   ).—Poeta, narrador, ensayista y dramaturgo español. Pertenece a la generación del 50. La experiencia poética de Quiñones es afín al lirismo de tono épico practicado por poetas norteamericanos y nicaragüenses. Es autor de una expresiva versión al castellano del poema extenso *Conquistador,* de Archibald MacLeish. También ha asimilado las enseñanzas de Borges, Antonio Machado, Cavafis y Pavese. Premio Sésamo 1961. Premio Leopoldo Panero 1963. Premio *La Nación* de Buenos Aires 1966. Premio El Olivo 1973. Ha traducido a poetas italianos contemporáneos.

OBRA PRINCIPAL: **Poesía.** *Ascanio o el libro de las flores* (1956); *Cercanía de la gracia* (1956); *Retratos violentos* (1963); *En vida* (1964); *Crónicas de mar y tierra* (1968); *Nuevas Crónicas de Al-Andalus* (1971); *Crónicas americanas* (1973); *Ben-Jaqan* (1973);

quíspez asín

Memorándum (1975); *Las crónicas del 40* (1976); *Las crónicas inglesas* (1980). **Relato.** *Cinco historia del vino* (1960); *La gran temporada* (1961); *Historias de la Argentina* (1966); *La guerra, el mar y otros excesos* (1966); *El viejo país* (1979); *Nos han dejado solos* (1980). **Novela.** *Las mil noches de Hortensia Romero* (1979). **Ensayo.** *De Cádiz y sus cantes* (1964); *El flamenco, vida y muerte* (1965); *Nuevos rumbos de la poesía española* (1966). **Teatro.** *Tres piezas de horror* (1960). [P.S.]

QUIROGA, Elena (1921-   ).—Novelista española. Dotada de cualidades poéticas, recrea el lenguaje y logra textos de gran virtuosismo formal. Quiroga fue una de las primeras escritoras que intentaron escribir "novela objetiva" en España. Premio Nadal 1951. Premio de la Crítica 1960. Sus novelas más relevantes: *Tristura* y *Escribo tu nombre.*

OBRA PRINCIPAL: **Novela.** *La soledad sonora* (1948); *Viento del Norte* (1951); *La sangre* (1952); *Algo pasa en la calle* (1954); *La enferma* (1955); *La careta* (1955); *Plácida la joven* (1956); *La última corrida* (1958); *Tristura* (1960); *Escribo tu nombre* (1965). **Novela corta.** *Trayecto uno* (1963); *La otra ciudad* (1964). [P.S.]

QUIROGA SANTA CRUZ, Marcelo (1931-1980).—Novelista, ensayista, cineasta, periodista y político boliviano. Fundó y dirigió "El Sol" (1965), diario de vida efímera, caracterizado por su línea de denuncia política. Diputado en dos legislaturas. Ministro de Energía e Hidrocarburos (1969). Realizó el cortometraje "El combate". Cultivó el ensayo político, primero desde una óptica existencialista de matiz sartreano, y después desde una posición marxista. Candidato a la presidencia de la República (1978 y 1979) por el Partido Socialista, murió asesinado.

El universo novelístico de Quiroga Santa Cruz es proustiano y existencialista; describe el proceso de una conciencia lúcida y atea enfrentada al convencionalismo social y a la tradición religiosa.

OBRA PRINCIPAL: **Novela.** *Los deshabitados* (1957). **Ensayo.** *La victoria de abril sobre la nación* (1960); *¡Abajo la dictadura!* (1972); *El saqueo de Bolivia* (1973). [P.S.]

QUÍSPEZ ASÍN, Alfredo (1903-1956).—Véase **Moro, César.**

quiteño

QUITEÑO, Serafín (1906-   ).—Poeta y periodista salvadoreño. Su obra, breve, ha influido considerablemente en las nuevas generaciones.

OBRA PRINCIPAL: **Poesía.** *Corasón con S* (1941); *Tórrido sueño* (1957), escrita en colaboración con el nicaragüense Alberto Ordóñez Argüello. [C.T.]

R

RAFAEL MARÉS, Carmen de (1911-   ).—Véase Kurtz, Carmen.

RAFIDE, Matías (1929-   ).—Poeta y crítico literario chileno. De raíces metafísicas, ha derivado a una expresión esencial, alusiva y sintética. Crítico excelente, Rafide es un competente divulgador de la poesía española contemporánea y de la novela hispanoamericana actual.
OBRA PRINCIPAL: Poesía. *La noria* (1950); *Ritual de soledad* (1952); *Itinerario del olvido* (1955); *Fugitivo cielo* (1957); *El corazón transparente* (1960); *Tiempo ardiente* (1962); *El huésped* (1970); *Antevíspera* (1981). Estudios. *Literatura chilena* (1959); *Poetas españoles contemporáneos* (1962); *La novela hispanoamericana actual* (1975). [P.S.]

RAMA, Angel (1926-   ).—Dramaturgo, narrador y ensayista uruguayo. Desde hace casi veinte años su principal actividad es la crítica y la docencia. Desde sus primeros artículos en "La Entrega de la Licorne" hasta su labor al frente de la página literaria de "Marcha" durante casi una década, su penetración, agilidad y rigor le han hecho merecedor de un lugar muy singular en la crítica latinoamericana actual. Sus aproximaciones son básicamente de índole estilístico-sociológica.
OBRA PRINCIPAL: *La inundación* (1958); *Lucrecia* (1959); *Queridos amigos* (1961); *Tierra sin mapa* (1961). [H.C.]

RAMA, Carlos Manuel (1921-   ).—Ensayista uruguayo. Abogado, sociólogo, periodista y profesor universitario. Profesor de Historia de América y de Sociología en la Universidad Autónoma de Barcelona. Presidente del Pen Club Latinoamericano en España. Obtuvo

ramón

en 1980 el Premio de Cultura Hispánica otorgado por el Ministerio de Cultura, de España, por su *Historia de las relaciones culturales entre España e Hispanoamérica, 1810-1898.*

OBRA PRINCIPAL: *La historia y la novela* (1974); *Las ideas socialistas en el siglo XIX* (1976); *Ideología, regiones y clases sociales en la España contemporánea* (1977); *La crisis española del siglo XX* (1976); *Sociología de América Latina* (1977); *Historia de América Latina* (1978); *España, crónica entrañable, 1973-1977* (1978); *La ideología fascista* (1979); *Fascismo y anarquismo en la España contemporánea* (1979). [P.S.]

RAMÓN, Benjamín (1939-   ).—Poeta panameño de acento social. Licenciado en Filosofía en la Universidad de Panamá. Miembro de la Unión de Escritores de Panamá y del Frente de los Trabajadores de la Cultura. En 1972 recibió el premio de poesía en un concurso universitario por su libro *Camión.*
OBRA: **Poesía.** *Puta vida* (1969); *Camión* (1972); *Sólo el mar* (1972). [J.P.]

RAMOS, Graciliano (1892-1953).—Novelista, periodista y político brasileño. Perteneció a la generación de la década del treinta. Su obra se sitúa en la corriente del realismo crítico. Considerado la figura más importante de su generación, supera los límites del regionalismo —tendencia entonces predominante— al conferir a sus personajes valores universales a partir de situaciones conflictivas entre el hombre y el mundo.
Su experiencia más vanguardista —*Angustia,* 1936— puede ser definida como novela existencialista. En su obra hay una novela de carácter político, *Memorias do cárcere.* Influyó en numerosos escritores brasileños. Su obra fue traducida a todos los idiomas cultos. Dos novelas suyas fueron llevadas al cine: *Vidas secas* y *São Bernardo.* La versión de *Vidas secas,* realizada por el cineasta Glauber Rocha, se tituló *Deus e o Diabo na Terra do Sol* (1964).
OBRA PRINCIPAL: *Caetés* (1933); *São Bernardo* (1934); *Angústia* (1936); *Vidas secas* (1938); *Brandao entre o mar e o amor* (1942, en col. con Jorge Amado, José Lins do Rego, Rachel de Queiroz y Aníbal Machado); *Histórias de Alexandre* (1944); *Infância* (1945); *Memórias do cárcere* (1953); *Viagem* (1953); *Linhas tortas* (1962). [M.L.M.]

rebelo

RAMOS, Ricardo (1929-   ).—Narrador y periodista brasileño. Cuentista por excelencia, su obra ha recibido numerosos galardones, entre ellos el Premio Alfonso Arinos que otorga la Academia Brasileña de Letras. Escritor de gran precisión idiomática y elegante prosa, "sus cuentos son reportajes en el estilo ceñido y profundamente sagaz de un noticiero".

OBRA PRINCIPAL: *Tempos de espera* (1954); *Terno de Reis* (1957); *Os caminhantes de Santa Luzia* (1958, novela); *Os desertos* (1961); *Rua desfeita* (1963); *Memória de setembro* (1968, novela); *Matar un homem* (1970). [P.S.]

RAMOS SUCRE, José Antonio (1890-1930).—Poeta venezolano de la generación del 18. Doctor en Ciencias Políticas. Polígloto, conocía y hablaba profundamente once idiomas. Diplomático, trabajó por espacio de catorce años como traductor e intérprete en el Ministerio de Asuntos Exteriores. Víctima de un insomnio pertinaz, se suicidó. Poeta del desarraigo, cantor de la soledad. "Sus poemas son cruzados por conjeturas y fábulas, símbolos, alegorías y presagios, maldiciones, ritos, liturgias, costumbres crueles, consejas y leyendas, suplicios extravagantes, mujeres desvaídas, plagas y venganzas. Un vasto mural de espanto, hechizado" (F. Pérez Perdomo).

OBRA PRINCIPAL: **Poesía**. *Trizas de papel* (1921); *Sobre las huelllas de Humboldt* (1923); *La torre de limón* (1925); *El cielo de esmalte* (1929); *Las formas del fuego* (1929); *Obras* (1956). **Artículos**. *Los aires del presagio* (1976. Artículos, traducciones, correspondencia). **Antología**. *Antología poética de J. A. Ramos Sucre* (1969); *Antología poética* (1975). [P.S.]

RAWET, Samuel (1929-   ).—Cuentista brasileño, nacido en Polonia. Su libro *Contos do imigrante* (1956) es considerado un hito en la literatura brasileña. Renovó la estructura narrativa del cuento y al mismo tiempo planteó, por primera vez, el problema de la inmigración desde un punto de vista existencial.

OBRA PRINCIPAL: *Contos do imigrante* (1956); *Diálogo* (1963); *Abama* (1964); *Os sete sonhos* (1967); *Terreno de uma polegada quadrada* (1969); *Viagem de Ashuerus* (1970). [M.L.M.]

REBELO, Luis Francisco (1924-   ).—Dramaturgo y ensayista portugués. Licenciado en Derecho. Fundó y dirigió el Teatro Estudio de Salitre, en 1946, que tuvo gran influencia en la renovación de la dramaturgia portuguesa. Colaboró, como crítico teatral, en varios

rebelo

periódicos y revistas. Es presidente de la Sociedad Portuguesa de Autores.

OBRA PRINCIPAL: **Teatro.** *Teatro I* (1959); *Teatro II* (1959); *Condenados à Vida* (1963). **Ensayo.** *Teatro Moderno-Caminhos e Figuras* (1957); *Imagens do Teatro Contemporâneo* (1961); *O Primitivo Teatro Português* (1977), etc... [M.V.]

REBELO, Marques (1907-   ).–Seudónimo de Edy Dias da Cruz. Cuentista y novelista brasileño. Mantuvo vínculos con el "Movimiento modernista", de São Paulo. Pertenece a la generación del treinta. Se sitúa en la corriente del neorrealismo. Su obra se caracteriza por describir las costumbres de los cariocas (naturales de Rio de Janeiro). Tema central de su narrativa: la evocación nostálgica del Rio de Janeiro de comienzos de siglo. Iniciador de la novela urbana, Rebêlo se distingue por su maestría en la caracterización de sus personajes. Miembro de la Academia Brasileña de Letras.

OBRA PRINCIPAL: *Oscarina* (1931); *Três caminhos* (1933); *Marafa* (1935); *A estrêla sobe* (1938); *Stela me abriu a porta* (1942); *O espelho partido I. O Trapicheiro* (1959); *O espelho partido II. A mudança* (1963); *O espelho partido III. A guerra está entre nós* (1969). [M.L.M.]

RECUERDA, Martín (1925-   ).–Dramaturgo español. Autor de farsas y esperpentos basados en el mito histórico y en el mito literario. Su teatro se nutre de las enseñanzas de Quevedo, Valle-Inclán y García Lorca. Teatro popular, desgarrado y violento. *Las arrecogías del beaterio de Santa María Egipcíaca* –su obra de más éxito– escenifica el encierro y la ejecución de Mariana Pineda.

OBRA PRINCIPAL: *La llanura* (1954); *Los átridas* (1955); *El payaso y los pueblos del Sur* (1956); *El teatrito de Don Ramón* (1959); *Las salvajes en Puente San Gil* (1963); *Como las secas cañas del camino* (1965); *¿Quién quiere una copla del Arcipreste de Hita?* (1965); *El caraqueño* (1968); *El Cristo* (1969); *Las arrecogidas del beaterio de Santa María Egipcíaca* (1976); *El engañao* (1981). [P.S.]

REGA MOLINA, Horacio (1899-1957).–Poeta y dramaturgo argentino. Su primer libro evoca el paisaje de su pueblo provinciano. Perteneció al grupo de la revista *Martín Fierro*. En su tercer libro, *La víspera del Buen Amor* (1925), incorporó el tema ciudadano que a partir de ese momento sería una de las características de su mejor poesía. Alcanza su máxima expresión en *Domingos dibujados desde una ventana* y en el rigor formal y la sencillez de *Azul de mapa*, donde una manera descriptiva casi fotográfica se convierte en poesía sin aditamentos.

OBRA PRINCIPAL: **Poesía.** *La hora encantada* (1919); *Los poemas de la lluvia* (1922); *El árbol fragante* (1923); *La víspera del Buen Amor* (1925); *Domingos dibujados desde una ventana* (1928); *Azul de mapa* (1931); *Oda provincial* (1940); *Sonetos de mi sangre* (1951). **Teatro.** *La posada del león* (1938); *La vida está lejos* (   ); *Polifemo* (   ). [H.S.]

REGIO, José (1901-1969).—Poeta y novelista portugués. Estudió en la Facultad de Letras de Coimbra, donde presenta como tesis de licenciatura *As Correntes e as Individualidades na Moderna Poesia Portuguesa.* Cambia el nombre de José María dos Reis Pereira por el seudónimo de José Regio y publica, cuando estaba todavía en Coimbra, los *Poemas de Deus e do Diablo.* En marzo de 1927, con João Gaspar Simões e Branquinho da Fonseca, funda la revista "Presença". Profesor de bachillerato en varias ciudades del país, se afincó más tarde en Portalegre, donde permanece hasta su muerte. Creador complejo, que asimila y transforma varias tendencias, aparece como una de las personalidades más ricas de la literatura portuguesa de este siglo.

OBRA PRINCIPAL: **Poesía.** *Poemas de Deus e do Diablo* (1925); *As Encruzilhadas de Deus* (1935-36); *A Chaga do Lado* (1954); *Cântico Suspenso* (1968); *Música Ligeira* (1970); *Colheita da Tarde* (1971), etc. **Ficción.** *Jogo da Cabra Cega*, novela (1934); *Davam Grandes Passeios aos Domingos,* novela (1941); *O Príncipe com Orelhas de Burro,* novela (1942); *A Velha Casa* (1945-66, etc. **Memorias.** *Confissão dum homem Religioso* (1971). **Ensayo.** *Ensaios de Interpretação Crítica* (1964), etc. **Teatro.** *Jacob e o Anjo, Tres Máscaras e Post-Fácio* (1940); *Benilde ou a Virgem-Mae* (1974). [M.V.]

REGO, José Lins do (1901-1957).—Nombre literario de José Lins do Rego Cavalcanti. Novelista y cuentista brasileño. Su obra surge en la década del treinta, momento áureo de la novela regionalista brasileña. Una parte de su obra, llamada "ciclo de la caña de azúcar" —considerada la más importante de su producción literaria— trata de los recuerdos de infancia en un ingenio azucarero. Maestro del

reis pereira

cuento, su prosa está sostenida por un lenguaje predominantemente popular. Es autor de *Cangaceiros*, novela llevada al cine.

OBRA PRINCIPAL: *Menino de engenho* (1932); *Doidinho* (1933); *Bangüê* (1934); *O moleque Ricardo* (1935); *Usina* (1936); *Pureza* (1937); *Pedra bonita* (1938); *Riacho doce* (1939); *Aguamae* (1941); *Fogo morto* (1943); *Eurídice* (1947); *Cangaceiros* (1953); *Memórias: meus verdes anos* (1956). **Literatura para niños.** *Histórias da velha Totônia* (1936). [M.L.M.]

REIS PEREIRA, José María dos (1901-1969).—Véase **Régio, José.**

REJANO, Juan (1903-1976).—Poeta español. Pertenece a la generación del 27. "Rejano es un poeta andaluz por los cuatro costados, poeta de canción menor y de aliento civil, al que le lleva su firme convicción política" (Max Aub). Murió exiliado en México. *La mirada del hombre* se titula la recopilación hecha por el propio autor de su obra poética.

OBRA PRINCIPAL: *Fidelidad del sueño* (1943); *El Genil y los olivos* (1944); *Fulgor violento* (1947); *El oscuro límite* (1949); *Oda española* (1949); *Noche adentro* (1949); *Constelación menor* (1950); *Canciones de la paz* (1955); *El río y la paloma* (1960); *Libro de los homenajes* (1961); *El jazmín y la llama* (1966); *Alas de tierra* (1975. Antología). [P.S.]

RENGIFO, César (1915-1980).—Dramaturgo venezolano. Poeta, cuentista, político, director teatral y pintor. Premio Nacional de Pintura 1956. Su obra dramática comprende más de cuarenta títulos. Ella registra diversas situaciones históricas. Rengifo entiende el teatro como una forma de sacudir la conciencia colectiva y utiliza el tema histórico con el propósito de hallar una lección para el presente. Ha escrito sátiras sobre temas actuales y ha introducido el tema del petróleo en el teatro venezolano. En la comedia, aplica la crítica de la sociedad de consumo y a otros aspectos de la civilización actual. Su obra poética incluye dos "Cantatas dramáticas en verso".

OBRA PRINCIPAL: **Teatro histórico.** *Curayú o El Vencedor* (1949); *Manuelote* (1952); *Joaquina Sánchez* (1952); *Soga de niebla* (1954); *Lo que dejó la tempestad* (1957); *Un tal Ezequiel Zamora* (1956); *Obscéneba* (1959); *Los hombres de los cantos amargos* (1967). **Teatro sobre el tema del petróleo.** *El raudal de los muertos cansados* (1949); *El vendaval amarillo* (1954); *Las torres y el viento*

(1970); **Comedia.** *Buenaventura Chatarra* (1960); *La fiesta de los moribundos* (1966); *Una medalla para las conejitas* (1966); **Poesía.** *María Rosario Nava* (1964); *Esa espiga sembrada en Carabobo* (1971). **Cuento.** *La esquina del miedo* (1969). ['J.P.]

REQUENI, Antonio (1930-   ).—Poeta argentino. Dentro de un cierto apego a las formas clásicas que maneja con soltura, ha tratado de rescatar la cotidianeidad, el amor y el paisaje. A este último respecto debe señalarse que los viajes son otra constante de su obra y es autor también de un libro referido a esta temática.
OBRA PRINCIPAL: **Poesía.** *Luz de sueño* (1951); *Camino de canciones* (1953); *El alba en las manos* (1954); *La soledad y el canto* (1956); *Umbral del horizonte* (1960); *Manifestación de bienes* (1965); *Versos en la ciudad* (1974); *Inventario* (1974); *Libros de Viaje: Los viajes y los días* (1969). **Ensayo.** *González Carvalho* (1961). [H.S.]

RESTREPO JARAMILLO, José (1896-1945).—Escritor colombiano. Considerado el fundador de la novela psicológica colombiana. Incorpora los hallazgos del psicoanálisis y los experimentalismos vanguardistas en el arte de narrar. "Mira con múltiples perspectivas a sus personajes. Sorprende los fondos oscuros, irracionales de la vida y los describe líricamente" (Anderson Imbert).
OBRA PRINCIPAL: **Novela.** *La novela de los tres, y varios cuentos* (1926); *David, hijo de Palestina* (1931). **Cuento.** *Dinero para los peces/ Un día de consulado/ Mi amigo Sabas Pocahontas* (1945). [J.P.]

REVUELTAS, José (1914-1976).—Escritor mexicano de intensa militancia política. Narrador, dramaturgo, ensayista y guionista de cine. Proviene de una familia de artistas: su hermano Silvestre, compositor; Fermín, pintor; Rosaura, actriz. A los quince años es internado en un reformatorio, acusado de rebelión, sedición y motín. A los veinte, es enviado al penal de las Islas Marías. Premio Nacional de Literatura 1943. Su obra se encuadra en el realismo crítico. La lucha por la justicia social, la rebelión prometeica, el horrendo mundo carcelario, caracterizan su obra narrativa. El drama *La otra* y la novela corta *El apando* han sido llevados al cine.
OBRA PRINCIPAL: **Cuento.** *Dios en la tierra* (1944); *Dormir en tierra* (1960). **Novela.** *Los muros de agua* (1941); *El luto humano* (1944); *Los días terrenales* (1949); *En algún valle de lágrimas*

reyes

(1956); *Los motivos de Caín* (1957); *Los errores* (1964); *El apando* (1969); *Material de los sueños* (19   ). **Teatro.** *Israel* (1947); *La otra* (1949); *El cuadrante de la soledad* (1950). **Ensayo.** *México, una democracia bárbara* (1958); *Ensayo sobre un proletariado sin cabeza* (1962); *Apuntes para una semblanza de Silvestre Revueltas* (1966). [P.S.]

REYES, Salvador (1899-   ).—Narrador, poeta y diplomático chileno. "Aplica su imaginación poética a narrar historias marítimas, a veces con pinceladas intimistas". En su obra "aparecen, como más frecuentes motivos de inspiración, la vida oceánica, el puerto, la gente del mar y pasiones contrarias, en que la atracción del mar ocupa lugar de indisputable prominencia" (Raúl Silva Castro).

Su libro de relatos *Valparaíso, puerto de nostalgia* se publicó originariamente en la versión francesa de Francis de Miomandre, en 1947.

OBRA PRINCIPAL: *Semblanza. Rostros sin máscara (1957)*. **Relato.** *Valparaíso, puerto de nostalgia* (1955). **Novela.** *Tres novelas de la costa* (1934); *Ruta de sangre* (1935); *Piel nocturna* (1936); *Mónica Sanders* (1951). [P.S.]

REYES BASOALTO, Neftalí Ricardo (1904-1973).—Véase **Neruda, Pablo.**

REYNOSO, Oswaldo (1932-   ).—Narrador peruano. Pertenece a la generación del 50. Profesor de castellano. Como sus demás compañeros de generación, Reynoso se inclinó hacia el tema urbano y forjó su propio lenguaje con elementos del habla popular. Bajo el influjo de Dostoievsky y Kafka, escribió novelas que caracterizan su visión del Perú contemporáneo. "Reynoso sumó un valiosísimo enfoque propio sobre la pandilla juvenil, la 'collera', donde reinan la ingenuidad y la tristeza, pero también la violencia y la obscenidad" (C. E. Zavaleta). Su libro de cuentos *Los inocentes* fue titulado, en su segunda edición, *Lima en rock.*

OBRA PRINCIPAL: **Cuento.** *Los inocentes* (1954. *Lima en rock*). **Novela.** *En octubre no hay milagros* (1965); *El escarabajo y el hombre* (1970). [P.S.]

RIBA, Carles (1893-1959).—Poeta, narrador y ensayista español de expresión catalana. Estudió Derecho y Letras en la Universidad de Barcelona. A los dieciocho años publica una versión poética de las

ribera chevremont

Bucólicas, de Virgilio; en 1919, otra de la *Odisea*, de Homero. Residió en Italia, Grecia y Francia. Director de la Fundación Bernat Metge (1958-1959). Miembro de la Sección de Filología del Instituto de Estudios Catalanes. Profesor de Lengua Griega de la Universidad Autónoma de Barcelona. Imbuido de la cultura clásica. Carles Riba revive las esencias de la civilización grecolatina. Poesía de métrica estricta, derivó hacia una expresión simbolista, próxima al salmo, versicular y majestuosa. Riba fue considerado, en vida, uno de los maestros de la lengua catalana. Los jóvenes poetas españoles mantienen vivo el culto a su poesía siempre actual. OBRA PRINCIPAL: **Poesía.** *Primer llibre d'estances* (1919); *Estances. Llibre segon* (1930); *Tres suites* (1937); *Elegies de Bierville* (1943); *Del joc i del foc* (1946); *Salvatge cor* (1952); *Esbós de tres oratoris* (1957); *Poesies completes* (1965). **Narración.** *Les aventures d'en Perot Marrasquí* (1917); *Guillot, bandoler* (1920); *L'ingenu amor* (1924); *Sis Joans* (1928). **Ensayo.** *Escolis i altres articles* (1921); *Els marges* (1927); *Per comprendre* (1937); *...més els poemes* (1957); *Obres completes* (1965, 1967, 2 vols.) [P.S.]

RIBEIRO, Darcy (1922-   ).—Novelista, sociólogo, etnólogo y antropólogo brasileño. Trabajó en misiones oficiales relacionadas con el estudio de las culturas aborígenes y de los problemas que crea su integración. Fue uno de los organizadores de la Universidad de Brasilia. Fue ministro de Educación con Goulart. Vivió exiliado en Chile y México. OBRA PRINCIPAL: **Novela.** *Maira* (1981). **Estudios.** *El dilema de América Latina* (1968); *Fronteras indígenas de la civilización* (1970); *Los brasileños. Teoría del Brasil* (1972). [P.S.]

RIBERA CHEVREMONT, Evaristo (1896-1976).—Poeta puertorriqueño. Residió en España, becado por la Casa de España en Puerto Rico. En Madrid se vinculó a las vanguardias y al retornar a su país realizó una labor renovadora en las letras puertorriqueñas. "...El pulcro mundo poético de Ribera Chevremont revela el encuentro de una naturaleza pródiga en luz y color, los de su isla nativa, con una inquebrantable devoción por las fuentes más puras del idioma y el verso castellanos, según él mismo ha expresado" (José Olivio Jiménez). OBRA PRINCIPAL: **Poesía.** *El templo de los alabastros* (1919); *La copa de Hebe* (1922); *Los almendros del paseo de Covadonga*

ribeyro

(1928); *La hora del orífice* (1929); *Pajarera* (1929); *Tierra y sombra* (1930); *Color* (1938); *Tonos y formas* (1940); *Anclas de oro* (1945); *Barro* (1945); *Tú, mar, y yo y ella* (1946); *Verbo* (1947); *Creación* (1951); *La llama pensativa. Los sonetos de Dios, del Amor y de la Muerte* (1955); *Inefable orilla* (1961); *Memorial de arena* (1962); *Punto final* (1963); *El semblante* (1964); *Principio de canto* (1965); *Río volcado* (1968). [J.P.]

RIBEYRO, Julio Ramón (1929-   ).—Narrador y dramaturgo peruano. Pertenece a la generación del 50. Abordó inicialmente temas fantásticos con estilo pulcro y prosa trabajada. Después derivó hacia un realismo que —sin desdeñar la calidad formal— planteaba temas urbanos nacionales. Ribeyro sobresale como cuentista. *La palabra del mudo* recoge la totalidad de sus cuentos publicados. Reside en Francia.

OBRA PRINCIPAL: **Cuento.** *Los gallinazos sin plumas* (1955); *Cuentos de circunstancias* (1958); *Las botellas y los hombres* (1964); *Tres historias sublevantes* (1964); *Los cautivos* (1972); *El próximo mes me nivelo* (1972); *La palabra del mudo* (1973). **Novela.** *Crónica de San Gabriel* (1960); *Los geniecillos dominicales* (1965); **Teatro.** *Santiago el pajarero* (1959); *El último cliente* (1966); *Teatro* (1972). [P.S.]

RICARDO, Cassiano (1895-1974).—Nombre literario de Cassiano Ricardo Leite. Poeta, periodista, ensayista, abogado e historiador brasileño. Inicialmente de tendencia parnasiana y simbolista, se adhiere radicalmente al *Modernismo,* destacándose como líder del grupo nacionalista. En sus últimos años de vida demostró un inusitado interés por la poesía concreta. Miembro de la Academia Brasileña de Letras.

OBRA PRINCIPAL. **Poesía.** *Dentro da Noite* (1915); *A Frauta de Pá* (1917); *Vamos Caçar Papagaios* (1926); *Martim-Cererê* (1928); *Deixa Estar Jacaré* (1931); *Poemas Murais* (1950); *O Arranha-Céu de Vidro* (1956); *Jeremias sem Chorar* (1964). **Ensayo.** *A Academia e a Poesia Moderna* (1939); *Marcha para o Oeste* (1943); *22 e a Poesia de Hoje* (1962); *Reflexões sobre a Poética de Vanguarda* (1966). [M.L.M.]

RIDRUEJO, Dionisio (1912-1975).—Poeta, ensayista, dramaturgo y político español. Pertenece a la generación del 36. Militó en la Falange y combatió en Rusia, en la División Azul. A su regreso fundó y dirigió los primeros números de la revista "Escorial". Distanciado del régimen franquista vivió, confinado, primero en Ronda y luego en las proximidades de Barcelona. De su residencia en Cataluña data su bello libro en prosa *Dentro del tiempo*.

Profesor en universidades norteamericanas, Ridruejo escribió un libro —*Casi en prosa*— sobre su experiencia americana. Poeta civil, interesado siempre por los problemas de su época, derivó hacia posiciones socialdemócratas. Su obra es la biografía de un hombre agónico, vital, que vivió con desgarradora honestidad la crisis ideológica, estética y existencial de los años de posguerra. Entre el sonetista barroco y el poeta último —cronista, ascético, coloquial— no deja de percibirse la honda huella de Antonio Machado, de quien fuera alumno en Segovia. Ridruejo fue el primer intelectual español de posguerra que, en España, abogó por la reivindicación de Machado. Fue Premio Nacional de Literatura 1950.

OBRA PRINCIPAL: **Poesía.** *Plural* (1935); *Primer libro de amor* (1930); *Fábula de la doncella y el río* (1943); *Sonetos a la piedra* (1944); *Poesía en armas (campaña en Rusia)* (1944); *En la soledad del tiempo* (1944); *Casi en prosa* (1970). **Antologías poéticas. Recopilaciones.** *En once años* (1950); *Hasta la fecha* (1961); *122 poemas* (1967); *Poesía* (1976). **Teatro.** *Don Juan* (1944); *El pacto con la vida* (1944). **Prosa.** *Tiempo de reencarnar* (1958); *La Europa que se proyecta* (1958); *Dentro del Tiempo* (1960); *En algunas ocasiones* (1960); *Escrito en España* (1962); *España* (1963); *Cataluña* (1968); *Cuaderno de Roma* (1968); *Guía de Castilla la Vieja* (1968, 2 vols.). [P.S.]

RÍOS, Juan (1912-   ).—Poeta y dramaturgo peruano. Participó en la Guerra Civil española como voluntario en las milicias republicanas. Su teatro poético y su obra lírica expresan su cultura clásica y su "profunda pasión por la justicia, una decidida vocación por la belleza y una terca insistencia en la lucha por la libertad".

OBRA PRINCIPAL: **Poesía.** *Canción de siempre* (1941); *Malstrom* (1947, en francés); *Cinco poemas a la agonía* (1948); *Cinco cantos al destino del hombre* (1953). **Teatro.** *Don Quijote* (1946); *El reino sobre las tumbas* (1949); *Los bufones* (1949); *La selva* (1950); *Ayar Manko* (1952); *El fuego* (1958); *Los desesperados* (1960). [P.S.]

RÍOS RUIZ, Manuel (1934-   ).—Poeta español. Secretario de redacción de la revista "Nueva Estafeta". Premio Bécquer 1969.

risco bermúdez

Premio Boscán 1970. Premio Nacional de Literatura 1972. Premio Ciudad de Irún 1972. Premio Rafael Morales 1976. Premio Nacional de Poesía Flamenca 1978. Premio José María Lacalle 1978.

Su obra concilia el barroquismo y la tensión formal con una preocupación estética y ética por el destino de la tierra y del hombre andaluces.

OBRA PRINCIPAL: **Poesía.** *La búsqueda* (1963); *Dolor de Sur* (1969); *Amores con la tierra* (1970); *El oboe* (1972); *Los arriates* (1973); *Tiempo íntimo* (1975); *La paz de los escándalos* (1975); *Vasijas y deidades* (1977); *Razón, vigilia y elegía de Manuel Torre* (1978); *Los precios del jaramago* (1979); *Una inefable presencia* (1981). [P.S.]

RISCO BERMÚDEZ, René del (1937-1972).—Poeta dominicano de la Generación del 60. Combatió a la tiranía trujillista y estuvo preso en varias ocasiones. Portador de la frustración de una generación revolucionaria y sometida, murió en un accidente automovilístico.

OBRA: **Poesía.** *El viento frío* (1967). **Relato.** *En el barrio no hay banderas* (1973). [P.S.]

RIUS, Luis (1930-   ).—Poeta y ensayista mexicano, nacido en la provincia de Cuenca, España. Abogado, doctor en letras, catedrático de literatura española en la UNAM. Como poeta recrea los temas del amor, la soledad y la esperanza. Como ensayista ha escrito estudios sobre la obra de los poetas León Felipe, Pedro Garfias y Carlos Pellicer.

OBRA: **Poesía.** *Canciones de vela* (1951); *Canciones de ausencia* (1954); *Canciones de amor y sombra* (1965); *Canciones a Pilar Rioja* (1968). **Ensayo.** *El mundo amoroso de Cervantes y sus personajes* (1954). [C.T.]

RIVAROLA MATTO, José María (1917-   ).—Novelista y dramaturgo paraguayo. Su obra, provista de un singular sentido del humor, constituye una valiosa contribución al teatro paraguayo de los años sesenta. Premio de Radio Cháritas en 1965 por *La cabra y la flor* (drama).

OBRA PRINCIPAL: **Novela.** *El follaje en los ojos* (1952). **Teatro.** *El fin de Chipí González* (1965); *La cabra y la flor* (1965). [L.F.]

RIVERA, Pedro (1939-   ).—Poeta y cuentista panameño. Miembro del Grupo Experimental de Cine Universitario. Presidente de la Unión de Escritores de Panamá. Su poesía se distingue por un armonioso equilibrio entre su vocación testimonial y su expresión lírica de notables hallazgos lingüísticos. Su único libro de cuentos reúne trece piezas de técnica moderna, estilo ágil y de temática variada.
OBRA: **Poesía.** *Las voces del dolor que trajo el alba* (1958); *Despedida del hombre* (1961); *Mayo en el tiempo* (19); *Los pájaros regresan de la niebla* (19). **Cuento.** *Peccata minuta* (1970). [P.S.]

RIVERA, Tomás (1935-   ).—Cuentista y ensayista, nacido en Crystal City, Texas (USA). Pertenece al grupo "El Movimiento", ola de protesta social mexicano-americana de los años sesenta, Rivera ha superado el realismo y el compromiso social sin dejar de reflejar la segregación y el aislamiento social y cultural de las comunidades hispanoparlantes del sudoeste norteamericano.
Fuertemente influido por la literatura del "profundo sur", por una parte, y por la mexicana por otra, Rivera pertenece a la corriente "latinoamericanista" de la narrativa chicana. Escribe en español y sus obras pueden entroncar con la literatura mexicana, con la particularidad de que en ellas aparecen las notas de aislamiento y transparenta un medio ajeno y hostil, propios de la cultura chicana.
Su obra más importante *... Y no se lo tragó la tierra/ ...And the earth did not part* (1970), es una colección de catorce cuentos ambientados en un pueblo de Texas y unidos por un personaje común: un niño que ve, oye y recuerda todo lo que se narra.
El resto de la obra de Rivera se encuentra sin recopilar. Son célebres su cuento *El Pete Fonseca* y su ensayo breve *Into the labyrinth: the chicano in literature.*
OBRA PRINCIPAL: **Cuento.** *... Y no se lo tragó la tierra* (1970). [P.S.]

RIVERO, Mario (1935-   ).—Poeta colombiano. Mantuvo una relación tangencial con el grupo nadaísta. "Es el introductor más consciente del tema de la ciudad, de su vida cotidiana y sus expresiones culturales". Su obra registra cosas, situaciones, recuerdos, expresiones, episodios corrientes. Rivero parte de la observación de los hechos triviales para transformarlos luego en poemas caracterizados por la densidad lingüística y el asombro.

OBRA: **Poesía.** *Poemas urbanos* (1966); *Noticiario 67* (1968); *Vivo todavía* (1973); *Baladas (sobre ciertas cosas que no se pueden nombrar)* (1975). [P.S.]

ROA, Raúl (1909-   ).—Ensayista y político cubano. Profesor de Historia de las Doctrinas Políticas y Sociales en la Universidad de La Habana. Ex ministro de Relaciones Exteriores. En su obra ensayística sobresalen los esbozos biográficos y críticos de la obra de José Martí.
OBRA PRINCIPAL: **Artículos.** *Bufa subversiva* (1936). **Ensayo.** *Quince años después* (1950); *En pie* (1959); *Una semilla en un surco de fuego* (1934); *Historia de las doctrinas sociales* (1949). [J.P.]

ROA BASTOS, Augusto (1917-   ).—Escritor paraguayo. Poeta, cuentista, novelista, autor teatral, ensayista, periodista y guionista cinematográfico. Vivió exiliado en la Argentina desde 1947. Miembro del grupo del 40. Corresponsal de guerra en la Segunda Guerra Mundial; participó en la Guerra del Chaco (1932-1935). Profesor de literatura y de guión de cine en la Ciudad de La Plata (Argentina), en la actualidad es profesor visitante en la Universidad de Toulouse (Francia). Primer Premio del Concurso Internacional de Novela de la Editorial Losada, 1959, por *Hijo de hombre;* Primer Premio de la Municipalidad de Buenos Aires (bienio 1960-1962, por *Hijo de hombre*); Faja de Honor de la Sociedad Argentina de Escritores (1961); Giove Capitolino d'Argento como guionista (Certamen Internacional de Cine Latinoamericano de Roma, 1961-1966); Premio al mejor guión del cine argentino (1960), por *Shunko;* Premio al mejor guión cinematográfico de Santa Margarita (Italia, 1961-1962, por *Alias Gardelito).* Reside en Francia.
OBRA PRINCIPAL: **Poesía.** *El naranjal ardiente* (1960); *El génesis de los Apapokuva* (1970). **Teatro.** *Mientras llega el día* (escrita en colaboración con Fernando Oca del Valle, estrenada en 1946). **Cuento.** *El trueno entre las hojas* (1953); *El baldío* (1966); *Moriencia* (1969); *El pollito de fuego* (1974); *Lucha hasta el alba* (1979). **Novela.** *Hijo de hombre* (1960); *Yo el Supremo* (1974). **Films.** *Hijo de hombre* (comercializada con el título de *La sed,* 1960); *Shunko* (1960); *Alias Gardelito* (1961); *Don Segundo Sombra* (1970). [L.F.]

ROBLETO, Hernán (1892-1969).—Escritor nicaragüense. Poeta, novelista, cuentista, periodista. Desempeñó cargos en el Departamento de Cultura. Fundó los diarios "El Imparcial", "Novedades" y "La Flecha". Vivió exiliado en México.

rodrigues

OBRA PRINCIPAL: **Novela.** *Sangre en el trópico* (1930); *Los estrangulados* (1933); *Brújulas fijas* (1961). **Narraciones y crónicas.** *Una mujer en la selva* (1936); *Primavera en el hospital; Don Otto y la niña Margarita; La mascota de Pancho Villa* (narraciones) (1934); *Obregón, Toral y la Madre Conchita* (reportaje) (1935); *Crímenes célebres* (reportaje); *Cuentos de perros* (1943); *Almas y rascacielos, Color y calor de España, París, Roma, Milán y Venecia.* **Teatro.** *La rosa del paraíso; El milagro; La señorita que arrojó el antifaz; Dramas nicaragüenses; El vendaval; Cárcel criolla* (1955). **Poesía.** *Lejanías; Nido de memorias; La cruz de la ceniza* . [C.T.]

ROBLETO, Octavio (1935-   ).—Poeta nicaragüense. Estudió la carrera de Derecho en la Universidad de León. Ha trabajado en el Departamento de Cultura de la Universidad Nacional, en Managua.
OBRA PRINCIPAL: **Poesía.** *Vacaciones del estudiante* (1964); *Enigma y esfinge* (1965). [C.T.]

RODOREDA, Mercè (1909-   ).—Narradora española de expresión catalana. Al caer la Segunda República se exilia en Francia. En 1954 se establece en Ginebra. Los personajes de sus novelas, incapaces de amar, viven el drama de la incomunicación y ellos pueblan un mundo sensual, fluctuante entre la realidad y el sueño. Su prosa es densamente lírica. Sus obras cimeras: *La plaça del Diamant* y *Mirall trencat.* Premio Crexells 1937. Premio Victor Catalá 1957. Premio Sant Jordi 1966. Premio Ramón Llull 1969. Premio de la Crítica 1980. Premi d'Honor de les Lletres Catalanes 1980.
OBRA PRINCIPAL: **Cuento.** *Vint-i-dos contes* (1957); *La meva Cristina i altres contes* (1967). **Novela.** *Sóc una dona honrada?* (1932); *Del que hom no put fugir* (1934); *Un dia en la vida d'un home* (1934); *Crim* (1936); *Aloma* (1937); *La plaça del Diamant* (1962); *El carrer de les camélies* (1966); *Jordi vora el mar* (1967); *Mirall trencat* (1974); *Viatges i flors* (1980); *Quanta, quanta guerra* (1980). [P.S.]

RODRIGUES, Armindo (1904-   ).—Poeta portugués. Se licenció en Medicina y ejerce la actividad profesional en Lisboa. Estuvo ligado al movimiento neorrealista y fue colaborador de varias publicaciones, entre ellas "O Diabo" e "Vértice".
OBRA PRINCIPAL: **Poesía.** *Voz Arremessado ao Caminho* (1943); *Romanceiro* (1943); *Encada Instante cabe o Mundo* (1945); *A Esperança Desesperada* (1938); *Cantigas de Circunstância* (1948);

363

rodrigues

As Sete Luas do Poeta Gomes Leal (1948); *Retrato de Mulher* (1950); *Beleza Prometida* (1950); *Dez Odes ao Tejo* (1951); *A Paz Inteira* (1954), etc.

RODRIGUES, Nelson (1912-1980).—Nombre artístico de Nelson Falcão Rodrigues. Otros seudónimos: Suzana Flag y Mirola. Periodista, cuentista, novelista y dramaturgo brasileño. Abrió nuevos caminos para la dramaturgía brasileña. A partir de su obra *Vestido de Noiva* (1943), es considerado gran innovador tanto a nivel de la temática como de la técnica. Planteó por primera vez la problemática psicológica y puso de relieve el tema de la sexualidad. Su obra se inscribe en la línea realista, retratando tipos y mitos populares de las grandes ciudades. Diversas obras suyas fueron llevadas al cine, por ejemplo, *Boca de Ouro* (1959) y *Toda Nudes Será Castigada* (1965).
OBRA PRINCIPAL: **Teatro.** *A Mulher sem Pecado* (1941); *Vestido de Noiva* (1943, bajo la dirección de Ziembinski); *Album de Família* (1945); *A Falecida* (1953); *Senhora dos Afogados* (1955); *Perdoa-me por me Traires* (1957); *Viúva porém Honesta* (1957); *Os 7 Gatinhos* (1958); *Boca de Ouro* (1959); *Beijo no Asfalto* (1960); *Bonitinha mas Ordinária* (1961); *Toda Nudez será Castigada* (1965); *Anti-Nelson Rodrigues* (1974). **Novela.** *O Casamento* (1966). **Cuentos.** *A Vida como Ela E* (1961). [M.L.M.]

RODRIGUES, Urbano Tavares (1923-   ).—Novelista portugués. Nació y pasó su adolescencia en el Alemtejo, provincia que inspiró algunas de sus mejores novelas. Licenciado en Filología Románica por la Universidad de Lisboa, fue durante varios años lector de portugués en Montpelier y en la Sorbonne. De regreso a Lisboa, es nombrado ayudante de la Facultad de Letras, cargo que se ve obligado a abandonar por motivos políticos. Se dedica entonces al periodismo. Después del 25 de abril 1974, pasó a ser profesor extraordinario de la misma Facultad, donde prepara una tesis de doctorado sobre el escritor y político de principios de siglo, Manuel Teixeira Gomes, uno de los literatos portugueses que más se han interesado y más han escrito sobre España. Escritor cosmopolita, su obra sufre influencias del existencialismo francés y de un realismo tradicional.
OBRA PRINCIPAL: **Ficción.** *A Porta dos Limites,* cuentos y novelas (1952); *Vida perigosa,* novelas (1955); *A Noite Roxa,* novelas (1956); *Bastardos do Sol,* novela (1959); *As Aves da Madrugada,* novelas (1959); *Imitação da Felicidade,* novelas (1966); *Desta Agua Beberei,* novela (1979), etc. **Ensayo.** *Présentation de*

rodríguez alcalá

Castro Alves (1954); *O Mito de Don Juan e o Donjuanismo em Portugal* (1960); *O Romance Francês Contemporâneo* (1964); *Ensaios de Após-Abril* (1977), etc.

RODRÍGUEZ, Argenis (1935-   ).—Narrador venezolano. Su obra satiriza la vida de los diplomáticos hispanoamericanos en Europa y ataca la fatuidad de los escritores profesionales. Rodríguez es uno de los exponentes del realismo crítico en Venezuela. Participó en la lucha guerrillera de los años sesenta, que abandonó desilusionado. Esta experiencia se refleja en alguna de sus obras.
OBRA: **Relato.** *Sin cielo y otros relatos* (1962); *Entre las breñas* (1964); *Donde los ríos se bifurcan* (1965). **Novela.** *El tumulto* (1960); *Lá fiesta del embajador* (1969); *Gritando su agonía* (1970). [J.P.]

RODRÍGUEZ, Claudio (1934-   ).—Poeta español, miembro de la generación del 50. Licenciado en Filosofía y Letras por la Universidad de Madrid. Lector de español en las universidades inglesas de Nottingham y de Cambridge. Premio Adonais 1953, por su libro *Don de la ebriedad.* La voz más personal de su generación. La poesía de Claudio Rodríguez expresa el anhelo místico del poeta por trascender la realidad que canta.
OBRA PRINCIPAL. *Don de la ebriedad* (1953); *Conjuros* (1958); *Alianza y condena* (1958); *El vuelo de la celebración* (1976); *Antología poética* (1981). [P.S.]

RODRÍGUEZ, Yamandú (1891-1957).—Poeta, narrador y autor dramático uruguayo. Su obra gozó de gran aceptación popular. Narrador nato, su visión del campo es exterior a él, pues vivió casi siempre en Montevideo; sin embargo la creación de personajes y su capacidad de fabulación resaltan por su riqueza.
OBRA PRINCIPAL: *Aires de campo* (1913); *1810* (1919); *El matrero* (1919); *Bichito de luz* (1925); *Cansancio* (1927); *Cimarrones* (1933); *Humo de marlo* (1944); *Poesías completas* (1953). [H.C.]

RODRÍGUEZ ALCALÁ, Hugo (1917-   ).—Poeta, cuentista y crítico literario paraguayo. Miembro del grupo del 40, considerado como la vanguardia literaria en el Paraguay. Doctor en Letras y Doctor en Derecho. Profesor de literatura hispanoamericana en uni-

rodríguez álvarez

versidades norteamericanas. Actualmente ejerce su magisterio en la Universidad de California, Riverside. Su cuento "Cajón sangrando sobre el arcoiris" ha sido publicado en numerosas antologías. Combatió en la Guerra del Chaco. OBRA PRINCIPAL: **Poesía.** *Estampas de la guerra* (1938); *Abril que cruza el mundo* (1961); *El canto del aljibe* (1973). **Crítica.** *Historia de la literatura paraguaya* (1971); *Narrativa hispanoamericana* (1973). [L.F.]

RODRÍGUEZ ÁLVAREZ, Alejandro (1903-1965).—Véase CASONA, Alejandro.

RODRÍGUEZ CASTILLOS, Osiris (1932-   ).—Poeta uruguayo. Su carácter de autor e intérprete de textos para canto y guitarra lo coloca en una situación de privilegiada comunicación con el público. Su poesía se nutre de un *criollismo* auténtico que nada tiene que ver con lo pintoresco. OBRA PRINCIPAL: *Grillo nochero* (1955); *Cantos del Sur y del Norte* (1963). [H.C.]

RODRÍGUEZ DEMORIZI, Emilio (1908-   ).—Ensayista dominicano. Su obra es de importancia capital para el estudio de las ideas políticas y el examen de la historia social de la República Dominicana. Miembro de la Academia Dominicana de la Lengua. OBRA: **Ensayo.** *Dominicanidad de Pedro Henríquez Ureña* (1947); *Papeles de Espaillat* (1963); *Papeles de Pedro F. Bonó* (1965). [P.S.]

RODRÍGUEZ MACAL, Virgilio (1916-1964).—Cuentista y novelista guatemalteco. Colaboró en las publicaciones literarias y periodísticas más prestigiosas. Su obra se acerca a las tradiciones y temas populares. OBRA PRINCIPAL: **Novela.** *La mansión del pájaro serpiente* (1951); *Carazamba* (1953); *Jinayá* (1956); *Negrural* (s/f); *El mundo del misterio verde* (1963); *Guayacán* (1962). **Cuento.** *Lencho Castañeda. Sangre y clorofila* (1956). [C.T.]

RODRÍGUEZ MONEGAL, Emir (1921-).—Ensayista y crítico uruguayo. A mediados de siglo encabezó una corriente literaria intelectualista y cosmopolita al fundar la revista "Número" y como director de las páginas literarias de "Marcha". Contribuyó a la valorización de autores como Onetti y Borges, y se pronunció contra el compromiso político en literatura. Su línea crítica es sobre todo biográfico-estilística. Al agudizarse la crisis en Uruguay sale al exterior donde comienza su carrera internacional, primero como director de la revista "Mundo Nuevo", en París, y luego en las Universidades de Harvard, Liverpool y actualmente Yale.

OBRA PRINCIPAL: *El juicio de los parricidas* (1956); *Raíces de Horacio Quiroga* (1961); *Narradores de esta América* (1962); 2.ª ed. 2 vol. 1969-1974; *El viajero inmóvil: introducción a Pablo Neruda* (1966); *El arte de narrar* (1968); *El desterrado: vida y obra de Horacio Quiroga* (1968); *Vínculo de sangre* (1968); *Borges par lui-même* (1970); *El boom de la novela latinoamericana* (1972); *Borges, hacia una lectura poética* (1976). [H.C.]

ROJAS, Ángel F[elicísimo] (1909-).—Novelista y crítico ecuatoriano. Profesor de la Facultad de Leyes de la Universidad de Guayaquil. Rojas es un poeta que escribe novelas. Irónico, utópico, profético, ha escrito una novela fantástica: *El éxodo de Yangana.* En ella describe, con estilo bíblico, la migración de una comunidad que, huyendo de la persecución, se establece en el corazón de la Amazonia para fundar una república platónica.

OBRA PRINCIPAL: **Novela.** *Un idilio bobo* (1946); *El éxodo de Yangana* (1949). **Cuento.** *Banca* (1938). **Crítica.** *La novela ecuatoriana* (1948). [P.S.]

ROJAS, Carlos (1928-).—Narrador y ensayista español. Doctor en Filosofía y Letras. Profesor en universidades norteamericanas. Inicialmente inscrita en la corriente de la novela "metafísica", su obra ha derivado hacia un modo especial de fabulación. Utiliza personajes, documentos y textos de historia para crear un universo novelesco próximo a la sátira y a la política-ficción. Premio Ciudad de Barcelona (1958); Premio Nacional de Literatura (1968); Premio Planeta (1973); Premio Ateneo de Sevilla (1977).

OBRA PRINCIPAL. **Novela.** *De barro y de esperanza* (1957); *El futuro ha comenzado* (1958); *El asesino del César* (1959); *Las llaves del infierno* (1962); *La ternura del hombre invisible* (1963); *Adolfo Hitler está en mi casa* (1965); *Auto de fe* (1968); *Aquelarre* (1970);

rojas

Azaña (1973); *Mein Fuhrer, Mein Fuhrer* (1975); *Memorias inéditas de José Antonio Primo de Rivera* (1977); *El valle de los caídos* (1978); *El Ingenioso hidalgo y poeta Federico García Lorca asciende a los infiernos* (1980). **Ensayo.** *Un escándalo llamado Nixon* (1974); *La Guerra Civil vista por los exiliados* (1974); *Los dos presidentes: Azaña y Companys* (1976); *Picasso y Machado. Vida y muerte en el exilio* (1977); *Prieto y José Antonio. Socialismo y Falange ante la tragedia civil* (1977); *Retratos antifranquistas* (1977); *Unamuno y Ortega: Intelectuales ante el drama* (1977); *La Guerra en Catalunya* (1979). [P.S.]

ROJAS, Gonzalo (1917-   ).—Poeta chileno. Pertenece a la generación de 1938. Admirador de Huidobro y Neruda, fue miembro del Grupo Mandrágora, de filiación superrealista. Su obra revela una posición ética y solidaria, unida a una expresión lírica muy personal. Actualmente es profesor en la Universidad Simón Bolívar, de Caracas.

OBRA PRINCIPAL: *La miseria del hombre* (1948); *Contra la muerte* (1964); *Oscuro* (1977); *Transtierro. (Versión antológica: 1936-1978)* (1979); *Del relámpago* (1981). [P.S.]

ROJAS, Jorge (1911-   ).—Poeta colombiano. Uno de los fundadores del movimiento "Piedra y cielo", que vinculó la moderna poesía colombiana con la lírica de Juan Ramón Jiménez. Artífice de la forma, su estética idealista tiende a la trascendencia. Miembro de la Academia Colombiana de la Lengua. Premio Nacional de Poesía "Guillermo Valencia", 1965. Ha realizado traducciones impecables de Paul Valéry.

OBRA: **Poesía.** *La forma de su huida* (1939); *Rosa de agua* (1948); *Soledades I* (1948); *Soledades II* (1954); *Obras completas* (1978). [J.P.]

ROJAS, Manuel (1896-1972).—Narrador, poeta y ensayista chileno, nacido en la Argentina. Pertenece a la generación chilena del 27. Vivió en Buenos Aires hasta los veintisiete años. En 1924 se radicó en Chile. De familia humilde, desempeñó diversos oficios para poder sobrevivir. Autodidacto, sus lecturas preferidas fueron Horacio Quiroga, Hemingway y, sobre todo, Faulkner, cuya honda huella se percibe en la obra novelística de Rojas.

En 1951 renovó la narrativa chilena con la publicación de su célebre novela *Hijo de ladrón*. Esta señala —a juicio de Fernando

rojas guardia

Alegría— "el fin del viejo criollismo chileno y el comienzo de nuevas formas de novelar". Luego, Rojas incorporaría la forma tradicional de la novela picaresca española.

De estilo sobrio, manejó con maestría el lenguaje coloquial y amplió las fronteras del realismo mediante el monólogo interior y la dislocación del tiempo narrativo. La fatalidad, la miseria, el desamparo, son temas recurrentes en su obra narrativa. Sus personajes arraigados, marginales y contradictorios anuncian ya la irrupción del existencialismo en la novelística chilena de la generación del 50.

Es muy conocida su trilogía *Hijo de ladrón, Sombras contra el muro* y *Mejor que el vino.* Premio Atenea 1929. Premio Nacional de Literatura. 1957.

OBRA PRINCIPAL: **Poesía.** *Poéticas/ Tonada del transeúnte/ Deshecha rosa.* **Ensayo.** *De la poesía a la revolución* (1938); *El árbol siempre verde* (1960); *Historia breve de la literatura chilena* (1965). **Cuento.** *Hombres del sur* (1926); *El delincuente* (1929); *La ciudad de los césares* (1936); *El bonete maulino* (1943); *El hombre de la rosa* (1963). **Novela.** *Lanchas de la bahía* (1932); *Travesía* (1934); *Hijo de ladrón* (1951); *Mejor que el vino* (1958); *Punta de rieles* (1960); *Sombras contra el muro* (1964). [P.S.]

ROJAS GONZÁLEZ, Francisco (1904-1951).—Escritor mexicano de tendencia indigenista. Ha escrito novelas de gran penetración psicológica, pero su verdadera capacidad se manifiesta en el cuento. Alterna los temas rurales con los urbanos. *El diosero* es su libro de cuentos más maduro. Este libro inspiró la película *Raíces.* Premio Nacional de Literatura 1944.

OBRA PRINCIPAL: **Cuento.** *Historia de un frac* (1930);*...y otros cuentos* (1931); *El pajareador, ocho cuentos* (1934); *Sed, pequeñas novelas* (1937); *Chirrín, la celda 18* (1944); *Cuentos de ayer y de hoy* (1946); *La última aventura de Mona Lisa* (1949); *El diosero* (1952). **Novela.** *La negra Angustias* (1944); *Lola Casanova* (1947). [C.T.]

ROJAS GUARDIA, Pablo (1909-   ).—Poeta venezolano. Formó parte del grupo "Viernes" y de la revista vanguardista "Elite". Su obra aporta a la lírica venezolana elementos telúricos, superrealistas y proféticos.

OBRA: **Poesía.** *Desnuda intimidad* (1937); *Acero signo* (1937); *Clamor de que me vean* (1941); *Trópico lacerado* (1945); *Algo del mar y del pan caliente* (1968); *Espejos de noviembre para sueños de abril* (1970). [J.P.]

rojas herazo

ROJAS HERAZO, Héctor (1923-   ).—Narrador, poeta y pintor colombiano. Tanto en sus novelas como en su poesía, la desolación y los vestigios de un mundo en ruinas constituyen una presencia trágicamente hermosa. Rojas Herazo amenaza —como él suele decir— con el nacimiento de una "metafísica subdesarrollada". Reside en Madrid.

OBRA: **Poesía.** *Rostro en la soledad* (1951); *Tránsito de Caín* (1952); *Desde la luz preguntan por nosotros* (1956); *Agresión de las formas contra el ángel* (1961). **Novela.** *Respirando el verano* (1962); *En noviembre llega el arzobispo* (1967). **Antología.** *Señales y garabatos del habitante* (1976). [J.P.]

ROJAS PAZ, Pablo (1896-1956).—Narrador y ensayista argentino. Fue director fundador de la revista ultraísta *Proa*, junto con Borges, Güiraldes y Brandán Caraffa. En el terreno del ensayo prefirió la intuición poética y se interesó por la problemática de la nacionalidad.

OBRA PRINCIPAL: *Paisajes y meditaciones* (1924); *La metáfora y el mundo* (1926); *El perfil de nuestra expresión* (1929); *El libro de las tres manzanas* (1933); *Alberdi, el ciudadano de la soledad* (1941); *Echeverría, pastor de soledades* (1952); *Los cocheros de San Blas* (1950); *Mármoles bajo la lluvia* (1956). [H.S.]

ROKHA, Pablo de (1894-1968).—Seudónimo de Carlos Díaz Loyola. Poeta chileno. Director de la revista "Multitud". Espíritu prometeico, temperamento anárquico, polemista. Su poesía volcánica, versicular y tempestuosa eliminó signos de puntuación, abordó temas políticos y abusó del gesto y del insulto. Su animadversión en contra de Neruda estimuló gran parte de su obra. *Neruda y yo* y *Tercetos dantescos a Casiano Basualto* constituyen prueba de su estilo virulento. A veces, su voz apocalíptica se apacigua y desciende, paradójicamente, de tono y adquiere acentos de ternura. Premio Nacional de Literatura 1965.

OBRA PRINCIPAL: **Poesía.** *Versos de infancia* (1916); *Los gemidos* (1922); *Cosmogonía* (1927); *U* (1927); *Satanás* (1927); *El canto de hoy* (1929); *Canto de trinchera* (1933); *Jesucristo* (1933); *Los trece* (1935)); *Oda a la memoria de Máximo Gorki* (1936); *Moisés* (1937); *Gran temperatura* (1937); *Cinco cantos rojos* (1938); *Morfología del espanto* (1942); *Canto al Ejército Rojo* (1944); *Los poemas continentales* (1945); *Acero de invierno* (1961); *Epopeya de las comidas y bebidas de Chile y Canto del Macho Anciano* (1965). **Prosa.** *Heroismo sin alegría* (1926); *Interpretación dialéctica de*

América (1948); *Arenga sobre el arte* (1949); *Neruda y yo* (1956). [P.S.]

ROMERO, Alberto (1896-   ).—Narrador chileno. Escritor criollista caracterizado por su "observación minuciosa y melancólica de los arrabales chilenos, del hogar de la clase media tanto como del conventillo proletario" (Fernando Alegría). OBRA PRINCIPAL: Novela. *Memorias de un amargado* (1918); *Soliloquios de un hombre extraviado* (1925); *Un infeliz* (1927); *La tragedia de Miguel Orozco* (1929); *La mala estrella de Perucho González* (1935). [P.S.]

ROMERO, Elvio (1927-   ).—Poeta paraguayo. Por su edad pertenece al grupo del 50, pero formó parte del grupo del 40, al lado de Josefina Plá, Roa Bastos y Campos Cervera. De origen campesino, su formación literaria se basa en lecturas de poetas modernistas y clásicos españoles. Se vincula al escritor Julio Correa, de quien recibe benéfica influencia. Romero es un poeta de fuerte acento social. En 1947, debido a la guerra civil, se exilia en la Argentina donde se vincula a círculos de poetas. Su obra ha sido respaldada y elogiada por Gabriela Mistral, Miguel Angel Asturias, Rafael Alberti y Nicolás Guillén. OBRA PRINCIPAL: Poesía. *Días roturados* (1948); *Resoles áridos* (1950); *Despiertan las fogatas* (1935); *El sol bajo las raíces* (1955); *De cara al corazón* (1961). [L.F.]

ROMERO, Emilio (1917-   ).—Novelista, dramaturgo, ensayista y poeta español. Periodista, ante todo. Fue Director de la Escuela Oficial de Periodismo. Director de los diarios "Pueblo" y "El Imparcial". Colabora en "Interviú" y "Ya". Escritor polémico de prosa ágil y gran vuelo imaginativo. Premio Planeta 1957. Ha realizado versiones de Georg Büchner, Bertolt Brecht, Mario Fratti y Eduardo Bourdet. OBRA PRINCIPAL: Novela. *La paz empieza nunca* (1957); *El vagabundo pasa de largo* (1959); *Todos morían en casa Manchada* (196?). Teatro. *Historias de media tarde* (1963); *Las personas decentes me asustan* (1964); *Sólo Dios puede juzgarme* (1969); *Lola, su novio y yo* (1970). Ensayo. *La conquista de la libertad* (1948); *Los pobres del mundo desunidos* (1950); *El futuro de España nace un poco todos los días* (1961). Artículos. *Juego limpio* (1962); *Cartas a un príncipe* (1967); *Los gallos de Emilio Romero* (1968);

romero

Cartas pornopolíticas (197?); *El discreto impertinente* (1980). **Poesía.** *Versos secretos y prosas canallas* (1981). [P.S.]

ROMERO, José Rubén (1890-1952).—Escritor mexicano. Tomó parte en la revolución maderista; después se dedicó al comercio. Diputado al Congreso Constituyente en 1917. Funcionario de la Secretaría de Relaciones Exteriores. Cónsul General en Barcelona durante la Guerra Civil Española. Miembro de la Academia Mexicana de la Lengua. La característica sobresaliente de su obra es su regionalismo matizado por un agudo sentido del humor que propende a la caricatura y por una descripción amable de la vida provinciana. Su novela *La vida inútil de Pito Pérez* fue llevada al cine.

OBRA PRINCIPAL: *Cuentos rurales* (1915); *Apuntes de un lugareño* (1932); *El pueblo inocente* (1934); *Desbandada* (1934); *Mi caballo, mi perro y mi rifle* (1936); *La vida inútil de Pito Pérez* (1938); *Anticipación a la muerte* (1939); *Una vez fui rico* (1939); *Semblanza de una mujer* (1941); *Breve historia de mis libros* (1942); *Algunas cosillas de Pito Pérez que se me quedaron en el tintero* (1945); *Rosenda* (1946). [C.T.]

ROMERO, Luis (1916-   ).—Narrador, poeta e historiador español de expresión bilingüe: castellano y catalán. Miembro de la Hispanic Society of America. Especializado en el tema de la guerra civil, colabora en la revista "Historia y Vida". Premio Nadal 1951. Premio Planeta 1963. Conocedor de las técnicas contemporáneas del arte de narrar, Romero une, a su dominio estilístico, la visión crítica de la realidad social española.

OBRA PRINCIPAL. **Poesía.** *Cuerda tensa* (1950). **Novela.** *La noria* (1952); *Carta de ayer* (1953); *Las viejas voces* (1955); *Los otros* (1956); *La Noche Buena* (1960); *El cacique* (1963). **Relato.** *La finestra* (1956); *El carrer* (1959). **Cuento.** *Esas sombras del trasmundo* (1957); *Tudá* (1957). **Testimonio.** *Tres días de julio* (1967); *Desastre en Cartagena* (1967); *El final de la guerra* (1976). [P.S.]

ROMERO DE NOHRA, Flor (1933-   ).—Escritora colombiana. Novelista y periodista. Fundadora y directora de la revista "Mujer". Es coautora del libro *Mujeres en Colombia*. Colaboradora en "El Espectador" y en "El Tiempo", de Bogotá. Sus novelas constituyen la crónica desgarrada y poética de la realidad colombiana, agitada

por la violencia y el asesinato. Premio literario Esso 1964. Premio Ateneo de Sevilla 1978.
OBRA, PRINCIPAL: **Novela.** *3 kilates, 8 puntos* (1964); *Mi Capitán Fabián Sicachá* (1968); *Triquitraques del trópico* (1972); *Los sueños del poder* (1978). [P.S.]

ROMERO JAÉN, José Iván (1938-   ).—Véase OVIERO, Ramón.

ROMUALDO, Alejandro (1926-   ).—Poeta peruano. Vinculado a España, a su historia y a su cultura, Romualdo publicó *España elemental* y compuso un homenaje a San Juan de la Cruz titulado "Canciones de un cazador herido". Admirador de Vallejo, deriva hacia una poesía testimonial, cuyo ejemplo es el celebrado poema "Canto coral a Túpac Amaru". Después, Romualdo ha ido renovándose hacia una estética muy personal que combina elementos de la cultura *pop.* la técnica del *collage* y la acumulación de signos representativos de la sociedad de consumo. A esta etapa pertenece el poema "El Movimiento y el sueño". Premio Nacional de Poesía 1949. Expulsado por el gobierno del general Odría, Romualdo, vivió, exiliado, en México.
OBRA PRINCIPAL: **Poesía.** *Poesía. 1945-1954* (1954. Contiene: *La torre de los alucinados* (1945-1949); *Mar de fondo* (1951-1952); *España elemental* (1952); *Poesía concreta* (1952-1954)]; *Como Dios manda* (1967); *El movimiento y el sueño* (1971); *Cuarto mundo* (1972); *En la extensión de la palabra* (197?). [P.S.]

ROSA, Antonio Ramos (1924-   ).—Poeta portugués. Autodidacto, trabajó como oficinista, traductor, etc. Co-dirigió tres importantes revistas de poesía: "Arvore", "Cassiopeia" y "Cadernos do Meio Dia". Se reveló en una época en que estaba bajo el influjo de múltiples tendencias literarias. Ramos Rosa escapa sin embargo a cualquier definición.
OBRA PRINCIPAL: **Poesía.** *O Grito Claro* (1958); *Viagem Através duma Nebulosa* (1960); *Voz Inicial* (1961); *Sobre O Rosto da Terra* (1961); *Ocupação do Espaço* (1963); *Estou Vivo e Escrevo Sol* (1966); *Nos Seus Olhos de Silêncio* (1970); *Não Posso Adiar o Coração* (1974); *Ciclo de Cavalo* (1975); *Boca Incompleta* (1977); *A Nuevem Sobre a Página* (1978), etc. **Ensayo.** *Poesía, Liberdade Libre* (1962). [M.V.]

ROSA, João Guimarães (1908-1967).—Cuentista, novelista y diplomático brasileño. Su novela más importante *Grande Sertão: Veredas* (1956) marca un hito en la literatura brasileña. Revoluciona la estructura de la novela, rompiendo la frontera entre la narrativa y la lírica. Plantea el problema del lenguaje como tema central del texto. La musicalidad del habla sertaneja, exhaustivamente investigada por el autor, es elemento fundamental de su obra. Sus historias son fábulas que revelan una visión global de la existencia. Se nutre de las viejas tradiciones que dieron origen a las gestas caballerescas feudales, la convivencia de lo sagrado y de lo demoníaco. Opta por la narrativa mitopoética, que tiene como tema central: el yo/héroe y el mundo. Durante tres días perteneció a la Academia Brasileña de Letras. Fue traducido a todos los idiomas cultos. Su novela *Grande Sertão: Veredas* fue llevada al cine con el nombre de *Grande Sertão* en 1965, así como su cuento *A Hora e a Vez de Augusto Matraga (Sagarana, 1946)*, en 1966.

OBRA PRINCIPAL: **Cuentos.** *Sagarana* (1946); *Corpo de Baile* (1956); *Primeiras Estórias* (1962); *Tutaméia: Terceiras Estórias* (1967); *Estas Estórias* (póstumo) (1969). **Novela.** *Grande Sertão: Veredas* (1956). [M.L.M.]

ROSALES, Luis (1910-   ).—Poeta, ensayista y crítico literario español. Pertenece a la generación del 36. Licenciado en Filología por la Universidad de Madrid. Miembro de la Hispanic Society y de la Real Academia de la Lengua. Premio Nacional de Poesía 1949. Premio Mariano de Cavia 1961. Premio Nacional de Ensayo 1973. Premio de la Crítica 1980 por su libro *Diario de una resurrección*. Director de la revista "La Nueva Estafeta". Fue secretario de la revista "Escorial" y director de "Cuadernos Hispanoamericanos".

Poeta manierista de expresión cristiana y existencialista, su obra ensayística contiene inapreciables aportes a la investigación histórica y a la crítica literaria. Rosales ha escrito una obra de gran coherencia estética: a su virtuosismo formal va unida su búsqueda de nuevas fronteras para la expresión poética. Su obra borra los límites entre los géneros literarios y funde "en una nueva forma artística ancha, flexible, oral, manumitida... la amplitud del movimiento narrativo, la viveza de la palabra dramática y la concentrada intensidad de la palabra lírica". Sus libros más celebrados son: *La casa encendida, Diario de una resurrección* y *La carta entera*.

OBRA PRINCIPAL: **Poesía.** *Abril* (1935); *Retablo sacro del nacimiento del Señor* (1940); *La casa encendida* (1949); *Rimas* (1951); *El contenido del corazón* (1969); *Segundo abril* (1972);

Canciones (1973); *Cómo el corte hace sangre* (1974); *Diario de una resurrección* (1979); *La carta entera/ La almadraba* (1980); *Poesía reunida* (1981). **Crítica y ensayo.** *Cervantes y la libertad* (1960, 2 vols.); *Pasión y muerte del conde de Villamediana* (1964); *El sentimiento del desengaño en la poesía barroca* (1966); *Lírica española* (1972); *Teoría de la libertad* (1972); *La poesía de Neruda* (1978). [P.S.]

ROSE, Juan Gonzalo (1927- ,).—Poeta y dramaturgo peruano. Perseguido por sus convicciones políticas, vivió exiliado en México. León Felipe prologó su libro de poesía *La luz armada.* Su obra ha evolucionado desde posiciones testimoniales hasta una poesía de perfección formal y agudo acento crítico. Humor y escepticismo. Rose escribe letras de canciones populares "que retienen todo el fresco lirismo de su poesía "culta" y que, como ésta, le han deparado premios y un público fervoroso".

OBRA PRINCIPAL: **Poesía.** *La luz armada* (1954); *Cantos desde lejos* (1955); *Simple canción* (1960); *Las comarcas* (1964); *Hallazgos y extravíos* (1968); *Informe al rey y otros libros secretos* (1969); *Obra poética* (1974). **Teatro.** *Operación maravillosa* (1961); *Carnet de identidad* (1966). [P.S.]

ROSENCOFF, Mauricio (1933-).—Dramaturgo uruguayo. Su obra está marcada por una gran preocupación social. En sus piezas teatrales aparece retratada y denunciada la injusticia social.

OBRA PRINCIPAL: *El Gran Tuleque* (1960); *Las ranas* (1961); *Pensión familiar* (1963); *La valija* (1964); *La calesita rebelde* (1966); *Los caballos* (1967); *La rebelión de los cañeros* (1969, crónicas). [H.C.]

ROSENMANN TAUB, David (1927-).—Poeta chileno. Poesía desgarrada, vital, a veces expresionista, próxima a las vanguardias que exaltaron el ritmo y la musicalidad del verso.

OBRA PRINCIPAL: *El adolescente* (1941); *Cortejo y epinicio* (1949); *Surcos inundados* (1951); *La enredadera del júbilo* (1952). [P.S.]

ROSSLER, Osvaldo (1927-).—Poeta y ensayista argentino. Lo subjetivo, la evocación y la integración del contexto, en especial el amor a la ciudad de Buenos Aires se advierte en el marco de un verso estructurado por medio de variadas posibilidades formales. Ha estudiado en profundidad el problema de la poesía del tango.

OBRA PRINCIPAL: Poesía: *Reservando mi lágrima para lo cálido de mis cenizas* (1952); *El mar* (1958); *El amor en la tierra* (1960); *De pie frente a la luz* (1962); *Hombre interior* (1963); *Buenos Aires* (1964); *Formas en el espacio* (1964); *Cantos de amor y soledad* (1967); *Tiempo que vivo* (1966); *Argentina extraña* (1967); *Oficio de tinieblas* (1968); *Retratos* (1972); *Cinco canciones* (1972); *Vocación y días* (1975); *Espíritu e instinto* (1979); *Cantos del solitario* (1979). **Ensayos:** *Buenos Aires, dos por cuatro* (1967); *Protagonistas del tango* (1971); *Convergencias* (1976). **Narrativa.** *Paredes y violencias* (1971); *Historias porteñas con enamorados, melancólicos y otros maniáticos* (1977). [H.S.]

ROVINSKI, Samuel (1932-   ).—Dramaturgo y cuentista costarricense. Ingeniero civil por la Universidad de México. Premio de cuento *Aquileo Echeverría*, Costa Rica (1963).

OBRA PRINCIPAL: **Teatro.** *Gobierno de alcoba* (1967); *El laberinto* (1969); *Las fisgonas de paso ancho* (1971); *La Atlántida* (1972) (mención en los Juegos Florales Centroamericanos); *Un modelo para Rosaura* (1974); *Ceremonia de casta* (1976). **Cuento.** *La hora de los vencidos* (1973). [C.T.]

ROZENMACHER, Germán (1936-1971).—Narrador y dramaturgo argentino. Mediante un lenguaje preciso, su obra describe en especial la chatura y la mediocridad de los ambientes de baja clase media judía de la Argentina. En sus cuentos a veces surge también el elemento de cuño fantástico. Murió en un accidente debido a una pérdida de gas.

OBRA PRINCIPAL: **Narrativa.** *Cabecita negra* (1962); *Los ojos del tigre* (1967). **Teatro.** *Réquiem para un viernes a la noche* (1964); *El avión negro* (en colaboración con Roberto Cossa, Carlos Somigliana y Ricardo Talesnik) (1970). [H.S.]

RUBIÃO, Murilo (1916-   ).—Novelista y cuentista brasileño. Su obra se sitúa en la corriente costumbrista con tendencia al análisis psicológico.

OBRA PRINCIPAL: *O ex-mágico* (1947); *A casa do girassol vermelho* (1974); *O pirotécnico Zacarias* (1974). [M.L.M.]

RUBÍN, Ramón (1912-   ).—Narrador mexicano. Ejerció los oficios más diversos. Ha tratado los temas relacionados con las comunidades rurales, con personajes indios y mestizos. La excepción es *Diez burbujas en el mar,* cuentos imaginativos de estilo poético, en los cuales campea la aventura de la palabra.

OBRA PRINCIPAL: **Cuento.** *Cuentos del medio rural mexicano* (1942); *Cuentos mestizos de México* (1948, 2 vols.); *Tercer libro de cuentos mestizos* (1948); *Diez burbujas en el mar. Sarta de cuentos salobres* (1949); *Cuarto libro de cuentos mestizos de México* (1950); *Cuentos de indios* (1954, 1958); *El hombre que ponía huevos. Quinto libro de cuentos mestizos* (1961). **Novela.** *Ese rifle sanitario* (1948); *El callado dolor de los tzotziles* (1948); *La loca* (1950); *La canoa perdida* (1951); *El canto de la grilla* (1952); *La bruma lo vuelve azul* (1954); *Cuando el táguaro agoniza* (1960); *El seno de la esperanza* (1964); *Donde la sombra se espanta* (1964). [P.S.]

RUEDA, Manuel (1921-   ).—Dramaturgo, músico y poeta dominicano. Reside en Chile durante quince años. Su última producción poética pertenece al movimiento de la poesía concretista. Es considerado uno de los pianistas más notables de su país. Premio Nacional de Literatura 1957. Miembro de la Academia Dominicana de la Lengua.

OBRA PRINCIPAL: **Teatro.** *La trinitaria blanca* (1957); *La tía Beatriz hace un milagro* (1966); *Vacaciones en el cielo* (1966); *Entre alambradas* (1966). **Poesía.** *Las noches* (1949); *La isla necesaria* (1953); *La criatura terrestre* (1963); *Con el tambor en las islas* (1973); *Canon ex unica* (1975). [J.P.]

RUIBAL, José (1925-   ).—Dramaturgo español. "Se mueve, preferentemente, en el terreno de la farsa, del bestiario y de la alegoría satírica" (R. Doménech). Premio Modern International Drama 1966. Reside en Norteamérica.

OBRA PRINCIPAL: *El asno* (1966); *La máquina de pedir* (1970); *Los mendigos* (1971); *Su majestad, la sota* (1971); *El hombre y la mosca* (1971). [P.S.]

RUIZ GÓMEZ, Darío (1937-   ).—Poeta, narrador y ensayista colombiano, nacido en la Argentina. Cursó estudios en España. Profesor en la Universidad Nacional de Medellín. Basada en la experiencia urbana, su obra ha trazado nuevas perspectivas en la narrativa colombiana. Bajo el título *De la razón a la soledad,* la Universidad Nacional

rulfo

publicó una recopilación de sus artículos sobre arte, literatura, arquitectura y cine.

OBRA: **Poesía.** *Señales en el techo de la casa* (1974); *Puertas, ventanas y portones* (1974); *Geografía* (s/f). **Cuento.** *Para que no se olvide su nombre* (1967); *La ternura que tengo para vos* (1973). **Ensayo.** *De la razón a la soledad* (1977). [J.P.]

RULFO, Juan (1918-   ).–Escritor mexicano. Novelista, cuentista, fotógrafo, guionista de cine y televisión. Trabajó en la Oficina de Migración (1935-1945); en la Sección Ventas y Publicidad de la firma Goodrich; en Televicentro de Guadalajara y, desde hace años, es jefe del departamento editorial del Instituto Nacional Indigenista. En 1953 le fue concedida la beca Rockefeller, lo que le permitió dedicarse a la redacción de su novela *Pedro Páramo.*

Miembro de la Academia Mexicana de la Lengua. Su breve obra le ha deparado fama internacional. Sus dos únicos libros de ficción han sido traducidos a todos los idiomas cultos. De niño presenció episodios de la revuelta cristera que tuvo especial violencia en su estado natal, Jalisco. Su padre fue asesinado cuando Rulfo era apenas un niño, y su madre murió poco después. La obra de Rulfo significó la superación de la narración naturalista de tema rural. Su estilo austero, preciso, lírico, expresa un mundo de miseria e ignorancia, sumergido en el miedo, la superstición y el remordimiento. Carlos Fuentes ha visto en *Pedro Páramo* la reviviscencia de antiguos mitos, todos helénicos. En su obra el tiempo no existe y la historia ha sido suplantada por el mito. El paisaje es animado por el mundo interior de sus personajes y el espacio es entrevisto poéticamente como una visión onírica. El cuento *No oyes ladrar los perros* es memorable. Según Benedetti, "casi podría tomársele por una definición del género". Su labor como guionista cinematográfico es considerable. Como actor participó en la película *En este pueblo no hay ladrones,* del realizador Alberto Isaac, junto a figuras tan conocidas como Luis Buñuel, José Luis Cuevas, García Márquez, Leonora Carrington y Carlos Monsiváis.

OBRA: **Novela.** *Pedro Páramo* (1955). **Cuento.** *El llano en llamas* (1953). **Argumentos y guiones cinematográficos.** *El gallo de oro* (1980). **Filmografía.** *Talpa* (1955), de Alfredo B. Crevenna, basado en el cuento homónimo; *El despojo* (1960), de Antonio Reynoso, argumento y diálogos; *Paloma herida* (1962), de Emilio Fernández, co-autor del argumento; *El gallo de oro* (1964), de Roberto Gavaldón, argumento; *La fórmula secreta* (1964), de Rubén Gámez, cuenta con un texto de Rulfo leído por el poeta Jaime Sabines; *Pedro Páramo* (1966), de Carlos Velo, basado en la novela homónima; *El rincón de las vírgenes* (1972), de Alberto Isaac, basado en dos cuentos de Rulfo; *N'entends-tu pas les chiens aboyer?* (1974), de François Reichenbach, basado en un cuento de Rulfo; *El hombre de la Media Luna* (1976), de José Bolaños, basado en la novela *Pedro Páramo; El hombre* (1978), de José Luis Serrato, basado en un cuento de Rulfo. [P.S.]

RUMAZO, Lupe (1935-   ).–Ensayista y cuentista ecuatoriana. Estudió en universidades de Colombia, Uruguay y Estados Unidos. Miembro de la Casa de la Cultura Ecuatoriana. Colaboró en "Cuadernos", de París e "Imagen", de Caracas. Escribe en "Cuadernos Hispanoamericanos", de Madrid; "El País", de Cali; "El Nacional", de Caracas, y "El Comercio", de Quito.

OBRA PRINCIPAL: **Ensayo.** *En el lagar* (1962. Prólogo de Mariano Picón Salas); *Sílabas de la tierra* (1964. Prólogo de Juana de Ibarbourou); *Yunques y crisoles americanos* (1967. Prólogo de Benjamín Carrión). [P.S.]

S

SÁ, Víctor de (1921-   ).—Ensayista e historiador portugués. Fue fundador de la Biblioteca Móvil, sistema de lectura a domicilio que funcionó desde 1942 a 1950. Interrumpió sus estudios para dedicarse a la actividad de librero y más tarde se licenció como alumno libre, en Filosofía e Historia por la Universidad de Coimbra. Fue becario de la Fundación Gulbenkian en París, habiéndose doctorado en la Sorbona con una tesis sobre A Crise do Liberalismo e as Primeiras Manifestaçoes das Ideias Socialistas em Portugal. Fue una de las figuras más notables de la oposición al régimen de Salazar.

OBRA PRINCIPAL: *A Mocidade de Anyero* (1942); *Bibliografia Queirosiana* (1945); *As Bibliotecas, o Publico e a Cultura* (1956); *Amorim Viana e Proudhon* (1960); *Perspectivas do Século XIX* (1964); *A Revoluçao de Setembro de 1836* (1969), etc.

SÁ-CARNEIRO, Mário de (1890-1916).—Poeta portugués. En su adolescencia, en colaboración con Tomás Cabreira Pires, escribió una obra de teatro titulada *Amizade*. Después de que este compañero suyo se suicidase de un tiro a los 16 años en la escalera del colegio que frecuentaban, escribe el poema *A Um Suicida*. No concluyó los estudios de Derecho, convivió con Fernando Pessoa y con los futuros elementos del grupo Orpheu y parte hacia París en 1912. Escribe allí la mayor parte de su obra poética, frecuenta los medios artísticos y pasa breves períodos en Lisboa. El segundo matrimonio de su padre con una mujer de los cabarets de Lisboa desencadenó en él una crisis psíquica. Se suicidó en París, en el hotel Nice, vestido de frac e ingiriendo cinco frascos de estricnina.

OBRA PRINCIPAL: **Poesía**. *Dispersão* (1914); *Indícios de Oiro* (1973); *Obras completas* (1946). **Ficción**. *A Confissão de Lúcio, romance* (1914); *Céu em Fogo,* novelas (1915); *Correspondência: Cartas a Fernando Pessoa* (1958-59).

sábato

SÁBATO, Ernesto (1911-   ).–Narrador y ensayista argentino. Se inició en el campo de la física mediante trabajos en el laboratorio Joliot-Curie de París. Se vinculó al grupo surrealista. De regreso a la Argentina publicó su primer libro, una colección de breves ensayos titulada *Uno y el universo*. Al poco tiempo abandonó definitivamente la ciencia para dedicarse de lleno a la literatura. Fruto de esta época de crisis son sus ensayos *Heterodoxia* y *Hombres y engranajes*, donde realizó una crítica en profundidad al futuro de la ciencia desde una óptica humanista. En 1948 publicó su primera novela, *El túnel*, y trece años después, el libro que le dio fama internacional: *Sobre héroes y tumbas* (1961). En él mezcla la narración realista de un amor trágico ubicado a mediados de la década de los cincuenta en Buenos Aires con el correlato histórico de un hecho de armas ocurrido en el siglo XIX, en el que unos pocos fieles tratan de poner a salvo el cadáver de su jefe en una huida a través de la puna y Sábato inserta en la novela el famoso *Informe sobre ciegos,* suerte de diario de un demente obsesionado por el tema de la ceguera, en donde pueden advertirse rastros de aquella lejana incursión surrealista. En *El escritor y sus fantasmas* (1963) Sábato pasa revista a los principales problemas de la creación literaria, sus límites y posibilidades desde una visión latinoamericana. Más ceñido al problema argentino publicaría en 1976 *La cultura en la encrucijada nacional*. Autor de una obra narrativa de pocos pero densos volúmenes, Sábato dio a conocer, en 1974, su última novela *Abaddón, el exterminador,* visión apocalíptica de la realidad argentina, lograda a través del prisma múltiple que le brinda el sumar situaciones y personajes que para algunos críticos representan —simbolizan— distintas parcelas del hombre de su país. Sobre su obra narrativa se han pronunciado con admiración escritores tan diversos como Albert Camus, Salvatore Quasimodo, Witold Gombrowicz, Maurice Nadeau y Guido Piovene. Miembro del Consejo Superior del Instituto de Cooperación Iberoamericana.

OBRA PRINCIPAL: **Narrativa.** *El túnel* (1948); *Sobre héroes y tumbas* (1961); *Abaddón, el exterminador* (1974). **Ensayo.** *Uno y el universo* (1945); *Hombres y engranajes* (1951); *Heterodoxia* (1953); *El otro rostro del peronismo* (1956); *El escritor y sus fantasmas* (1963); *Tango, discusión y clave* (1963); *Tres aproximaciones a la literatura de nuestro tiempo (Robbe-Grillet, Borges, Sartre)* (1968); *La cultura en la encrucijada nacional* (1976); *Apologías y rechazos* (1979). [H.S.]

SABINES, Jaime (1926-   ).—Poeta mexicano. Poesía coloquial angustiada ante el horror de la muerte. Escéptico, a veces expresionista.

OBRA PRINCIPAL: Poesía. *Horal* (1950); *La señal* (1951); *Tarumba* (1956); *Diario Semanario y poemas en prosa* (1961); *Recuento de poemas* (1962); *Yuria* (1967); *Maltiempo* (1972); *Algo sobre la muerte del mayor Sabines* (1973); *Nuevo recuento de poemas* (1977). [C.T.]

SABINO, Fernando (1923-   ).—Novelista, cuentista y periodista brasileño. Colabora en "Journal do Brasil". Residió en Nueva York y Londres. Actualmente dirige Bem-Te-Vi Filmes, empresa que se dedica a producir documentales para el cine y la televisión. Prosa amena, estilo ágil, lenguaje directo y coloquial. Su obra se sitúa en la corriente del análisis psicológico. Sabino ha eliminado las fronteras entre cuento y crónica. Espíritu observador, imaginativo y agudo.

OBRA PRINCIPAL: Novela. *A marca* (1944); *A vida real* (1952). Fábula. *O encontro marcado* (1956). Cuento-crónicas. *A cidade vazia. Crônicas e histórias de Nova Iorque* (1950); *O homen nu* (1960); *A mulher do vizinho* (1962); *A companheira de viagem* (1965); *A inglesa deslumbrada* (1967). Crónica. *Gente* (1975, 2 vols.). [M.L.M.]

SÁENZ, Jaime (1921-   ).—Poeta, novelista y dibujante boliviano. Realizó estudios en Alemania. Atormentado por sus demonios familiares, vive recluido entre libros y discos. Sus perplejidades y sus pesquisas ontológicas le han convertido en un poeta sombrío sediento de metafísica. Espíritu culto, temperamento romántico, poeta visionario, describe una sobrerrealidad que transparenta las tinieblas de su noche mística. Modularon su voz, filósofos (Hegel, Schopenhauer, Heidegger), músicos (Wagner, Bruckner, Richard Strauss) y poetas (William Blake, Novalis, Hölderlin). Los títulos de sus libros expresan su universo temático.

OBRA PRINCIPAL: Poesía. *El escalpelo* (1955); *Muerte por el tacto* (1957); *Aniversario de una visión* (1960); *Visitante profundo* (1963); *El frío* (1967); *Recorrer esta distancia* (1973); *Obra poética* (1975); *Bruckner. Las tinieblas* (1978). Novela. *Felipe Delgado* (1979). [P.S.]

sahagún

SAHAGÚN, Carlos (1938-   ).—Poeta español. Pertenece a la generación del 50. Cuidadoso en lo formal, su poesía evoca recuerdos de infancia, teñidos de nostalgia y ternura. Premio Boscán 1950. Premio Adonais 1957. Premio Nacional de Literatura 1980. OBRA: Poesía. *Como si hubiera muerto un niño* (1950); *Profecías del agua* (1957); *Estar contigo* (1972); *Memorial de la noche* (1976, antología); *Primer y último oficio* (1980). [P.S.]

SALARRUÉ (1899-1975).—Seudónimo de Salvador Salazar Arrué. Escritor salvadoreño. Novelista, cuentista, poeta, pintor y maestro. Director del diario "La Patria", de San Salvador y de la revista "Amatl". Agregado cultural en Washington. Director General de Artes en San Salvador. A través de sus "cuenteretes" —como él solía denominar su obra cuentística— revela gran conocimiento de los hombres de campo, a quienes retrata tanto en sus costumbres y lenguaje como en su dimensión psicológica.

OBRA PRINCIPAL: *Cuentos de barro* (1933); *El Cristo negro* (1927); *Trasmallo* (1954); *Remontando el Uluán* (1930); *Cuentos de cipotes* (1945); *La espada y otras narraciones* (1960); *Eso y más* (1940); *El señor de la burbuja* (1927); *O'Yarkandal* (1929); *Conjeturas en la penumbra. Obras escogidas* (vol. I, 1969; vol. II, 1971). [C.T.]

SALAS, Horacio (1938-   ).—Poeta, ensayista y periodista argentino. Dirigió importantes programas en radio y televisión. Trabajó en las revistas "Qué", "Análisis" y "Panorama". Colabora en "Cuadernos Hispanoamericanos", "Nueva Estafeta", "Plural", "Texto Crítico" y "Zona Franca".

Poeta coloquial, Salas combina la experiencia, la evocación y los mitos culturales para expresar —en tono elegíaco— la victoria de la palabra sobre el poder ominoso del exilio, del dolor y del tiempo.

OBRA PRINCIPAL: Poesía. *El tiempo suficiente* (1962); *La soledad en pedazos* (1964); *El caudillo* (1966); *Memoria del tiempo* (1966); *La corrupción* (1969); *Mate pastor* (1971); *Gajes del oficio* (1979). Ensayo. *La poesía de Buenos Aires* (1968); *Homero Manzi* (1968); *Vicente Barbieri y El Salado* (1970); *La España barroca* (1978). Testimonio. *Conversaciones con Raúl González Tuñón* (1975). [P.S.]

SALAZAR ARRUÉ, Salvador (1899-1975).—Véase **Salarrué.**

SALAZAR BONDY, Sebastián (1924-1965).—Dramaturgo, poeta, ensayista, narrador y periodista peruano. Como poeta, participó del movimiento de la poesía "pura", junto con Eielson y Sologuren. Sin embargo, su vasta obra dramática (más de veinticinco títulos) le convierte en el autor teatral más importante de la literatura peruana contemporánea. Vinculado a la experiencia del teatro social norte-americano, Salazar Bondy escribió también dramas psicológicos, históricos, comedias, pantomimas, etc. Entre sus ensayos sobresale *Lima la horrible,* visión crítica de una ciudad a través de la cual se expresan los problemas de un país y de un continente.

OBRA PRINCIPAL: **Teatro.** *Amor, gran laberinto* (1947); *Como vienen se van* (1951); *El trapecio de la vida* (1951); *Los novios* (1951); *Rodil* (1952); *El de la valija* (1952); *No hay isla feliz* (1954); *En el cielo no hay petróleo* (1954); *Algo que no quiere morir* (1956); *Flora Tristán* (1959); *Dos viejas van por la calle* (1959); *Sólo una rosa* (1961); *Tres juegos para dos* (1961); *El fabricante de deudas* (1962). **Poesía.** *Voz de la vigilia* (1944); *Cuadernos de la persona oscura* (1946?); *Máscara del que duerme* (1949); *Tres confesiones* (1950); *Confidencia en alta voz* (1960); *Vida de Ximena* (1960); *Conducta sentimental* (1963); *Cuadernillo de oriente* (1963); *El tacto de la araña* (1966). **Ensayo.** *Lima la horrible* (1964); *Cerámica peruana prehispánica* (1964). **Relato.** *Náufragos y sobrevivientes* (1954); *Pobre gente de París* (1958). **Novela.** *Alférez Arce, Teniente Arce, Capitán Arce* (1969). [P.S.]

SALAZAR HERRERA, Carlos (1906-   ).—Narrador y dibujante costarricense. Profesor de artes plásticas en la Universidad de San José. Su prosa se caracteriza por su sencillez y economía de estilo. Su breve obra le ha dado justa fama. Los personajes de sus cuentos constituyen una lograda síntesis de paisaje y psicología.

OBRA PRINCIPAL: *Cuentos de angustias y paisajes* (1947). [P.S.]

SALES, Herberto (1917-   ).—Nombre literario de Herberto de Azevedo Sales. Periodista y novelista brasileño. Su obra se inscribe en la corriente regionalista. El escenario de sus novelas se sitúa en la región de las minas de piedras preciosas en Bahia.

salinas

OBRA PRINCIPAL: **Novelas.** *Cascalho* (1944); *Além dos Marimbus* (1961); *Dados Biograficos do Finado Marcelino* (1965). **Cuentos.** *Histórias Ordinárias* (1966). **Textos.** *Garimpos da Bahia* (1955). [M.L.M.]

SALINAS, Pedro (1891-1951).—Poeta, narrador, ensayista y dramaturgo español. Pertenece a la generación del 27. Doctor en Letras. Profesor en las universidades de Sevilla y Murcia. Lector de español en la Sorbona (1914-1917) y en Cambridge (1922-1923). Secretario de la Universidad Internacional de Santander (1933-1936). Desde 1938 residió en Norteamérica. Enseñó literatura española en Wellesley College (Vermont), 1936-1939; en John Hopkins University (Baltimore), 1939-1942; en la Universidad de Río Piedras (Puerto Rico), 1942-1945, y en el Middlebury College. Murió en Boston. Son importantes sus estudios *Jorge Manrique o tradición y originalidad* (1947) y *La poesía de Rubén Darío* (1948). En 1925 publicó una versión en romance moderno del *Poema del Cid*.

Lo amoroso es uno de los rasgos más característicos de Salinas. La poesía amorosa de Salinas —delicada, escrita en tono de confidencia y en lenguaje directo y coloquial— expresa la plenitud, la despedida y la separación de los amantes.

A partir de *El contemplado* —meditación ante el mar—; Salinas deriva hacia una poesía que intenta superar la "solitaria desesperación". En sus últimos poemas "las angustias arremeten por todos lados", mientras "de pie, quieto, el hombre tiembla". En el poema *Cero* se describe la explosión atómica y el poeta adopta una actitud solidaria con los demás hombres.

OBRA PRINCIPAL: **Poesía.** *Presagios* (1923); *Seguro azar* (1929); *Fábula y signo* (1931); *La voz a ti debida* (1933); *Razón de amor* (1936); *El contemplado* (1945); *Todo más claro* (1949); *Poesías completas* (1971). **Ensayo.** *Literatura española del siglo XX* (1949); *Ensayos de literatura hispánica* (1958); *La responsabilidad del escritor y otros ensayos* (1961); *El defensor* (1967). **Relato.** *Víspera del gozo* (1926); *La bomba increíble* (1950); *El desnudo impecable* (1951); *Narrativa completa* (1976). **Teatro.** *Teatro completo* (1957. *La cabeza de Medusa / La estratoesfera / La isla del tesoro).* [P.S.]

SALISACHS, Mercedes (1918-   ).—Novelista española. Su obra es de carácter testimonial e intimista. Describe, con prosa dotada de fuerza lírica, caracteres y situaciones inmersas en una atmósfera moral y existencial. Sus personajes se mueven en el ámbito de la burguesía catalana. Premio Ciudad de Barcelona 1956. Premio Planeta 1975. Sus libros más célebres: *Adagio confidencial* y *La gangrena.*

OBRA PRINCIPAL: **Novela.** *Primera mañana, última mañana* (1955); *Carretera intermedia* (1956); *Más allá de los raíles* (1957); *Una mujer llega al pueblo* (1956); *Pasos conocidos* (1957); *Vendimia interrumpida* (1960); *La estación de las hojas amarillas* (1963); *El declive de la cuesta* (1966); *La última aventura* (1967); *Adagio confidencial* (1973); *La gangrena* (1975); *Viaje a Sodoma* (1977); *El proyecto* (1978); *La presencia* (1979); *Derribos* (1981). [P.S.]

SALOM, Jaime (1925-   ).–Dramaturgo español. Médico oftalmólogo. Fundó el teatro y la compañía Moratín. Premio de la Crítica de Barcelona 1961. Premio Isaac Fraga 1963. Premio Fastenrath 1964; de la Real Academia Española. Premio Ciudad de Barcelona 1964. Premio de la Crítica 1967. Su teatro plantea problemas existenciales y hace hincapié en la dificultad de la comunicación entre los seres. También ha escrito comedias donde campean el humorismo y la trama inteligente de situaciones. Sus grandes éxitos: *El baúl de los disfraces, La casa de las chivas* y *La piel del limón.*

OBRA PRINCIPAL: *El mensaje* (1959); *La gran aventura* (1961); *Juegos de invierno* (1964); *El baúl de los disfraces* (1964); *Espejo para dos mujeres* (1975); *La casa de las chivas* (1968); *Los delfines* (1969); *La noche de los cien pájaros* (1972); *Tiempo de espadas* (1972); *Nueve brindis por un rey* (1974); *La piel del limón* (1976); *Historias íntimas del Paraíso* (1978); *El corto vuelo del gallo* (1980). [P.S.]

SALVADOR, Humberto (1909-   ).–Novelista, ensayista, dramaturgo y profesor ecuatoriano. Director de "La Semana", periódico de artes y letras de la Casa de la Cultura Ecuatoriana. Prolífico novelista, autor de treinta libros, autodidacto. Escribió tratados sobre sexualidad y psicoanálisis, fruto de sus lecturas especializadas. Su novela *Trabajadores* fue vertida al ruso con el título de *Historia de una infancia.*

Salvador escribe novelas naturalistas, convencionales y preocupadas más por el mensaje (significado) que por el lenguaje (signo). A partir de *La fuente clara,* Salvador se interesa por el mundo interior de sus personajes.

salvat-papasseit

OBRA PRINCIPAL: **Novela.** *En la ciudad he perdido una novela* (1930); *Camarada* (1933); *Trabajadores* (1935); *Noviembre* (1939); *La novela interrumpida* (1942); *Prometeo* (1943); *La fuente clara* (1946). **Cuento.** *Ajedrez* (1929); *Taza de té* (1932). [P.S.]

SALVAT–PAPASSEIT, Joan (1894-1924).—Poeta español de expresión catalana. De familia muy humilde, quedó huérfano de padre a los siete años, ingresando acto seguido en el "Asilo Naval", donde permaneció hasta los trece años. Después de realizar diversos oficios, colabora en las revistas "Los Miserables", "Justicia Social" y "Un Enemigo del Pueblo", de tendencias socialista y anarquista. "Para Salvat el poema es, esencialmente, la comunicación de un sentimiento emotivo, personal, en gran parte intransferible". Su poesía enlaza con el romanticismo y con las corrientes vanguardistas de la época.
OBRA PRINCIPAL: **Artículos.** *Humo de fábrica* (1918). **Poesía.** *Poemes en ondes hertzianes* (1919); *L'irradiador del port i les gavines* (1921); *Les conspiracions* (1922); *La rosa als llavis* (1923); *Ossa Menor* (1925); *Poesia completa* (1962); *Antología* (1972). [P.S.]

SAMAYOA CHINCHILLA, Carlos (1898-   ).—Escritor guatemalteco. Periodista, funcionario, diplomático. Director de la Biblioteca Nacional y del Instituto de Antropología e Historia de Guatemala. Su obra, de acentuado color local, revela a un escritor culto de estilo refinado.
OBRA: **Narrativa.** *Madre milpa* (1934); *Cuatro suertes* (1934); *La casa de la muerta* (1941); *Estampas de la Costa Grande* (1957); *El dictador y yo* (1950). [C.T.]

SAMPEDRO, José Luis (1917-   ).—Novelista y dramaturgo español. Doctor en Ciencias Económicas. Profesor de Estructura Económica en la Universidad de Barcelona. Profesor de Teoría Económica. Ex-senador real. Consejero del Banco Exterior de España. Premio Calderón de la Barca 1950. Premio Francisco de Quevedo 1971. La prosa de Sampedro oscila entre la realidad y la imaginación, entre el mito y la historia. Agudo sentido del humor.
OBRA PRINCIPAL: **Novela.** *La estatua de Adolfo Espejo* (1940); *La sombra de los días* (1947); *Congreso de Estocolmo* (1952); *El río que nos lleva* (1961); *El caballo desnudo* (1970); *Octubre, octubre* (1981). **Teatro.** *La paloma de cartón* (1952); *Un sitio para vivir* (1955). [P.S.]

SANABRIA FERNÁNDEZ, Hernando (1913-   ).—Escritor boliviano. Narrador, ensayista, poeta, lingüista e historiador. Miembro de las Academias de la Lengua y de la Historia. Licenciado en leyes en la Universidad Mayor de San Francisco Xavier, de Sucre. Profesor en la Universidad Gabriel René Moreno, de Santa Cruz de la Sierra. Sanabria Fernández "confiere a sus estudios históricos y biográficos una atmósfera poética dentro de la cual la propia erudición en vez de resultar pesada y enojosa cobra pasos agradables de sabiduría auxiliar. El autor usa un lenguaje castizo de giros arcaicos y sabrosos por los cuales discurre un aire fresco de suave humorismo estimulador" (Augusto Guzmán).

Apiguaqui-Tumpa es un importante estudio biográfico acerca del último caudillo de los chiriguanos, "una verdadera creación biográfica lograda después de exhaustiva investigación en fuentes hasta hoy ignoradas".

OBRA PRINCIPAL: **Novela.** *La de los ojos de luna* (1974). **Poesía.** *Figuras de antaño* (1976). **Biografías.** *Cristóbal de Mendoza* (1947); *Ñuflo de Chávez* (195?); *Cañoto* (1960); *Gabriel René Moreno* (1961); *Apiguaiqui-Tumpa* (1972); *Ulrico Schmidl* (1974). **Estudios.** *El idioma guaraní* (1951); *El habla popular de la provincia de Vallegrande* (1965). **Historia.** *Bosquejo de la contribución de Santa Cruz a la formación de la nacionalidad* (1942); *En busca de Eldorado* (1958); *Cronistas cruceños del Alto Perú Virreinal* (1961). [P.S.]

SÁNCHEZ, Guillermo (1924-   ).—Véase SOLARTE, Tristán.

SÁNCHEZ, Luis Alberto (1900-   ).—Polígrafo, político y pedagogo peruano. A su labor de escritor (ensayista, narrador y crítico literario) unió su actividad de político. Militante del APRA (Alianza Popular Revolucionaria Americana), partido político peruano fundado en 1924 por Víctor Raúl Haya de la Torre, sufrió persecución y destierro. En varias ocasiones fue rector de la Universidad de San Marcos. Miembro de la Academia Peruana de la Lengua.

Como ensayista e historiador, Sánchez tiene el mérito de haber esbozado una visión totalizadora del fenómeno histórico y cultural de Hispanoamérica. Su particular manera de entender el continente latinoamericano lo llevó, a menudo, a simplificaciones y errores imputables a las limitaciones de su época y a las desventajas que conlleva una vida dedicada a la acción política en un medio tan turbulento como el hispanoamericano.

OBRA PRINCIPAL: **Ensayo.** *Góngora en América* (1927); *Vida*

sánchez

y pasión de la cultura en América (1935); *Proceso y contenido de la novela hispano-americana* (1953); *Escritores representativos de América* (1957); *El Perú: retrato de un país adolescente* (1959); *Examen espectral de América Latina* (1962); *La universidad actual y la rebelión juvenil* (1969). **Crítica**. *La literatura peruana: derrotero para una historia cultural del Perú* (1965-1966. 5 vols.); *Panorama de la literatura del Perú* (1974). **Artículos**. *Cuaderno de bitácora* (1974). **Historia**. *Historia comparada de la literatura de América* (1975). **Testimonio**. *Historia de la literatura americana* (1937); *Historia general de América* (1944); *Pasos de un peregrino son errante* (1968); *Testimonio personal, memorias de un peruano del siglo XX* (1969). **Novela**. *El pecado de Olazábal* (1977). **Relato**. *La juramentación de Darío Beltrán* (1977). **Biografía novelada**. *Don Manuel* (1931); *La Perricholi* (1936); *Garcilaso Inca de la Vega* (1939); *Una mujer sola contra el mundo* (1942); *Aladino o la vida de José Santos Chocano* (1960); *Valdelomar o La belle époque* (1969). [P.S.]

SÁNCHEZ, Luis Rafael (1936-   ).—Escritor puertorriqueño. Dramaturgo, poeta, crítico, ensayista y cuentista. Sánchez tiene una concepción brechtiana del teatro. Considera que éste tiene por finalidad entretener y hacer pensar. Su obra *La pasión según Antígona Pérez* es una disección psicológica y política de las dictaduras hispanoamericanas. Además de Brecht, Sánchez admite haber recibido la influencia de Federico García Lorca, Sófocles, Camus, Jarry, Tennessee Williams, Ionesco y de su compatriota René Marqués.

OBRA PRINCIPAL: **Teatro**. *La espera* (1959); *Sol 13, interior* (1964); *Farsa del amor compradito o Casi el alma* (1966); *La pasión según Antígona Pérez* (1968); **Cuento**. *En cuerpo de camisa* (1966). **Novela**. *La guaracha del macho Camacho* (1977). [J.P.]

SÁNCHEZ, Néstor (1935-   ).—Narrador argentino. Su obra se caracteriza por una constante experimentación verbal que trata de hallar un discurso que crezca paralelo y simultáneo al texto que relata. Julio Cortázar ha afirmado que su obra "es una de las mejores tentativas actuales de crear un estilo digno de ese nombre".

OBRA PRINCIPAL: *Nosotros dos* (1966); *Siberia blues* (1967); *El amhor, los orsinis y la muerte* (1969). [H.S.]

SÁNCHEZ FERLOSIO, Rafael (1927-   ).—Novelista español. Pertenece a la generación del 50. Doctor en Filosofía y Letras. Escritor que entronca con la picaresca, con el realismo objetivo y con la novela-ensayo. Su novela *El Jarama* ejerció notable influencia en el desarrollo de la novelística española de los años cincuenta y sesenta. "Se trata de una novela política en la que está ausente una ideología concreta". Premio Nadal 1956.

OBRA PRINCIPAL: *Industrias y andanzas de Alfanhuí* (1951); *El Jarama* (1956); *Las semanas del jardín. Semana primera* (1973); *Las semanas del jardín. Semana segunda* (1974). [P.S.]

SÁNCHEZ PELÁEZ, Juan (1922-   ).–Poeta venezolano. Diplomático. Residió una larga temporada en Chile, en donde se vinculó al grupo "Mandrágora", de Braulio Arenas y Rosamel del Valle. Poeta de raigambre superrealista. Su obra breve, pero densa, ha renovado el lenguaje poético en Venezuela y ha ejercido profunda influencia sobre gran parte de los poetas que irrumpieron en 1958. Su lírica ha sido calificada de "onírica, irracional y existencialista".

OBRA: **Poesía.** *Elena y los elementos* (1951); *Animal de costumbre* (1959); *Filiación oscura* (1966); *Un día sea* (1969, recoge toda su obra). [P.S.]

SANCHO, Alfredo (1924-   ).–Poeta costarricense. Ha desempeñado los más variados oficios: albañil, director de teatro experimental, aprendiz de sastre, agente viajero, bibliotecario, etc.

OBRA PRINCIPAL: **Poesía.** *Tapiz vibrante* (1950); *Interhumano polvo* (1950); *La búsqueda* (1952); *Rosados 36* (1955); *Lenguaje de las galaxias* (1956); *Taller de reparaciones* (1956); *Vitrina de necedades* (1958); *Calvario del azúcar* (1960); *8 milímetros de patria* (1963); *Un día para estar en la casa* (1965); *Cantera bruta* (1965); *Las 3 carátulas* (1970). [C.T.]

SANTA, Eduardo (1928-   ).–Escritor colombiano. Describió, al modo impresionista, escenas, tipos, costumbres, paisajes y situaciones de la vida provinciana. También registró la violencia generada por la guerra civil entre conservadores y liberales. Con posterioridad ha desarrollado una temática vinculada al psicoanálisis.

OBRA PRINCIPAL: *La provincia perdida* (1951). **Novela.** *Sin tierra para morir* (1954); *El girasol* (1956). [J.P.]

SANTARENO, Bernardo (1924-1980).–Nombre literario de Antonio Martinho de Rosario, incuestionablemente la mayor figura de la

saraiva

moderna dramaturgia portuguesa. Licenciado en Medicina, ejerciendo la profesión en el terreno de la orientación profesional sufrió principalmente las influencias del teatro de Federico García Lorca. En sus páginas teatrales procura llegar a la esencia de lo popular a través de los aspectos sexuales y sagrados, con todos los extremos a que pueden conducir.

OBRA PRINCIPAL: *A Promessa* (1957); *O Bailarino* (1957); *A excomungada* (1957); *O Lugres* (1959); *O Crime de Aldeia Velha* (1959); *António Marineiro* (1960); *O Duelo* (1961); *O Pecado de João Agonia* (1961); *Os Anjos e o Sangue* (1961); *Anunciação* (1962); *O Judeu* (1966); *Português, Escritor, Quarenta Anos de Idade* (1974), etc. [M.V.]

SARAIVA, Antonio José (1917-   ).—Ensayista e historiador portugués. Se doctoró por la Facultad de Letras de Lisboa, habiéndose distinguido por sus estudios y ediciones de los clásicos. Autor de numerosas monografías y trabajos de síntesis. Publicó una Historia da Cultura em Portugal, obra que interrumpió al ser invitado por el Centre National de la Recherche Scientifique, de París, para dedicarse a estudios sobre la cultura del seiscientos. Actualmente es catedrático en la Facultad de Letras de Lisboa.

OBRA PRINCIPAL: *As Ideias de Eça de Queirós* (1946); *Herculano e o Liberalismo em Portugal* (1949); *História da Literatura Portuguesa* (1950); *História da Cultura em Portugal* (1950-62); *A Inquisiçao Portuguesa* (1956); *Fernao Mendes Pinto* (1956); *Inquisiçao e Cristaos-Novos* (1969), etc.

SARAMAGO, José (1922-   ).—Poeta y novelista portugués. Autodidacta, ejerció durante muchos años las funciones de director de producción y director literario de una editora. Fue periodista, codirigiendo el "Diário de Notícias" en 1975. Colaborador de varias publicaciones, sobre todo "Seara Nova".

OBRA PRINCIPAL: **Poesía.** *Os Poemas Possíveis* (1966); *Possivelmente Alegria* (1970). **Ficción.** *Manual de Pintura e Caligrafia*, novela (1977); *Objecto Quase*, cuentos (1978); *Levantado do Chao*, novela (1979). [M.V.]

SARASQUETA DE SMITH, Acracia (1914-   ).—Narradora panameña. Su obra acusa resabios románticos con acento realista. Sus novelas reflejan el ambiente rural, la reconstrucción histórica y el interés por la redención indígena.

scalabrini ortiz

OBRA: **Novela**. *El señor Don Cosme* (1955); *El guerrero* (1967); *Valentín Corrales* (1967). [J.P.]

SARDUY, Severo (1937-   ).—Narrador cubano. Poeta, periodista, crítico de literatura y arte. En 1960 viaja a París becado para especializarse en crítica de arte. No vuelve a Cuba. Vinculado al círculo de pensadores y escritores estructuralistas de París, colabora en la revista "Tel Quel" y trabaja como lector en Editions du Seuil, y como libretista en la Radiotelevisión francesa. Su prosa y su poesía son experimentalistas, visuales, concretas. Su novela *Cobra* fue galardonada con el Premio Médicis.
OBRA: **Poesía**. *Big Bang* (1974), reúne los volúmenes *Flamenco, Mood Indigo, Big Bang* y *Otros poemas. Daiquiri* (1980). **Novela**. *Gestos* (1963); *De dónde son los cantantes* (1967); *Cobra* (1972); *Maitreya* (1978). **Ensayo**. *Escrito sobre un cuerpo* (1968); *Barroco* (1976). **Relato**. *Para la voz* (1977). [J.P.]

SASTRE, Alfonso (1926-   ).—Dramaturgo y ensayista español. Licenciado en Filosofía y Letras por la Universidad de Madrid, contribuyó a la fundación de grupos experimentales como el grupo "Arte Nuevo", el Teatro de Agitación Social (TAS) y el Grupo de Teatro Realista (GTR). Autor de tendencia social-realista, Sastre es un escritor político de gran amplitud de recursos estilísticos. Lejos de practicar un realismo chato, utiliza con inteligencia el humor y la fantasía.
Aunque su obra *Escuadra hacia la muerte* marca un hito en la historia del teatro español contemporáneo, su pieza más representativa es *La sangre y la ceniza o Diálogos de Miguel Servet.*
OBRA PRINCIPAL: **Teatro**. *Escuadra hacia la muerte* (1953); *La mordaza* (1954); *Tierra roja* (1954); *Ana Kleiber* (1955); *La sangre de Dios* (1955); *Muerte en el barrio* (1955); *Guillermo Tell tiene los ojos tristes* (1955); *El pan de todos* (1957); *El cuervo* (1957); *Asalto nocturno* (1959); *La cornada* (1960); *En la red* (1961); *La sangre y la ceniza o Diálogos de Miguel Servet* (1965); *El banquete* (1966); *La taberna fantástica* (1966); *Oficio de tinieblas* (1967); *Crónicas romanas* (1968). **Ensayo**. *Drama y sociedad* (1956); *Anatomía del realismo* (1965); *La revolución y la crítica de la cultura* (1970); *Crítica de la imaginación* (1978). [P.S.]

SCALABRINI ORTIZ, Raúl (1898-1959).—Ensayista argentino. Se inició con un libro de cuentos: *La manga.* Perteneció a la generación

scarpa

de la revista *Martín Fierro* y, en 1931, publicó su obra más famosa: *El hombre que está solo y espera,* considerado por algunos críticos, como J.J. Hernández Arregui, "el libro más humano y auténtico de esta época". El trabajo intenta analizar las características esenciales de la psicología de los habitantes de la ciudad de Buenos Aires y se ha transformado en un clásico. Posteriormente Scalabrini se dedicó de manera casi exclusiva al ensayo histórico-político de corte antiimperialista, convirtiéndose en este terreno —junto con Arturo Jauretche— en el precursor ideológico de las tesis reivindicadas luego por el peronismo. En 1950 publicó un libro de poemas: *Tierra sin nada, tierra de profetas.*

OBRA PRINCIPAL: *El hombre que está solo y espera* (1931); *Política británica en el Río de la Plata* (1936); *Historia de los ferrocarriles argentinos* (1940). [H.S.]

SCARPA, Roque Esteban (1914-   ).—Poeta y ensayista chileno. Escritor católico, traductor de Hammud Ben Ismail y promotor de empresas culturales vinculadas con su fe religiosa. Poeta barroco formado en la poesía clásica española. Ha publicado importantes estudios sobre Andrés Bello y Gabriela Mistral. Su obra poética más representativa está contenida en *No tengo tiempo.* Premio Nacional de Literatura, 1980. Director de la Academia Chilena de la Lengua.

OBRA PRINCIPAL: **Poesía.** *Mortal mantenimiento* (1942); *Luz de ayer* (1951); *El dios prestado por un día* (1976); *No tengo tiempo* (1977), 3 vols. Contiene: 1. El dios prestado por un día/2. El ojo cazado en la red de silencio/3. Rodeado estoy de dioses). **Ensayo.** *El libro en la mano* (1954); *Las nobles sombras* (1966); *El Caballero Andante de la poesía* (1973); *La casa de los poetas* (1974); *Una mujer nada de tonta* (1976); *La desterrada en su patria* (1977, 2 vols.). [P.S.]

SCORZA, Manuel (1928-   ).—Poeta, novelista y ensayista peruano. Expulsado del Perú por el régimen del General Odría, Scorza vivió en el exilio, dedicado a la reflexión política y a la elaboración de una novela cíclica que registrara la historia de la rebelión y represión de las comunidades indígenas del Perú. Con imaginación y lucidez ha escrito un conjunto de novelas que constituyen un gran fresco de la historia peruana contemporánea. En 1978 retornó al Perú y se incorporó a la lucha política en las filas del Frente Obrero Campesino Estudiantil (FOCEP). Premio Nacional de Poesía 1955.

OBRA PRINCIPAL: **Poesía.** *Las imprecaciones* (1955); *Los adioses* (1960); *Desengaños del mago* (1961); *Vals de los reptiles*

(1970). **Novela.** *Redoble por Rancas* (1970); *Garabombo, el invisible* (1977); *El jinete insomne* (1977); *Cantar de Agapito Robles* (1977); *La tumba del relámpago* (1979). **Ensayo.** *Literatura: Primer territorio libre de América Latina.* [P.S.]

SCHINCA, Milton (1926-   ).–Poeta y dramaturgo uruguayo. En su obra poética ha logrado conjugar la belleza del lenguaje con la preocupación social y política. Sus últimos libros revelan un mayor acento popular en el uso del lenguaje conversacional y en el tratamiento de motivaciones sociales.
OBRA PRINCIPAL: *Sancho Panza, gobernador de Barataria* (1956); *Ese milagro* (1959); *De la aventura* (1961); *Esta hora urgente* (1963); *Mundo cuestionado* (1965); *Nora Paz* (1966); *Poemas sex* (1969); *Cambiar la vida* (1970); *¡Cambiá Uruguay!* (1971); *Guay, Uruguay* (1971); *Bulevard Sarandí* (1974, tres volúmenes). [H.C.]

SCHMIDT, Augusto Frederico (1906-1965).–Poeta, periodista, ensayista y memorialista brasileño. Se vinculó al *Modernismo* a partir de 1930. Influenciado por el neosimbolismo francés, siguió la línea de inspiración bíblica, preocupado por comunicar un mensaje religioso.
OBRA PRINCIPAL: **Poesía.** *Canto do Brasileiro Augusto Frederico Schmidt* (1928); *Canto do liberto Augusto Frederico Schmidt* (1929); *Pássaro Cego* (1930); *Desaparição da Amada* (1931); *Canto da noite* (1934); *Estrêla Solitária* (1940); *Mensagem aos Poetas Novos* (1950); *Ladainha do Mar* (1951); *Poesías Completas* (1956); *Aurora Lívida* (1958); *Babilônia* (1959); *O caminho do Frio* (1964). **Memorias.** *O Galo Branco* (1948). [M.L.M.]

SEBRELI, Juan José (1930-   ).–Ensayista argentino. Se inició muy cercano a los planteos de su compatriota Ezequiel Martínez Estrada, al análisis de cuya obra dedicó su primer libro. Evolucionó luego hacia un marxismo independiente, muy influido por Teodoro W. Adorno y Erich Fromm. En sus últimos trabajos se trasunta, además, una postura elitista ante la función del intelectual en la sociedad contemporánea.
OBRA PRINCIPAL: *Martínez Estrada, una rebelión inútil* (1960); *Buenos Aires, vida cotidiana y alienación* (1964); *Mar del Plata, el ocio represivo* (1970); *Apogeo y ocaso de los Anchorena* (1972); *Tercer mundo, mito burgués* (1975); *Fútbol y masas* (1981). [H.S.]

segovia

SEGOVIA, Tomás (1927-   ).—Poeta mexicano, nacido en Valencia, España. Ensayista, dramaturgo, crítico, novelista y traductor de poesía. Pertenece al grupo de poetas trasterrados. Editó con Antonio Alatorre y Juan García Ponce la "Revista Mexicana de Literatura". Ha traducido a Rimbaud y Ungaretti. Profesor en la Facultad de Filosofía y Letras de la UNAM e investigador en el Colegio de México. Su poesía hunde sus raíces en el tema amoroso para "vencer la orfandad del exilio".

OBRA PRINCIPAL: **Poesía.** *La luz provisional* (1950); *Apariciones* (1957); *Siete poemas* (1958); *Luz de aquí (1952-1954)* (1958); *El sol y su eco* (1960); *Anagnórisis* (1967); *Historias y poemas* (1968); *Terceto* (1972); *Cuaderno del nómada* (1978); *Figura y secuencias* (1979). **Novela.** *Primavera muda* (1954); *Trizadero* (1973). **Ensayo.** *Actitudes* (1960); *Contracorrientes* (1973). **Teatro.** *Zamora bajo los astros* (1960). [C.T.]

SELVA, Salomón de la (1893-1958).—Escritor nicaragüense. Poeta y prosista. Con Azaharías Pallais y Alfonso Cortés renovaron la poesía nicaragüense en oposición a la corriente rubendariana. Residió en Estados Unidos durante su adolescencia y juventud. Su primer libro se publicó en inglés. Figuró en varias antologías norteamericanas como valiosa promesa de la poesía joven de Norteamerica. Combatiente en el Ejército inglés durante la Primera Guerra Mundial. Vinculado a los movimientos sindicalistas norteamericanos, repudió el imperialismo y dejó de escribir en inglés. En Nicaragua promovió una campaña antinorteamericana en defensa de Sandino. Fundó un periódico bilingüe en Nicaragua. Residió en México como exiliado, pero finalmente, colaboró con el Gobierno de Somoza. Embajador en París.

OBRA PRINCIPAL: **Poesía.** *Tropical town and other poems* (1918); *El soldado desconocido* (1922); *Evocación de Horacio* (1949); *Pregón de la muerte de Helena* (1950); *Tres poesías a la manera de Rubén Darío* (1951); *La ilustre familia* (1954); *Canto a la Independencia nacional de México* (1955); *Evocación de Píndaro* (1957); *Acolmixtli Netzahualcóyotl* (1958); *Sandino* (1968). **Prosa.** *Prolegómenos para un estudio sobre la educación que debe darse a los tiranos* [C.T.]

SEMPRÚN, Jorge (1923-   ).—Novelista y cineasta español de expresión bilingüe: español y francés. Escritor de formación marxista. A partir de su expulsión del Partido Comunista de España, en 1964, derivó hacia posiciones críticas muy próximas al existencialismo sartriano. Como André Malraux, Semprún combina en sus novelas la autobiografía, la historia, el ensayo político y la ficción. Durante la Segunda Guerra Mundial, Semprún militó en la resistencia francesa, fue apresado por los nazis y recluido, en 1943, en el campo de concentración de Büchenwald. Realizó el film *Las dos memorias,* series de entrevistas con diversos protagonistas de la guerra y la posguerra civil española. Colaboró, en calidad de guionista, con los directores Alain Resnais, Joseph Losey, Yves Boisset, Pierre Granier-Deferre y Costa-Gavras: *Stavisky; La guerre c'est finie; Z; Section spéciale; La confession; Les routes du Sud; L'attentat* y *Une femme à sa fenétre.* Premio Formentor 1964. Premio Fémina 1969. Premio Planeta 1977.

OBRA PRINCIPAL: **Novela.** *Le long voyage* (1963); *L'evanouissement* (1967); *La deuxième mort de Ramón Mercader* (1969); *Autobiografía de Federico Sánchez* (1977); *Quel beau dimanche!* (1980); *L'algarabie* (1981). [P.S.]

SENA, Jorge de (1919-1978).—Poeta, novelista y ensayista portugués. Licenciado en ingeniería civil, emigró al Brasil en 1969, donde fue profesor catedrático de Teoría de la Literatura y de Literatura portuguesa; allí se doctoró en Letras, adquiriendo la nacionalidad brasileña. Vivió después, desde 1965 hasta la fecha de su muerte, en los Estados Unidos, donde fue profesor en las Universidades de Wisconsin y de California. Mantuvo siempre los lazos con la Patria y colaboró en un sinnúmero de publicaciones. Autor de una obra polifacética, de ella hay que destacar sin embargo la poesía, que para el propio Jorge de Sena representa un deseo de independencia partidaria de la poesía social; un deseo de compromiso humano de la poesía pura; un deseo de expresión lapidaria, clásica, de la libertad surrealista; un deseo de destruir por el torbellino insólito de las imágenes cualquier disciplina ultrapasada y sobre todo un deseo de expresar lo que entiende es la dignidad humana, una fidelidad integral a la responsabilidad de estar en el mundo.

OBRA PRINCIPAL: **Poesía.** *Perseguição* (1942); *Coroa da Terra* (1946); *Pedra Filosofal* (1950); *As Evidencias* (1955); *Fidelidade* (1958); *Metamorfoses* (1963); *Peregrinatio ad loca infectio* (1969); *Exorcismos* (1972), etc. **Teatro.** *O Indesejado* (Antonio, Rei) (1951); *Amparo de Mae* (1951); *Ulisseia Adúltera* (1952), etc. **Ficción.** *Andanças do Demónio,* cuentos (1960); *Os Grão-Capitães,* cuentos (1976); *O Físico Prodigioso,* novela (1977), etc. **Ensayo.** *O Dogma da Trindade Poética* (1942); *Fernando Pessoa—Páginas de Doutrina Estética* (1946); *A Poesía de Camões* (1951); *O Poeta é um Fingidor* (1961); *Maquiavel u Outros Estudos* (1974); *Dialécticas*

sender

Aplicadas da Literatura (1978); *O Reino da Estupidez* (1978), etc.
[M.V.]

SENDER, Ramón J[osé] (1902-1982)–Narrador, ensayista, autor teatral, poeta y periodista español. Autor de novelas, relatos, crónicas, reportajes y artículos. La obra de Sender (alrededor de ochenta títulos) es el punto de partida de muchas tendencias novelísticas desarrolladas en la península después de 1930. Con desbordante imaginación, vario recurso estilístico y erudito conocimiento de la historia de España, Sender ha cultivado el relato testimonial basado en vivencias propias, documentos y noticias de prensa.

Son notables sus fabulaciones históricas *Mr. Witt en el cantón* (levantamiento cantonal de Cartagena durante la Primera República), *La aventura equinoccial de Lope de Aguirre, Carolus Rex* (Carlos II el Hechizado), *Tres novelas teresianas* (Santa Teresa de Jesús); *Túpac Amaru, El bandido adolescente* (Billy the Kid) y *Jubileo en el zócalo* (Hernán Cortés). La novela *Epitalamio del prieto Trinidad*, de temática hispanoamericana, anuncia, en 1942, el realismo mágico de los años sesenta. Sus novelas más célebres: *Imán, El verdugo afable, Réquiem por un campesino español* (en su primera edición se tituló *Mosén Millán*) y la serie *Crónica del alba*, compuesta de nueve novelas.

Premio Nacional de Literatura 1935. Premio Planeta 1969. La *Obra completa* de Sender, editada en 1977, consta de tres volúmenes. Profesor en la Universidad de Southern, California, Los Angeles.

OBRA PRINCIPAL: **Poesía.** *Las imágenes migratorias* (1960). **Teatro.** *Comedia del diantre y otras dos* (1967). **Relato.** *La llave y otras narraciones* (1967); *Las gallinas de Cervantes y otras narraciones* (1967); *El extraño señor Photynos y otras novelas americanas* (1968). **Ensayo.** *El problema religioso en México; católicos y cristianos* (1928); *Teatro de masas* (1932); *Examen de ingenios. Los noventayochos* (1961); *Valle-Inclán o la dificultad de la tragedia* (1965); *Ensayos del otro mundo* (1970). **Novela.** *Imán* (193); *Siete domingos rojos* (1932); *Mr. Witt en el cantón* (1935); *El lugar del hombre* (1939); *Epitalamio del prieto Trinidad* (1942); *El rey y la reina* (1949); *El verdugo afable* (1952); *Réquiem por un campesino español* (1953/ Mosén Millán); *Los cinco libros de Ariadna* (1957); *Los laureles de Anselmo* (1962); *Novelas ejemplares de Cíbola* (1961); *La tesis de Nancy* (1962); *Crónica del alba* (1965-1966, 9 novelas); *En la vida de Ignacio Morel* (1969); *Tánit* (1970); *La mirada inmóvil* (1979); *La cisterna de Chichen-Itza* (1981). [P.S.]

SERPA, Enrique (1899-   ).—Narrador y poeta cubano. Su primera producción se orientó hacia la poesía de corte modernista. Posteriormente se inclinó hacia la narrativa y dentro de ella, al realismo. No desdeña la utilización de los monólogos interiores: la introspección psicológica de su primera novela derivó hacia el costumbrismo de índole político. OBRA: **Novela.** *Contrabando* (1938); *La trampa* (1956). **Relato.** *Felisa y yo* (1937); *Noche de fiesta* (1951). [J.P.]

SERRANO, Horacio (1904-   ).—Ensayista chileno. Seguidor de Arnold Toynbee, sostiene que "las durezas del ambiente natural obligan al hombre a emplear a fondo sus fuerzas de defensa y de agresión, tanto en la paz como en la guerra" (Fernando Alegría). OBRA PRINCIPAL: *La marcha humana* (1937); *¿Hay miseria en Chile?* (1938); *En defensa de la tontería* (1948); *Entre mar y cordillera* (1952); *¿Por qué somos pobres?* (1958). [P.S.]

SERRANO PONCELA, Segundo (1912-   ).—Ensayista, narrador y crítico literario español. Profesor de Literatura Española en universidades de Santo Domingo, Puerto Rico y Caracas. En 1953 publicó un seductor ensayo titulado *La novela española contemporánea* que constituye la primera visión global del fenómeno novelístico español desde el exilio.

La obra narrativa de Serrano Poncela se caracteriza por su realismo crítico. Su novela más conocida, *El hombre de la cruz verde,* es una recreación de la España de Felipe II: historia de víctimas y verdugos de la Inquisición española. OBRA PRINCIPAL: **Novela.** *Habitación para un hombre solo* (1964); *El hombre de la cruz verde* (1969). **Relato.** *Seis relatos y uno más* (1954); *La venda* (1956); *La raya oscura* (1959); *La puerta de Capricornio* (1956); *Un olor a crisantemo* (1961). **Ensayo.** *El pensamiento de Unamuno* (1952); *Antonio Machado: su mundo y su obra* (1958); *El secreto de Melibea* (1959); *Del romancero a Machado* (1962); *Formas de vida hispánica* (1963). [P.S.]

SHELLEY, Jaime Augusto (1937-   ).—Poeta mexicano. Guionista de cine. Pertenece al grupo "La Espiga Amotinada". Funcionario de la Dirección General de Cinematografía. En él se da una acentuada voluntad de experimentación. "Cada poema engendra su lenguaje, su ritmo y un sistema peculiar de relaciones sintácticas". OBRA PRINCIPAL: **Poesía.** *La rueda y el eco* (en *La Espiga Amotinada*, 1960); *La gran escala* (1961); *Hierro nocturno* (en

sieveking

Ocupación de la palabra, 1965); *Himno a la impaciencia* (1971); *Por definición* (1976). [C.T.]

SIEVEKING, Alejandro (1934-   ).—Dramaturgo chileno. Su vasta obra teatral es de amplia temática. En ella se observa el análisis psicológico y social, con referencias al folclore y al lenguaje popular. Reside en San José de Costa Rica, donde dirige su compañía "El Teatro del Angel". Es famosa su obra *Tres tristes tigres.* Premio Casa de las Américas/Teatro, 1975.

OBRA PRINCIPAL: **Teatro.** *Mi hermano Cristián* (1957); *El paraíso semiperdido* (1958); *El fin de febrero* (1958); *Cuando no está la pared* (1958); *Parecidos a la felicidad* (1959); *La madre de los conejos* (1961); *Animas de día claro* (1962); *Dionisio* (1962); *La remolienda* (1965); *Tres tristes tigres* (1967); *Peligro a 50 metros* (1967); *La mantis religiosa* (1971); *La virgen de la manito cerrada* (1974); *Pequeños animales abatidos* (1975). [P.S.]

SILES SALINAS, Jorge (1926-   ).—Ensayista, historiador, periodista, abogado y diplomático boliviano. Estudió en Chile y España. Pensador católico, propulsor de la idea de la hispanidad y defensor de los valores tradicionales. Lector de Ganivet, Maeztu, Ortega y Eugenio d'Ors. Colabora en "Kollasuyo", "Signo", "Punta Europa" y "ABC". Premio de Periodismo Miguel de Cervantes 1975. Profesor en la Universidad Católica de Bolivia y en la Universidad Mayor de San Andrés, de la cual llegó a ser rector (1975-1977). Miembro de la Academia Boliviana de la Lengua. Miembro del Consejo Superior del Instituto de Cooperación Iberoamericana.

OBRA PRINCIPAL: *La aventura y el orden* (1956); *Unidad y variedad de Hispanoamérica* (1966); *Ante la Historia* (1969); *La literatura boliviana de la Guerra del Chaco* (1969); *La Universidad y el Bien Común* (1972); *Algo permanece en el tiempo* (1973); *La Universidad de Chuquisaca, una forma clásica* (1974); *Guía de La Paz* (1975). [P.S.]

SILVA, Clara (1905-1975).—Poeta uruguaya. Gran parte de su poesía se centra en una búsqueda religiosa, y por momentos bordea el intelectualismo. Sus mejores poemas tienen objetivos más sencillos y concretos y allí su voz se muestra original.

OBRA PRINCIPAL: *La cabellera oscura* (1945); *Memoria de la nada* (1948); *Las bodas* (1960); *Preludio indiano y otros poemas* (1960); *Guitarra en sombra* (1964). [H.C.]

simões

SILVA, Fernando (1927-   ).—Escritor nicaragüense de la Generación del 50. Médico, pintor, confeccionador de objetos de arte abstracto. Es uno de los pediatras más famosos. Como escritor, su obra es muy popular, se ha compenetrado profundamente con el habla del pueblo. OBRA PRINCIPAL: **Novela.** *Barro en la sangre* (1952); *Agua arriba* (1968); *El comandante* (1969). **Cuento.** *De tierra y agua* (1967). [C.T.]

SILVA, Jose Marmelo e (1913-   ).—Narrador portugués, licenciado en Filología Clásica, ejerce actualmente la docencia en Espinho. Colaboró en "Presença", "O Diabo", "Seara Nova", definiéndose como escritor que presencia la ficción para el neorrealismo. Los temas de la adolescencia, de los contrastes entre el campo y la ciudad, predominan en su obra. OBRA PRINCIPAL: **Ficción.** *Sedução,* novela (1937); *Depoimento,* novela (1939); *O Sonho e a Aventura,* narrativas (1943); *Adolescente Agrilhoado* (1958); *O Ser e o Ter,* seguido de *Anquilose,* novelas (1968). [M.V.]

SILVA, Medardo Angel (1898-1919).—Poeta y novelista ecuatoriano. A pesar de su breve existencia, dejó una obra importante; musical y armoniosa, fatalista y crepuscular, Silva cierra el movimiento modernista en el Ecuador y abre las puertas a la sensibilidad vanguardista.

Gonzalo Zaldumbide asegura que "hay poemas de [Medardo Angel] Silva que podían pasar por inéditos de Darío, del que vendimiaba el dolor en el lagar de la vejez desolada". OBRA PRINCIPAL: **Poesía.** *El árbol del bien y del mal* (1918); *Poesías escogidas* (1926). **Novela.** *María Jesús* (1919). [P.S.]

SIMÕES, João Gaspar (1903-   ).—Crítico literario y novelista portugués. Cursó estudios superiores en Coimbra donde se licenció en Derecho. En 1927, con José Regio Branquinho da Fonseca, fundó "Presença". La "imaginación psicológica", teorizada por "presencistas", caracteriza su obra de novelista. Desde casi medio siglo hace crítica literaria, primero en el "Diário de Lisboa", y en las décadas más recientes en el "Diário de Notícias". OBRA PRINCIPAL: **Ficción.** *Elói ou Romance numa Cabeça* (1932); *Amores Infelizes* (1934); *Vida Conjugal* (1936); *Pântano* (1940); *A Unha quebrada,* novelas (1941); *O Marido Fiel,* novela

(1942); *Internato*, novela (1942). **Ensayo**. *Tendências do Romance Contemporâneo* (1933); *Ensaio sobre a Criação no Romance* (1944); *Historia do Romance Portugués* (1967-69); *Heteropsicografía de Fernando Pessoa* (1973); *Eça de Queirós, o Homem e o Artista* (1945); *Antero de Quental* (1962), etc. **Teatro**. *Marcha Nupcial* (1964). [M.V.]

SILVA-CÁCERES, Raúl (1935-   ).—Ensayista y crítico literario chileno. Doctor en Filosofía y Letras por la Universidad de Madrid. Profesor de literatura hispanoamericana en la Escuela de Graduados de la City University of New York y de la Universidad de París (Sorbona). Era delegado de Chile en la UNESCO al producirse el golpe militar de 1973. En la actualidad es director del Centro de Estudios Latinoamericanos de la Universidad de Uppsala, Suecia. Sus ensayos sobre escritores como Cortázar, Donoso, Skármeta y Neruda aún no han sido reunidos en volúmen.
OBRA PRINCIPAL: *Dramaturgia de Armando Moock* (1965); *La novela hispanoamericana actual* (1971, en colaboración con Angel Flores); *Chili: le dossier noir* (1976, co-editor con Julio Cortázar). [P.S.]

SINÁN, Rogelio (1904-   ).—Seudónimo de Bernardo Domínguez Alba. Escritor panameño. Poeta, novelista, cuentista, director teatral. Cursó estudios superiores en Chile y Roma. Como poeta, inició el movimiento vanguardista en su país. Su fama de cuentista ha sido reconocida en ámbitos internacionales. Sus cuentos figuran en antologías traducidas a varios idiomas. "Su mundo de ficción se presenta bajo el influjo de dos reactivos capitales: el subconsciente y el sexo" (Ismael García). Su novela *Plenilunio* fue galardonada con el Primer Premio Ricardo Miró, 1943 y 1977.
OBRA PRINCIPAL: **Poesía**. *Onda* (1929); *Incendio* (1944); *Semana Santa en la niebla* (1949). **Cuento**. *Los pájaros del sueño* (1957); *La boina roja y cinco cuentos más* (1961); *Cuna común* (1963); *Saloma sin salomar* (1969). **Teatro**. *Comuníqueme con Dios; La cucarachita Mandinga; Nuevo pecado original de Adán y Eva por culpa de Mandinga; Chiquilinga*. **Ensayo**. *Freud y el Moisés de Miguel Angel* (1963). **Novela**. *Plenilunio* (1947); *La isla mágica* (1979). [J.P.]

SOLA, Otto de (1912-   ).—Poeta venezolano. Pertenece al grupo "Viernes". En sus primeros libros se observa la ansiedad metafísica,

pero luego el poeta se vuelca al redescubrimiento de la realidad a través de mecanismos vinculados con el sueño y el asombro.
OBRA PRINCIPAL: Poesía. *Acento* (1935); *Presencias* (1938); *De la soledad y las visiones* (1940); *El viajero mortal* (1943); *En este nuevo mundo* (1945); *El desterrado del océano* (1952); *Al pie de la vida* (1954); *El árbol del paraíso* (1958); *Un libro para el viento* (1968); *Mientras llega el futuro* (1970). [J.P.]

SOLANA, Rafael (1915-   ).—Poeta, ensayista, narrador, dramaturgo y periodista mexicano. Pertenece al grupo Taller. Fue secretario particular de Jaime Torres Bodet. Escritor fecundo y versátil, cultivó todos los géneros. También incursionó en el cine, la crítica literaria, la crónica taurina y la publicidad.
"Su teatro, lo mismo que su poesía y sus cuentos tienen propensión a lo fantástico".
OBRA PRINCIPAL: Poesía. *Ladera* (1934); *Los sonetos* (1937); *Los espejos falsarios* (1944); *Alas* (1958); *Pido la palabra* (1964). Ensayo. *Garcilaso rodeado de sus palabras* (1936); *El crepúsculo de sus dioses* (1943). Relato. *El envenenado* (1939); *La trompeta* (1941); *El crimen de tres bandas* (1945); *Trata de muertos* (1947) . Novela. *El sol de octubre* (1959); *La casa de la Santísima* (1960); *El palacio Maderna* (1960). Teatro. *Vuelta a la tierra* (1938); *Linda* (1941); *El camino y el árbol* (1942); *El diablo volvió al infierno* (1944); *Las islas de oro* (1952); *Tres mujeres y un sueño* (1953); *Sólo quedaban las plumas* (1953); *Estrella que se apaga* (1954); *Lázaro ha vuelto* (1955); *El círculo cuadrado* (1957); *A imagen y semejanza* (1957). [P.S.]

SOLARI SWAYNE, Enrique (1915-   ).—Dramaturgo y periodista peruano. Licenciado en el Instituto de Psicología de Munich. Profesor de Psicología. Adquirió renombre en el estremo de *Collacocha*, drama que plantea la lucha del hombre por dominar la naturaleza y el esfuerzo de los peruanos por conseguir la unidad nacional. La obra transcurre en un túnel en construcción que unirá la costa con la selva, pasando por la sierra. El esfuerzo colectivo, un fuerte sentimiento de solidaridad y un optimismo férvido caracterizan la obra de Solari Swayne.
OBRA PRINCIPAL: *Collacocha* (1956); *La mazorca* (1965); *Las armas de Aquiles* (1978). [P.S.]

SOLARTE, Tristán (1924-   ).—Seudónimo de Guillermo Sánchez. Poeta y narrador panameño. Su poesía, formada en el creacionismo, se distingue por su gran belleza y hondura metafísica. Su obra novelística se mueve en una atmósfera misteriosa con descripciones de paisajes que revelan la fina sensibilidad poética del autor. OBRA: **Poesía.** *Voces y paisajes de vida y muerte* (1950); *Evocaciones* (1955). **Novela.** *El guitarrista* (Segundo Premio Ricardo Miró, 1950); *El ahogado* (Primer Premio Ricardo Miró, 1953. Se publicó en 1957); *Confesiones de un magistrado* (Segundo Premio Ricardo Miró, 1966. Se publicó en 1968). [J.P.]

SOLER, Ricaurte (1923-   ).–Ensayista panameño. Doctorado en Filosofía en la Universidad de París. Enseña Filosofía en la Universidad de Panamá. En su obra sobresalen sus ensayos sobre la historia ideológica hispanoamericana y la evaluación de la conciencia nacional panameña.

OBRA: *El positivismo argentino: pensamiento filosófico y sociológico* (1959); *Estudios sobre historia de las ideas en América* (1961); *La reforma universitaria: perfil americano y definición nacional* (1963); *Formas ideológicas de la nación panameña* (1964); *Modelo mecanicista y método dialéctico* (1966); *Pensamiento panameño y concepción de la nacionalidad durante el siglo XIX (Para la historia de las ideas en el Istmo)* (1971); *La nación hispanoamericana* (1975). [P.S.]

SOLÍS, Ramón (1923-1977).–Narrador e historiador español. Doctorado en Derecho y en Ciencias Políticas. Secretario general del Ateneo de Madrid (1962-1968). Director de "La Estafeta Literaria" (1968-1977). Premio Bullón 1963. Premio Fastenrath. Con su novela *Apenas crece la hierba,* Solís es el primer español que, cronológicamente, se ocupa del éxodo de trabajadores a Europa. Su mejor novela: *Un siglo llama a la puerta;* su libro más célebre es un estudio histórico: *El Cádiz de las Cortes.*

OBRA PRINCIPAL: **Novela.** *Un siglo llama a la puerta* (1963); *Los que no tienen paz* (1957); *La bella sirena* (1954); *Apenas crece la hierba* (1962); *El canto de la gallina* (1965). **Relato.** *Amanecer en la Plaza de España; Mientras duerme la ciudad; El mar y un soplo de viento.* [P.S.]

SOLOGUREN, Javier (1922-   ).–Poeta y editor peruano. Preocupado por la estética del lenguaje, ha escrito poemas antológicos sobre la realidad profunda del Perú. Los fundamentos de su poesía son románticos; ellos se proyectan en su estilo superrealista de características muy personales. Premio Nacional de Poesía 1960. Premio Nacional de Cultura 1980. Miembro de la Academia Peruana de la Lengua.

Propietario de una imprenta rudimentaria, Sologuren fundó y dirige las ediciones de "La Rama Florida", cuya importancia en el desarrollo de la poesía joven ha sido decisiva.

OBRA PRINCIPAL: **Poesía.** *Estancias* (1960); *La gruta de la sirena* (1961); *Vida continua. 1944-1964.* (1966); *Recinto* (1967); *Surcando el aire oscuro* (1970). [P.S.]

SOLÓRZANO, Carlos (1922-   ).–Dramaturgo, ensayista y novelista guatemalteco, radicado en México desde 1939. Arquitecto y doctor en letras por la Universidad Nacional Autónoma de México. Realizó estudios de arte dramático en Francia. Director del Teatro Universitario de la UNAM. Catedrático de Literatura Dramática Iberoamericana en la Facultad de Filosofía y Letras de la UNAM. Su obra dramática es predominantemente expresionista; plantea problemas metafísicos y sociales del hombre contemporáneo, especialmente del hombre hispanoamericano.

OBRA PRINCIPAL: **Teatro.** *Doña Beatriz, la sin ventura* (1952); *El hechicero* (1954); *Las manos de Dios* (1956); *Los fantoches/ Mea culpa/ El crucificado* (1958, piezas breves); *El sueño del ángel* (1965). **Novela.** *Los falsos demonios* (1966). **Ensayo.** *El sentimiento poético en la obra de Unamuno* (1946); *Novelas de Unamuno* (1948); *Teatro latinoamericano del siglo XX* (1961, 1963). **Antologías.** *Teatro Guatemalteco* (1964); *Teatro hispanoamericano contemporáneo* (1965, 2 vols.); *Teatro breve hispanoamericano* (1969); *El teatro actual latinoamericano* (1972). [C.T.]

SOMERS, Armonía (1917-   ).–Seudónimo de Armonía Etchepare de Henestrosa. Narradora uruguaya. Su obra ha conseguido un lugar muy especial en las letras de su país por su originalidad y por el atrevimiento de sus temas: el horror, la perversión, la sexualidad. La vertiente fantástica de sus cuentos se reconoce en la mejor tradición del género escrito en el Río de la Plata.

OBRA PRINCIPAL: *De miedo en miedo* (1965); *Todos los cuentos (1953-1967)* (1967); *Un retrato para Dickens* (1969). [H.C.]

SORIA GAMARRA, Oscar (1917-   ).–Narrador boliviano. Como guionista de cine ha obtenido resonantes éxitos con los filmes *Aysa, Ukamau* y *Yawar mallku*. Escritor de estilo neorrealista, se recrea en

la descripción de paisajes, personajes y situaciones de acentuado color local. Sus cuentos, diseminados en revistas y antologías, son notables. Dos de ellos *(Seis veces la muerte* y *Sangre en San Juan)* han sido traducidos a numerosos idiomas. Premio "El Nacional", de México, 1954. Premio Universidad Técnica de Oruro 1965.
OBRA PRINCIPAL: **Cuento.** *Mis caminos, mi cielo, mi gente* (1966). **Crónica.** *Contado y soñado. Visión y escenas de Río de Janeiro* (1957). [P.S.]

SOROMENHO, Castro (1910-1968).—Novelista portugués. Periodista, fue redactor del "Diário de Luanda", en Angola, de donde se marchó en 1937 para Lisboa. Estuvo exiliado algunos años, primero en París y después en el Brasil donde fue profesor universitario. En su obra se alía la influencia neorrealista con la temática africana. Soromenho fue uno de los primeros escritores portugueses en recoger, bajo forma de novela, el tema africano.
OBRA PRINCIPAL: **Ficción.** *Nhari-O Drama da Gente Negra,* cuentos (1938); *Lendas Negras* (1939); *Noite de Angustia,* novela (1939); *Homems sem Caminho,* novela (1942); *Rajada e Outras Histórias* (1943); *Calenga* (1945); *Terra Morta,* novela (1949); *Virages,* novela (1957); *História da Terra Negra* (1960); *Chaga,* novela (1970). [M.V.]

SOSA, Roberto (1930-).—Poeta y ensayista hondureño. Perteneció al grupo "Vidanueva". Director de la revista "Presente". Director de la página literaria de "La Prensa". Premio Adonais 1968. Premio Casa de las Américas 1971. Premio Nacional de Literatura 1972.
OBRA PRINCIPAL: **Poesía.** *Caligramas* (1959); *Muros* (1966); *Mar interior* (1967); *Los pobres* (1969); *Un mundo para todos dividido* (1971). **Ensayo.** *Breve estudio sobre la poesía y su creación* (1969) . **Antología.** *Antología de la nueva poesía hondureña* (1967, con Oscar Acosta); *Antología del cuento hondureño* (1968, con Oscar Acosta). [C.T.]

SOTO, Pedro Juan (1928-).—Escritor puertorriqueño. De estilo barojiano; su prosa escueta, directa y coloquial describe, con humor y patetismo, la vida de los puertorriqueños en Nueva York.
OBRA: **Cuento.** *Spiks* (1956); *Usmail* (1959). **Novela.** *Ardiente suelo, fría estación* (1961); *El francotirador* (1969). **Teatro.** *El huésped* (1955). [J.P.]

SOTO MORALES, Manuel (1902-   ).—Véase **Yankas, Lautaro**.

SOUVIRÓN, José María (1904-1973).—Poeta, narrador y ensayista español. Formó parte del grupo "Litoral", de Málaga. Emigró a Chile, en donde residió hasta 1952. Espíritu religioso, de acento romántico. Premio Nacional de Literatura 1967, por su libro de ensayos *El príncipe de este siglo: la literatura moderna y el demonio.*
OBRA PRINCIPAL: **Poesía.** *Gárgola* (1923); *Conjunto* (1928); *Fuego a bordo* (1932); *Plural belleza* (1936); *Romances americanos* (1936); *Olvido apasionado* (1941); *Del nuevo amor* (1943); *Señal de vida* (1948); *El corazón durante un año* (1954); *Las letanías de Fátima* (1954); *Estancia de la hija* (1957); *Don Juan el loco* (1957); *El solitario y la tierra* (1961); *El desalojado* (1969). **Novela.** *Rumor de ciudad* (1935); *La luz no está lejos* (1945); *El viento en las ruinas* (1946); *Isla para dos* (1950); *La danza y el llanto* (1952); *Cristo en Torremolinos* (1963); *Un hombre y unas mujeres* (1964). **Ensayo.** *El príncipe de este siglo: la literatura moderna y el demonio* (1967). [P.S.]

SPOTA, Luis (1925-   ).—Escritor y periodista mexicano. De gran capacidad narrativa, Spota ha publicado novelas de notable éxito editorial. Describe los entretelones del mundo de las corridas de toros, de los sindicatos, de la burguesía, de los braceros, etc. A Spota no le preocupa la estilística, sino la divulgación crítica de problemas sociales. En *Casi el paraíso,* considerada como una de sus mejores novelas, "pinta con fiel y exacta crueldad el rastacuerismo de la llamada alta sociedad mexicana". Director del suplemento "El Heraldo cultural", del diario "El Heraldo de México". Presidente de la Comisión Mexicana de Box y Lucha Libre.
OBRA PRINCIPAL: **Novela.** *Murieron a mitad del río* (1948); *Más cornadas da el hambre* (1950); *Casi el paraíso* (1956); *Las horas violentas* (1958); *La sangre enemiga* (1959); *El tiempo de la ira* (1960); *La carcajada del gato* (1964); *Los sueños del insomnio* (1966); Trilogía "La costumbre del poder": *Retrato hablado* (1975); *Palabras mayores* (1975); *Sobre la marcha* (1976). [P.S.]

STORNI, Alfonsina (1892-1938).—Poeta argentina considerada, junto con Delmira Agustini y Gabriela Mistral, las tres voces femeninas más importantes del continente latinoamericano en la primera mitad del siglo XX. De su obra ha dicho Alfredo Veiravé: "La diferencia entre los libros de la primera época y los que cierran su producción

suárez

radica, además, en un cambio de formas: del verso tradicional al verso libre y en la visión del mundo. En la primera etapa, bajo la influencia de los románticos y modernistas esa visión es subjetiva y sentimental, celebratoria del espontáneo mundo de los sentidos bajo el cual nace la verdadera ciencia de lo femenino. En la segunda etapa que culmina con *Mascarilla y trébol*, aquella visión primaveral se torna agria y discordante, irónica y plena de angustia".

OBRA PRINCIPAL: *La inquietud del rosal* (1916); *El dulce daño* (1918); *Irremediablemente* (1919); *Languidez* (1920); *Ocre* (1920); *Mundo de siete pozos* (1934) y *Mascarilla y trébol* (1938). [H.S.]

SUÁREZ, Clementina (1903-   ).—Poeta hondureña. Ha residido en México, La Habana, Nueva York, Costa Rica y San Salvador. Editora de la revista "Mujer" y fundadora de una galería de arte centroamericano en México. Directora de la página de arte y letras de "El Día" de Tegucigalpa. Fundadora de la galería "Morazánica". Premio Nacional de Literatura (Tegucigalpa, 1970).

OBRA PRINCIPAL: Poesía. *Corazón sangrante* (1930); *Iniciales* (1930); *Templos de fuego* (1931); *De mis sábados, el último* (1935); *Veleros* (1937); *Creciendo con la hierba* (1957); *El poeta y sus señales* (1969). [C.T.]

SUÁREZ, Gastón (1928-   ).—Cuentista y dramaturgo boliviano. Abogado, abandonó la carrera para dedicarse a la literatura. Ejerció los oficios más diversos: actor, editor, camionero y minero. Con estilo neorrealista, Suárez describe la soledad y el absurdo de unas existencias grises extraviadas en la gran ciudad. La frustración, la desolación, la enfermedad y la muerte son los personajes de la obra de este excelente cuentista. El mundo de los marginados —mendigos, artistas, funcionarios, perros callejeros, jubilados— es recreado con estilo sobrio, directo, y con el uso mesurado del monólogo interior. Ultimamente escribe relatos para niños.

OBRA PRINCIPAL: Cuento. *Vigilia para el último viaje* (1963); *El gesto* (1969). Relato. *Mallko* (1974); *Las aventuras de Miguelín Quijano* (1979). Teatro. *Vértigo o El perro vivo* (1968). [P.S.]

SUÁREZ, Jorge (1932-   ).—Poeta, cuentista y periodista boliviano. Pertenece a la segunda generación de Gesta Bárbara. Fundador y director del diario "Jornada", de La Paz. Trabajó en periódicos argentinos, uruguayos, chilenos y peruanos. En colaboración con Félix Rospigliosi publicó el libro de sonetos *Hoy, fricasé*, expresión lírica —en plan gastronómico— del humor boliviano. Reside en España.

OBRA PRINCIPAL: **Poesía.** *Hoy fricasé. Soneticidios* (1953, en colaboración con Félix Rospigliosi); *Los melodramas auténticos de políticos idénticos* (1960); *Elegía a un recién nacido* (1964); *Sonetos con infinito* (1976). **Cuento.** *Cuentos con sol y sombra* (1974). [P.S.]

SUÁREZ FIGUEROA, Sergio (1923-1968).—Poeta, dramaturgo y músico boliviano. Poeta de estirpe superrealista, su teatro se inserta en las corrientes del absurdo y del existencialismo. El automatismo, la efusión lírica y el buceo en los laberintos de la condición humana fueron los temas recurrentes de este cazador de sueños. Su obra contribuyó a la renovación del teatro en Bolivia. *El arpa en el abismo* y *La peste negra* le dieron celebridad continental.

OBRA PRINCIPAL: **Poesía.** *Los rostros mecánicos* (1958); *Como la grave niebla del pánico* (1961); *Siete umbrales descienden hasta Job* (1962); *El tránsito infernal y el peregrino* (1967). **Teatro.** *El arpa en el abismo* (1963); *La peste negra* (1967); *El hombre del sombrero de paja* (1968); *La azotea* (1968). [P.S.]

SUÁREZ RADILLO, Carlos Miguel (1919-   ).—Poeta, crítico y narrador cubano. Actor y director teatral, funda en La Habana el grupo 'Los juglares" (1956). Invitado por el Instituto de Cultura Hispánica crea, en Madrid, el grupo "Los juglares", teatro hispano-americano de ensayo. Guionista de radio y televisión. Crea en España el Teatro Nacional de Juventudes y, en Venezuela, el Teatro de Barrios, experiencia teatral en las comunidades marginales.

OBRA: **Poesía.** *La caracola y la campana* (1978). **Relato.** *Un niño* (1972). **Ensayo y antologías.** *Teatro selecto hispanoamericano contemporáneo,* en colaboración con O. Rodríguez Sardiñas (1971); *Trece autores del nuevo teatro venezolano* (1971); *Temas y estilos en el teatro hispanoamericano contemporáneo* (1975); *Itinerario temático y estilístico del teatro contemporáneo español* (1976); *Lo social en el teatro hispanoamericano contemporáneo* (1976); *El teatro barroco hispanoamericano* (1980, 3 vols.). [J.P.]

SUASSUNA, Ariano (1927-   ).—Novelista, poeta y dramaturgo brasileño. Su teatro es de raíces populares de corriente regionalista. Su obra más importante es *Auto da Compadecida* (1957) de crítica social filtrada por la visión católica que el autor tiene de la realidad. Esta pieza fue vertida al español por José María Pemán. Es considerada también de gran importancia su novela *A Pedra do Reino* (1970), un profundo estudio sobre el folclore del nordeste brasileño. Cofundador, en 1970 del "Movimiento Armorial", cuyo objeto era divulgar el arte y la cultura del nordeste.

OBRA PRINCIPAL: **Teatro.** *Os Homens de Barro* (1940); *Auto de João da Cruz* (1950); *Torturas de un Coração, ou, Em Boca Fechada não Entra Mosquito* (1951); *O Arco Desolado* (1952); *O Castigo da Soberba* (1953); *O Rico Avarento* (1954); *Auto da Compadecida* (1955); *O Casamento Suspeitoso* (1957); *O Santo e a Porca* (1957); *Farsa da Boa Preguiça* (1960). **Poesía.** *O Pasto Incendiado* (1970). **Novela.** *A História do Amor de Fernando e Isaura* (1956); *Romance d'A Pedra do Reino e o Príncipe do Sangue do Vai-e-Volta* (1970). [M.L.M.]

SUBERCASEAUX, Benjamín (1902-1973).—Narrador y ensayista chileno. Pertenece a la generación chilena del 27. Doctor en Psicología por la Universidad de París (Sorbona). Escritor bilingüe (español-francés). Sus conocimientos científicos, sus lecturas filosóficas y su poder de observación, le convirtieron en un penetrante ensayista. Más que contar historias, Subercaseaux describe en sus ficciones, la naturaleza humana y el comportamiento fisiológico y moral de sus personajes. El sesgo autobiográfico y el vuelo imaginativo caracterizan su obra ensayística. Su relato *Daniel, niño de lluvia* es un extraordinario análisis de psicología infantil. Su libro más divulgado: *Chile o una loca geografía.* Miembro de la Academia Chilena de la Lengua.

OBRA PRINCIPAL: **Novela.** *Rahab* (1939); *Jimmy Button* (1954). **Cuento.** *Daniel, niño de lluvia y otros relatos* (1940). **Ensayo.** *Le voyage sans bout et sans fin* (1929); *50º Latitud Sur* (1930); *Propos sur Rimbaud* (1930); *Zoe* (1936); *Y al Oeste limita con el mar* (1973); *Contribución a la realidad (sexo, raza, literatura)* (1939); *Chile o una loca geografía* (1940); *Retorno de USA* (1943); *Reportaje a mí mismo* (1945); *Tierra de océano* (1946); *El mundo y la vida a través de una experiencia literaria* (1952); *Santa Materia* (1954). [P.S.]

SUCRE, Guillermo (1933-   ).—Escritor venezolano. Poeta y ensayista. Actuó en el movimiento estudiantil opositor al régimen de Marcos Pérez Jiménez. Exiliado, viajó por Chile, México y Francia. Miembro del grupo "Sardio". Profesor en la Universidad Central de Venezuela. Profesor asociado en el Departamento Hispánico de la

Universidad de Pittsburgh. Director de la revista cultural "Imagen", de Caracas.

OBRA: **Poesía.** *Mientras suceden los días* (1961); *La mirada* (1970). **Ensayo.** *Borges, el poeta* (1967); *Jorge Luis Borges* (1971). [J.P.]

SUEIRO, Daniel (1932-   ).–Narrador, ensayista, guionista de cine y periodista español. Se inició en el realismo social, pero ha derivado hacia una literatura imaginativa cercana a la ficción científica. Colaboró como guionista con Carlos Saura *(Los golfos);* con Mario Camus *(Los farsantes);* con Basilio Martín Patino *(Queridísimos verdugos)* y con Bardem *(El puente),* películas que tienen como base algunos de sus relatos. Colaboró en el programa de televisión "Encuentro con las letras".

Premio Nacional de Literatura 1960. Premio Alfaguara 1969. Premio Hucha de Oro de cuentos 1976.

OBRA PRINCIPAL: **Novela.** *La criba* (1961); *Estos son tus hermanos* (1965); *La noche más caliente* (1966); *Solo de moto* (1966); *Corte de corteza* (1969). **Relato.** *La rebusca y otras desgracias* (1958); *Los conspiradores* (1964); *Toda la semana* (1964); *El cuidado de las manos* (1974); *Servicio de navaja* (1977). **Ensayo.** *El arte de matar* (1968); *Los verdugos españoles* (1971); *La pena de muerte: ceremonial, historia, procedimientos* (1974); *La verdadera historia del Valle de los Caídos* (1976); *Historia del franquismo* (1976). [P.S.]

T

TABOADA TERÁN, Néstor (1929-   ).—Novelista, cuentista y periodista boliviano. Director del Departamento de Cultura de la Universidad Técnica de Oruro y profesor de historia. Director de las revistas "Letras Bolivianas" y "Cultura Boliviana". Su obra se inscribe en el realismo crítico. Reside en Buenos Aires.
OBRA PRINCIPAL: **Novela.** *El precio del estaño* (1960); *El signo escalonado* (1975); *Manchay Puytu, el amor que quiso ocultar Dios* (1978). **Cuento.** *Claroscuro* (1948); *Germen* (1950); *Indios en rebelión* (1968); *Ten dollars. Mientras se oficia el escarnio* (1968); **Crónica.** *Cuba, paloma de vuelo popular* (1964); *Chile con el corazón a la izquierda* (1970). **Antología.** *Bolivia en el cuento* (1976); *Ecuador en el cuento* (1976). [P.S.]

TALLET, José Z[acarías] (1893-   ).—Poeta cubano. Precursor de la poesía afrocubana junto con Pichardo Moya. Su famoso poema *La rumba,* publicado en 1928, ha sido musicalizado por el compositor cubano Alejandro García Caturla. Su poesía coloquial —forjada en las lecturas de Laforgue— expresa el interés del poeta por las cosas cotidianas, humildes, aparentemente sin importancia. Su breve obra ha sido revalorizada por las nuevas generaciones de poetas hispanoamericanos y se la considera precursora de la corriente "antipoética" de Nicanor Parra, Benedetti, Young Núñez, etc.
OBRA: *La semilla estéril* (1951). [J.P.]

TAMAYO VARGAS, Augusto (1914-   ).—Poeta, narrador, crítico literario, profesor y periodista peruano. Poeta testimonial. Desde un lenguaje trabajado en el habla popular, proyecta su visión continentalista. Su labor pedagógica ha sido fecunda, ella ha generado una serie de libros fundamentales para comprender el desarrollo de la literatura peruana.
Profesor emérito de la Universidad de San Marcos. Premio

413

tamen

Nacional de Crítica, 1948. Premio Nacional de Periodismo, 1968. Presidente de la Asociación Nacional de Escritores. Miembro de la Academia Peruana de la Lengua. Autor de más de cuarenta libros, ha dictado cursos en universidades de Brasil, Chile, Puerto Rico y Norteamérica. Director del diario "La Crónica" de Lima. OBRA PRINCIPAL: **Poesía.** *Cantata a Bolívar* (1960); *Nuevamente poesía* (1961); *Amor por América la pobre* (1970); *Arco en el tiempo* (1971). **Novela.** *Una sola sombra al frente* (1973); *Impronta del agua enferma* (1974). **Crítica.** *Perú en trance de novela. Mercedes Cabello de Carbonera* (1940); *Apuntes para un estudio de la literatura peruana* (1948); *Literatura en Hispanoamérica* (1973); *Literatura peruana* (1976, 2 vols.). [P.S.]

TAMEN, Pedro (1934-   ).–Poeta portugués. Licenciado en Derecho por la Universidad de Lisboa, trabajó muchos años como director literario en una editora. Actualmente es administrador de la Fundación Gulbenkian. Colaborador de numerosas publicaciones: "Anteu" –que dirigió–, "Coloquio/Letras", etc. OBRA PRINCIPAL: **Poesía.** *Poemas para Todos os Dias* (1956); *O Sangue, a Agua e o Vinho* (1958); *Primeiro Livro de Lapinova* (1960); *Poemas a Isto* (1962); *Daniel na Cova dos Leoes* (1970); *Escrito de Memória* (1973); *Agora, Estar* (1975). [M.V.]

TEILLIER, Jorge (1935-   ).–Poeta chileno. Inicialmente elegíaco, funde los recuerdos de la provincia con la nostalgia de sus paisajes. Su obra tiene la magia de las cosas sencillas trascendidas por el asombro y la maravilla. OBRA PRINCIPAL: *Para ángeles y gorriones* (1956); *El cielo cae de las hojas* (1958); *El árbol de la memoria* (1961); *Poemas del País de Nunca Jamás* (1963); *Poemas y secretos* (1965); *Crónica del forastero* (1968). *Muertes y maravillas* (1971). [P.S.]

TEITELBOIM, Volodia (1916-   ).–Narrador y ensayista chileno. Escritor comprometido, culto y refinado, su obra se adscribe en la corriente del realismo crítico. Autor, con Eduardo Anguita, de la *Antología de poesía chilena nueva,* hecha a imagen y semejanza de la famosa *Antología* de Gerardo Diego. Dirige la revista chilena en el exilio "La Araucaria de Chile". OBRA PRINCIPAL: **Ensayo.** *El amanecer del capitalismo y la conquista de América* (1943); *Hombre y hombre* (1969); *El oficio ciudadano. El pan y las estrellas* (1973); *Pólvora del exilio* (1975);

La lucha continúa (1976). **Novela.** *Hijo del salitre* (1952); *La semilla en la arena* (196?); *La guerra interna* (1979). [P.S.]

TEJERA, Nivaria (1930-   ).—Narradora cubana. Premio Seix Barral 1971, por su novela *Sonámbulo del sol.* Influida por el *nouveau roman,* "Tejera logra penetrar hondo bajo la superficie y revela un extenso panorama de la corrupción y decadencia de la sociedad cubana antes de 1959". Tejera fue destituida de su cargo de agregada cultural en Roma, 1965.
OBRA PRINCIPAL: *Sonámbulo del sol* (1972). [P.S.]

TELLES, Lígia Fagundes (1923-   ).—Cuentista y novelista brasileña. Sigue la corriente introspectiva, intimista. Su obra es un verdadero documento social urbano.
OBRA PRINCIPAL: *Praia Viva* (1944); *O Cacto Vermelho* (1949); *Ciranda de Pedra* (1955); *Histórias do Desencontro* (1958); *Verâo no Aquário* (1963); *O Jardim Selvagem* (1965); *Antes do Baile Verde* (1970). [M.L.M.]

TIEMPO, César (1906-1980).—Seudónimo de Israel Zeitlin. Poeta, ensayista, dramaturgo y periodista argentino nacido en Ekaterinoslaw, Ucrania. Sus primeros versos los publicó a los 14 años y a los 17 ya había estrenado una obra teatral: *El diablo se divierte.* A los 18 dirigió la revista "Sancho Panza". Desde entonces desarrollaría una actividad múltiple en varios géneros, revalorizando el periodismo literario que en sus artículos participaba tanto del ensayo como de la semblanza minuciosa y erudita. Como poeta, su obra —elogiada por Rafael Cansinos Asséns— narra la vida de la colectividad judía en la Argentina, dentro de una estructura formal de tipo clásico donde nunca falta la nota de ternura ni tampoco el humor. Escribió numerosas obras teatrales y más de cuarenta guiones cinematográficos. También dirigió el suplemento cultural del diario "La Prensa".
OBRA PRINCIPAL: **Poesía.** *Versos de una...* (firmado Clara Beter) (1927); *Sabatión argentino* (1933); *Sadomingo* (1938); *Sábado pleno* (1955). **Teatro.** *El teatro soy yo* (1933); *Alfarda* (1935); *Pan criollo* (1937); *Clara Beter vive* (1941); *Zazá porteña* (1945); *La dama de las comedias* (1952); *El lustrador de manzanas* (1957). **Ensayo.** *Máscaras y caras* (1945); *Mi tío Scholem Aleijem y otros parientes* (1978). [H.S.]

tierno galván

TIERNO GALVÁN, Enrique (1928-   ).–Ensayista y político español. Catedrático de Derecho Político en la Universidad de Salamanca. Fundador del Partido Socialista Popular, fusionado posteriormente con el Partido Socialista Obrero Español del que es Presidente. Su prosa pulcra, su pensamiento sistemático y su claridad expositiva le confieren un sitio de honor en la ensayística española de posguerra. Es célebre su reinterpertación de la cultura española del siglo XIX y merecen especial mención sus ensayos sobre los toros, La Celestina, la tradición y el modernismo, la religiosidad, etc. Actualmente desempeña el cargo de Alcalde de Madrid.

OBRA PRINCIPAL: **Ensayo.** *Desde el espectáculo a la trivialización* (1960); *Tradición y modernismo* (1962); *Acotaciones a la historia de la cultura occidental en la Edad Moderna* (1964); *Humanismo y sociedad* (1964); *Baboeuf y los Iguales* (1967); *Razón mecánica y razón dialéctica* (1969); *La humanidad reducida* (1970); *Escritos. 1950-1960* (1971); *Sobre la picaresca y otros escritos* (1974); *¿Qué es ser agnóstico?* (1975); *España y el socialismo* (1976); *Democracia, socialismo y libertad* (1976); *Idealismo y pragmatismo en el siglo XIX español* (1977). **Memorias.** *Cabos sueltos* (1981). [P.S.]

TIZÓN, Héctor (1929-   ).–Narrador argentino. Se inició con un libro de cuentos, *A un costado de los rieles,* publicado en México, donde desempeñaba el cargo de agregado cultural, en 1960. Toda su obra se ha centrado en la descripción de tipos humanos, leyendas, mitos y en el paisaje de la zona del norte argentino, en especial de Yala, su pueblo natal. Sin embargo, Tizón, en ningún momento incurre en folclorismo, sino que –según la vieja máxima– es capaz de ser universal describiendo su contexto más cercano con un cuidadoso rigor verbal, logrando al mismo tiempo adentrarse en la psicología profunda de sus personajes.

OBRA PRINCIPAL: **Narrativa.** *A un costado de los rieles* (1960); *Fuego en Casabindo* (1969); *Cantar del Profeta y el bandido* (1972); *El jactancioso y la bella* (1972); *Sota de bastos, caballo de espadas* (1975); *El traidor venerado* (1978). [H.S.]

TOBAR GARCÍA, Francisco (1920-   ).–Poeta y dramaturgo ecuatoriano. Profesor de latín en la Universidad Católica de Quito. Director de la editorial de la Casa de Cultura Ecuatoriana. Poeta elegíaco de acento religioso. Sus lecturas del Viejo Testamento –El Libro de Job– y su temperamento barroco definen su poesía centrada en los temas recurrentes de la soledad y los recuerdos de infancia.

Verdadero impulsor del teatro en el Ecuador, su obra dramática ha suscitado críticas diversas: *"L'enfant terrible* de la farsa burguesa", le ha llamado Ricardo Descalzi, mientras Felipe Astorga considera que "nadie como él para disecar su propia clase social. Auténtico revolucionario, su teatro es el espejo de un mundo agonizante; Tobar es un profeta de la clase media".

OBRA PRINCIPAL: **Poesía.** *Amargo* (1951); *Segismundo y Zalatiel* (1952); *Smara* (1954); *Naufragios* (1961); *Canon perpetuo* (1970). **Teatro.** La trilogía del mar. *Una gota de lluvia en el aroma/ El ave muere en la orilla / Las ramas desnudas.* Tragedias. *Extraña ocupación / La dama ciega / Cuando el mar no existe.* Drama. *La llave del abismo / La noche no es para dormir / Alguien muere la víspera.* Comedias. *El César ha bostezado / Un león sin melena.* [P.S.]

TORGA, Miguel (1907-   ).—Poeta y cuentista portugués. Nombre literario de Adolfo Correia da Rocha. Médico de profesión. Perteneció al grupo inicial de "Presença", desligándose de ella en 1930. Con Branquinho da Fonseca dirigió la revista "Sinal", y más tarde la revista "Manifesto", ambas de breve duración. Hizo su estreno en 1928 con el volumen de poemas *Ansiedade,* y a partir de 1937 inicia con "A Criaçao do Mondo—Os Dois Primeiros Dias", un ciclo cósmico de carácter autobiográfico. Más tarde, en 1941, inicia un nuevo ciclo autobiográfico, con la publicación del primer volumen de su *Diario,* que hoy cuenta ya con cerca de docena y media de volúmenes. Practicando casi siempre un aislamiento casi hostil. Torga sólo alcanzó en estos últimos años la popularidad literaria. Recientemente fue galardonado con el Premio Montaigne.

OBRA PRINCIPAL: **Poesía.** *Ansiedade* (1928); *Rampa* (1930); *Tributo* (1931); *Abismo* (1932); *O Outro Livro de Job* (1936); *Lamentação* (1943); *Cäntico de Homem* (1950); *Alguns Poemas Ibéricos* (1952); *Orfeu Rebelde* (1958); *Poemas Ibéricos* (1965), etcétera. **Ficción.** *Pão Azimo,* cuento (1931); *O Terceiro Dia,* novela (1938); *Bichos,* cuentos (1940); *Contos da Montanha* (1941); *Vindima,* novela (1945); *Pedras Lavradas,* cuentos (1951); *O Quinto Dia da Criação do Mundo* (1974); *Fogo Preso* (1975), etc. [M.V.]

TORRE REYES, Carlos de la (1928-   ).—Poeta, novelista, cuentista, ensayista, historiador, periodista, abogado y diplomático ecuatoriano. Sus crónicas y ensayos se han publicado bajo los títulos de *Las crónicas de Parsifal* y *Nuevas crónicas de Parsifal.* Miembro de

torrente ballester

la Academia Ecuatoriana de la Lengua. Director de "El Tiempo", de Quito. Premio Tobar 1962. Premio SIP-Mergenthaler, 1975. Premio Cervantes de Periodismo, 1976.

OBRA PRINCIPAL: **Poesía.** *Ortonautilia* (1951); *La memoria del agua* (1956); *El minotauro* (1976. Dibujos de Osvaldo Guayasamín); *Amor: cascada y nube* (1980. Ilustraciones de Osvaldo Viteri). **Cuento.** *La máscara* (1963). **Novela.** *Don Abel* (1952, en colaboración con Francisco Mera); *Y los dioses se volvieron hombres* (1981). **Crónica.** *Las crónicas de Parsifal* (1972); *Nuevas crónicas de Parsifal* (1976). **Biografía.** *La espada sin mancha. Biografía del general Julio Andrade* (1962). **Historia.** *La revolución de Quito del 10 de agosto de 1809, sus vicisitudes* (1961). [P.S.]

TORRENTE BALLESTER, Gonzalo (1910-   ).–Novelista, dramaturgo, ensayista y crítico teatral español. Vinculado a la generación del 36. Profesor de Letras en la Universidad de Salamanca y en la Universidad norteamericana de Albany. Inició su andadura narrativa con una novela ideológica, *Javier Mariño,* pero luego abordó el tema de la dictadura en su novela *El golpe de estado de Guadalupe Limón,* de corte valleinclanesco. Continuó por senderos del realismo para desembocar —con Don Juan— en una expresión novelística muy personal. Agudo, lúcido, culto, imaginativo, Torrente Ballester combina su prosa analítica, rítmica, con ramalazos líricos; traslada al relato personajes, situaciones y hechos recuperados de la historia y del mito; utiliza técnicas de novelar de diversa índole e incorpora a la fábula ideas, reflexiones, observaciones y, sobre todo, una gran dosis de ironía y un profundo sentido del juego. Es autor de una trilogía titulada *Los gozos y las sombras* e integrada por las novelas *El señor llega, Donde da la vuelta el aire* y *La Pascua triste.* Su novela más célebre: *La saga/fuga de J.B.;* su mejor novela: *Don Juan.*

Miembro de la Real Academia Española. Premio Nacional de Literatura 1939. Premio March de novela, 1959. Premio de la Crítica teatral, 1961. Premio Nacional de Literatura 1981. Tradujo la obra poética de Rilke y es también autor de *Panorama del teatro español contemporáneo y Panorama de la literatura española contemporánea.* Están en curso de publicación sus Obras completas.

OBRA PRINCIPAL: **Novela.** *Javier Mariño* (1943); *El golpe de estado de Guadalupe Limón* (1946); *Ifigenia* (1950); *Farruquiño* (1954); *El señor llega* (1957); *Donde da la vuelta el aire* (1960); *La Pascua triste* (1963); *Don Juan* (1963); *Off-side* (1969); *La saga/fuga de J.B.* (1972); *Fragmentos de Apocalipsis* (1976); *La isla de los jacintos cortados* (1981). **Ensayo.** *Siete ensayos* (1959); *El Quijote como juego* (1975); **Teatro.** *El viaje del joven Tobías* (1938); *El casa-*

miento engañoso (1941); *Lope de Aguirre* (1941); *República Barataria* (1942); *El retorno de Ulises* (1946); *Siete ensayos y una farsa* (1942). [P.S.]

TORRES, Alexandre Pinheiro (1923-   ).—Poeta y ensayista portugués. Bachiller en Ciencias por la Universidad de Oporto y licenciado en Letras por Coimbra, después de dedicarse a la enseñanza secundaria fue a vivir a Inglaterra, ocupando el puesto de ayudante en el Departamento de Estudios Hispánicos de la Universidad de Cardiff. En 1968 fue promovido a profesor extraordinario y en 1976, a catedrático de esa Universidad donde dirige el Departamento de Estudios Portugueses y Brasileños.
OBRA PRINCIPAL: **Poesía.** *Novo Génesis* (1950); *A voz Recuperada* (1935); *Ilha do Desterro* (1968); *A Terra do meu Pai* (1972), etc. **Ficción.** *A Nau de Quixibá* (1977). **Ensayo.** *Programa para o Concreto* (1966). **Romance.** *O Mundo em Equação* (1967); *O Neo-Realismo Literário Português* (1977), etc. [M.V.]

TORRES BODET, Jaime (1902-1974).—Poeta mexicano. Profesor, ensayista, diplomático, novelista, cuentista y memorialista. Con Bernardo Ortiz de Montellano dirigió la revista "La Falange" (1922-1923). Secretario particular de José Vasconcelos. Viajó por todo el mundo. Secretario de Relaciones Exteriores y de Educación Pública. Director General de la UNESCO (1948-1952). Uno de los animadores del grupo "Contemporáneos". Miembro de la Academia Mexicana de la Lengua. Su obra intimista fue "una concordia entre la tradición y la novedad". Sus novelas psicológicas están escritas con humor refinado y estilo pulcro.
OBRA PRINCIPAL: **Poesía.** *Fervor* (1918); *El corazón delirante* (1922); *Canciones* (1922); *Poesías* (1926); *Destierro* (1930); *Poesía* (1963). **Novela.** *Margarita de niebla* (1927); *La educación sentimental* (1930); *Proserpina rescatada* (1931); *Primero de enero* (1934); *Sombras* (1937). **Relato.** *Nacimiento de Venus y otros relatos* (1941). **Ensayo.** *Contemporáneos* (1928); *Tres inventores de realidad* (1955). **Memorias.** *Tiempo de arena* (1955). [P.S.]

TOVAR, Antonio (1911-   ).—Ensayista y crítico literario español. Filólogo y políglota, vinculado a la generación del 36. Doctor en Filosofía y Letras. Licenciado en Derecho. Catedrático de Latín en las universidades de Salamanca y Madrid. Rector de la Universidad de Salamanca. Profesor de Lingüística comparada en la Universidad de

traba

Tubinga. Profesor invitado en universidades norteamericanas y alemanas. Colabora en la revista "Gaceta Ilustrada". Miembro de la Real Academia Española. Miembro de la Academia de Ciencias de Heidelberg. Miembro honorario de la Real Academia de la Lengua Vasca. Doctor honoris causa por las universidades de Munich y Buenos Aires. Premio Goethe 1981. Miembro del Consejo Superior del Instituto de Cooperación Iberoamericana.

Residió en Argentina de 1948 a 1950. Eminente lingüista, ha publicado estudios señeros como *La lengua vasca* (1950), *El euskera y sus parientes* (1959), *Catálogo de las lenguas de America del Sur* (1961) y *Mitología e ideología vasca* (1980).

OBRA PRINCIPAL: *Estudios sobre la antigüedad* (1941); *Estudios sobre las primitivas lenguas hispánicas* (1949); *La vida de Sócrates* (1947); *¿Una educación sin clásicos?* (1955); *Un libro sobre Platón* (1956); *Ensayos y peregrinaciones* (1960); *Tendido de sol/1* (1968) *Tendido de sol/2* (1969); *Lo medieval en la Conquista y otros ensayos americanos* (1970); *El telar de Penélope* (1971); *Novela española e hispanoamericana* (1980) [P.S.]

TRABA, Marta (1930-   ).—Escritora colombiana, nacida en la Argentina. Novelista y crítica de arte. Como ensayista ha intentado articular una visión integradora de la actividad hispanoamericana en el ámbito de las artes plásticas. Premio Casa de las Américas, 1966, por su novela *Las ceremonias del verano*. Actualmente enseña Arte Moderno en la Universidad de Princeton (USA).

OBRA PRINCIPAL: **Ficción.** *Las ceremonias del verano* (1966); *Los laberintos insolados* (1967); *Pasó así* (1968); *La jugada del sexto día* (1969); *Homérica Latina* (1979); *Conversación al sur* (1981). **Crítica.** *Los cuatro monstruos cardinales* (1964); *Dos décadas vulnerables en la artes plásticas latinoamericanas 1950/1970* (1973); *Los signos de vida* (1976); *La zona del silencio* (1976). **Poesía.** *Historia natural de la alegría* (196?)⁻[P.S.]

TREJO, Mario (1926-   ).—Poeta y dramaturgo argentino. Participó en la mayoría de las publicaciones vanguardistas de los años cincuenta: "Poesía Buenos Aires", "Letra y Línea", "Contemporánea", entre otras. En su obra ha sabido ensamblar las experiencias de lenguaje con el rescate de lo coloquial y la cotidianeidad. También dentro de una línea de vanguardia ha escrito dos obras de teatro.

OBRA PRINCIPAL: *Celdas de la sangre* (1946); *El uso de la palabra* (1964). **Teatro.** *No hay piedad para Hamlet* (en colaboración con Alberto Vanasco) (1960); *Libertad y otras intoxicaciones* (1967). [H.S.]

TREJO, Oswaldo (1928-   ).—Narrador venezolano. Novelista, cuentista, diplomático. Vinculado a los grupos "Sardio" y "Contrapunto". Su obra narrativa es de raíz kafkiana; ella está constituida por símbolos construidos sobre lo soñado.
OBRA: **Cuento.** *Los cuatro pies* (1948); *Cuentos de la primera esquina* (1951); *Escuchando al idiota* (1952); *Aspasia tiene nombre de corneta* (1953); *Depósito de seres* (1965). **Novela.** *También los hombres son ciudades* (1962); *Andén lejano* (1968). [J.P.]

TREVISAN, Dalton (1925-   ).—Cuentista y novelista brasileño. Su obra se sitúa en la corriente neo-realista. Retrata la vida moderna, los conflictos del hombre en sociedad y su angustia existencial. El escenario de todos sus libros es su ciudad natal, Curitiba. Es considerado el mejor cuentista de la literatura brasileña actual. Lo grotesco, lo sádico y lo macabro, son una constante en la obra del autor, llegando al expresionismo en algunos momentos. Su novela *Guerra Conjugal* (1969) fue llevada al cine por el realizador Joaquin Pedro de Andrade, en 1974.
OBRA PRINCIPAL: *Novelas nada Exemplares* (1959); *Cemitério de Elefantes* (1964); *A Morte na Praça* (1964); *O Vampiro de Curitiba* (1965); *Desastres do Amor* (1968); *A Guerra Conjugal* (1969); *Rei da Terra* (1972); *O Pássaro de Cinco Asas* (1974). [M.L.M.]

TRIANA, José (1932-   ).—Poeta y dramaturgo cubano. Su obra fundamental es *La noche de los asesinos,* premiada por Casa de las Américas y representada con resonante éxito en todo Hispanoamérica. Residió en Madrid de 1955 a 1959. Vive en Cuba. La obra de Triana —alrededor de doce piezas— se caracteriza por su gran aliento poético, fluidez de diálogo, penetración psicológica y dominio de las técnicas del teatro del absurdo. La soledad y la incomunicación, así como una soterrada violencia, son sus constantes temáticas.
OBRA PRINCIPAL: **Poesía.** *La madera del sueño* (1957). **Teatro.** *El incidente cotidiano* (1956); *La casa de las brujas* (1957); *El mayor general hablará de Teogonía* (1957); *El exilio* (1962); *La casa ardiendo* (1962); *La muerte del ñeque* (1963); *La noche de los asesinos* (1965). [P.S.]

U

ULLOA, Alfonso (1914-   ).—Poeta costarricense. Licenciado por la Facultad de Filosofía y Letras de la Universidad de Costa Rica, se ha dedicado a la docencia universitaria. Miembro de la Academia Costarricense de la Lengua.

OBRA PRINCIPAL: **Poesía.** *Alto sentir, persistencia de ti y otros poemas* (1953); *Lograd conmigo el canto* (1954); *Suma de claridades y los sonetos del beso* (1955); *Ameliris* (1966). **Prosa.** *La espada de madera* (1955). [C.T.]

UMBRAL, Francisco (1935-   ).—Seudónimo de Francisco Pérez Martínez. Escritor español. Admirador de Larra, Ramón Gómez de la Serna y César González-Ruano, Umbral ha escrito novelas, relatos, ensayos, biografías, crónicas y entrevistas. Estilista, ensayista y humorista, es autor de novelas que tratan los temas de la adolescencia, la soledad y el desamparo vital. Premio Nadal 1975. Escribe una columna diaria en "El País" desde la fundación del periódico. Colabora también en "Interviú" y "Penthouse".

OBRA PRINCIPAL: **Novela.** *Balada de gamberros* (1965); *Travesía de Madrid* (1966); *Las vírgenes* (1969); *Su hubiéramos sabido que el amor era eso* (1969); *Las europeas* (1970); *El Giocondo* (1970); *Las ninfas* (1976); *Los helechos arborescentes* (1980); *La bestia rosa* (1981). [P.S.]

URIBE PIEDRAHITA, César (1897-1951).—Escritor colombiano. Novelista, médico, pintor. Estudió Medicina en la Universidad de Antioquia y se graduó en 1922 con una tesis sobre patología tropical. Estudió y trabajó dos años en la Universidad de Harvard. Profesor de parasitología en la Universidad Nacional, director del Instituto Samper Martínez y rector de la Universidad del Cauca, de 1931 a 1932. Sus trabajos científicos son notables aportes de la parasitología en Colombia. Su obra es afín a la de José Eustasio

urondo

Rivera, a quien está dedicada su primera novela *Toá,* narraciones de caucherías. *Mancha de aceite* fue escrita a raíz de su experiencia como director del hospital de la compañía petrolera norteamericana SUN, en Venezuela (1924). Es la primera novela anti-imperialista que aborda la temática de la explotación petrolera en Venezuela. Dejó una novela inconclusa titulada *Caribe.*

    OBRA: **Novela.** *Toá* (1933); *Mancha de aceite* (1935). [P.S.]

URONDO, Francisco (1930-1976).—Poeta, narrador y dramaturgo argentino. En su obra confluyen las experiencias de vanguardia cercana a las líneas de Oliverio Girondo y a los trabajos de la denominada generación del cincuenta. Sus trabajos se caracterizan por un manejo cuidadoso de la palabra y, al mismo tiempo, por una búsqueda de un coloquialismo que escapa a los módulos de la pura transcripción, para convertirse en una indagación lingüística que se une con un fuerte contenido ideológico que toma sus raíces de la historia argentina, tal como se advierte —por ejemplo— en su libro más notorio: *Adolecer.* También ejerció el periodismo y publicó dos libros de narrativa. Militante de una organización guerrillera, murió en un enfrentamiento con el ejército tras el golpe militar de marzo de 1976.

    OBRA PRINCIPAL: **Poesía.** *Historia antigua* (1956); *Dos poemas* (1958); *Breves* (1959); *Lugares* (1961); *Nombres* (1963); *Adolecer* (1968); *Todos los poemas* (1972). **Narrativa.** *Todo eso* (1966); *Al tacto* (1967). **Ensayo.** *Veinte años de poesía argentina* (1968). **Teatro.** *Sainete con variaciones.* [H.S.]

URQUIAGA, Esteban de (1905-1937).—Véase **Lauaxeta.**

URUETA, Margarita (1918—   ).—Narradora y autora teatral mexicana. Empezó escribiendo novelas y cuentos superrealistas. Su obra vanguardista, de acento poético, se sitúa en la corriente de la literatura del absurdo.

    OBRA PRINCIPAL: **Novela, cuento.** *Almas de perfil* (1934); *Una conversación sencilla* (1936); *El mar la distraía* (1940); *Espía sin ser* (1941); *Mediocre* (1947). **Teatro.** *San lunes./ Una hora de Vida./ Mansión para turistas* (1943); *Duda infinita* (1959); *La mujer transparente* (1960); *Grajú* (1962); *El señor perro* (1963); *Juanito Membrillo* (1964); *El hombre y su máscara* (1964); *Poderoso Caballero don dinero* (1965); *La muerte de un soltero* (1966). **Biografía.** *La historia de un gran desamor* (1964). [P.S.]

USIGLI, Rodolfo (1905-1979).—Escritor mexicano. Poeta, novelista, ensayista, pero sobre todo, dramaturgo. Inició sus actividades en el grupo de "Contemporáneos". Catedrático de historia y técnica del teatro en la Facultad de Filosofía y Letras de la UNAM. Delegado mexicano en diversos festivales cinematográficos. Beca Rockefeller 1936. Estudios en la Universidad de Yale. Poeta adicto a Eliot. Ha traducido a Bernard Shaw, Galsworthy, Schehadé, entre otros. *Corona de sombra, Corona de fuego* y *Corona de luz* "forman la trilogía de mitos que, al decir de Usigli, rigen la vida del mexicano". Tales mitos son: la emperatriz Carlota, Cuauhtémoc y la Virgen de Guadalupe. Su obra más apreciada: *El gesticulador.* Su ensayo *Itinerario del autor dramático* es muy apreciado por los especialistas.
OBRA PRINCIPAL: **Poesía.** *Conversación desesperada* (1938). **Novela.** *Ensayo de un crimen* (1944). **Ensayo.** *México en el teatro* (1932); *Caminos del teatro en México* (1933); *Itinerario del autor dramático* (1940); *Anatomía del teatro* (1966). **Teatro.** *Medio tono* (1937); *La mujer no hace milagros* (1939); *La familia cena en casa* (1942); *El gesticulador* (1947); *Corona de sombra* (1947); *La función de despedida* (1953); *Corona de fuego* (1960); *Corona de luz* (1965); [P.S.]

USLAR PIETRI, Arturo (1906-   ).—Escritor venezolano. Novelista, cuentista, ensayista, periodista, dramaturgo, político, profesor, doctor en Ciencias Políticas, diplomático. Uslar Pietri, como Picón-Salas, Arciniegas, Gallegos, encarna el humanismo liberal en Sudamérica. Ministro de Educación (1939-1941), ministro de Hacienda (1943) y de Relaciones Interiores (1945), fue candidato a la Presidencia en 1963. Profesor de literatura hispanoamericana en la Universidad de Columbia, durante el destierro a que lo sometió el régimen de Isaías Medina Angarita. Profesor en la Universidad Central de Venezuela. Miembro de la Academia Venezolana de la Lengua. Miembro del Consejo Superior del Instituto de Cooperación Iberoamericana.
Elegante prosista, innovó el arte narrativo. A partir de su notable novela *Las lanzas coloradas*, cultivó el "realismo mágico" —término creado por él— y explotó la cantera del idioma en cuentos, ensayos y artículos periodísticos caracterizados por un sostenido afán de engarzar la cultura hispánica en el fenómeno histórico de la cultura occidental. La filosofía, la política, el arte, la literatura, la economía, la historia y el derecho fundamentan y refuerzan la vasta obra de este sereno y, a la vez, profundo creador hispanoamericano.
OBRA PRINCIPAL: **Novela.** *Las lanzas coloradas* (1931); *El*

uslar pietri

camino de El Dorado (1947, biografía novelada de Lope de Aguirre); *Un retrato en la geografía* (1962); *Estación de máscaras* (1964); *Oficio de difuntos* (1974); *La isla de Róbinson* (1981). **Cuento.** *Barrabás y otros relatos* (1928); *Red* (1936); *Treinta hombres y sus sombras* (1949); *Pasos y pasajeros* (1966); *Los ganadores* (1980). **Crónica.** *Las visiones del camino* (1945); *Tierra venezolana* (1953); *El otoño en Europa* (1954); *La vuelta al mundo en diez trancos* (1971); *El globo de colores* (1975). **Ensayo.** *Las nubes* (1936); *Letras y hombres de Venezuela* (1948); *De una a otra Venezuela* (1949); *Apuntes para retratos* (1952); *Breve historia de la novela hispanoamericana* (1954); *Del hacer y deshacer de Venezuela* (1962); *En busca del Nuevo Mundo* (1969); *Vista desde un punto* (1971); *Fantasmas de dos mundos* (1979). [P.S.]

V

VALADÉS, Edmundo (1915-   ).—Escritor y periodista mexicano. Director de la revista "El cuento". Maestro indiscutible del género cuentístico. Subjetiviza la realidad con verdadero don poético y recrea el mundo de la infancia. Su libro principal: *Las dualidades funestas*.

OBRA PRINCIPAL: **Cuento.** *La muerte tiene permiso* (1955); *Adriana* (1957); *Antípoda* (1961); *Las dualidades funestas* (1966); **Ensayo.** *La revolución y las letras* (1960). **Antología de citas.** *El libro de las imaginaciones* (1976). [C.T.]

VALDÉS, Carlos (1928-   ).—Narrador y ensayista mexicano. Colaboró en las revistas "Ariel", "Ideas de México" y "Universidad de México", entre otras. Crítico, humorista, combina la realidad con la fantasía. Con su novela *Los antepasados* ha intentado escribir una novela de estilo balzaciano.

OBRA PRINCIPAL: **Novela.** *Los antepasados* (1963). **Cuento.** *Ausencias* (1955); *Dos ficciones* (1958); *Dos y los muertos* (1960); *El nombre es lo de menos* (1961). **Ensayo.** *José Luis Cuevas* (1966). [P.S.]

VALDOVINOS, Arnaldo (1908-   ).—Escritor paraguayo. Abogado y político. Su obra representa la síntesis del realismo social y de la preocupación por encontrar los derroteros de un destino nacional. Se da a conocer como novelista durante la Guerra del Chaco. Junto con José Villarejo es el representante de la novela de guerra paraguaya.

OBRA PRINCIPAL: **Novela.** *Bajo las botas de una bestia rubia* (1933); *Cruces de quebracho* (1934). **Relato.** *Incógnita del Paraguay* (1945). [L.F.]

valente

VALENTE, José Angel (1929-   ).—Poeta y ensayista español.
Pertenece a la generación del 50. Licenciado en Filosofía y Letras.
Lector de español en Oxford. Profesor en Ginebra. Premio Adonais
1954. Premio de la Crítica 1960, 1980. Empezó siendo poeta
testimonial, pero a partir de *El inocente* su poesía adquiere un acento
epigramático y conceptista. Las transposiciones históricas, el léxico
culto (y a veces críptico), la ironía, el sarcasmo y una exaltación del
pensamiento caracterizan su nueva etapa. La sutilización de los
conceptos lo aproximan a zonas místicas, donde el idioma no es
sustituido por un lenguaje irracional (superrealista), sino por un
lenguaje paralógico. Ha traducido a Hopkins, Montale y Cavafis.
OBRA PRINCIPAL: **Poesía.** *A modo de esperanza* (1955); *Poemas a Lázaro* (1960); *La memoria y los signos* (1966); *Siete representaciones* (1967); *Breve son* (1968); *Presentación y memorial para un monumento* (1970); *El inocente* (1970); *Interior con figuras* (1976)); *Material memoria* (1979); *Punto cero* (1980. Recopilación); *Estancias* (1981)); *Tres lecciones de tinieblas* (1981); *Siete cantigas de Alén* (1981); *Noventa y nueve poemas* (1981. Antología). **Textos.** *Número trece* (1971); *El fin de la edad de plata* (1973). **Ensayo.** *Las palabras de la tribu* (1971); *Ensayo sobre Miguel de Molinos* (1974). [P.S.]

VALVERDE, José María (1926-   ).—Poeta y ensayista español.
Pertenece a la generación del 50. Lector de español en Roma. Profesor
de Estética en la Universidad de Barcelona. Profesor en las
universidades de Virginia (Estados Unidos) y de Trent (Canadá). Su
inicial poesía religiosa evolucionó hacia una poesía conversacional,
irónica, inmersa en el tiempo y preocupada por el destino humano.
Notable traductor, ha realizado celebradas versiones de la obra
poética de T.S. Eliot, Hölderlin, Rilke, del *Ulysses,* de Joyce, y de
Moby Dick, de Melville, entre otros autores.
OBRA PRINCIPAL: **Poesía.** *Hombre de Dios* (1947); *La espera*
(1949); *Versos del domingo* (1954); *La conquista de este mundo*
(1960); *Años inciertos* (1970); *Ser de palabra y otros poemas*
(1976). **Recopilación.** *Poesías reunidas hasta 1960* (1961); *Enseñanzas de la edad. 1945-1970* (1970); *Antología de sus versos* (1978).
Ensayo. *Estudios sobre la palabra poética* (1952); *Guillermo de
Humboldt y la Filosofía del lenguaje* (1955); *Breve historia de la
literatura española* (1970); *Antonio Machado* (1975); *Joyce y su
obra* (1978); *Vida y muerte de las ideas. Pequeña historia del
pensamiento occidental* (1980). [P.S.]

VALLE, Juvencio (1907-).–Seudónimo de Gilberto Concha Rengifo. Poeta chileno. Su poesía "canta la naturaleza dura y hermosa, selvática, impenetrable a veces, del Sur de Chile. Un dejo bíblico, fuerte y primitivo le acompaña en sus momentos más logrados". Residió en Madrid durante la Guerra Civil. Premio Nacional de Literatura 1966.

OBRA PRINCIPAL: Poesía. *La flauta del hombre Pan* (1929); *Tratado del bosque* (1932); *Nimbo de piedra* (1941); *El hijo del guardabosque* (1951); *Del monte en la ladera* (1960); *Nuestra tierra se mueve* (1960). [P.S.]

VALLE, Pompeyo del (1929-).–Poeta hondureño. Periodista vinculado a las publicaciones de oposición. Ha dirigido un noticiero radiofónico y colaborado en el diario "El Día". Tuvo a su cargo la página literaria del diario "El Cronista". Actualmente dirige la revista de la Universidad Nacional Autónoma de Honduras y su boletín informativo.

OBRA PRINCIPAL: Poesía. *Ruta fulgurante* (1952); *Antología mínima* (1958); *El fugitivo* (1963); *Cifra y rumbo de abril* (1964); *Nostalgia y belleza del amor* (1970). Prosa. *Retrato de un niño ausente* (1969). [C.T.]

VALLE, Rafael Heliodoro (1891-1959).–Escritor hondureño. Poeta, narrador, historiador, periodista, ensayista, diplomático. Realizó estudios en México. Maestro de escuela y doctor en Ciencias Históricas. Subsecretario de Educación Pública. En 1912 fundó el Ateneo de Honduras y en 1959, el Ateneo Americano de Washington. Trabajó en los diarios mexicanos "El Universal" y "Excelsior". Premio Marie Moors Cabot, de Periodismo (1940), otorgado por la Universidad de Columbia de Nueva York. Su extensa obra está integrada por cincuenta y siete libros publicados sobre las más diversas materias.

OBRA PRINCIPAL: *El rosal del ermitaño* (1911); *Anecdotario de mi abuelo* (1915); *México imponderable* (1936); *Tierras de pan llevar* (1939); *Visión del Perú* (1943); *Imaginación de México* (1945); *Flor de Mesoamérica* (1955); *La rosa intemporal (antología poética 1908-1957)* (1964). [C.T.]

VALLE, Rosamel del (1901-1965).–Seudónimo de Moisés Gutiérrez. Poeta, cuentista y ensayista chileno. Con Humberto Díaz

vallejo

Casanueva y Ludwig Zeller representó el superrealismo órfico en Chile. Su poesía, arraigada en el tiempo, dio rienda suelta al pensamiento "en ausencia de cualquier control ejercido por la razón, al margen de toda preocupación estética o moral". Como ningún otro poeta chileno, Rosamel del Valle expresó los aspectos nocturnos del ser, mediante un lenguaje vinculado al azar, la imaginación, el instinto, el sueño y la visión de un mundo transfigurado por la magia.

Su poesía refinada y suntuosa, sumergida en las profundidades del misterio, nos recuerda que este poeta fue, como su maestro André Breton, un artista de formación mallarmeana. *La violencia creadora* es un ensayo lúcido acerca de la obra poética de Humberto Díaz Casanueva.

OBRA PRINCIPAL: **Poesía**. *Mirador* (1926); *País blanco y negro* (1929); *Poesía*. (1939); *Orfeo* (1944); *El joven olvido* (1949); *Fuegos y ceremonias (1952); La visión comunicable* (1956); *El corazón escrito* (1960). **Ensayo**. *La violencia creadora* (1959). [P.S.]

VALLEJO, César (1892-1938).—Poeta, narrador, ensayista, dramaturgo y periodista peruano. Su vida marcada por la adversidad, sus orígenes modestos, su procedencia provinciana, su naturaleza mestiza y su militancia política definen y explican, en gran medida, su obra nimbada por la gloria póstuma.

La obra poética de Vallejo ha opacado su no menos importante obra narrativa, ensayística, periodística y teatral. Por ejemplo, varios elementos que contribuyeron a crear la obra de Ciro Alegría, se encuentran ya presentes en *Tungsteno, Escalas melografiadas* y *Fabla salvaje*.

Convicto de agitación social, Vallejo fue encarcelado en 1920. Permaneció ciento doce días en prisión. Viaja a Europa, donde reside desde 1923 hasta su muerte. Conoció a Vicente Huidobro, Juan Larrea, Gerardo Diego, José Bergamín, Juan Gris, Unamuno y Torres Bodet, entre otros. Colabora en las revistas "Le Bureau des Grands Journaux Ibéro-Américains", "Mundial" y "Variedades". En 1926, funda en París, con Juan Larrea, la revista "Favorables Paris Poema", de la cual sólo se publican dos números.

Su primer libro de poemas —*Los heraldos negros*— parte de la estética modernista y llega a experiencias similares a las de López Velarde, el poeta mexicano que incorporó el lenguaje coloquial a la escritura poemática. Su segundo libro —*Trilce*— fue escrito en plena efervescencia vanguardista. Huidobro, Alberto Hidalgo y los estridentistas le marcarán a sangre y fuego. *Poemas humanos* (libro póstumo) fijará para siempre su estilo inconfundible, patente, sobre todo, en *España, aparta de mí este cáliz.*

En 1925 viaja becado a España. A los dos años, Vallejo renuncia a tal ayuda y se marcha a París, desde donde emprenderá viajes a Moscú. En 1930, expulsado por el Gobierno francés por su militancia comunista, se desplaza nuevamente a España. En Madrid publica la segunda edición de *Trilce,* con prólogo de José Bergamín y un poema de Gerardo Diego. En 1932 ingresa clandestinamente a Francia. En 1937, pisará por última vez suelo español. A esta época pertenecen sus artículos *Las grandes lecciones culturales de la guerra española, Los enunciados populares de la guerra española, América y la "idea del Imperio" de Franco* y *La responsabilidad del escritor.*

Vallejo murió en París "con aguacero", tal como él lo había vaticinado en su soneto "Piedra negra sobre una piedra blanca". Una antigua dolencia palúdica lo llevó a la tumba.

OBRA PRINCIPAL: **Poesía.** *Los heraldos negros* (1918); *Trilce* (1922); *Poemas en prosa* (1939); *Poemas humanos* (1939); *España, aparta de mí este cáliz* (1940); *Poesías completas* (1949); *Obra poética completa* (1968). **Teatro.** *Moscú contra Moscú o Entre las dos orillas corre el río* (1930); *Lock Out* (1931). **Narrativa.** *Escalas melografiadas* (1923); *Fabla salvaje* (1923); *El tungsteno* (1931). [P.S.]

VANASCO, Alberto (1925-   ).—Poeta y narrador argentino. Su obra poética se ha ido acumulando bajo dos únicos títulos ampliados en sucesivas reediciones: *Canto rodado* y *Ella en general,* en donde se incluyen sus poemas de diversa índole y sus trabajos de amor, respectivamente. Participó activamente en los movimientos de vanguardia de la década de los cincuenta, pero sus poemas nunca pierden contacto con la realidad. "Creo —ha dicho— que el poema moderno ha de ser el resultado del justo equilibrio entre la mayor ruptura posible del lenguaje y la mayor cantidad posible de realidad que pueda caber en él".

En el terreno de la narrativa, la crítica lo ha señalado como uno de los escritores argentinos que utilizó las técnicas del objetivismo antes del conocimiento y difusión de esta escuela. También ha escrito obras de teatro y libros de ciencia-ficción.

OBRA PRINCIPAL: **Poesía.** *24 sonetos absolutos y dos intrascendentes* (1945); *Ella en general* (1957); *Canto rodado* (1962). **Narrativa.** *Sin embargo Juan vivía* (1947); *Los muchos que no viven* (1964); *Nueva York, Nueva York* (1967). **Teatro.** *No hay piedad para Hamlet* (en colaboración con Mario Trejo) (1954). [H.S.]

varela

VARELA, Blanca (1926-   ).–Poeta peruana, vinculada al grupo de Eielson, Sologuren, Salazar Bondy y Bendezú que continuó la experiencia superrealista de César Moro y Emilio Adolfo Westphalen. Varela "criba el universo de los afectos y utiliza el recuerdo para deslindar, con sobriedad, la mistificación cotidiana de esas pequeñas verdades que a veces despojan a la vida de su sello genuino" (Alberto Escobar).

OBRA PRINCIPAL: **Poesía.** *Ese puerto existe* (1959); *Luz de día* (1963); *Valses y otras falsas confesiones* (1972). [P.S.]

VARELA, Lorenzo (1916-1978).–Nombre literario de Xesús Varela Vázquez. Poeta español de expresión gallega. Nació en un barco cerca de La Habana, adonde se dirigían sus padres como emigrantes. Su infancia transcurrió en Buenos Aires. En 1927 regresó a España. Durante la Segunda República, trabajó en Misiones Pedagógicas con Rafael Dieste, María Zambrano, Luis Cernuda y Ramón Gaya, entre otros. Al estallar la guerra civil, Varela participó activamente en la defensa de la República. Fue uno de los fundadores de "El Mono Azul" y colaboró en "Hora de España"..

Vivió exiliado en Francia, México y Argentina. Escribió comentarios de arte en el diario "La Razón", de Buenos Aires. En 1976 retornó a España por segunda vez. Murió a causa de un infarto. *Lonxe* (1954) es, con *Longa noite de pedra*, de Celso Emilio Ferreiro, un libro fundamental en la poesía gallega contemporánea.

OBRA PRINCIPAL: **Poesía.** *Torres de amor; Elegías españolas; Catro poemas pra catro grabados; Homenaje a Picasso; Lonxe.* **Biografía.** *Baudelaire.* [P.S.]

VARGAS LLOSA, Mario (1936-   ).–Narrador, ensayista, dramaturgo y periodista peruano. Miembro de la Academia Peruana de la Lengua. Doctorado en Letras por la Universidad de Madrid. Publicó en diarios y revistas peruanas diversas notas de arte y crítica cinematográfica. Son notables sus comentarios sobre Bardem, Roger Vadim, Bergman y Godard. Su novela *Pantaleón y las visitadoras* fue llevada al cine.

Según Carlos Fuentes, las novelas de Vargas Llosa "poseen la fuerza de enfrentar la realidad latinoamericana, pero no ya como un hecho regional, sino como parte de una vida que afecta a todos los hombres y que, como la vida de todos los hombres, no es definible con sencillez maniquea, sino que revela un movimiento de conflictos ambiguos".

vázquez azpiri

Estilista al modo flaubertiano, Vargas Llosa ha conseguido "renovar la novela realista, superando las viejas formas del realismo documental o testimonial". La hipocresía, la violencia, la corrupción moral, el falso ideal del machismo y el determinismo social, son los temas que abordan sus novelas. En su novela *La guerra del fin del mundo,* Vargas Llosa parte de un hecho histórico: la rebelión de Antonio Vicente Mendes Maciel, alias *O Conselheiro,* ocurrida en Canudos (remota localidad del estado brasileño de Bahia) en el siglo XIX, para elaborar una obra en la cual se funden la reflexión sociopolítica y la imaginación poética.

Premio Biblioteca Breve 1962. Premio de la Crítica 1963, 1966. Premio Internacional de Literatura Rómulo Gallegos 1967. Miembro del Consejo Superior del Instituto de Cooperación Iberoamericana.

OBRA PRINCIPAL: **Novela.** *La ciudad y los perros* (1963); *La casa verde* (1966); *Conversación en la Catedral* (1969, 2 vols.); *Pantaleón y las visitadoras* (1973); *La tía Julia y el escribidor* (1978); *La guerra del fin del mundo* (1981). **Cuento.** *Los jefes* (1959); *Los cachorros* (1967). **Ensayo.** *Gabriel García Márquez: historia de un deicidio* (1971); *Historia secreta de una novela* (1972); *La novela y el problema de la expresión literaria en el Perú* (1974); *La orgía perpetua. Flaubert y Mme. Bovary* (1975); *José María Arguedas, entre sapos y halcones* (1978). **Teatro.** *La señorita de Tacna* (1981). [P.S.]

VÁSQUEZ MÉNDEZ, Gonzalo (1928-   ).—Poeta boliviano. Pertenece a la segunda generación de Gesta Bárbara. Su poesía se funda en la de los místicos españoles. Sus poemas breves recuerdan, por momentos, al mexicano José Gorostiza y al español Pedro Salinas. El Yo lírico de Vásquez Méndez es un Yo comunicativo, sale de sí mismo y se derrama en el mundo. "Poesía la suya, de tono elegíaco, sin aspaviento, sin énfasis y sin anécdota" (Juan Quirós). Premio Municipal de Poesía/Cochabamba, 1965.

OBRA PRINCIPAL: *Alba de ternura* (1957); *Del sueño y la vigilia* (1966). [P.S.]

VÁZQUEZ AZPIRI, Héctor (1935-   ).—Novelista y biógrafo español. Marinero, ejerció diversos oficios antes de dedicarse a escribir. Su obra de carácter experimentalista —junto con la de Juan Benet— es una de las experiencias más radicales de la narrativa española contemporánea. Premio Alfaguara 1967.

vázquez montalbán

OBRA PRINCIPAL: **Narrativa**. *Víbora; La navaja; La arrancada; Fauna; Corrido de Vale Otero; Historias de bandoleros asturianos*. **Biografía**. *El cura Merino, el regicida*. [P.S.]

VÁZQUEZ MONTALBÁN, Manuel (1939-   ).—Novelista, ensayista, poeta y periodista español. Licenciado en Filosofía y Letras. Premio Vizcaya 1969. Premio Planeta 1979. La obra literaria de Vázquez-Montalbán incorpora elementos de la cultura del cine, los medios de comunicación social, la publicidad, los *comic*, la canción popular, etc., y con ellos crea un lenguaje y una mitología particular. Director de la revista "Camp de l'arpa". Colaborador de las revistas "La Calle" y "Triunfo".
OBRA PRINCIPAL: **Poesía**. *Una educación sentimental* (1967); *Coplas a la muerte de mi tía Daniela* (1973); *A la sombra de las muchachas en flor* (1973). **Novela**. *Recordando a Dardé* (1969); *Yo maté a Kennedy* (1972); *Happy end* (1974); *La historia de un hombre que pretende, sin demasiada fortuna, ser Humphrey Bogart* (1974) *Tatuaje* (1975); *La soledad del manager* (1977); *Mar del sur* (1979); *Asesinato en el Comité Central* (1981). **Ensayo**. *Información sobre la información* (1963); *Informe subnormal* (1973); *Cómo liquidar al franquismo en 16 meses y un día* (1977); *Crónica sentimental de España* (1980); *Historia de la comunicación social* (1980). [P.S.]

VEGA, Julio de la (1924-   ).—Poeta, novelista, crítico de cine y periodista boliviano. Pertenece a la segunda generación de Gesta Bárbara. Residió en Francia e Italia. En París asistió a la disolución del grupo superrealista y, montado en la ola existencialista, no oculta su admiración por Jacques Prévert, un disidente del superrealismo que reivindicaba las enseñanzas de Jules Laforgue.
Julio de la Vega consagra el lenguaje coloquial en la poesía boliviana. Su obra, aunque breve, inaugura nuevos cauces en la literatura de su país. Humor refinado, erotismo exultante, preocupación por el destino humano, ruptura definitiva con el lenguaje modernista, son los rasgos característicos de su lírica. De la Vega ha escrito poemas antológicos como *¿Quién es Ninoshka Méndez?* y *Canción de los Derechos Humanos*. Premio de Poesía Santa Cruz de la Sierra 1963. Miembro de la Academia Boliviana de la Lengua.
OBRA PRINCIPAL: **Poesía**. *Amplificación temática* (1957); *Temporada de líquenes* (1960); *Poemario de exaltaciones* (1967). **Novela**. *Matías, el apóstol suplente* (1971). [P.S.]

434

vela

VEIGA, José J. (1915-   ).—Periodista radiofónico, traductor, novelista y cuentista brasileño. Su obra es de gran poder imaginativo. Hábil fabulador, Veiga crea un mundo trágico y misterioso. Se sitúa en la corriente introspectiva. A nivel formal utiliza la estructura clásica.

OBRA PRINCIPAL: **Cuentos.** *Os Cavalinhos de Platiplanto* (1959); *A Máquina Extraviada* (1968). **Novela.** *A Hora dos Ruminantes* (1968); *Os pecados da Tribo* (1977). [M.L.M.]

VEIRAVÉ, Alfredo (1928-   ).—Poeta argentino. Desde un tono elegíaco cercano a la línea neorromántica heredada de la generación del cuarenta evolucionó hacia una poesía donde el coloquialismo acepta la libre asociación de cuño surrealista. Su obra, regida por una lucidez que trata de encontrar el significado oculto de las cosas, tiene al amor como protagonista.

El poeta peruano Carlos Germán Belli ha escrito de Veiravé: "Curiosamente en él lo maravilloso se torna familiar, cotidiano, diríamos al servicio del lector medio."

En el campo del ensayo es autor de una difundida historia de la literatura hispanoparlante que ha alcanzado varias ediciones.

OBRA PRINCIPAL: **Poesía.** *El alba, el río y tu presencia* (1952); *Después del alba, el ángel* (1955); *El ángel y las redes* (1960); *Destrucciones y un jardín de la memoria* (1965); *Puntos luminosos* (1970); *El imperio milenario* (1973); *La máquina del mundo* (1976); *Historia natural* (1980). **Ensayo.** *Ernesto Cardenal y el exteriorismo* (1972); *Literatura Hispanoamericana (Escrituras. Autores. Contextos)* (1973). [H.S.]

VELA, Arqueles (1899-1977).—Narrador mexicano. Pertenece al grupo estridentista, junto con Manuel Maples Arce, Germán List Arzubide y Luis Quintanilla. Su obra, altamente imaginativa, contribuyó al desarrollo de la novelística mexicana. Intentó relacionar el arte con la vida, postulando la unidad indisoluble de la revolución literaria (futurismo, dadaísmo, superrealismo) con la revolución social.

OBRA PRINCIPAL: **Novela.** *El café de nadie* (1926); *La volanda* (1956); *El picaflor* (1961); *El intransferible* (1977). **Poesía.** *El sendero gris y otros poemas* (1921); *Cantata a las muchachas fuertes y alegres de México* (1940). **Ensayo.** *El arte y la estética* (1945); *El trabajo y el amor* (1945); *Teoría literaria del modernismo* (1949); *Fundamentos de la literatura mexicana* (1953). [P.S.]

vela

VELA, Rubén (1928-   ).—Poeta y diplomático argentino. Integró el grupo de la revista *Poesía Buenos Aires* y trabajó desde sus primeros poemas en la búsqueda de una síntesis que rescatase lo esencial del concepto poético, la desnudez de la palabra que lograse expresar sólo lo medular de cada concepto. Este rigor formal, cercano al *haiku,* le ha servido para elaborar una temática preocupada por la suerte del hombre americano y su circunstancia histórica. También ha ejercido la crítica de arte y ha publicado trabajos de investigación arqueológica.

OBRA PRINCIPAL: *Introducción a los días* (1953); *Verano* (1954); *Escena del prisionero* (1955); *Veranos* (1956); *Radiante América* (1958); *La Caída* (1959); *Poemas indianos* (1960); *Poemas americanos* (1963); *Poemas australes* (1966); *Los secretos* (1969); *Verano* (1970); *La palabra en armas* (1971); *Poemas* (1972). [H.S.]

VELOZ MAGGIOLO, Marcio (1936-   ).—Narrador dominicano. Su obra es, en gran medida, paródica y simbólica, expresión de la época represiva que le tocó vivir al autor.

OBRA PRINCIPAL: *El buen ladrón* (1960); *El prófugo* (1962); *El sol y las cosas* (1963); *Creonte* (1963). [J.P.]

VENTURA, Mário (1937-   ).—Novelista portugués. Estudió en Lisboa y se dedicó al periodismo, ejerciendo funciones en el "Diário Popular" y actualmente en el "Diário de Notícias". Durante más de diez años perteneció al movimiento "Seara Nova", habiendo sido redactor de esa revista. Corresponsal y colaborador, en diversas ocasiones, de la prensa española, alemana y norteamericana.

OBRA PRINCIPAL: **Ficción.** *A Noite da Vergonha,* novela (1963); *À Sombra das Arvores Mortas* (1966); *O Despojo dos Insensatos* (1968); *Quantas Vezes nos Amámos,* novela (1970); *Outro Tempo, Outra Cidade,* novela (1979). **Crónica.** *Alentejo Desencantado* (1969); *Morrer em Portugal* (1976). [P.S.]

VERA, Pedro Jorge (1914-   ).—Novelista, cuentista, poeta y dramaturgo ecuatoriano. Profesor de literatura ecuatoriana en la Universidad Central de Quito. Fundó las revistas "La Calle" y "Mañana", Fue perseguido y encarcelado por el régimen de Velasco Ibarra. Su realismo crítico de poder introspectivo es rico en imágenes poéticas. Premio José de la Cuadra 1972. Premio José Mejía 1978.

OBRA PRINCIPAL: **Poesía.** *Nuevo itinerario* (1937); *Romances madrugadores* (1939); *Túnel iluminado* (1949); *Versos de ayer y* *de hoy* (1979). **Teatro.** *El dios de la selva* (1943); *La mano de Dios/ Cristo eterno / Los ardientes caminos / El dios de la selva* (1956). **Relato.** *Luto eterno y otros relatos* (1953); *Un ataúd abandonado* (1955); *Los mandamientos de la ley de Dios* (1972); *Jesús ha vuelto* (1975); *Nada más que cuentos.* (1979. Recopilación). **Novela.** *Los animales puros* (1946); *La guamoteña* (1946); *La semilla estéril* (1962); *Tiempo de muñecos* (1971); *El pueblo soy yo* (1976). [P.S.]

VERBITSKY, Bernardo (1907-1979).—Narrador y crítico argentino. Comenzó su tarea literaria como crítico del diario "Noticias Gráficas", de Buenos Aires, tarea que a lo largo de los años le habría de dar un sólido prestigio debido a lo penetrante e intuitivo de sus juicios. En 1941 obtuvo el premio Ricardo Güiraldes por su primera novela *Es difícil empezar a vivir.*

En un estilo absolutamente realista ha tratado de retratar situaciones, paisajes, personajes, y hasta minucias del habla de la ciudad de Buenos Aires, que en buena medida es la co-protagonista de sus libros. Las gentes anónimas, los muchachos de barrio, las familias de baja clase media son los habitantes de sus obras. También se percibe en ellas las vivencias propias de un judío argentino, hijo de inmigrantes. Esto es especialmente notorio en su primera novela ya citada y en las páginas de *En esos años,* donde narra el ascenso del nazismo en Alemania, vivido desde los ambientes judíos de Buenos Aires. El crítico José Barcia ha dicho que "no resulta aventurado afirmar que su obra constituye fundamentalmente un documento de los grandes hechos, nacionales y extranjeros, que han sucedido en las cuatro décadas recientes."

OBRA PRINCIPAL: **Novela.** *Es difícil empezar a vivir* (1941); *En esos años* (1947); *Una pequeña familia* (1951); *La esquina* (1953); *Calles de tango* (1953); *Un noviazgo* (1956); *Villamiseria también es América* (1958); *Vacaciones* (1958); *La neurosis monta su espectáculo* (1969); *Un hombre de papel* (1966); *Etiquetas a los hombres* (1972); *Enamorado de Joan Baez* (1975); *Hermana y sombra* (1977). **Cuentos.** *Café de los angelitos* (1952); *La tierra es azul* (1961); *Octubre maduro* (1976). **Ensayo.** *Significación de Stefan Zweig* (1942); *El teatro de Arthur Miller* (1959); *Hamlet y Don Quijote* (1964). **Poesía.** *Megatón* (1961). [H.S.]

VERGARA, José Manuel (1929-   ).—Novelista, arquitecto y editor chileno. Estudios de Arquitectura en la Universidad Católica de

veríssimo

Santiago de Chile, Historia del Arte en la Universidad de París (Sorbona), y en el Saint Martin School of Art de Londres. Ha dado cursos sobre literatura en universidades norteamericanas. Fundador de la "Revista Bibliográfica Chilena" y director de la revista "Topaze", de humor político. Premio Municipal de Literatura 1956. Premio Cámara Chilena del Libro 1957. Premio Atenea de Chile 1958.

Perteneciente a la generación del 50, Vergara describe con dramatismo la desesperanza, la impotencia y el cinismo de unos seres que buscan la trascendencia sin saberlo. Admirador de los novelistas católicos ingleses, ha escrito una novela extraordinaria: *Daniel y los leones dorados.*

OBRA PRINCIPAL: **Novela.** *Daniel y los leones dorados* (1956); *Cuatro estaciones* (1959); *Don Jorge y el Dragón* (1962). [P.S.]

VERÍSSIMO, Érico (1905-).–Novelista y cuentista brasileño. Su obra se desarrolla en dos sentidos: crónica de costumbres y de carácter intimista. Compone la saga de la pequeña burguesía de Rio Grande do Sul, después de 1930. Lenguaje impresionista. Junto con Jorge Amado, es el escritor contemporáneo de más éxito en Brasil.

OBRA PRINCIPAL: *Fantoches* (1932); *Clarissa* (1933); *Música ao Longe* (1935); *Caminhos Cruzados* (1935); *Um Lugar ao Sol* (1936); *Olhai os Lírios do Campo* (1938); *Saga* (1940); *As Mãos de Meu Filho* (1942); *O Resto é Silêncio* (1943); *Noite* (1954); *O Tempo e o Vento I. O Continente* (1949); *O Tempo e o Vento II. O Retrato* (1951); *O Tempo e o Vento III. O Arquipélago* (1961); *O Senhor Embaixador* (1965); *O Presidente* (1967); *Solo de Clarinete* (1970); *Incidente de Antares* (1971). [M.L.M.]

VIANA, Oduvaldo (1892-1974).–Nombre literario de Oduvaldo Viana Filho, también llamado *Vianinha.* Dramaturgo, periodista y ensayista brasileño. Su obra se sitúa en la corriente del teatro político de vanguardia. Una de las personalidades más importantes del teatro brasileño. Su obra teatral se ha publicado en dos volúmenes.

OBRA PRINCIPAL: **Cuento.** *Feira da ladra.* **Ensayo.** *Un pouco de pessedismo não faz mal a ninguem* (1968). **Teatro.** *Terra natal/Casa do tio Pedro/Manchas de sol/A vida é um sonho/Castanharo da gesta/Vendedor de ilusões/Fertiço/Mas que mulher/Se correr o bicho pega, se ficar o bicho come* (en col. con Ferreira Gullar)/*Chapetuba F.C./Rasga coração* [M.L.M.]

VIDALES, Luis (1904-   ).—Poeta colombiano. Profesor universitario, alternó su labor literaria con la práctica de las disciplinas estadísticas. Poeta futurista crea un mundo de imágenes insólitas conectadas a un vocabulario tecnológico. Por otra parte, "Vidales fue el que más se benefició del ingenio travieso, greguerístico, que desde Ramón Gómez de la Serna se cultivó en las letras castellanas"

OBRA PRINCIPAL: **Poesía.** *Suenan timbres* (1926); *La obreria-da* (1978). **Ensayo.** *La circunstancia social en el Arte* (1973). [J.P.]

VIENTÓS GASTÓN, Nilita (1908-   ).—Escritora puertorriqueña. Ensayista y periodista. Estudió en Cuba, Estados Unidos y Puerto Rico. Estudió Derecho en la Universidad de Puerto Rico. Dirigió "Asomante", revista literaria de la Asociación de Mujeres Graduadas de la Universidad de Puerto Rico. Formó parte de la junta directiva del "Ateneo Puertorriqueño", cuya presidencia ocupó de 1946 a 1961. Premio de Periodismo del Instituto de Literatura Puertorriqueña. Miembro de la Academia Puertorriqueña de la Lengua. Directora de la revista "Sin Nombre".

OBRA PRINCIPAL: **Ensayo.** *Introducción a Henry James* (1956); *Impresiones de un viaje* (1957). [J.P.]

VIEIRA, José Geraldo (1897-   ).—Nombre literario de José Geraldo Manuel Germano Vieira. Poeta, crítico, cuentista, traductor y novelista brasileño. Su obra se sitúa en la corriente psicológica, subjetivista, introspectiva y de costumbrismo urbano. Revela una herencia de la *belle époque* y del *art nouveau,* por su estancia en Europa en la década de los años 20.

OBRA PRINCIPAL: **Novela.** *A Mulher que Fugiu de Sodoma* (1931); *Território Humano* (1936); *A Quadragésima Porta* (1943); *A Túnica e os Dados* (1947); *A Ladeira da Memória* (1950); *O Albatroz* (1952); *Terreno Baldio* (1961). **Cuentos.** *A Ronda do Deslumbramento* (1922). [M.L.M.]

VIGA, Diego (1907-   ).—Seudónimo de Paul Engel, médico y escritor ecuatoriano, nacido en Viena, Austria. En 1938 emigró a Colombia y de allí al Ecuador (1950), en donde reside. Profesor en la Universidad Central de Quito y miembro de la Casa de la Cultura Ecuatoriana.

Autor de más de cien trabajos de investigación científica en el campo de la medicina. Escritor bilingüe (alemán-español). Sus libros en alemán han sido traducidos al español.

vilalta

OBRA PRINCIPAL: **Cuento**. *El eterno dilema* (1964); *El diagnóstico* (1969); *Las pecas de mamá* (1970). **Novela**. *El caballero de la libertad* (1955, en alemán); *Destino bajo los mangos* (1957, en alemán); *Las siete vidas de Wenceslao Perilla* (1958, en alemán); *El peón sacrificado* (1958, en alemán); *Los indios* (1959, en alemán); *Armas y cacao* (1969, en alemán); *El extraño viaje de la gaviota* (1964, en alemán); *El año perdido* (1963); *Eva Heller* (1966); *Las paralelas se cortan* (1966); *Los sueños de Cándido* (1968). [P.S.]

VILALTA, Maruxa (1932-   ).—Autora teatral, novelista y periodista mexicana, nacida en Barcelona, España. Reside en México desde su niñez. Su obra dramática es de gran fuerza psicológica. Se caracteriza por sus diálogos vivaces y su análisis de los problemas del hombre contemporáneo. Ejerció la crítica teatral en "Excelsior".
OBRA PRINCIPAL: **Novela**. *El castigo* (1957); *Los desorientados* (1958); *Dos colores para el paisaje* (1961). **Teatro**. *Los desorientados* (1959. Adaptación de su novela homónima); *La última letra* (1960); *Un país feliz* (1964); *Soliloquio del tiempo* (1964); *Un día loco* (1965); *El 9* (1965); *Cuestión de narices* (1967); *Esta noche* [P.S.]

VILARIÑO, Idea (1920-   ).—Poeta uruguaya. La idea de la muerte, el amor, la libertad y la justicia han transformado una obra "angustiada por la enfermedad, el dolor y la desolación" (Anderson Imbert) en un canto intenso, esperanzado y comunicativo.
OBRA PRINCIPAL: *La suplicante* (1945); *Cielo cielo* (1947); *Paraíso perdido* (1949); *Por aire sucio* (1951); *Nocturnos* (1955); *Poemas de amor* (1958); *Las letras de tango* (1965); *Pobre mundo* (1967); *Poesía* (1970). [P.S.]

VILLAGRA MARSAL, Carlos (1932-   ).—Poeta y novelista paraguayo. Miembro de la promoción del 50. Abogado y docente universitario, preside la Tertulia Literaria Hispanoamericana de Asunción. En su obra se conjugan una vasta erudición y un fuerte acento raigal preocupado por la tradición y el habla popular. Su novela *Mancuello y la perdiz* (1965) está concebida en guaraní y escrita en español, lo que le convierte en un autor bilingüe. Ha viajado por América y Europa.
OBRA PRINCIPAL: **Novela**. *Mancuello y la perdiz* (1965). **Poesía**. *Guarania del desvelado* (1979). [L.F.]

VILLALONGA, Llorenç (1897-1980).—Narrador y periodista español de expresión catalana. Médico siquiatra. Perteneció a una antigua familia mallorquina. Desde 1919 colaboró en casi toda la prensa de Cataluña, principalmente en "El Día", de Palma de Mallorca. También dirigió la revista "Brisas". Su novela más famosa, *Bearn o La sala de las muñecas,* está considerada como la gran novela catalana de este siglo. *Bearn* describe, en tono elegíaco, la decadencia de la aristocracia rural mallorquina. Por esta razón, ha sido parangonada con *Il Gattopardo,* novela de Giuseppe Tomasi de Lampedusa, que Villalonga tradujo al catalán en 1962.

Admirador de Proust y Voltaire, Villalonga ha sido distinguido en varias ocasiones. Premio de la Crítica 1961. Premio Ciudad de Palma 1963. Premio de Literatura Catalana Narcís Oller 1970. Premio Josep Plá 1973.

OBRA PRINCIPAL: *Mort de dama* (1931); *Mme. Dillon* (1937); *La novel.la de Palmira* (1952); *El lledoner de la clastra* (1958); *L'àngel rebel* (1960); *Bearn o La sala de las muñecas* (1961); *Desenllaç en Montlleó* (1963); *Aquil.les o l'impossible* (1964); *Desbarats* (1965); *Falses memòries de Salvador Orlan* (1967); *Les fures (1967); La gran batuda* (1968); *La Virreyna (1969); L'hereva de Dona Obdúlia* (1970); *Andrea Victorix* (1974). [P.S.]

VILLAREJO, José (1908-   ).—Escritor paraguayo. Figura sobresaliente de la literatura de la Guerra del Chaco. En su obra se detecta un intento crítico, un lenguaje un tanto artificioso, producto de sus lecturas de clásicos españoles, de modismos aprendidos durante sus estudios en España, y el uso de la segunda persona. Como en Arnaldo Valdovinos, la influencia de Remarque y Barbusse es evidente.

OBRA PRINCIPAL: **Novela.** *Ocho hombres* (1934); *Cabeza de invasión* (1944). **Cuento.** *Hooohh lo saiyoby* (1935). [L.F.]

VILLAURRUTIA, Xavier (1903-1950).—Poeta, novelista, ensayista y dramaturgo mexicano. Profesor de Literatura en la UNAM. Crítico de cine y de artes plásticas. Sus primeros poemas anunciaban a un poeta de tono coloquial, pero Villaurrutia evolucionó hacia una expresión barroca "tocada de surrealismo". Su conocimiento de Rilke influyó en su poesía. Su teatro expresionista y poético insinúa —en 1943— el teatro del absurdo. Miembro del grupo de los "Contemporáneos". Su libro más importante: *Nostalgia de la muerte.*

OBRA PRINCIPAL: **Poesía.** *Nocturnos* (1933); *Nostalgia de la muerte* (1946); *Décima muerte y otros poemas no coleccionados*

viñas

(1941); *Canto a la primavera y otros poemas* (1948). **Novela**. *Dama de corazones* (1928). **Ensayo**. *Textos y pretextos* (1940). **Teatro**. *Sea usted breve* (1934); *El ausente* (1942); *Invitación a la muerte* (1943); *Autos profanos* (1943); *El hierro candente* (1944); *Juego peligroso* (1949); *La tragedia de las equivocaciones* (1950). [P.S.]

VIÑAS, David (1929-   ).–Narrador y ensayista argentino. Fue fundador y director de la revista *Contorno,* publicación que a mediados de la década de los cincuenta comenzó a efectuar una revisión crítica de la literatura argentina. En toda su obra narrativa se advierte la preocupación de mostrar, a través de sus personajes, la evolución sociopolítica argentina desde fines del siglo XIX hasta el presente. Todos sus libros tienen como telón de fondo un hecho trascendente de la vida de su país. Como ensayista, su preocupación también ha sido la indagación de la literatura de su país desde una visión agudamente crítica, basada en un método de raíz marxista.
OBRA PRINCIPAL: **Narrativa**. *Cayó sobre su rostro* (1955); *Los años despiadados* (1956); *Un dios cotidiano* (1957); *Los dueños de la tierra* (1959); *Dar la cara* (1962); *Las malas costumbres* (1963); *En la semana trágica* (1966); *Los hombres de a caballo* (1967); *Cosas concretas* (1969); *Cuerpo a cuerpo* (1979). **Ensayo**. *Literatura argentina y realidad política* (1964); *Laferrere; del apogeo de la oligarquía a la crisis de la ciudad liberal* (1965). [H.S.]

VISCARRA FABRE, Guillermo (1901-1980).–Poeta boliviano. Profesor de estética y declamación. Fue actor de teatro y cine. Residió largas temporadas en Buenos Aires, Montevideo y Santiago de Chile. Vinculado a la vanguardia, contribuyó a la renovación de la poesía boliviana. Elevó la dignidad de la poesía social. Su poesía es una síntesis de preocupaciones metafísicas, sociales y estéticas. Se relacionó con poetas españoles de la generación del 27 y fue devoto admirador de Rilke.
OBRA PRINCIPAL: **Poesía**. *Clima* (1938); *Criatura del alba* (1949); *Nubladas nupcias* (1966); *Cordillera de sangre* (1974); *Andes* (1977). **Antología**. *Poetas nuevos de Bolivia* (1941). [P.S.]

VITERI, Eugenia (1932-   ).–Cuentista, novelista, autora teatral y periodista ecuatoriana. Redactora de la revista "Mañana". Dentro del realismo crítico, la obra de Viteri se caracteriza por la ternura y la pasión por la justicia social.

OBRA PRINCIPAL: **Cuento**. *El anillo y otros cuentos* (1955); *Doce cuentos* (1963); *El mar trajo la flor* (1963); *A noventa millas, solamente...* (1969). [P.S.]

VITIER, Cintio (1921-   ).—Poeta y crítico cubano. Pertenece al grupo de la revista "Orígenes". Su lírica deriva de Juan Ramón Jiménez, del que había aprendido su manera de poetizar: "Hiciste para mí el idioma/ revelación de las verdades:/ lengua de oro irreprensible,/ día total, fuego entrañable". Cargada de símbolos, el hermetismo ha sido la nota dominante de una poesía deliberadamente oscura. Ha tenido gran influencia como crítico. Sus traducciones de los poemas *Un golpe de dados jamás abolirá el azar*, de Mallarmé, e *Iluminaciones*, de Rimbaud, difícilmente podrán ser superadas. Trabaja en la Biblioteca Nacional.

OBRA PRINCIPAL: **Poesía**. *Poemas* (1938); *Sedienta cita* (1943);, *Vísperas* (1953); *Canto llano* (1956); *Escrito y cantado (1954-59)* (1959); *Testimonios (1959-1964)* (1964). **Antologías**. *Cincuenta años de poesía en Cuba* (1952); *Lo cubano en la poesía* (1958); *Los poetas románticos cubanos* (1962). [J.P.]

VIVANCO, Luis Felipe (1907-1975).—Poeta y ensayista español. Pertenece a la generación del 36. Arquitecto. Colaboró en "Cruz y Raya", "Vértice" y "Escorial". Tradujo a Virgilio, Francis Jammes, Paul Claudel y Rilke. Premio de la Crítica 1974. Poeta esencialmente católico, somete su poesía a la estética simbolista de autores afines como Péguy y Claudel. En sus últimos poemas, Vivanco avanza hacia un superrealismo atraído siempre por la religiosidad y el misterio.

OBRA PRINCIPAL: **Poesía**. *Los caminos. 1945-1965* (1974). Reúne: *Los caminos*, 1945-1948; *Continuación de la vida*, 1949; *El descampado*, 1957; *Lugares vividos*, 1958-1965). **Ensayo**. *Introducción a la poesía española contemporánea* (1957). [P.S.]

VIZCAÍNO CASAS, Fernando (1926-   ).—Narrador, dramaturgo y periodista español. Jurista especializado en Derecho Cinematográfico y Teatral. Autor de un *Diccionario del cine español* (1966), Vizcaíno Casas es, ante todo, dramaturgo. Sin embargo, fueron sus novelas las que le dieron popularidad. Con prosa sencilla y agudo sentido del humor, aborda temas relacionados con el cambio político operado en España. Colabora en "ABC", "Gaceta Ilustrada" y "Sábado Gráfico". Premio Ministerio de Información 1966. Premio Valencia 1953. Premio Calderón de la Barca 1950.

vodanovic

OBRA PRINCIPAL: **Teatro**. *La senda iluminada* (1949); *El baile de los muñecos* (1950); *El escultor de sus sueños* (1953); *Las luciérnagas* (1963). **Novela**. *Niñas, al salón* (1976); *De camisa vieja a chaqueta nueva* (1976); *La boda del señor cura* (1977); *Y al tercer año resucitó* (1978); *Hijos de papá* (1980). **Memorias**. *Mis queridas nostalgias* (1970); *Contando los 40* (1971); *La España de la posguerra* (1975); *Mis audiencias con Franco y otras entrevistas* (1976). [P.S.]

VODANOVIC, Sergio (1926-   ).—Dramaturgo chileno, nacido en Yugoslavia y radicado en Chile desde su infancia. Ha impulsado el Teatro de Ensayo de la Universidad Católica. Asesor y subdirector del Taller de Escritores de la Universidad de Concepción. Miembro de la Comisión Nacional de Cultura, durante el gobierno de Frei. Su teatro realista y crítico analiza y denuncia la problemática social chilena. Su vasta obra sobrepasa los veinte títulos. Premio Municipal de Teatro 1952, 1959, 1964.

OBRA PRINCIPAL: **Teatro**. *El Senador no es honorable* (1952); *La cigüeña también espera* (1955); *Deja que los perros ladren,* (1959); *Viña* (1964); *Los fugitivos* (1965); *Perdón, estamos en guerra* (1966); *Nos tomamos la Universidad* (1969); *Cuántos años tiene un día* (1978). [P.S.]

W

WACQUEZ, Mauricio (1939-   ).–Narrador chileno. Estudió filosofía en la Universidad de Chile y lingüistica en la Universidad de París, donde se doctoró con una tesis sobre el lenguaje en San Anselmo. Fue profesor de filosofía en las universidades de Chile, La Habana y París. En Francia trabajó en el "Centre National de la Recherche Scientifique". Reside en España.

OBRA PRINCIPAL: **Cuento.** *Cinco y una ficciones* (1963); *Excesos* (1969). **Novela.** *Toda la luz del mediodía* (1965); *Paréntesis* (1975); *Frente a un hombre armado (cacerías de 1848)* (1981). [P.S.]

WALSH, María Elena (1930-   ).–Poeta y cantautora argentina. Se inició muy joven en la poesía con un libro que mereció el elogio de Juan Ramón Jiménez: *Otoño imperdonable.* En 1952 se radicó en Europa. Con Leda Valladares creó un dúo de gran éxito que marcó el inicio de su actividad como cantautora. También ha publicado varios libros y discos dedicados a los niños. En 1965 dio a conocer *Hecho a mano,* volumen que volvió a colocarla en la primera línea de la poesía joven de su país. Ha escrito además varias piezas de teatro para niños.

OBRA PRINCIPAL: *Otoño imperdonable* (1947); *Apenas viaje* (1948); *Baladas con Angel* (1951); *Casi milagro* (1958); *Hecho a mano* (1965). **Libros para niños.** *Tutú marambá* (1960); *El reino del revés* (1964); *Zoo loco* (1964); *Dailan Kifki* (1966); *Cuentos de Gulubú* (1967). [H.S.]

WALSH, Rodolfo (1927-1977).–Cuentista, dramaturgo y periodista argentino. Famoso por sus libros de reportajes sobre temas sociopolíticos de su país, en los que llevó la investigación profesional hasta el descubrimiento de verdaderos responsables en crímenes que oficialmente habían quedado sin resolver. Comenzó su actividad literaria como traductor y autor de cuentos policiales bajo seudónimo. Sus narraciones se reunieron en dos libros: *Los oficios terrestres* (1966) y *Un kilo de oro* (1967), que lo encuadran en la línea del realismo, dentro de un gran cuidado verbal que lo acerca a la vanguardia. En su pieza teatral *La granada* (1965), satiriza el militarismo y a los regímenes de fuerza latinoamericanos. Fue secuestrado a principios de 1977 y su nombre se encuentra en las listas de desaparecidos de su país.

OBRA PRINCIPAL: **Reportajes.** *Operación masacre* (1957); *El caso Satanowsky* (1958); *¿Quién mató a Rosendo?* (1969). **Narrativa.** *Los oficios terrestres* (1966) y *Un kilo de oro* (1967). **Teatro.** *La granada* (1965). [H.S.]

WESTPHALEN, Emilio Adolfo (1911-   ).—Poeta y diplomático peruano. Fundador y director de la revista "Las Moradas". Colaboró en la "Revista Peruana de Cultura" y dirigió la revista "Amaru". Poesía preocupada por el tiempo, la existencia, la muerte y la trascendencia. "Sin abandonar el superrealismo, Westphalen ordena el flujo psíquico con más claridad. Sus poemas rompen la estructura tradicional del verso y aún la estructura gramatical".

OBRA PRINCIPAL: *Las ínsulas extrañas* (1933); *Abolición de la muerte* (1935); *Otra imagen deleznable...* (1980). [P.S.]

WOLFF, Egon (1926-   ).—Dramaturgo chileno. Ingeniero químico de profesión, Egon Wolff "es acaso el dramaturgo hispanoamericano que ha logrado una obra más consciente, más compleja y sofisticada dentro de la corriente del teatro crítico" (Pedro Bravo-Elizondo). Su teatro es "una verdadera radiografía de la idiosincracia chilena" y su expresión estética "va del realismo puro a una búsqueda expresionista y superrealista, para luego penetrar en el realismo mágico. Sus obras son una continua interrogación del yo interior" (Boris Stoicheff).

Sus obras más celebradas son: *Los invasores* y *Flores de papel;* ésta "incursiona en el territorio enigmático de los arquetipos humanos como son el miedo, la sensación de amenaza, el misterio..."

OBRA PRINCIPAL: *Discípulos del miedo* (1958); *Parejas de trapo* (1960); *La niña madre* (1961); *Esas cincuenta estrellas* (1962); *Los invasores* (1963); *El signo de Caín* (1965); *Flores de papel* (1968); *Kindergarten* (1969); *Espejismos* (1970); *José* (1978). [P.S.]

wyld ospina

WYLD OSPINA, Carlos (1891-1956).—Poeta guatemalteco. Novelista, cuentista, ensayista. Desde muy joven colaboró en revistas científicas y literarias y diarios de información general. Formó parte del grupo llamado "Los Líricos". Tomó parte activa en los movimientos revolucionarios. A pesar de haber sido autodidacto, ejerció la docencia desde la enseñanza en escuelas rurales hasta la cátedra universitaria.

OBRA PRINCIPAL: **Poesía.** *Las dádivas simples* (1921); *La tierra de las Nahuyacas* (1933). **Novela.** *El solar de los Gonzagas* (1924); *La gringa* (1935); *Los lares apagados* (1958). **Ensayo.** *El autócrata* (1929). [C.T.]

X

X-504 (1933-197).—Véase **Jaramillo Escobar, Jaime.**

XIRAU, Ramón (1924—   ).—Escritor mexicano, nacido en Barcelona (España). Reside en México desde 1939. Miembro del Colegio Nacional. Fundador y director de la revista "Diálogos". Profesor de filosofía en la UNAM. Poeta y ensayista de expresión bilingüe (catalán y castellano). Su contribución al ensayo hispanoamericano es muy importante, en especial en el ámbito de la crítica hermenéutica. Son conocidos sus estudios sobre Descartes y sus ensayos sobre Octavio Paz, José Gorostiza y César Vallejo.
   OBRA PRINCIPAL: **Poesía.** *Dies poemes* (1953); *L'espill soterrat* **(1955). Ensayo.** *Método y metafísica en la filosofía de Descartes* (1946); *Duración y existencia* (1947); *Sentido de la presencia* (1953) *Tres poetas de la soledad (Villaurrutia, Paz, Gorostiza)* (1955); *El péndulo y la espiral* (1959); *Las máquinas vivas* (1959); *Poesía hispanoamericana y española* (1961); *Poetas de México y España* (1962); *Introducción a la historia de la filosofía* (1964); *Octavio Paz, el sentido de la palabra* (1970); *De ideas y no ideas* (1974); *Poesía y conocimiento* (1978); *Poesía iberoamericana* (1979); *Dos poetas y lo sagrado* (1980). [P.S.]

Y

YANKAS, Lautaro (1902-   ).—Seudónimo de Manuel Soto Morales. Narrador chileno. Escritor de raigambre popular, evoca las regiones de Chile y sus pobladores. Como Marta Brunet, se inclina por los temas rurales. En su obra de hondo sentimiento telúrico, el paisaje es descrito con lirismo. Premio Unión de Universidades Latinoamericanas, 1955. *Flor Lumao* es considerada su mejor novela, aunque las más conocidas sean *El cazador de pumas* y *El vado de la noche.*

OBRA PRINCIPAL: *La bestia hombre* (1924); *Flor Lumao* (1932); *La morena de la loma* (1935); *La llama* (1940); *La ciudad dormida* (1943); *Rotos* (1945); *El cazador de pumas* (1947); *Conga el bandido* (1953); *Garra de puma* (1953); *El vado de la noche* (1955). [P.S.]

YÁNOVER, Héctor (1929-   ).—Poeta argentino. Su obra toma por momentos un tono casi mesiánico de la función poética. Algunos de sus mayores aciertos se encuentran en poemas sencillos enraizados en la copla. Su recurrencia a los recuerdos de infancia se advierte en su único libro de prosa: *Las estaciones de Antonio,* donde narra las peripecias de un muchacho provinciano en la gran ciudad. Asimismo ha realizado tareas críticas y es autor de varias antologías poéticas.

OBRA PRINCIPAL: **Poesía.** *Hacia principios del hombre* (1951); *Secuencia de la paloma de la paz* (1954); *Elegía y Gloria* (1958); *Las iniciales del amor* (1960); *Arras para otra boda* (1964); *Antología poética* (1973). **Narrativa.** *Las estaciones de Antonio* (1972). **Ensayo.** *Raúl González Tuñón* (1962). [H.S.]

YÁÑEZ, Agustín (1904-1980).—Escritor mexicano. Abogado, político, maestro y doctor en Filosofía. Gobernador del Estado de Jalisco (1953-1959). Subsecretario de la Presidencia de la República

ycaza tigerino

(1962-1964). Ministro de Educación Pública (1964-1970). Profesor
en la UNAM y en el Colegio de México. Director de la Academia
Mexicana de la Lengua. Miembro del Colegio Nacional.
Cultivó todos los géneros literarios, pero su celebridad de
escritor la alcanzó con sus novelas. Se inició en el movimiento de
narradores de la revolución mexicana. Yáñez es considerado el nexo
entre la generación de Mariano Azuela y la de Rulfo. Su novela *Al
filo del agua* constituye, junto con *Pedro Páramo*, de Rulfo, un hito
en la novelística mexicana. Yáñez expresa un mundo cerrado,
sombrío y oprimido por resentimientos y temores. Su prosa tiene un
acento épico y barroco, en la cual se detecta la impronta de Quevedo
y Faulkner. Es autor de una biografía de Fray Bartolomé de las
Casas.
OBRA PRINCIPAL: **Novela**. *Flor de juegos antiguos* (1942);
Pasión y convalecencia (1944); *Archipiélago de mujeres* (1943); *Al
filo del agua* (1947); *La creación* (1959); *Ojerosa y pintada* (1960);
La tierra pródiga (1960); *Las tierras flacas* (1964). [P.S.]

YCAZA TIGERINO, Julio (1919-   ).—Escritor nicaragüense.
Poeta, ensayista, periodista. Formó parte del Grupo de Vanguardia.
Con Pablo Antonio Cuadra y Joaquín Pasos colaboró en el suplemento de los lunes de "La Prensa". Miembro de la Academia
Nicaragüense de la Lengua. Residió en España de 1946 a 1950.
Dedicado especialmente a la Sociología, ha publicado diversos libros
de sociología política. Premio Rubén Darío de Ensayo 1957.
OBRA PRINCIPAL: **Poesía**. *Poemas del campo y de la muerte*
(1959); *Tierra de promisión* (1960). **Ensayo**. *Génesis de la independencia hispanoamericana* (1947); *Originalidad de Hispanoamérica*
(1952); *La poesía y los poetas de Nicaragua* (1957); *Hacia una
sociología hispanoamericana* (1958); *Los Nocturnos de Rubén Darío
y otros ensayos* (1964); *Perfil político y cultural de Hispanoamérica*
(1971). [P.S.]

YOUNG NÚÑEZ, César (1934-   ).—Poeta panameño perteneciente a la corriente de la antipoesía. Su estilo está cargado de humor, giros coloquiales y elementos provenientes de la cultura popular. De ascendencia china, Young Núñez es el poeta de lo cotidiano
y del absurdo.
OBRA: *Poemas de rutina* (1967); *Instrucciones para los ángeles*
(Premio Universidad 1972-1973); *Carta a Blanca Nieves* (1978). [J.P.]

yurkiévich

YURKIÉVICH, Saúl (1931-   ).—Ensayista y poeta argentino. Yurkiévich se mueve "alternativa y simultáneamente entre diversas prosodias y poéticas dispares. Contra toda fijeza preceptiva, contra toda normativa categórica, aspira a una libertad que se complace en el ejercicio de todas las posibilidades poéticas".

Su obra ensayística —centrada en el análisis de la poesía hispanoamericana— es una explicación del fenómeno vanguardista en los dominios de la lengua española.

Profesor en la Universidad de Vincennes. Colabora en las revistas "Vuelta", de México; "Eco", de Bogotá y "Quimera", de Barcelona. La editorial Seghers publicó, bajo el título de *Envers,* una antología bilingüe de la poesía de Yurkiévich en su colección "Au tour du monde".

OBRA PRINCIPAL: **Poesía.** *Volanda linda lumbre* (1958); *Ciruela de Loculira* (1965); *Berenjenal y merodeo* (1966); *Fricciones* (1969); *Cuerpos/Körpen* (1970); *Retener sin detener* (1972). **Ensayo.** *Valoración de Vallejo* (1958); *Modernidad de Apollinaire* (1968); *Vicente Huidobro* (1969); *Fundadores de la nueva poesía latinoamericana* (1971); *Poesía hispanoamericana, 1960-1970* (1972); *Confabulación con la palabra* (1978). [P.S.]

Z

ZAID, Gabriel (1934-   ).—Escritor mexicano. Poeta y ensayista. Ingeniero industrial. De un gongorismo inicial, derivó hacia una lírica depurada con destellos de ironía. Epigramático y elegíaco.

OBRA PRINCIPAL: **Poesía.** *Seguimiento* (1964); *Campo nudista* (1969); *Práctica mortal* (1973); *Cuestionario (1951-1976)* (1976). **Ensayo.** *La máquina de cantar* (1967); *La poesía* (1972); *Los demasiados libros* (1972); *Cómo leer en bicicleta* (1975); *El progreso improductivo* (1979). **Antología.** *Omnibus de poesía mexicana* (1971). [C.T.]

ZALAMEA, Jorge (1905-1969).—Escritor colombiano. Miembro del grupo "Los Nuevos", cuya revista fundó y dirigió junto con Alberto Lleras Camargo. Vivió en el exilio al tomar el poder el Partido Conservador, en 1948. Narrador, ensayista, traductor de poesía francesa. Son particularmente conocidas sus espléndidas versiones de Saint-John Perse. *El gran Burundún Burundá ha muerto* está considerado como un hito en el proceso de modernización de la prosa colombiana. Premio Lenin de la Paz 1968. Premio Casa de las Américas/Ensayo, 1965.

OBRA PRINCIPAL: **Relato.** *El gran Burundún Burundá ha muerto* (1952). **Ensayo.** *Nuevos artistas colombianos* (1941); *El elogio de la verdad* (1948); *Minerva en la rueca y otros ensayos* (1949); *Antecedentes históricos de la Revolución Cubana* (1961); *La poesía ignorada y olvidada* (1965). [P.S.]

ZALAMEA BORDA, Eduardo (1907-1963).—Narrador colombiano. Renovador de la prosa narrativa en Colombia. Hizo en prosa lo que los "piedracelistas" hicieron en verso: decantó la prosa liberándola de reminiscencias modernistas. "El estilo de Zalamea Borda es metafórico y rico de contenido emocional y el conjunto de su obra

455

zambrano

es un relato lleno de movimiento expresado en forma poética"
(Arturo Torres-Rioseco).

OBRA PRINCIPAL: **Novela.** *Cuatro años a bordo de mí mismo. Diario de los cinco sentidos* (1934). [J.P.]

ZAMBRANO, María (1904-).—Ensayista española. Discípula de Ortega y Gasset, pertenece a la denominada Escuela de Madrid. Sus ensayos constituyen una verdadera creación poética en torno al tema de la vida filosófica. Preocupada por el fenómeno estético y religioso, Zambrano afirma que hay un sustrato más fundamental en la vida humana que la "creencia": la esperanza, una esperanza unida siempre a una desesperación. Vinculada, en cierta medida, al pensamiento existencialista, María Zambrano residió, exiliada, en Francia, Italia, Cuba, México, Puerto Rico y Suiza. Reside en Ginebra. Premio Príncipe de Asturias 1981.

OBRA PRINCIPAL: *Horizontes del liberalismo* (1930); *Los intelectuales en el drama de España* (1937); *Filosofía y poesía* (1939); *Pensamiento y poesía en la vida española* (1939); *El pensamiento vivo de Séneca* (1944); *La agonía de Europa* (1945); *Hacia un saber sobre el alma* (1950); *El hombre y los divino* (1955); *Persona y democracia* (1959); *La España de Galdós* (1960); *España: sueño y verdad* (1965); *El sueño creador* (1965); *La tumba de Antígona* (1967); *Claros del bosque* (1977); *Dos escritos autobiográficos* (1981). [P.S.]

ZAPATA OLIVELLA, Manuel (1920-).—Narrador colombiano. Cuentista y novelista. Su temática social, tratada con realismo, suele iluminarse con las luces fantásticas de la farsa, la pesadilla y el delirio.

OBRA PRINCIPAL: **Novela.** *Detrás del rostro* (1962); *En Chimá nace un santo* (1964). **Cuento.** *La calle diez* (1960); *¿Quién dio el fusil a Oswald? y otros cuentos* (1967). [J.P.]

ZAVALETA, C[arlos] E[duardo] (1928-).—Narrador, ensayista y diplomático peruano. Pertenece a la generación del 50. Estudioso de la novelística norteamericana, su obra expresa los goces y las crueldades de un mundo oprimido por el odio y la violencia. Con prosa precisa y vigorosa conciencia crítica, describe el contrapunto natural entre ciudad y campo, capital y provincia. Ha traducido a James Joyce y a Nathaniel Hawthorne. Premio Ricardo Palma 1952, 1960. Premio Manuel González Prada 1959.

OBRA PRINCIPAL: **Novela.** *El clínico* (1948); *Los Ingar*

(1955); *Los aprendices* (1974). **Cuento.** *La batalla* (1954); *Unas manos violentas* (1958); *El Cristo Villenas* (1956); *Vestido de luto* (1961); *Muchas caras del amor* (1966); *Niebla cerrada* (1970). **Ensayo.** *La novela de Hemingway* (1958); *William Faulkner, novelista trágico* (1959). [P.S.]

ZEITLIN, Israel (1906-1980).–Véase **TIEMPO, César.**

ZELLER, Ludwig (1905-   ).–Poeta chileno. Con Humberto Díaz Casanueva y Rosamel del Valle conforma el grupo órfico del superrealismo chileno. Es célebre su poema erótico "Mujer en sueño". La relación amor-muerte, el azar, los sueños, el deseo, iluminan los laberintos verbales de este discípulo de Breton. Reside en Canadá.

OBRA PRINCIPAL: **Poesía.** *Las reglas del juego* (1964); *Cuando el animal de fondo sube la cabeza estalla* (1976). [P.S.]

ZEPEDA, Eraclio (1937-   ).–Poeta, narrador y dramaturgo mexicano. Pertenece al grupo "La Espiga Amotinada". Profesor de Literatura. Director del Sistema para el Desarrollo Integral de la Familia (DIF). Próximo a Cesare Pavese, su poesía –arraigada en la realidad– trasmuta el dato geográfico e histórico en mito y magia. Notable cuentista, se interesa por temas y personajes del universo indígena.

OBRA PRINCIPAL: **Poesía.** *Los soles de la noche* (en *La Espiga Amotinada,* 1960); *Isela* (1962); *Compañía de combate* (1963); *Relación de travesía* (en *Ocupación de la Palabra,* 1965). **Cuento.** *Benzulul* (1959); *Tres cuentos* (1960). **Teatro.** *El tiempo y el agua* (1965). [P.S.]

ZEPEDA-HENRÍQUEZ, Eduardo (1930-   ).–Poeta y ensayista nicaragüense vinculado a la generación española del 50. Catedrático de la Universidad Centroamericana. Director de la Biblioteca Nacional de Managua y director general de Extensión Cultural. Miembro de las Academias de la Lengua y de la Historia. Premio Nacional de Poesía Rubén Darío 1951. Premio Juan Boscán 1962. En colaboración con Pablo Antonio Cuadra publicó *Antología del Centenario de Rubén Darío.*

Espíritu cosmopolita, Zepeda-Henríquez concibe la poesía como "la imagen universal de una experiencia personalísima". Su poesía,

zubizarreta

de estilo versicular, es de amplio registro. Heredero de la vanguardia, practica el *collage,* la disposición plástica de los versos y aplica —al poema— sus conocimientos musicales nada comunes. Poesía de orquestación sinfónica, hunde sus raíces en el tiempo y en la historia.

OBRA PRINCIPAL: **Poesía.** *Lirismo* (1948); *El principio de canto* (1951); *Mástiles* (1952); *Poema campal del prójimo* (1956); *Como llanuras* (1958); *Cinco poemas* (1958); *Cuaderno de a mano alzada* (1962); *A mano alzada* (1970); *En el nombre del mundo* (1981). **Ensayo.** *Poesía moderna centroamericana* (1956); *Caracteres de la literatura hispanoamericana* (1964); *Alfonso Cortés, al vivo* (1966); *Introducción a la Estilística* (1967); *Estudio de la Poética de Rubén Darío* (1967); *Horacio en Nicaragua o la lengua culta de Salomón de la Selva* (1972); *La formación francesa de Darío en la Biblioteca Nacional de Nicaragua* (1974); *Folklore nicaragüense y mestizaje* (1976). [P.S.]

ZUBIZARRETA, Carlos (1904-   ).—Poeta, cuentista y ensayista paraguayo. Pertenece a la promoción de 1923. Director de la revista modernista "Juventud". Su fuerte es el ensayo histórico, género donde ha descollado.

OBRA PRINCIPAL: **Ensayo.** *Acuarelas paraguayas* (1940); *Historia de mi ciudad* (1946); *Capitanes de la aventura* (1957); *Cien vidas paraguayas* (1961). **Cuento.** *Los grillos de la duda* (1966). [L.F.]

ZUNZUNEGUI, Juan Antonio de (1901-   ).—Narrador español. Licenciado en Derecho. Su obra oscila entre el realismo crítico y el costumbrista. "La obra de Zunzunegui presenta, entre otros rasgos característicos, el gusto por la descripción minuciosa de la vida contemporánea, la composición de vastos cuadros sociales en los que pululan una serie de tipos mezquinos —el señorito, el nuevo rico, el pícaro— y el uso de un lenguaje cada vez más escueto" (José García López). En *El Premio* cuenta "los aspectos más deleznables de los certámenes literarios".

Sus novelas más célebres: *El chipichandle, El barco de la muerte* y *La vida como es.* Miembro de la Real Academia Española. Premio Fastenrath, de la Real Academia 1943. Premio Nacional de Literatura 1948. Premio Instituto de Cultura Hispánica 1951. Premio Alvarez Quintero, de la Real Academia, 1951. Premio Círculo de Bellas Artes 1952. Premio Larragoiti 1957. Premio Hucha de Plata 1966.

zunzunegui

OBRA PRINCIPAL: **Cuento**. *El binomio de Newton y otros cuentos* (1944). **Novela**. *Chiripi* (1925); *El chipichandle* (1940); *¡Ay... estos hijos!* (1943); *El barco de la muerte* (1945); *La quiebra* (1947); *La úlcera* (1948); *Las ratas del barco* (1950); *El supremo bien* (1951); *Esta oscura desbandada* (1952); *La vida como es* (1957); *El mundo sigue* (1960); *El premio* (1960); *Un hombre entre dos mujeres* (1966). [P.S.]